COMPOSICION

Este libro debe servir de texto para las Escuelas Superiores, para las Academias y Escuelas de Comercio y demás Centros de Segunda Enseñanza.

edicion revisada

Obra adaptada a los Programas Oficiales y ajustadas a las nuevas normas de la Academia de la Lengua.

COMPOSICION

por el

Dr. Joaquín Añorga Larralde

Lecciones graduadas de
LENGUAJE - GRAMATICA - TRABAJOS DE REDACCION
CORRESPONDENCIA COMERCIAL

Ediciones Escolares
"La Escuela Nueva"
Apartado 19.092
Madrid - España

Dedico esta obra a mis queridos hijos
Rosa Amparo, Joaquín y Raúl.

Es propiedad
LA ESCUELA NUEVA
Editores

I.S.B.N. 84—399—3627—3
Depósito Legal M—29209—1976
Impreso en España — Printed in Spain
MELSA Pinto (MADRID)

PREFACIO

En nuestros centros superiores de enseñanza escasean los libros de texto sobre lecciones graduadas y ejercicios prácticos relativos al Lenguaje y la Composición. La obra titulada Composición *que doy a la publicidad, viene a llenar, en gran parte, esta necesidad, y espero que sea muy útil a los estudiantes de la segunda enseñanza; a los matriculados en las escuelas superiores y para los que estudien en academias y escuelas profesionales de comercio.*

La obra Composición *trata de los conocimientos fundamentales del Lenguaje, de la Gramática, de la Correspondencia Comercial, y de distintas clases de trabajos de redacción. La obra comprende 154 lecciones que han sido graduadas para explicarlas durante tres cursos. Además, 6 apéndices. Conjuntamente con el texto, se ha publicado un* Cuaderno de ejercicios prácticos *que el alumno utilizará en los trabajos de aplicación.*

Los ejercicios prácticos del referido cuaderno, han sido numerados de acuerdo con las lecciones del texto. A cada contestación o ejercicio se le ha señalado el espacio necesario para su completo desarrollo. Al principio de cada serie aparecen espacios en blanco para el nombre del alumno, la fecha y la calificación obtenida. La principal finalidad de estos ejercicios prácticos es la de crear el hábito del estudio y de la investigación, para lograr que cada estudiante se convierta en un autodidacto.

He tratado de desarrollar las lecciones de esta obra, de acuerdo con las más modernas orientaciones pedagógicas, y he tratado también de aplicar en cada caso que me ha sido posible, la marcha inductiva en el aprendizaje de los diversos conocimientos de esta extensa materia.

Posiblemente, la obra tendrá defectos y deficiencias que los bondadosos profesores y estudiantes sabrán dispensar. Cualquier crítica constructiva que de ella se haga, será motivo para su mejoramiento en una edición futura.

El Autor

5

INTRODUCCIÓN

Componer *es construir, formar, producir un conjunto ordenado y armónico. Se componen palabras, frases, oraciones, cláusulas, párrafos, textos, etc., cuando se logra combinar y concertar sus elementos para producir un todo correcto, grato, armonioso e inteligible.*

La palabra composición *tiene dos acepciones principales: Llamamos* composición *al conjunto de palabras, frases y oraciones que armónicamente combinadas expresan una unidad del pensamiento. Y llamamos también* composición *al arte de coordinar las palabras, las frases y las oraciones para expresar un conjunto claro, correcto, elegante, en forma oral o escrita.*

Para llegar a poseer el arte de la *composición es necesario estudiar ampliamente el lenguaje, conocer sus cualidades y el vocabulario de nuestro idioma. Es necesario además, saber aplicar las reglas de la Gramática para expresarnos correctamente, y realizar una práctica intensa de los ejercicios de redacción, para adquirir y cultivar nuestro estilo.*

Por lo expuesto anteriormente, se infiere, que el estudio de la *composición abarca un campo extenso y variado, el cual comprende:*

I. — Estudios de las palabras:

1. — *Sus elementos morfológicos; su derivación y su composición.*
2. — *Sus etimologías.*
3. — *Sus significados y afinidades; sinónimos, antónimos, parónimos, homónimos, homófonos y demás voces afines.*
4. — *Su correcta pronunciación* (Prosodia).
5. — *Su correcta escritura* (Ortografía).
6. — *Sus valores gramaticales* (Analogía).

II. — Estudios de las frases, de las oraciones y de las cláusulas:

1. — *Sus elementos, relaciones, coordinaciones y funciones.* (Sintaxis).

III. — Estudios de las cualidades del Lenguaje y del párrafo:

1. — *Pureza, Corrección, Propiedad, Precisión, Variedad, etc.*
2. — *Estructura del párrafo, sus cualidades y relaciones entre sí.*
3. — *Estilo.*

IV. — Estudios de las distintas clases de Composiciones:

1. — *Narraciones: cuentos, historias, biografías, anécdotas, leyendas, fábulas, parábolas, etc.*
2. — *Descripciones.*
3. — *Diálogos, artículos, ensayos, monografías, etc.*
4. — *La expresión oral, la conversación, los discursos, etc.*

V. — Lectura de modelos de autores ejemplares.

VI. — Ejercicios prácticos de redacción.

VII. — Estudio especial de la correspondencia:

1. — *Distintas clases de cartas.*
2. — *Las cartas comerciales.*

PRIMERA PARTE

ESTUDIOS DEL LENGUAJE Y LA GRAMATICA

Lección 1

LENGUAJE. LENGUA.
LAS CIENCIAS DEL LENGUAJE

Lenguaje. Concepto y clasificación. — La facultad que posee el hombre para expresar su vida interior, sea cual sea el medio que utilice, se llama *lenguaje*. *Lenguaje* es, pues, cualquier procedimiento empleado por el hombre para proyectar al exterior lo que él piensa, siente o quiere. Tan lenguaje es, por ejemplo, una señal de tránsito como la expresión hablada o escrita del pensamiento.

Esto nos lleva a la conclusión de que el *lenguaje* es un fenómeno general, cuyas realizaciones concretas son muchas y variadas. De aquí la necesidad de su *clasificación*. Señalemos tres grandes grupos:

a) CINESTÉSICO: Si la expresión es conseguida mediante movimientos del cuerpo humano. Ej. *el lenguaje mímico.*

b) GRÁFICO: Si la expresión es conseguida por signos —convencionales o no—, desenvueltos en el espacio. Ej. *la escritura.*

c) FÓNICO: Si la expresión es conseguida mediante sonidos desenvueltos en el tiempo. Ej. *el lenguaje articulado.*

Idioma o lengua. — Cuando *el lenguaje articulado* constituye la especial manera de hablar de un grupo determinado de individuos, le damos el nombre de *idioma o lengua*. No hay que confundir, por tanto, *lenguaje* con *lengua*, ni a ésta con *habla*.

El *lenguaje* es la facultad del hombre para expresarse.
La *lengua* es una especial manera del lenguaje. Y *habla*, la interpretación voluntaria de la lengua por un individuo.

Las *lenguas*, que en la actualidad pasan de las dos mil, se hallan muy desigualmente repartidas, pues mientras que algunas, como el chino, son habladas por más de 600 millones de personas, otras, en cambio, no llegan al millar de sus hablantes. Tal les ocurre a algunas de los pueblos indígenas de América.

11

Los idiomas de cultura occidental más extendidos son: el inglés (280 millones); el ruso (200); el español (160); el alemán, el francés, el portugués y el italiano.

Dialecto. — Es la variante de un idioma, y sin que esta variante altere fundamentalmente la lengua común. Ej. el andaluz y el extremeño con relación al español.

El origen del idioma castellano. — Antes de la conquista de España por los romanos, en la Península se hablaban varias lenguas que se llamaron *lenguas ibéricas*. Cuando los romanos conquistaron a España (2 siglos antes de J.C.), introdujeron e impusieron la *lengua latina*. Este latín se transformó notablemente y llegó a convertirse en una nueva lengua llamada *lengua romance*, que así se llaman todas las lenguas derivadas del idioma de los romanos: el provenzal, el catalán, el francés y el italiano. El latín modificado se extendió por toda la Península formándose las tres lenguas romances: español, portugués y catalán. Sólo una parte no recibió la influencia: las provincias vascongadas, donde aún se habla el *vasco* o *éuscaro*.

El romance castellano llegó a preponderar en el centro de España hasta convertirse en idioma oficial de esta nación. Sin embargo, además del número considerable de elementos latinos que hay en nuestro idioma, abundan en él muchas palabras germánicas; hay también vocablos del inglés, del francés, del italiano y muchos americanismos. Por otra parte, el árabe influyó notablemente en la formación de nuestra lengua.

La Academia Española de la Lengua es la autoridad que mantiene la pureza del idioma y estudia su evolución. Esta corporación integrada por hombres sapientes y estudiosos, publica periódicamente dos obras importantísimas que son las fuentes esenciales para la adquisición de los conocimientos relativos a nuestra lengua: *el Diccionario de la Academia y la Gramática.*

El diccionario es un libro que contiene por orden alfabético casi todas las palabras y locuciones de un idioma con su correspondiente explicación. El número total de palabras que tienen generalmente los diccionarios no pasa de 100.000. Gran número de estas palabras no se emplea en el uso corriente. Una persona no necesita conocer tan enorme número de palabras para poder expresar lo que piensa o quiere.

El número de palabras que posee una persona está en relación con su cultura. Es muy difícil precisar la importancia del vocabulario (conjunto de palabras) de cada persona según su actuación social.

Se supone que un trabajador rural, de muy poca cultura posee un vocabulario que no pasa de 1.000 palabras. Un comerciante de cultura media emplea unas 3.000 ó 4.000. Un escritor o una persona muy culta puede llegar a conocer hasta 10.000 palabras.

Uno de los principales propósitos, de un buen estudiante de Composición, debe ser el de enriquecer su vocabulario, y el frecuente uso del Diccionario contribuirá a lograr ese enriquecimiento.

Las ciencias del lenguaje. — Dada la complejidad del fenómeno lingüístico, son muchas las ciencias que han de estudiarlo. Las más importantes ciencias del lenguaje son:

La Lingüística, que es la ciencia general, la que estudia el lenguaje de un modo total.

La Filología es, en cambio, la ciencia de las lenguas en particular.

La Gramática, cuyo concepto ha experimentado grandes cambios, es hoy considerada como la ciencia que estudia las leyes y reglas que rigen a un idioma en un momento concreto de su evolución.

El conjunto de las reglas gramaticales constituye el «arte» de la Gramática, ya que arte es el conjunto de reglas que nos enseñan a hacer bien una cosa. Cuando la Gramática estudia las expresiones del habla y la estructura del idioma, para inducir las leyes por las cuales se rige, es decir, estudia las relaciones existentes entre el pensamiento y la expresión hablada, entonces hay que considerarla como «ciencia», puesto que la ciencia estudia la naturaleza y sus fenómenos.

Partes de la Gramática. — Desde un punto de vista normativo sigue vigente la clasificación de la Gramática en sus cuatro partes tradicionales:

Morfología: Estudio de la palabra y sus accidentes.

Sintaxis: Estudio de la palabra en la frase.

Prosodia: Estudio de la palabra en su recta pronunciación.

Ortografía: Estudio de la palabra en su recta escritura.

EJERCICIOS. — ¿Qué es el Lenguaje? — ¿Qué es el idioma? — ¿Cuáles son los idiomas europeos más hablados? — ¿Qué son los dialectos? — ¿Cuáles son las lenguas romances y por qué se llaman así? — ¿Qué elementos de otros idiomas abundan en el nuestro? — ¿Qué estudia la Gramática? — ¿Qué es la Lingüística? — ¿Cómo se ha dividido la Gramática? — ¿Qué es la Academia Española de la Lengua? — ¿Qué es el diccionario? — ¿Por qué debemos enriquecer nuestro vocabulario?

Lección 2

LAS IDEAS, LAS PALABRAS Y LAS FRASES. LOS PENSAMIENTOS Y LAS ORACIONES

Las ideas. — Por medio de los sentidos recibimos múltiples sensaciones y percepciones que fijan en nuestra mente las imágenes de las cosas. Cuando una imagen se convierte en símbolo de algo, es decir, cuando va asociada a una significación determinada, recibe el nombre de *idea*.

Las palabras y las frases son los medios de expresión de las ideas. Hay palabras como las conjunciones y las preposiciones (*y, que, ni, porque, por, hacia, etc.*) que por sí solas no suscitan una idea en la mente; esos vocablos son más bien, elementos de enlace que verdaderas palabras.

Las palabras *libro, niño, papel*, expresan ideas indeterminadas. Los grupos de palabras: *Un libro nuevo, niño enfermo, papel de carta*, expresan ideas más definidas, aunque se refieren a una sola idea.

El grupo de palabras que expresa una idea única, se llama *frase*.

Como hemos visto, hay signos de expresión que representan verdaderas ideas: se llaman *palabras* y también *voces, vocablos, términos o dicciones*. Ejemplos: *casa, largo, saltar, fiel, Venezuela*.
Hay también signos de expresión que sirven para establecer relaciones, nexos o enlaces. Ejemplos: *y, porque, con, desde, pero, etc.*

Las palabras pueden estar formadas de un solo vocablo como *papel, carril, libros, leal, vecino;* son *palabras simples*.

Pueden estar compuestas de más de un vocablo como *pisapapel, ferrocarril, portalibros, desleal, convecino;* son *palabras compuestas*.

Las frases pueden estar formadas de dos palabras o de otras muchas. Ejemplos: *Calle ancha. Piel de becerro. Un ciudadano americano consciente. El Apóstol de la Independencia de Cuba, El Libertador de América.*

14

Los juicios o pensamientos y las oraciones. — A la comparación mental que hacemos entre dos o más ideas para afirmar, negar, dudar, o determinar alguna posibilidad se le llama *juicio o pensamiento*. Cuando decimos, *el perro cazó un ratón* expresamos varias ideas y al mismo tiempo afirmamos algo del perro.

Si decimos, *el hombre no saludó*, también expresamos más de una idea y negamos algo del hombre.

En la expresión *¿Ella habrá gastado el dinero?* — expresamos una duda.

El conjunto de palabras que expresan un pensamiento o juicio se llama *oración*.

Si comparamos la frase: *El niño simpático* con la oración: *El niño simpático saludó*, notaremos que en la oración se emplea una palabra que atribuye o achaca algo a la idea principal, palabra que gramaticalmente se llama *verbo*. Las frases carecen de verbo. En toda oración siempre hay un verbo.

EJERCICIOS. — Cite cinco palabras que expresen cosas completamente distintas. — Diga brevemente lo que es palabra.

Construya una frase con cada una de estas palabras:

| *patria* | *mar* | *ahorro* | *papel* | *cueva* | *montaña* |

Diga brevemente lo que es frase. — Exprese una afirmación, una negación, una duda y una posibilidad acerca de estas ideas:

    La carta.   *El hombre honrado.*

Diga cuáles son los verbos empleados en esas expresiones. — Diga brevemente lo que es una oración.

Distinga estas expresiones, diciendo si son palabras, elementos de enlace, frases u oraciones:

las noches estrelladas de enero   *Enrique canta*
Inés pintó un cuadro   *ella llamó*
por consiguiente   *hasta*
nublado   *en*
María está enferma   *día caluroso*

Lección 3

LOS COMPONENTES DE LA ORACIÓN

Las partes de la oración. — Expresamos nuestros pensamientos por medio de oraciones. Las palabras que forman la oración tienen distintos oficios y valores. Veamos esta oración:

«*Los osados marineros salvaron la embarcación de un horrible naufragio*».

Si nos fijamos en las palabras que forman esa oración, veremos que desempeñan distintos oficios; así, unas designan personas (marineros) o cosas (embarcación), otras, acción (salvaron), cualidades (osados, horribles); otras sirven de enlace (de) o para delimitar o determinar (la), etc.

Todas las palabras de nuestro idioma se han clasificado tradicionalmente en nueve clases, atendiendo al oficio o función que desempeñan como partes de la oración: *nombre o sustantivo, pronombre, adjetivo, artículo, verbo, adverbio, preposición, conjunción e interjección*.

La Gramática moderna, especialmente a partir del siglo XIX, ha desechado sistemáticamente esta clasificación tradicional, aceptándose, por la mayoría de los gramáticos, únicamente como partes de la oración al sustantivo, adjetivo, verbo y adverbio (expresiones de conceptos), y a la preposición y conjunción (expresión de relaciones).

El artículo, el pronombre y la interjección, especialmente, quedaron fuera de la clasificación tradicional. El artículo, por ser un adjetivo demostrativo de significación debilitada. El pronombre, por no poseer significado propio por él mismo. Y la interjección por considerársele, más que parte de oración, equivalente de oración.

No obstante, dado que este libro es una obra fundamentalmente didáctica destinada a estudiantes de enseñanzas medias, mantenemos como partes de oración al artículo y al pronombre, y eliminando a la interjección, cuyo estudio corresponde a la sintaxis.

De las partes de la oración son, sin duda, las más importantes, el nombre y el verbo, a cuyo alrededor se agrupan el artículo y el adjetivo, el pronombre y el adverbio. Con valores aparte quedan la preposición y la conjunción.

Partes de la oración y elementos sintácticos. — Las palabras adquieren su pleno significado cuando van engarzadas en la oración, esto es, cuando en una oración cumplen un oficio determinado. Sea, por ejemplo, la palabra *recibo* en dos oraciones diferentes:

> *Hoy no recibo las mercancías.*
> *Te di el recibo.*

En la primera oración «recibo» es un verbo. En la segunda esta misma palabra es un sustantivo y hace oficio de complemento directo.

Pero no es esto sólo. No se puede confundir *parte de la oración* con *elemento sintáctico*, que es una categoría gramatical de mayor amplitud.

La categoría gramatical de *elemento sintáctico* viene presupuesta por la función —y no por el significado— que la palabra o conjunto de palabras desempeñan en la oración. Ejemplo: *Yo estudio* es una oración formada por dos elementos sintácticos: uno llamado *sujeto* y formado por la palabra *yo*, y otro al que denominamos *predicado* y formado por la palabra *estudio*. En este ejemplo ambos elementos sintácticos están representados por sendas partes de la oración: el sujeto está representado por la parte de la oración que llamamos *pronombre*, y el predicado por otra parte de la oración que conocemos por la palabra *verbo*.

Sin embargo, esto no es lo frecuente. Casi siempre los elementos sintácticos oracionales están constituidos por varias partes de oración. Ejemplo: *Un perro rabioso mordió a mi vecino*. En esta oración el elemento sintáctico *sujeto* está constituido por un artículo («un»), un nombre («perro») y un adjetivo («rabioso»), mientras que el elemento sintáctico *predicado* está formado por un verbo («mordió»), por una preposición («a»), por un adjetivo («mi») y por un nombre («vecino»).

Los elementos sintácticos esenciales de la oración. — En toda oración hay dos elementos sintácticos esenciales, coincidentes con los mismos esenciales del juicio. Son éstos: el *sujeto* y el *predicado*. Sean las oraciones:

> *El labrador ara la tierra*
> *Luis es un buen chico*
> *La gallina cacarea*

17

En estas tres oraciones hay unos elementos de los que se dice algo. Son respectivamente *El labrador, Luis* y *La gallina,* que son los *sujetos* de sus correspondientes oraciones.

Sujeto es, pues, aquello de que se habla o se escribe algo.
Predicado es, por tanto, todo aquello que se dice del sujeto.

EJERCICIOS. — Construya oraciones de dos partes, tres partes, cuatro partes y cinco partes. — ¿Qué son partes de una oración? — ¿Cómo se han agrupado las distintas clases de partes de la oración? — ¿En qué consiste el oficio de las palabras? — Emplee la palabra *de* con tres oficios distintos. — ¿Qué es un diccionario? — ¿Cuáles son los dos elementos principales de la oración? — Diga cuáles son los sujetos de estas oraciones: Pedro me llamó ayer. — Las aves de rapiña vuelan bien. — En ti ella pensaba. — Por su causa él no asistió. — Diga cuáles son los predicados de las oraciones anteriores.

Lección 4

LOS COMPONENTES DE LAS PALABRAS

Sílabas y letras:

> a - no - tar.
> des - pre - ciar.
> in - tro - du - cu

Las anteriores palabras están separadas en grupos de letras en los que figuran siempre sonidos vocales. Estas separaciones se han hecho mediante tiempos o golpes en la emisión de la voz. Cada grupo de letras separado en esa forma constituye una *sílaba*.

En la palabra *a - no - tar* vemos que la sílaba *a* está representada por un sonido vocal simple; la sílaba *no*, por el sonido vocal *o*, modificado por la consonante *n*, y la sílaba *tar*, por el sonido vocal *a*, modificado por las consonantes *t, r*.

Podemos definir la *sílaba* diciendo que es el sonido vocal simple o modificado por una o más consonantes, expresado en una sola emisión de voz.

Vemos pues, que las palabras están formadas por sílabas y las sílabas por letras vocales o consonantes.

Elementos de las palabras. Raíces y afijos. — Observemos la formación de este grupo de palabras:

am - ar
am - able
am - ig - o
am - ig able
des - **am** - ado
des - **am** - ig - ado

Fácilmente se nota que en ellas hay elementos o componentes que son comunes, es decir, que aparecen en todas esas palabras afines y notamos además, que cada uno de los elementos no comunes que aparecen en esas palabras modifica la idea principal.

El grupo de letras que es común a ese conjunto de palabras es **am** que expresa en todas ellas la idea de amor, cariño o afecto. Ese elemento común de un grupo o familia de palabras que da la idea fundamental se llama *raíz*.

Veamos ahora esta familia o grupo de palabras:

des - com - *PON* - er - se.
com - *PON* - er
PON - er

Obsérvese que a la *raíz* PON de esas palabras se le han antepuesto o pospuesto otros elementos para modificar su significación, esos elementos se llaman *afijos*. Cuando se colocan delante de la *raíz*, se les llama *prefijos* y cuando van después, *sufijos*. Los sufijos que expresan accidentes gramaticales (género, número, tiempo, persona, etc.) reciben el nombre de *desinencias*.

Hay palabras que llevan entre la *raíz* y la desinencia o sufijo, una letra o grupo de letras que sirven para armonizar o suavizar la pronunciación. Son verdaderos medios eufónicos, y se llaman *letras formativas o incrementos*. Veamos este ejemplo:

DES - AM - ig - *ADO - S*

Des - prefijo
am - raíz
ig - incremento o letras formativas
ado - sufijo
s - desinencia.

Los gramáticos llaman al grupo que forman la *raíz* y el *incremento*, el *tema* o *radical*. Por consiguiente, en la palabra *desamigados*, el *tema* o *radical* es *amig*.

Resumiendo, tenemos que los componentes de las palabras comprenden dos grupos:

Sílaba y letra raíz y afijo, este último se divide en prefijo, sufijo e incremento.

EJERCICIOS. — Defina lo que es sílaba.
Separe estas palabras en sus elementos.

desilusión	guitarra	desarrollarse	patriota
ahorro	Camaguán	ingenuamente	inhabitable
vosotros	nosotros	permitiríais	oírse

¿Qué es la raíz de una palabra? — ¿Qué son los afijos?
Diga la diferencia que hay entre prefijo y sufijo. — ¿Qué son las letras formativas? — ¿Qué son las desinencias? — ¿Qué es el tema o radical? — Enumere los distintos componentes de las palabras.
Separe estas palabras en sus elementos.

apaciguarlos   crucecita   recogidas   desordenaré   piececito

Lección 5

DERIVACIÓN Y COMPOSICIÓN DE LAS PALABRAS

Palabras primitivas y derivadas:

Casa	campo	verde
casilla	campiña	verdín
caseta	campestre	verdoso
casucha	campaña	verdear
caserío	campear	verdura

Como puede observarse en los ejemplos anteriores, de las raíces *cas*, *camp* y *verd*, se han formado varias palabras distintas aunque todas guardan cierta relación en sus significados. El procedimiento de formar palabras agregando a una raíz distintos sufijos se llama *derivación* y las palabras que se forman mediante el proceso de la *derivación* se llaman *palabras derivadas*. La palabra simple que da la idea principal y de la que proceden las derivadas, se llama *palabra primitiva*. En los anteriores ejemplos son *primitivas: casa, campo, verde*. Las demás son *derivadas*.

Hay palabras derivadas que provienen de otra voz también derivada, como sucede con *ordenadamente* que proviene de *ordenada* y ésta a su vez se deriva de *orden*. Del primitivo *puerta*, se forma el derivado *portero* y de éste, *portería*. Las palabras derivadas que provienen de otro derivado, se llaman *biderivadas*.

Palabras simples y compuestas:

medio	mano	guarda	inter
día	obra	fango	nacional
mediodía	maniobra	guardafango	internacional

Puede observarse que de dos palabras simples, al unirse, se forma otra de significación distinta. Este procedimiento de unir dos palabras para formar otra, se llama *composición*, y la palabra que resulta de este proceso se llama *palabra compuesta*.

21

A veces las palabras compuestas se forman de un prefijo y una palabra como sucede con *inter-nacional, sub-marino, ex-traer, des-interés.* También se forman las palabras compuestas de más de dos voces. Ejemplos: *pundonor* de punto de honor; *correveidile* de corre, ve y dile. Hay en nuestro idioma muchas palabras compuestas que proceden de elementos extranjeros, principalmente del latín y del griego. Véanse estos ejemplos: *taquigrafía, caligrafía, epitafio, pentagrama, kilogramo, decímetro, semicírculo, penumbra, península, etc.*

Palabras parasintéticas: Los vocablos que proceden de una derivación y al mismo tiempo de una composición se llaman *parasintéticos.* Ejemplos.

enrojecer	atardecer	rejuvenecer	entorpecimiento
pordiosero	enverdecidos	ennegrecimiento	apaciguar

EJERCICIOS. — ¿Qué es derivación? — ¿Qué son palabras primitivas? ¿Qué son palabras derivadas?

Forme dos derivados de estos primitivos:

rojo	blanco	libro	escribir	día
monte	árbol	palma	recibir	planta

Diga el primitivo del cual proviene el derivado y subraye los biderivados:

sentidos	varilla	osario	velocidad	parcialidad
sombrero	pechuga	oquedad	cortesía	sombrerería
manejar	orfandad	terneza	parcial	manejadora

¿Qué es composición de palabras? — ¿Qué son voces compuestas? ¿Qué son palabras parasintéticas?

Forme compuestos con estas palabras:

presidente	aguas	rayos	vidas	tumba
sol	agrio	carril	hijos	vino

Diga las voces simples de que se componen estas palabras:

rectilíneo	bienhechor	menospreciar	vicealmirante
cabizbajo	bienandanza	paraguas	contrasentido

Lección 6

DERIVACIONES. — LOS PRINCIPALES SUFIJOS

Ya hemos visto que las palabras derivadas se forman de las primitivas, agregándoles a éstas distintos sufijos.

El estudio de los distintos sufijos es muy importante porque facilita el conocimiento del Lenguaje y especialmente el de la Ortografía. Véanse los siguientes sufijos que se emplean para la formación de nombres abstractos derivados:

PRIMITIVOS:	SUFIJOS:	DERIVADOS:
cortes	*ia*	*cortesía*
audaz	*ia*	*audacia*
blanco	*ura*	*blancura*
rudo	*eza*	*rudeza*
rojo	*ez*	*rojez*
igual	*dad*	*igualdad*
demente *	*ia*	*demencia*
arrogante *	*ia*	*arrogancia*
avaro	*icia*	*avaricia*
grato	*itud*	*gratitud*

Todas las palabras de la primera columna expresan cualidades, por lo tanto son *adjetivos*. Estos *adjetivos*, con pequeñas variaciones, han admitido los distintos sufijos que aparecen en la segunda columna y se han convertido en *nombres o sustantivos abstractos derivados*. Son *nombres abstractos* los que expresan algo inmaterial, cosas que no pueden ser percibidas por los sentidos, como cualidades, sentimientos, condiciones, etc.

Aplicaciones ortográficas: Examínense estas palabras, especialmente sus terminaciones:

Clem*encia*
Aus*encia*
Dem*encia*
Tend*encia*
Reg*encia*
Paci*encia*
Depend*encia*
Hort*ensia*

¿Qué regla de Ortografía puede formularse?

Las palabras terminadas en *encia*, se escriben con *c*. Exceptúase el nombre *Hortensia*.

* La t se cambió en c.

23

Hágase análogo ejercicio con *estas* palabras:

Tirante**z**
Roje**z**
Idiote**z**
Redonde**z**
Placide**z**
Escase**z**
Doble**z**
Acide**z**

¿Qué regla de Ortografía puede formularse?

Los nombres abstractos terminados en *ez*, se escriben con *z*.

EJERCICIOS. — ¿Qué clase de palabras son las que expresan cualidades como dulce, avaro, fino? — ¿Qué son nombres sustantivos abstractos? — Cite ocho sufijos que se emplean para la formación de nombres abstractos.

Forme los nombres abstractos de estos adjetivos:

crudo	*alto*	*verde*	*ausente*	*justo*
serio	*elegante*	*burgués*	*eficaz*	*pronto*

Diga el adjetivo del cual se derivó el nombre abstracto:

negrura	*tontería*	*pericia*	*infancia*	*orfandad*
abundancia	*braveza*	*paciencia*	*audacia*	*similitud*

Formule una regla de Ortografía, examinando estas palabras que tienen un sufijo común:

Justicia   avaricia   pericia   estulticia   malicia   milicia

Forme un grupo de nombres abstractos derivados que tengan la terminación común *ancia* y formule una regla de Ortografía.

Examine estas palabras y formule una regla de Ortografía.

rudeza	*franqueza*	*flaqueza*	*entereza*	*dureza*
	delicadeza		*presteza*	

Lección 7

CONTINUACIÓN DEL ESTUDIO DE LAS DERIVACIONES Y DE LOS SUFIJOS

Hemos visto en la Lección anterior cómo se han derivado nombres abstractos de adjetivos que expresan cualidades. Veamos ahora otros procesos de derivación de nombres procedentes de otros nombres:

Sufijos que expresan profesión u oficio:

ante	— estudiante, comerciante.
ente	— teniente, superintendente.
ario	— boticario, bibliotecario.
ista	— pianista, violinista.
ero	— panadero, tendero.
or, dor, tor, sor,	— autor, pintor, profesor, examinador.
azgo	— almirantazgo, mayorazgo, cacicazgo.

Sufijos que expresan desprecio o burla:

aco	— pajarraco, libraco.
acho	— populacho, hilacha.
ucho	— casucha, animalucho.
ajo	— colgajo, espantajo.
astro	— poetastro, padrastro.
uza	— gentuza.
orrio	— villorrio.

Todos esos nombres derivados que expresan burla o desprecio, se llaman *nombres despectivos*.

Sufijos que expresan aumento:

ón	— sillón, salón.
ona	— mujerona, lechona.
azo	— gatazo, ojazos.
ote	— animalote, librote.

Nota: el sufijo *ote* también expresa pequeñez, como en papelote, islote.

Los nombres derivados que expresan aumento o gran tamaño se llaman *nombres aumentativos.*

Sufijos que expresan pequeñez o disminución:

ito	— palito, animalito.
illo	— palillo, anillo.
ico	— gatico, cartica.
ín	— violín, collarín.
uelo	— pañuelo, aldehuela.
ete	— carrete, ojete.
eta	— carreta, peseta.

A veces los sufijos *ito, illo,* llevan antepuestos los *incrementos, c, ec, cec,* como sucede con las palabras:

conde - *c* - ito.
flor - *ec* - illa.
pie - *cec* - ito.

También el sufijo *uelo* suele llevar el *incremento z.* Ejemplos: mujer - *z* - uela; ladrón - *z* - uelo.

Los nombres que expresan pequeñez o disminución se llaman *diminutivos.*

EJERCICIOS. — Subraye los sufijos de estos nombres y diga qué expresa cada uno de ellos:

periodista	*migaja*	*perrazo*	*huesecito*	*escritor*
navegante	*madrastra*	*espadín*	*cazuela*	*lechero*

¿Qué son nombres despectivos? — ¿Qué son nombres aumentativos? ¿Qué son nombres diminutivos?

Separe en sus elementos estas palabras; diciendo el nombre de cada uno:

reyezuelo	*dolorcillo*	*panecito*	*lapicito*	*piececito*

Forme un grupo de nombres aumentativos que tengan el sufijo común *azo* y formule una regla de Ortografía.

Construya oraciones empleando estas palabras:

almirantazgo	*libraco*	*aldehuela*	*poetastro*	*despectivo*

Lección 8

CONTINUACIÓN DEL ESTUDIO DE LAS DERIVACIONES Y DE LOS SUFIJOS

Sufijos que expresan colección o conjunto.

aje	— barandaje, ramaje.	*al*	— platanal, cacahual.
ena	— docena, centena.	*ar*	— palmar, pinar.
ero	— avispero, mosquero.	*ada*	— boyada, estacada.
ío	— caserío, gentío.	*edo*	— viñedo, robledo.
	ario — osario, herbario.		

Los nombres que estando en singular, expresan conjunto o colección, se llaman *nombres colectivos.* Hay muchos *nombres colectivos* que no llevan los anteriores sufijos, tales son: *ejército, rebaño, escuadra, multitud,* etc.

Sufijos para la formación de apellidos:

az	*ez*	Díaz, Rodríguez, Hernández.
iz	*oz*	Muñoz, Muñiz, Ordóñez, Pérez.

Los nombres que expresan apellidos, se llaman *patronímicos.*

Otros sufijos para la formación de nombres o sustantivos:

miento	— sentimiento regimiento.
ción	— formación, combinación.
sión	— división, invasión.
anza	— holganza, tardanza.
mento	— argumento, testamento.

Sufijos para la formación de verbos:

ar	— armar, saltar.	*itar*	— ejercitar, facilitar.
er	— coger, arder.	*izar*	— amenizar, analizar.
ir	— pedir, partir.	*ficar*	— purificar, mortificar.
ear	— golpear, sortear.	*icar*	— comunicar, perjudicar.

ecer — enternecer, amanecer.

27

Todas las anteriores palabras derivadas expresan acción, y la *Gramática* las llama *verbos*.

Hay varios derivados verbales, tales como los gerundios, los participios y los nombres verbales, que tienen sus sufijos especiales:

GERUNDIOS: PARTICIPIOS ACTIVOS:

iendo — partiendo, corriendo.   *ante* — cantante, dibujante.
ando — cantando, mirando.   *iente* — teniente, rompiente.

PARTICIPIOS PASIVOS:

ado — pintado, llorado.
ido — partido, salido.
to — escrito, maldito.
so — impreso, expreso.
cho — dicho, hecho.

NOMBRES VERBALES:

ador — cantador, apuntador.   *idor* — pulidor, partidor.
edor — corredor, tenedor.   *tor* — traductor, escritor.

EJERCICIOS. — ¿Qué son nombres colectivos?
Forme los colectivos de:

cuarenta   pluma   olivo   balcón   arroz   yegua   equipo   árbol

Diga a qué se refieren los siguientes *nombres colectivos:*

| turba | vega | viña | cacahual | colmena |
| recua | piara | congreso | coro | séquito |

Cite diez nombres patronímicos que terminen con el sufijo *ez* y formule una regla de Ortografía. — Cite ocho verbos que terminen con el sufijo *izar* y formule una regla de Ortografía.

Forme los gerundios, los participios pasivos, los participios activos y los nombres verbales de estos verbos:

amar   tener   actuar   cantar   romper   dirigir   recibir   escribir.

Nota: En estos ejercicios y en otros en que sea necesario, el estudiante podrá consultar el diccionario.

Lección 9

CONTINUACIÓN DEL ESTUDIO DE LOS SUFIJOS

Sólo nos queda para terminar el estudio de los principales sufijos, los que se emplean para la formación de los adjetivos y de los adverbios, y los sufijos llamados *desinencias*.

able —	amable, tratable.
ible —	temible, sensible.
ero —	venidero, hacedero.
ivo —	sensitivo, auditivo.
oso —	odioso, gracioso.
izo —	rojizo, enfermizo.
udo —	bigotudo, barbudo.
orio —	preparatorio, olfatorio.
ico —	patriótico, satírico.
al —	mineral, legal.
ar —	angular, perpendicular.
estre—	campestre, silvestre.
ante —	maleante, infante.
ente —	obediente, clemente.
eo —	níveo, ciclópeo.

Ya hemos dicho que las palabras que expresan cualidades como todas las citadas, son *adjetivos calificativos*.

Sufijos que indican el lugar de origen, país o religión:

ense —	parisiense, nicaragüense.
ano —	cubano, cristiano.
eno —	chileno, nazareno.
és —	francés, escocés.
eño —	panameño, isleño.
ino —	chino, filipino.
ero —	habanero, matancero.
án —	catalán, musulmán.
ista —	budista, brahamanista.
asco —	vasco, monegasco.

Los adjetivos que expresan la patria o la religión se llaman *adjetivos gentilicios o nacionales*.

29

Adjetivos despectivos:

achón: bonachón.   *acho:* ricacho, borracho.

Examínense estas oraciones:

Ella baila *fácilmente.*
Jesús me trató *fríamente.*
Tú cantas *dulcemente.*
Jenaro habló *admirablemente.*

En todas estas oraciones el verbo va acompañado de una palabra que expresa el modo o la forma en que se realiza la acción. Esas palabras se llaman *adverbios de modo.*

El sufijo que se emplea para la formación de muchos *adverbios de modo* es el sufijo *mente,* el cual se añade a los adjetivos. Ejemplos:

ADJETIVOS:	ADVERBIOS DE MODO:	ADJETIVOS:	ADVERBIOS:
cándido	cándidamente	bueno	buenamente
duro	duramente	fría	fríamente
difícil	difícilmente	intenso	intensamente
fácil	fácilmente	cortés	cortésmente

Hay otros adverbios de modo que tienen su forma especial. Ejemplos:

Lo hizo *bien*   Trabajó *mal*   Labora *demasiado*
El camina *despacio*   Lo hizo *adrede*   Saltó *así*

Como habrá podido notarse, el *adverbio* es una parte invariable de la oración que sirve para modificar la significación del verbo.

EJERCICIOS. — ¿Qué son adjetivos calificativos?

Forme adjetivos calificativos empleando estos sufijos.

udo   *able*   *izo*   *oso*   *al*   *ero*   *ible*   *ente*   *ar*   *ivo*

Examine estos adjetivos derivados y formule una regla de Ortografía:

sensitivo   *admirativo*   *dubitativo*   *olfativo*
extensivo   *imperativo*   *pasivo*   *activo*

¿Qué son adjetivos gentilicios o nacionales?

Forme los adjetivos gentilicios correspondientes a estos nombres:

Barcelona	*Estados Unidos*	*Guatemala*	*Costa Rica*
Canadá	*Madrid*	*Londres*	*Berlín*
Buda	*Dinamarca*	*Bilbao*	*Mónaco*

Con auxilio de un diccionario, busque la significación de estos gentilicios:

jerosilimitano	*islamita*	*mahometano*	*limeño*
moscovita	*bonaerense*	*belga*	*gaditano*
burgalés	*chalaco*	*ovetense*	*yanqui*

Examine estos adjetivos gentilicios y formule una regla de Ortografía:

londinense	*ovetense*	*canadiense*	*parisiense*
ateniense	*bonaerense*	*cardenense*	*vascuence*

¿Qué es el adverbio?

Construya oraciones empleando estos adverbios de modo:

demasiado	*despacio*	*ingenuamente*
regiamente	*aprisa*	*sutilmente*

Ejercicio ortológico: Lea cuidadosamente, en voz alta y con corrección, estas palabras estudiadas:

parasintético	*mayorazgo*	*poetastro*	*ciclópeo*
adjetivo	*almirantazgo*	*despectivo*	*níveo*
objeto	*padrastro*	*herbario*	*brahmanista*
rojez	*madrastra*	*Ordóñez*	*adrede*
abstracto	*hijastro*	*sortear*	*nicaragüense*
orfandad	*disminución*	*arrozal*	*dubitativo*
bibliotecario	*diminutivo*	*cacahual*	*bonaerense*
jerosolimitano	*bilbaíno*	*vascuence*	*estadounidense*

Lección 10

LAS DESINENCIAS Y LA FLEXIÓN

En la Lección 4.ª se dijo que los sufijos que expresan los accidentes gramaticales, se llaman *desinencias*. Los accidentes gramaticales del nombre, del adjetivo, del artículo y del pronombre son el *género* y el *número*. El pronombre posee otro accidente llamado *caso* que no se expresa por sufijos o desinencias sino por palabras especiales.

Veamos las desinencias que se emplean para la formación del *número* plural de los nombres y los adjetivos; algunos artículos y algunos pronombres:

SINGULAR:	—PLURAL:	SINGULAR:	—PLURAL:	SINGULAR:	—PLURAL:
casa	— casa-*s*	bueno	— bueno-*s*	una	— una-*s*
ají	— ají-*es*	sutil	— sutil-*es*	la	— la-*s*
café	— café-*s*	fuerte	— fuert-*es*	ella	— ella-*s*
capitán	— capitan-*es*	fiel	— fiel-*es*	quien	— quien-*es*

Como puede observarse sólo hay dos desinencias para la formación del plural de los nombres, pronombres, artículos y adjetivos, la letra *s* y la sílaba *es*.

Los géneros fundamentales son dos: el *masculino* y el *femenino*.

Para la formación del *femenino* se emplean varias *desinencias* o *sufijos*.

Véanse estos ejemplos:

MASCULINO:	— FEMENINO:	MASCULINO:	— FEMENINO:
niño	— niñ*a*	poeta	— poet*isa*
gato	— gat*a*	sacerdote	— sacerdot*isa*
gallo	— gall*ina*	emperador	— empera*triz*
Ángel	— Angel*ina*	actor	— ac*triz*
alcalde	— Alcald*esa*	autor	— autor*a*
barón	— baron*esa*	león	— leon*a*

Como puede notarse fácilmente, las desinencias para la formación del género femenino son: *a, ina, esa, isa, triz*.

32

Hay muchos nombres en los que se designan los femeninos con palabras distintas, como: *caballo — yegua; toro — vaca; carnero — oveja; hombre - mujer*, etc.

La parte de la oración llamada *verbo* es la que admite más desinencias para expresar sus distintos *accidentes* o *variaciones*. Estos accidentes del verbo son cinco: *modo, tiempo, número, persona* y *voz*. Veamos algunas de las desinencias que se emplean para enunciar esos accidentes:

cant - *o*   cant - *amos*
cant - *as*   cant - *áis*
cant - *a*   cant - *an*

A la raíz *cant*, se le han ayadido las desinencias *o, as, a, amos, áis, an* que enuncian *modo* (indicativo), *tiempo* (presente), *números* (singular y plural), *personas* (primera, segunda y tercera) y *voz* (activa).

El estudio de todas las desinencias verbales se hace conjuntamente con el estudio de la conjugación del verbo. En la Lección correspondiente trataremos más extensamente sobre esta materia.

En resumen, podemos decir que las *desinencias* expresan los distintos accidentes gramaticales: género, número, modo, tiempo, persona y voz. Los gramáticos llaman a esta forma de derivación *flexión gramatical*.

Las partes de la oración que tienen accidentes gramaticales, es decir, que verifican la flexión son el nombre, el pronombre, el adjetivo, el artículo y el verbo, por eso se les llama *partes variables*.

Las otras partes de la oración: el adverbio, la preposición y la conjunción, no sufren accidentes gramaticales, por tanto, no tienen flexión y por eso se les llama *partes invariables*.

EJERCICIOS. — ¿Qué son las desinencias? — ¿Cuáles son las desinencias que se emplean para la formación del plural de los nombres? — Cite las desinencias que se emplean para la formación de los nombres de género femenino.
Forme los femeninos de estos nombres:

padrastro   *profeta*   *duque*   *príncipe*
rey   *virrey*   *elefante*   *tiburón*
yerno   *fray*   *carnero*   *caballo*

Cite los cinco accidentes gramaticales del verbo. — Cite seis voces verbales con distintas desinencias y subraye éstas. — ¿Cuáles son las partes de la oración en las que se verifica la flexión gramatical? — ¿Cuáles son las partes invariables de la oración?

Diga cuáles de estas palabras son primitivas y cuáles son derivadas:

industrioso	Hernández	amplio	libre	ondulante
infancia	escritura	caserón	pez	ojo
mano	luminoso	azul	inocencia	libro
lápiz	oscuridad	papel	sencillez	maldad
blanco	corazonada	servicial	doce	maizal
pericia	perro	rico	tinta	nuevo
novato	carne	reinado	verde	divisible
dudoso	ácido	acidez	noche	día

Forme derivados de estos primitivos:

Lope	largo	Fernando	alto	Diego
amargo	Nuño	recreo	Domingo	día
Hernando	papel	Martín	azúcar	dulce
música	agrio	ánima	feo	carbón

Diga el primitivo y el derivado de estos biderivados:

carretilla	cercanía	sombrerera	campesinaje	luminosidad
durabilidad	relojería	campanería	dulcería	actualidad

De los siguientes adjetivos forme el nombre y el verbo:

oloroso	florido	sensible	amable
perdible	risible	temible	fácil
odiable	caliente	cansado	

De los siguientes verbos, forme el gerundio, el participio pasivo, el participio activo y el nombre verbal.

cantar	amar	saltar	romper
cambiar	alumbrar	verter	partir
reflejar	oír	pintar	oscilar

Forme ocho nombres derivados con la terminación ancia y formule una regla de Ortografía. — Forme derivados con estos sufijos y diga la clase de palabra por su significación.

icia	ario	ajo	azo	uelo
al	ez	ense	eño	mente

34

Lección 11

COMPOSICIÓN DE LAS PALABRAS.
LOS PRINCIPALES PREFIJOS

Recordemos que las *palabras compuestas* son aquellas que están formadas de dos o más raíces, o de uno o más prefijos. Ejemplos de palabras compuestas de dos raíces.

ROMPe-OLAS   SALVa-VIDas   FERRo-CARRil

Ejemplos de palabras compuestas de prefijos y una raíz:

RE-COGer   DES-TORNillar   DES-EN-TERRar

El estudio de los prefijos comprende tres aspectos: 1.° — Los prefijos más usuales y considerados como *castellanos*. 2.° — Los prefijos *latinos*. 3.° — Los prefijos *griegos*. En esta Lección estudiaremos los primeros, los *castellanos*:

PREFIJOS:	SIGNIFICACIÓN:	COMPUESTOS:
A	denota acción, uso o semejanza	afear / aclarar / aplomado
ANTE	expresa anterioridad	antesala / antefirma
ANTI	indica oposición o contrariedad	anticlerical / antipático
CON-COM-CO	expresa compañía, vecindad o asociación	convecino / compatriota / codirector
CONTRA	significa oposición o enemistad	contradicción / contraveneno
DE-DES	denota privación u oposición	degradar / desilusión
EX	da idea de dirección hacia afuera	extraer / exposición
EN-EM	indica interioridad	embotellar, enlazar
ENTRE	expresa intercalar	entreacto, entrecejo
IN-IM-I	indica negación	inhabitable / impaciente / irremediable
INTER	significa en medio de	internacional / intermedio

PREFIJOS:	SIGNIFICACIÓN	COMPUESTOS:
PARA	indica empleo, dedicación	paracaídas, parabién.
POR	expresa motivo	pordiosero, porvenir.
PRE	indica anteposición delante	prefijo prevenir.
RE	expresa repetición	rehacer, relucir.
SIN	significa privación	sinvergüenza, sinnúmero.
SO	indica debajo	soterrar, sotechado.
SOBRE	expresa superioridad o exceso	sobreponer, sobrevivir.
TRANS—TRAS	indica «al otro lado»	transportar, trasladar.

Los anteriores prefijos también reciben el nombre de *preposiciones impropias* o *inseparables*.

Las *preposiciones propias o separables*, son casi las mismas; se emplean para relacionar o enlazar las palabras entre sí. Ejemplos: *Vino sin sombrero. — Ponlo sobre la mesa. — Pan con mantequilla.*

Las preposiciones propias o separables son: *a, ante, bajo, cabe, con, contra, de, desde, en, entre, hacia, hasta, para, por, según, sin, sobre, tras.*

EJERCICIOS. — ¿Qué son palabras compuestas? — ¿Qué es un prefijo? ¿Cómo se han clasificado los prefijos para su estudio? — Subraye los prefijos de los siguientes vocablos:

innecesario	antediluviano	traslucir	apaciguar
antipatriótico	enarbolar	contraposición	entrefino
exhalar	sonreír	sobrepelliz	intermediario
entrever	convivir	correligionario	incapaz
sinrazón	repelar	anteponer	comprobar
desvirtuar	desterrar	exportar	paraguas
pararrayos	preposición	porcentaje	degradar

Forme palabras compuestas empleando estos prefijos:

re	inter	trans	sobre	ex	contra
con	in	anti	pre	entre	a

¿Qué otro nombre reciben estos prefijos? —¿Cuáles son las preposiciones propias?

Lección 12

COMPOSICIÓN DE LAS PALABRAS
PREFIJOS LATINOS

El idioma español o castellano es una transformación del latín. La mayoría de las palabras castellanas son latinas pero hay prefijos y vocablos que conservan la estructura de esa lengua romance. Los principales *prefijos latinos* que se emplean en nuestro idioma son:

PREFIJOS:	SIGNIFICACIÓN:	COMPUESTOS:
AB—ABS	expresa alejamiento, separación.	abjurar, abstraer, absorber.
AD—A—AC—AR	indica aproximación, dirección.	adverbio, accesorio, arreglar, acabar.
AMBI—AMB—AM	denota rodeo, dualidad.	ambidextro, ambages, amputar.
BENE—BEN	significa bueno, bien.	benemérito, bendito.
BIS—BI—BIZ	equivale a dos veces.	bisabuelo, bisílabo, bizcocho.
CIRCUM—CIRCUN	significa alrededor.	circundar, circumpolar.
DIS—DI	indica fuera de, privación.	dislocar, disgustar, difamar.
EXTRA	indica fuera de.	extraordinario, extraviado, extraoficial.
INFRA	significa debajo.	infrascrito, infrarroja.
OB—O	delante, enfrente, contra.	obstáculo, oponer.
PER	a través, falsedad.	perjurar, perforar.
PRO	significa hacia delante, en vez de	proseguir, progreso, pronombre.
	equivale a casi.	península, penumbra, penúltimo.

PREFIJOS:	SIGNIFICACIÓN:	COMPUESTOS:
RETRO	hacia atrás	retroceder.
SUB—SU—SUS		retrógrado,
SO—SON—SOS	significa debajo, atenuación o disminución	submarino, subsecretario, suponer, sumisión, suscribir, socorrer, sonrisa, sostener.
SUPER	denota superioridad	superlativo, superintendente.
ULTRA	significa más allá	ultratumba, ultramar.
VICE—VI—VIZ	que hace las veces de	vicepresidente, virrey, vizconde.

Como podrá notarse, existe mucha semejanza entre los prefijos castellanos y los latinos, ya que los primeros no son más que transformaciones de los segundos.

EJERCICIOS. — Diga la significación de estos prefijos:

retro	vice	bis	ambi	pen	sub	ad
infra	ultra	circum	pro	extra	ab	ob

Con auxilio de un diccionario, diga el significado de estas palabras:

retrospectivo	discernir	abjurar	beneplácito
circunlocución	penumbra	obsesión	perjuro

Antepóngase un prefijo a estas palabras:

yacente	secretario	insular	navegar	fino
lateral	suelo	muros	clamar	montano

Forme palabras compuestas empleando estos prefijos:

super	ultra	extra	vice	dis
sub	sus	infra	bene	ab

Subraye los prefijos de estas palabras:

trasladar	abstenerse	benévolo	vicedirector	prolongar
prometer	proponer	advertir	virrey	distraer
sustancia	extralimitarse	bisectriz	bisanuo	bendecir

Lección 13

COMPOSICIÓN DE LAS PALABRAS
PREFIJOS GRIEGOS

Hay en nuestro idioma, un gran número de vocablos compuestos de *prefijos* y *raíces griegas*, especialmente las voces técnicas, las que expresan instrumentos, los estudios científicos, etc., tales como diagonal, pericardio, anfibio, eufonía, metafísica, microscopio, higrómetro, etc. Estúdiense estos prefijos:

PREFIJOS:	SIGNIFICACIÓN:	COMPUESTOS:
A—AN	sin, negación.	ateo, acéfalo, anónimo.
ANA	separar, otra vez.	anatomía, anagrama, anabaptista.
ANFI	alrededor, simultaneidad.	anfiteatro, anfibiología.
APO—AF	lejos de, entre.	apogeo, afelio, apoteosis.
ARCHI—ARQUI ARCI—ARC—ARZ	mando, superioridad.	archiduque, arquitecto, arcángel, arcipreste, arzobispo.
CATA—CAT	hacia abajo.	catacumbas, catarata.
DI	dos.	diptongo, díptero.
DIA	a través.	diagonal, diámetro.
EPI	sobre.	epitafio, epidermis.
EU	bueno.	eufonía, eucaristía.
HIPER	aumentar.	hipertrofia, hiperclorhidria.
HIPO	debajo.	hipogeo. hipodérmico.
META	cambio, más allá.	metaplasmo, metafísica.

39

PREFIJOS:	SIGNIFICACIÓN:	COMPUESTOS:
PARA	Al lado.	paralela, parábola.
PERI	Al rededor.	perímetro, perihelio.
PRO	Ante, delante.	prólogo, programa.
SIN—SI—SIM	Con.	sintaxis, simetría, simpatía.

Significación de las raíces de los anteriores compuestos. — (Es bueno hacer constar que estas raíces no se escriben en su origen en esa forma. La ortografía adoptada es la que más se asemeja a la forma en que se emplean comúnmente en nuestro idioma).

Teo	— Dios.	ptero	— ala.
céfalo	— cabeza.	gono	— ángulo.
ónimo	— nombre.	metro	— medida.
tomía	— cortar.	tafio	— tumba.
grama	— letra, línea.	dermis	— piel.
geo	— tierra.	fonía	— sonido.
helio-felio	— sol.	caris	— don, regalo.
tecton	— obrero.	trofia	— alimento, desarrollo.
cumbas	— cavidad.	plasma	— forma.
preste	— presbiterio.	lelo	— uno de otro.
cata	— caer con fuerza.	logo	— palabra, tratado.
ptongo	— sonido.	taxis	— orden.

patía — pasión, sentimiento.

Prefijos de origen árabe. — Tan sólo ha quedado en español el prefijo *al*, a veces reducido a *a*, y equivalente al artículo árabe *al*. Es un prefijo que carece de significación. Ejemplos: «Almedina», «acequia».

EJERCICIOS. — Forme palabras compuestas anteponiéndoles un prefijo de los estudiados en esta lección.

glotis	*alfabeto*	*pétalo*	*clorato*	*ritmia*
teatro	*crónico*	*frasear*	*dermis*	*sílaba*

Forme tres compuestos con cada uno de estos prefijos.
(Puede utilizarse el diccionario.)

día   epi   a—an   peri   pro   apo   sin—si   hipo

Separe los elementos de estos compuestos y diga la significación de cada uno de ellos.

hipodérmico	*hipertrofia*	*atrofia*	*perímetro*	*metaplasmo*
perihelio	*arquitecto*	*ateo*	*anatomía*	*anagrama*
catacumbas	*paralelo*	*epitafio*	*eufonía*	*epílogo*

Lección 14

LA ETIMOLOGÍA

La etimología estudia el origen y la formación de las palabras. Este estudio se funda en el conocimiento de la raíz o raíces de las palabras y los demás elementos que las integran.

Tiene gran importancia el estudio de las etimologías de las palabras porque nos sirve para interpretar su significación y su ortografía.

Veamos con estos ejemplos las ventajas de la Etimología en lo referente al significado de las palabras:

Con la raíz *orto*, que significa *correcto*, podemos formar las palabras compuestas:

ortografía	— correcta escritura.
ortología	— arte de pronunciar correctamente.
ortodoxo	— conforme a la verdadera doctrina.
ortopedia	— arte de corregir las deformidades del cuerpo, especialmente del niño.
ortópteros	— insectos de alas derechas.

Su aplicación ortográfica:

Obsérvese la escritura de estas palabras:

*bio*química
*bió*logo
micro*bio*

*Bio*logía
anfi*bio*
*bio*grafía

En todas esas palabras se encuentra la raíz *bio* que significa vida y por ese motivo se escribe con *b.*

El estudio de la Etimología enriquece el vocabulario facilitando la formación de palabras compuestas y las familias de palabras. Es imprescindible para el estudio consciente de la Composición.

En las lecciones anteriores hemos estudiado varios prefijos griegos y latinos y algunas raíces que nos servirán para el estudio etimológico de múltiples palabras.

41

Existen diccionarios etimológicos que presentan un amplio estudio de las palabras desde este punto de vista. Nosotros trataremos de las más importantes raíces y prefijos que nos servirán para conocer un buen número de vocablos.

Los seudo prefijos. — Los seudo prefijos son las voces griegas y latinas que, sin ser verdaderos prefijos, entran en la formación de muchas palabras de nuestro idioma.

Lista de los seudo prefijos latinos más importantes:

SEUDO PREFIJOS:	SIGNIFICACIÓN:	COMPUESTOS:
decen-decu	— diez;	decenviro, décuplo.
deci	— décimo;	decímetro, decilitro.
centi	— centésimo;	centímetro, centilitro.
mili-mil	— milésimo;	miligramo, milímetro.
cuadr	— cuatro;	cuadrilátero, cuadrilongo.
equi	— igual;	equilátero, equidistante.
multi	— mucho;	múltiplo, multiplicar.
nona	— núeve;	nonagésimo, nonagenario.
quint	— cinco;	quíntuplo, quinquenal.
octo-octu	— ocho;	octogenario, óctuplo.
sex-sextu	— seis;	sexagesimal, séxtuplo.
septen	— siete;	septuplicar, séptimo.
semi	— medio	semicírculo, semicircunferencia.

EJERCICIOS. — ¿De qué trata la Etimología? — Diga por qué es importante el estudio de la Etimología — ¿Qué son seudo prefijos?

Diga la etimología de estas palabras:

equidistante   *equilátero*   *centímetro*
decímetro   *milímetro*   *cuadrilátero*

Forme cinco compuestos con el seudo prefijo *cuadr*. — Forme cinco compuestos con el seudo prefijo *semi*.

Lección 15

CONTINUACIÓN DE LAS ETIMOLOGÍAS

Lista de los principales seudo prefijos griegos:

SEUDO PREFIJOS:	SIGNIFICACIÓN:	COMPUESTOS:
aero	— aire;	aeroplano, aerolito.
aristo	— el mejor;	aristocracia.
aster	— astro; estrella;	asterisco, astronomía.
auto	— por sí mismo;	automóvil, automático.
baro	— presión, gravedad;	barómetro, baróscopo.
caco	— malo;	cacofonía, cacología.
cali	— bello;	caligrafía, calistenia.
deca	— diez;	decalitro, decámetro.
hecto	— cien;	hectómetro, hectárea.
kilo	— mil;	kilociclo, kilómetro.
miria	— diez mil;	miriámetro, miriadas.
filo	— amor, amigo;	filántropo, filósofo.
geo	— tierra;	geometría, geografía.
hemi	— medio;	hemisferio, hemiciclo.
hepta	— siete;	heptágono, heptacorde.
hexa	— seis	hexaedro, hexagonal.
homo	— igual;	homogéneo, homónimo.
hetero	— diferente;	heterogéneo, heterodoxo.
mono	— uno;	monosílabo, monólogo.
iso	— igual;	isósceles, isocronismo.
penta	— cinco;	pentágono, pentasílabo.
poli	— muchos;	polisílabo, polígono.
proto	— primero;	protozoario, protomártir.
pseudo o seudo	— falso;	seudónimo, seudópodo
termo	— calor;	termal, termómetro.
tetra	— cuatro;	tetraedro, tetrarquía.
pan	— todo;	panteón, pantera.
neo	— nuevo;	neologismo, neolítico.

Significado de las raíces de los anteriores compuestos:

lito	— piedra.	ciclo	— círculo.
cracia	— poder, gobierno.	corde	— cuerda.
nomía	— ley, ciencia.	géneo	— especie.
scopio	— ver, observar.	doxo	— opinión, doctrina
stenia	— fuerza.	sceles	— lados.
antropos	— hombre.	cronos	— tiempo.
sofía	— ciencia.	zoo	— animal.
grafía	— descripción, escritura	ónimo	— nombre.
sferio	— bota.	edro	— superficie.
arquía	— gobierno.	tera, terio	— bestia.

EJERCICIOS. — Diga las etimologías de estas palabras:

	pantera	*panteón*	
anónimo	*hectárea*	*prototipo*	*filosofía*
kilogramo	*autoaprendizaje*	*politeísta*	*aeronauta*
autosugestión	*calígrafo*	*isógono*	*miriápodos*
geografía	*neurastenia*	*antropografía*	*isónimo*
cronómetro	*monólogo*	*litografía*	*antropología*
monarquía	*zoología*	*exacorde*	*tetraedro*
pentaedro	*heterogéneo*	*homogéneo*	*anarquía*

Examine estas palabras compuestas y formule una regla de Ortografía:

hemiplejía	*hemisferio*	*hemiciclo*
hemistiquio	*hemíptero*	*hemianestesia*

Forme seis compuestos con *auto* y formule una regla de Ortografía.

Con auxilio de un diccionario, haga una lista de 20 palabras compuestas que lleven estos elementos: homo, kilo, hecto, penta, termo, poli, tele, fago, micro, cosmo, hidro.

Lección 16

CONTINUACIÓN DE LAS ETIMOLOGÍAS

Lista de seudo prefijos y raíces griegas de uso corriente:

SEUDO PREFIJOS:	SIGNIFICACIÓN:	COMPUESTOS:
Bio	— vida;	biología, microbio.
biblio	— libro;	biblioteca, bibliófilo.
cosmo	— mundo;	cosmología, cosmopolita.
demo	— pueblo;	democracia, epidemia.
etno	— raza, pueblo;	etnología, étnico.
foto	— luz;	fotografía, fotoscopia.
gastro	— vientre, estómago;	gastralgia, epigastrio.
hemo	— sangre;	hemorragia, hemoglobina.
hidro	— agua;	hidrografía, hidráulico.
higro	— humedad;	higrómetro.
hipos	— caballo;	hipódromo, hipopótamo.
ictio	— pez;	ictiología, ictiosaurio.
micro	— pequeño;	microbio, microscopio.
misó	— odio;	misoneísta, misántropo.
necro	— muerte;	necrocomio, necrología.
oro	— montaña;	orografía, orogenia.
gen, genia	— origen;	generar, ontogenia.
paleo	— antiguo;	paleontología, paleolítico.
ontos	— ser;	ontología, ontogenia.
tele	— lejos;	telescopio, telégrafo.
termo	— calor, temperatura;	termo, termómetro.
fago	— comer;	antropófago, xilófago.
xilo	— madera;	xilófono, xilografía.

45

SEUDO PREFIJOS:	SIGNIFICACIÓN:	COMPUESTOS:
tropo	— cambio;	heliotropo.
tecno	— arte;	politecnia.
cripto	— oculto;	criptógrama, cripta.
gamo	— unión;	fanerógamo, gamopétalo.
crisó	— oro;	crisantemo, crisálida.
grama	— letra, escritura, línea;	gramática, pentagrama.
odos	— camino, suceso;	episodio, éxodo.
idio	— propio;	idioma, idiosincrasia.
odé	— canto;	oda, prosodia, comedia.
algia	— dolor;	cefalalgia, gastralgia.
agón	— lucha, combate;	agonía, preagónico.
entero	— intestino delgado;	enteritis.
colon	— intestino grueso;	enterocolitis.
itis	— inflamación;	colitis, amigdalitis.
céfalo	— cabeza;	cefalópodos, acéfalo.
podos	— pies;	exápodos, ápodos.
oto	— oídos;	otitis, aoto.
psico	— alma;	psicología, psíquico.
esteno	— abreviado;	estenografía.
taqui	— rápido;	taquigrafía, taquicardia.
cardias	— corazón;	cardíaco, pericardio.
agros	— campo	agronomía, agrario.
odonto	— diente;	odontología, ortodoncia.
piro	— fuego;	pirómetro, pira.
morfo	— forma;	amorfo, morfología.
ósteo	— hueso;	osteología, periostio.
quiro	— mano;	quiromancía, quiropedista.
mancía	— adivinación;	nigromancía.
zoo	— animal;	zoología, zootecnia.

NOTA: — El profesor podrá dividir esta lección en secciones para que sea más fácil su aprendizaje.

EJERCICIOS. — Diga las etimologías de las siguientes palabras:

taquigrafía	estenografía	morfología	ortología
enteritis	enterocolitis	pentagrama	psicología
telescopio	microscopio	fotografía	etnología
bibliófilo	misoneísta	pericardio	preagónico
politecnia	necrología	acéfalo	hipódromo

Examine estas voces compuestas y formule una regla de Ortografía. Búsquelas en el diccionario.

aristocracia	democracia	gerontocracia
efebocracia	oclocracia	idiosincrasia

Forme con el prefijo mono — uno, y las siguientes raíces, los correspondientes compuestos.

polio	—vender	manía	—manía	logos	—discurso
grama	—letra	lito	—piedra	sílaba	—sílaba
grafía	—escribir	cotiledón	—cotiledón	pétalo	—pétalo
arcos	—jefe	teo-teísta	—dios	óculo	—ojo
cordio	—cuerda	gamo	—unión, matrimonio	cromo	—color

Forme compuestos con estos elementos y explique sus etimologías.

grafía	logía	tele	itis	agros

Lección   17

FAMILIAS DE PALABRAS

Ya hemos hecho distintos estudios de la derivación y la composición de las palabras. Hemos visto la importancia grandísima de la raíz y las notables modificaciones que producen los prefijos y los sufijos. Muy bien podemos practicar la derivación y la composición alrededor de una raíz o vocablo primitivo, formando un sinnúmero de voces que guardan entre sí íntima relación por poseer una raíz común. Véanse estos ejemplos:

voc - erío	in -	*voc* - ar
voc - al	in -	*voc* - ación
voc - ablo	con -	*voc* - ar
voc - abulario	con -	*voc* - atoria
voz - arrón	e -	*voc* - ar
voc - ación	e -	*voc* - ación
voc - ativo	re -	*voc* - ar
voc - ear	re -	*voc* - able
voc - iferar	pro -	*voc* - ar
voc - alizar	pro -	*voc* - ativo
voc - iferador	equi -	*voc* - ar
voc - ero	equi -	*voc* - ación
	etc.	

Este conjunto de vocablos que posee una raíz común, constituye una familia de palabras. El estudio de las familias de palabras no solamente asegura el conocimiento de la estructura y las etimologías de los vocablos, sino que facilita la apreciación del sentido o significación de los mismos, lográndose por ese medio, el arte de hablar y escribir con propiedad y exactitud, factores esenciales de la Composición.

También el estudio de las familias de palabras, contribuye a afianzar el conocimiento de la Ortografía. Obsérvese como en el grupo de palabras expuestas anteriormente figura siempre invariable la escritura de la raíz *voc* que en algunos casos cambia la c en z, su letra afín.

48

Para organizar un buen cuadro de familia de palabras debe comenzarse por el primitivo y a continuación formar los derivados y biderivados; después los compuestos y, posteriormente, los parasintéticos. Véanse estos ejemplos:

figur - a	des - figur - ar
figur - ar	con - figur - ar
figur - ado	des - figur - o
figur - ín	des - figur - ado
figur - illa	des - figur - able
figur - ón	con - figur - ación
figur - able	des - figur - amiento
figur - ina	des - figur - adamente

EJERCICIOS. — ¿Qué es una familia de palabras? — ¿Cómo se organiza un cuadro de familia de palabras?

Separe la raíz de los otros elementos en esta familia de palabras:

apuntar	despuntar	puntilloso	traspunte
pespunte	puntualizar	puntuación	repuntar
puntero	puntería	puntilla	puntear

Forme una familia de palabras con la raíz *plant*. — Forme una familia de palabras con la raíz *val*.

Lección 18

PALABRAS AFINES

Llámase *afinidad* a la analogía o semejanza de una cosa con otra, así decimos, afinidad de caracteres, afinidad de propósitos, etcétera. Examínese este grupo de palabras:

Dimensión	*volumen*	*amplitud*	*grueso*
magnitud	*calibre*	*extensión*	*espesor*
corpulencia	*tonelaje*	*anchura*	*enormidad*
profundidad	*expansión*	*capacidad*	*bulto*

Todas las palabras anteriores, aunque son algo distintas en su significación y completamente diferentes en su escritura, tienen una idea común o análoga en el concepto de *grandeza* o de *tamaño*, existe entre ellas una afinidad. Son palabras afines aquellas que en su escritura y significados son distintas y sin embargo, tienen analogía con una idea principal y común.

Véanse otros ejemplos de *palabras afines:*

Ansia	*pasado*	*fábula*	*eslabón*
deseo	*pretérito*	*fantasía*	*anillo*
esperanza	*preterición*	*ausencia*	*cadena*
aspiración	*antaño*	*nada*	*atadura*
vehemencia	*antigüedad*	*espectro*	*lazo*
expectación	*arcaísmo*	*duende*	*yugo*
intranquilidad	*tradición*	*espíritu*	*coyunda*

A veces la afinidad de las palabras es tan íntima que casi parecen poseer la misma significación. Véanse estos ejemplos:

enviar y remitir	*bizarro - valiente*	*murrio - triste*
obeso - gordo	*pusilánime - cobarde*	*remoto - lejano*
haragán - perezoso	*plétora - abundancia*	*máculas - manchas*

Las voces afines como las anteriores que tienen un significado muy parecido se llaman *sinónimos* (de *sin-con* y *ónimo-nombre*).

Es bueno hacer constar que no todas las palabras afines son sinónimas aunque todas las palabras sinónimas son afines.

Véase este grupo de palabras afines entre las cuales hay algunas que pueden considerarse sinónimas.

descontento	apesadumbrado	dolorido
triste	nostálgico	displicente
desanimado	afligido	apenado
amargado	melancólico	malhumorado
pesaroso	aburrido	decepcionado

Todas ellas tienen analogía o afinidad con la voz *disgusto*.

EJERCICIOS. — ¿Qué es afinidad? —¿Qué son palabras afines? — Diga cuál es la idea común en este grupo de palabras afines:

debilidad	apocamiento	brevedad
tenuidad	inferioridad	concisión
parvedad	exigüidad	partícula

Forme un grupo de nueve voces afines en las que se destaque como idea común o principal la de *unión*. — ¿Qué son palabras sinónimas? — ¿Cuál es la etimología de la palabra sinónimo? — Diga cuáles de las siguientes palabras son sinónimas:

exótico	defunción	arqueo	audaz
atrevido	balance	muerte	extranjero
rivalidad	eminente	alto	emulación
perenne	ligero	eterno	

Forme un grupo de nueve palabras afines no sinónimas en las que la idea común sea la de *parentesco*.

Lección 19

LA SINONIMIA. PALABRAS SINÓNIMAS, ISÓNIMAS
PARADIÁSTOLE

Sinonimia es el estudio de las voces sinónimas para determinar la diferencia de significado que existe entre ellas. Las palabras *acusar* y *denunciar* son sinónimas porque tienen significados parecidos, pero existe entre ellas alguna diferencia. *Acusar* es alegar causa. *Denunciar* es anunciar o pronosticar algo. Cuando un mal está hecho, se *acusa:* la causa existe. Cuando un mal se prevé, se *denuncia:* existe la probabilidad. Se *acusa* a un asesino convicto. Se *denuncia* una amenaza de secuestro.

Se ve claramente que entre las palabras sinónimas acusar y denunciar existe diferencia, ésa es su *sinonimia.* Podemos definir las voces sinónimas diciendo que son las palabras expresivas de una misma idea fundamental pero connotada por cada una de aquéllas en una modificación o relación diferente.

Para que dos voces sean sinónimas se requieren dos condiciones: 1.ª asemejarse por una idea genérica común, es decir, que sean afines. 2.ª diferenciarse por la connotación de ideas particulares o accesorias, tan poco distantes de la idea principal o genérica, o tan poco distantes entre sí, que puedan distinguirse por medio de un análisis muy fino y delicado como el que hicimos con las palabras acusar y denunciar.

Gramaticalmente hablando, *connotar* es significar la palabra dos ideas: una accesoria y otra principal.

No deben confundirse los *sinónimos* con los *isónimos* (de *isó*-igual y *ónimo*-nombre). Son palabras *isónimas* las que tienen un origen común, aunque distintas por su estructura y significado, como abertura y apertura, obrar y operar, delgado y delicado, íntegro y entero, llave y clave, legal y leal, áncora y ancla. Cada uno de estos grupos de palabras proceden de una misma raíz aunque se noten en ellas cambios en sus letras y pequeñas diferencias de significados.

Veamos otros ejemplos de *sinonimias:*

Sabio y *erudito.*

SINONIMIA: El *sabio* adquiere sus conocimientos mediante la experimentación.

Edison fue un *sabio*.

El *erudito* adquiere los conocimientos mediante la lectura y el estudio de buenas obras. Martí fue un *erudito*.

Ver y *mirar*.

SINONIMIA: *Ver* es simplemente recibir una sensación o percepción.

Mirar es percibir con atención para fijar en el espíritu.

Se *ve* un bulto. Se *mira* una obra de arte que nos interesa.

El estudio de las sinonimias es muy interesante y de gran valor para el verdadero conocimiento del idioma; pero su práctica es difícil y no corresponde a esta obra elemental. Recomendamos a los estudiantes que se aficionen a este estudio, la magnífica obra *Sinónimos Castellanos*, de Roque Barcia y *Vox. Diccionario de Sinónimos*, de S. Gili Gaya, Ed. Spes, Barcelona, 1958. Consulte: *Hablemos con Propiedad*, por el Dr. Joaquín Añorga.

Observación: Hay dos figuras literarias llamadas *sinonimia* y *paradiástole*. Se aplica la sinonimia cuando empleamos las palabras sinónimas sin establecer diferencia alguna entre ellas. Ejemplo: «Saludemos al hombre *valiente*, al *bizarro* soldado». La paradiástole emplea las voces sinónimas expresando la diferencia entre ellas: «Edison fue un *sabio*, no un *erudito* puesto que estudió en el libro de la naturaleza y no en los libros humanos».

EJERCICIOS. — ¿Qué es sinonimia? — Cite dos palabras sinónimas y explique su sinonimia. — ¿Qué son voces isónimas? — ¿Cuál es la etimología de la palabra isónima? — Con ayuda de un diccionario, busque un sinónimo a cada una de las palabras escritas con caracteres verticales (letra romanilla):

Joven *denodado*.
Plétora *de dinero*.
Hombre *contumaz*.
Goce *efímero*.
Dictaminar *sobre una cuestión*.

Dilapidar *una fortuna*.
Un *preámbulo* extenso.
Solar *yermo*.
Signos *diacríticos*.
Larga *tregua*.

Busque un isónimo de *estas palabras*:

delicado,   abertura,   próximo,   pleno,   íntegro,   clave.

Lección 20

EMPLEO DE VOCES SINÓNIMAS

El estudio de las voces sinónimas es uno de los mejores medios para el enriquecimiento del vocabulario o lenguaje de cada individuo Es magnífica práctica la de anotar todas aquellas palabras que desconocemos y buscar, por medio de un buen diccionario («Manual de la Real Academia», por ejemplo) su equivalente o sinónimo. Cuando el estudiante adquiere este hábito tan beneficioso, logrará en muy poco tiempo enriquecer su vocabulario y aumentar su cultura, mejorando, por consiguiente, su arte de expresión oral y escrita.

Estúdiense cuidadosamente estos ejemplos de palabras sinónimas empleadas en frases u oraciones:

Naciones *beligerantes* . . . . . . contendientes.
Hecho *insólito* . . . . extraordinario.
Periodista *incipiente* . . . . . . principiante.
Un día *aciago* . . . . desgraciado.
Difundir una noticia . . . . . . divulgar.
Pagador *moroso* . . . . tardío.
Empleado *probo* . . . . honrado.
Palabras *falaces* . . . . engañosas.
Joven *célibe* . . . . soltero.
Eso es un *sarcasmo* . . . . burla sangrienta.
Funcionario *apto* . . . . capacitado.
Niño *valetudinario* . . . . enfermizo.
Se efectuó la *promoción* . . . . . ascenso.
Es de ilustre *prosapia* . . . . . . linaje, alcurnia.
Pululan los insectos . . . . . . abundan.
Optar por una cosa . . . . decidirse.
Eso es *obvio* . . . . evidente, claro.
Expiró el herido . . . . falleció.
La *ponzoña* del alacrán . . . . . veneno.
Hombre conspicuo . . . . ilustre, distinguido.

Eres *indolente* . . . . desidioso, apático.
Revista *hebdomadaria* . . . . semanal.
Es muy *zalamero* . . . . . . cariñoso.
Meandros de un río . . . . . . sinuosidades.
Cotizar los valores . . . . . . publicar, valorar.
Hay suficientes *abastos* . . . . provisiones.
Acarreo por carretera . . . . . transporte.
Agio comercial . . . . especulación, ganancia.
Aforar las mercancías . . . . . valuar.
Cancelar una orden . . . . . anular.
Cobró el *estipendio* . . . . . remuneración, salario.
Pagar la *gabela* . . . . contribución, tributo.
Los *honorarios* del médico . . . . paga.
Gerente de una sociedad . . . . director.
Se efectuó la *licitación* . . . . . subasta.
Solventar las deudas . . . . . . pagar.
Se dictó el *laudo* . . . . fallo, decisión.
Pago *pecunario* . . . . en efectivo.
El es mi *poderdante* . . . . . . mandante.
Resarcir un daño . . . . indemnizar, reparar.
Redimir una deuda . . . . . . cancelar, librar.

EJERCICIOS. — ¿Por qué es importante el estudio de las voces sinónimas? — Busque un sinónimo a las palabras escritas con caracteres verticales (letra romanilla).

«En el vetusto *castillo hallamos* a un decrépito anciano *que* yacía *en un* inmundo lecho, *viviendo las* postreras *horas de su* desdichada existencia.»

Sustituya la palabra escrita con tales caracteres por un sinónimo.

Reparar *un daño*.
Divulgar *un conocimiento*.
Periódico semanal.
Anular *un pedido*.
No recibió el salario.
Muchacha enfermiza.
Transporte *de mercancías*.
Pagar *las deudas*.
Estudiante principiante.
Abundan *las cucarachas*.

Llegó el director *de la empresa*.
Honrado *cajero*.
Razonamiento claro.
joven apático.
Eres muy cariñoso.
Falleció *el enfermo*.
Pagó la contribución.
Conocimos *el* fallo.
Publicar *los valores de la Bolsa*.
Personaje distinguido.

Lección 21

LAS PALABRAS ANTÓNIMAS

Obsérvense estas palabras:

Confirmar - desmentir.   *alegría - tristeza.*
acercarse - alejarse.   *holgazán - trabajador.*
nacer - morir.   *infancia - senectud.*

Se ve claramente que sus significados son contrarios u opuestos. Las voces de significación opuesta se llaman *antónimos.*

Estúdiense estas voces, explicadas por medio de sinónimos:

Lo contrario de *lícito* (legal) es *ilícito* (ilegal).
Lo contrario de *escéptico* (incrédulo) es *fanático* (creyente).
De *locuaz* (hablador) es *taciturno* (callado).
De *perseverante* (constante) es *voluble* o *versátil* (inconstante).
De *sincero* (franco) es *solapado* (hipócrita).
Negligente (descuidado) - *cuidadoso* (ordenado).
Ignorante (desconocedor) - *culto* (instruido).
Apto (capacitado) - *inepto* (incapacitado).
Efímero (pasajero) - *Eterno* (duradero).
Elipsis (supresión) - *pleonasmo* (redundancia).
Nocivo (perjudicial) - *beneficioso* (bueno).
Prolijo (extenso) - *lacónico* (corto, breve).
Bizarro (valiente) - *pusilánime* (cobarde).
Veraz (verdadero) - *mendaz* (mentiroso).
Cima (cúspide) - *sima* (precipicio).
Belicoso (guerrero) - *pacífico* (tranquilo).
Diáfano (claro) - *lúgubre* (oscuro).
Montaña (elevación) - *valle* (depresión).
Misericordioso (compasivo) - *despiadado* (incompasivo).
Establecer (instituir) - *abolir* (destruir).
Ileso (indemne) - *lesionado* (dañado).
Ingreso (entrada) - *egreso* (salida).
Maculado (manchado) - *inmaculado* (limpio).
Mustio (marchito) - *lozano* (fresco).
Opulencia (riqueza) - *miseria* (penuria).

Pereza (holganza) - *laboriosidad* (trabajo).
Plétora (abundancia) - *escasez* (mezquindad).
Denuedo (valentía) - *cobardía* (miedo).
Fiel (leal) - *infiel* (desleal).

EJERCICIOS. — ¿Qué son palabras antónimas? — Con auxilio del diccionario, busque un antónimo a estas palabras:

tardío	filántropo	verdad	matutino	eufonía	sobrio
tosco	predecesor	avaro	ingrato	absorber	placer
rural	insípido	grave	inerme	tórrido	construir

Busque un sinónimo a estas palabras y empléelas en oraciones o frases:

inerme	tórrido	construir	sobrio	absorber

57

Lección 22

GRADACIÓN DE SIGNIFICADOS DE LAS PALABRAS

Examínense estos vocablos:

NACER	VIVIR	MORIR
TODO	PARTE	NADA
VALLE	LLANURA	MONTAÑA

Puede notarse que las palabras que ocupan los extremos son antónimas o contrarias y aquellas que ocupan el centro expresan lo intermedio de los significados. Este interesante estudio de las palabras podemos llamarlo *gradación de significados*. Estúdiense otros ejemplos:

LÍCITO	TOLERABLE	ILÍCITO
AVARO	GENEROSO	PRÓDIGO
PASADO	PRESENTE	FUTURO
CÓNCAVO	PLANO	CONVEXO
GLACIAL	TEMPLADO	TÓRRIDO
AMOR	INDIFERENCIA	ODIO
ETERNO	TEMPORAL	EFÍMERO
ADELANTAR	PERMANECER	RETROGRADAR
VELOZ	MODERADO	LENTO
ANTERIOR	INTERMEDIO	POSTERIOR
INFANTIL	JUVENIL	SENIL
CLARIDAD	PENUMBRA	OSCURIDAD
AMIGO	DESCONOCIDO	ENEMIGO

TORPE	MEDIOCRE	INTELIGENTE
SÓLIDO	LÍQUIDO	GASEOSO
VERDAD	DUDA	MENTIRA
POBRE	MODESTO	RICO
ESCÉPTICO	CREYENTE	FANÁTICO
CURVO	SINUOSO	RECTO
DULCE	INSÍPIDO	AMARGO
EGOÍSTA	EGOALTRUISTA	ALTRUISTA
BURLA	INDIFERENCIA	RESPETO
FLEXIBLE	FRÁGIL	INFLEXIBLE
CONSTRUIR	CONSERVAR	DESTRUIR
BLANCO	GRIS	NEGRO

EJERCICIOS. — Busque el antónimo y el intermedio de estas palabras:

infancia	*nacimiento*	*avaricia*
velocidad	*pobreza*	*torpeza*
frío	*transparente*	*día*
corto	*difícil*	*principio*
alegre	*locuaz*	*construir*

Forme los nombres de estos adjetivos:

locuaz	*alegre*	*transparente*
blanco	*frío*	*corto*

Diga los adjetivos de estos nombres:

infancia	*avaricia*	*velocidad*
pobreza	*torpeza*	*día*

Lección 23

PALABRAS HOMÓNIMAS, HOMÓFONAS
Y PARÓNIMAS

Examínense las palabras con caracteres cursivos:

Ella no sabe *nada*.   El *cabo* del cuchillo.
María *nada* muy bien.   Llegó el *cabo* del ejército.

Dichas palabras se escriben igual y sin embargo tienen significación distinta; la Gramática las llama *palabras homónimas*, de *homo* - igual y *ónimo* - nombre.

Véanse estas otras:

Yo *izo* la bandera.   Iré *hasta* tu casa.
El *hizo* un dibujo.   El *asta* de la bandera.

Las anteriores palabras subrayadas, se pronuncian igual aunque tienen una pequeña diferencia en la escritura. Son *palabras homófonas, de homo* - igual *y fono* - sonido.

Obsérvense éstas:

El médico estudia la *calavera*.   Trazará una *elipse*.
Colón viajó en *carabela*.   Ya tomé el *elíxir*.

Estas otras palabras se diferencian más, pero se confunden en su escritura y en su pronunciación. Son *palabras parónimas*, de *para* - cerca, parecido, y *ónimo* - nombre.

Como hemos visto, los *homónimos*, *homófonos* y *parónimos*, son voces de significados distintos, y de muy parecida escritura. El estudio de estas palabras contribuye a afianzar el conocimiento del Lenguaje y de la Ortografía.

Estúdiense cuidadosamente estos ejemplos:

COMPRENSIÓN - de comprender.

COMPRESIÓN - de comprimir.

ABRAZAR - estrechar con los brazos.

ABRASAR - quemar.

CESTA - canasta.

SEXTA - correspondiente al 6.

BELLO - hermoso.

VELLO - pelo fino.

ESPECIE - clase.

ESPECIA - condimento.

AYA - institutriz.

HAYA - del verbo haber, ciudad de Holanda, árbol.

HALLA - del verbo hallar.

BATE - palo; del verbo batir.

VATE - poeta.

EXPIRAR - morir.

ESPIRAR - respirar.

ESPIRAL - curva geométrica.

BOTAR - arrojar.

VOTAR - dar el voto.

ACERBO - áspero al gusto, cruel.

ACERVO - montón.

INFLIGIR - imponer castigos.

INFRINGIR - quebrantar.

ACTITUD - postura, disposición.

APTITUD - idoneidad, capacidad.

CALLO - endurecimiento de la piel, forma del verbo callar.

CAYO - islote, nombre de persona.

ASADA - de asar.

AZADA - guataca.

INCIPIENTE - principiante.

INSIPIENTE - ignorante.

VAYA - del verbo ir.

VALLA - estacada.

BAYA - color, clase de fruto.

HAZ - manojo; forma del verbo hacer.

HAS - forma del verbo haber.

AS - de barajas; moneda.

CASO - suceso.

CAZO - cazuela.

CIMA - cumbre.

SIMA - precipicio.

AZAR - suerte, casualidad.

ASAR - cocer, cocinar.

AZAHAR - flor del naranjo.

EJERCICIOS. — ¿Qué son palabras homónimas? — ¿Qué son palabras homófonas? — ¿Qué son palabras parónimas? — Diga las etimologías de homónimo, homófono y parónimo. — Cite un parónimo de las siguientes palabras y explique sus significados.

especie	*halla*	*sexto*	*vasta*	*losa*
valla	*has*	*vello*	*huya*	*casa*

61

Lección 24

CONTINUACIÓN DEL ESTUDIO DE LAS PALABRAS PARÓNIMAS

CALLADO - de callar.
CAYADO - bastón.

CONDONAR - perdonar.
CONDENAR - sentenciar.

SESIÓN - reunión, junta,
CESIÓN - del verbo ceder.
SECCIÓN - parte, grupo.

CEBO - carnada, comida.
SEBO - grasa de los animales.

ABSOLVER - libertar.
ABSORBER - chupar.

GUARECER - preservar, amparar.
GUARNECER - adornar, poner defensas.

EMINENTE - elevado, notable.
INMINENTE - que está por suceder muy pronto.

BARÓN - título de nobleza.
VARÓN - del sexo masculino.

SUECO - de Suecia.
ZUECO - zapato de madera.

ESPIAR - vigilar, explorar.
EXPIAR - sufrir una condena.

SABIA - que sabe.
SAVIA - jugo de las plantas.

SUMO - supremo.
ZUMO - jugo.

TUBO - cañería.
TUVO - voz del verbo tener.

RISA - de reír.
RIZA - de rizar.

BASAR - fundar, apoyar.
BAZAR - tienda.

DEFERENCIA - condescendencia, respeto.
DIFERENCIA - desigualdad.

ELIPSIS - supresión.
ELIXIR - licor.
ELIPSE - curva geométrica.

ASERTO - afirmación.
ACIERTO - habilidad, tino
ACECHAR - mirar, atisbar.
ASECHAR - armar asechanzas o trampas.

IMPUDENCIA - falta de pudor.
IMPRUDENCIA - falta de prudencia.

CARDENAL - prelado de
la Iglesia;
un pájaro;
mancha de un golpe;
CARDINAL - principal.

VOZ - sonido.
VOS - pronombre.

DESHECHO - lo que se deshace.
DESECHO - residuo.

VASO - vasija, vena o arteria.
BAZO - víscera.
BASO - forma del verbo basar.

HIERVA - del verbo hervir.
HIERBA - planta.

CITO - del verbo citar.
SITO - situado.

REBELAR - sublevar.
REVELAR - descubrir un secreto.
GRABAR - inscribir, esculpir.
GRAVAR - causar gravamen, pesar.

EJERCICIOS. — Emplee en oraciones o frases estas palabras parónimas:

| sabia | absorber | deferencia | eminente | rebelar |
| savia | absolver | diferencia | inminente | revelar |

Explique por medio de un sinónimo la diferencia de significados de
estos parónimos.

| aserto | sesión | eminente | condenar | zumo | deferencia |
| acierto | sección | inminente | condonar | sumo | diferencia |

Emplee en oraciones estos homófonos:

e	a	has	echo	herrado
he	ha	as	hecho	errado
eh	ah			

Redacte seis oraciones empleando voces parónimas, en esta forma:
Ejemplo: «La sabia mujer no sabía que la savia de esa planta era me-
dicinal.» Véase este otro modelo: «Te cito para el edificio sito en la Calzada
Central.»

Lección 25

LOS SONIDOS FONÉTICA Y FONOLOGÍA
PROSODIA Y ORTOGRAFÍA. CLASIFICACIÓN DE LAS LETRAS:
VOCALES Y CONSONANTES

Fonética es la ciencia que estudia a los sonidos de un idioma desde un punto de vista material. Cuando los sonidos articulados del idioma son estudiados en su aspecto intencional, estamos dentro del campo de la *Fonología*. Ambas ciencias se complementan para llegar al adecuado conocimiento de los sonidos constitutivos de una lengua, y que son los que dan a ésta sus matices más característicos.

No hay que confundir tampoco *Prosodia y Ortología*. Por *Ortología* entendemos la ciencia que trata de la correcta pronunciación de los sonidos de un idioma. Con la *Prosodia* —y teniendo en cuenta su etimología, del griego (*pros*, según, y *odé*, canto)— tratamos la correcta pronunciación de las frases y oraciones. Ambas ciencias son ramas de la Fonética, pero el término de Ortología está desterrando, aun en los estudios medios gramaticales, al término de Prosodia, que es más vago e impreciso.

La *palabra* es la expresión de una idea; puede ser oral o escrita. La palabra oral puede estar formada por un solo sonido vocal: a, y, o, y por la combinación de vocales y consonantes: *el, los, Dios, tres.*

La *Fonética* llama a cada sonido vocal articulado, *fonema* (de *fono* — sonido). A la representación gráfica o escrita de esos fonemas, les llama *grafías* (de *grafos* — escribir). La palabra *letra* conviene a ambas cosas: de modo que tanto un fonema como una grafía, son *letras.*

Alfabeto o *abecedario* es el conjunto de letras de un idioma. La palabra alfabeto está formada de los nombres de las dos primeras letras griegas: *alfa* — a y *beta* — b. Abecedario proviene de *a, b, c.*

Ya se dijo que grafías son los signos escritos que representan los fonemas. Al conjunto de grafías se llama *alfabeto ortográfico*. Y al conjunto de fonemas, *alfabeto prosódico*.

El *alfabeto ortográfico* español consta de 28 grafías, ordenadas de este modo: a, b, c, ch, d, e, f, g, h, i, j, k, l, ll, m, n, ñ, o, p, q, r, s, t, u, v, x, y, z.

El *alfabeto prosódico español* consta de 26 fonemas, dos letras menos que el ortográfico, porque la *k* y la *x* son sonidos equivalentes a los de la *c* y la combinación *cs*. Y la *h*, por su condición de letra muda, no es fonema, y la *r*, empleada sencilla o doble, expresa dos sonidos diversos.

El *alfabeto fonético* consta, además, de varios signos adicionales, para lograr que a todo matiz de fonema corresponda una grafía. El lingüista español Navarro Tomás recomienda un alfabeto fonético español de 60 grafías.

El *aparato de fonación* es el conjunto de órganos del cuerpo humano que funcionan para producir la voz. Los órganos que intervienen en esa función son: los pulmones, el diafragma, los bronquios, la tráquea, la laringe, las cuerdas vocales, la glotis, la faringe, la boca, la nariz, el paladar duro, el velo del paladar, la lengua, los dientes, los labios, etc.

Fisiología del aparato de fonación: El aire contenido en los *pulmones* sale de éstos estimulado por el *diafragma*, músculo transversal que regula la respiración. El aire pulmonar se conduce por los *bronquios* hacia la *tráquea* en cuyo extremo superior está la *laringe*.

La laringe presenta un estrechamiento por cuatro pliegues, dos a cada lado: son las *cuerdas vocales*. Entre las cuerdas derechas e izquierdas hay una abertura que se cierra o se abre para dejar pasar el aire pulmonar, es la *glotis*. Las vibraciones de las cuerdas vocales, haciendo abrir y cerrar la glotis, producen un sonido neutro que es la *voz*, es un sonido muy aproximado al de la vocal a.

El sonido neutro producido en la laringe llega por la *faringe* a la *cavidad bucal* (boca) y la posición de la boca y de la *lengua* modifican ese sonido original produciendo las distintas vocales (a, e, i, o, u). Estas distintas posiciones de la lengua, la boca, los labios, etc., constituyen las *articulaciones de la voz*. De esas articulaciones saldrán todos los fonemas (consonantes y vocales).

Las letras (grafías o fonemas) se dividen en vocales y consonantes. Por su forma y tamaño, éstas pueden ser *mayúsculas* o *minúsculas*.

Vocales. — Las vocales son sonidos que pueden pronunciarse de un modo independiente, y que se producen por la vibración de las cuerdas vocales, saliendo sin obstáculo el aire al exterior.

Las vocales son cinco: a, e, i, o, u, y su clasificación se hace según distintos puntos de vista.

a) Según la *posición de la lengua* en su pronunciación, las vocales se han clasificado en:

ANTERIORES O PALATALES: la *i* y la *e*.
POSTERIORES O VELARES: la *o* y la *u*.
MEDIA O NEUTRA: la *a*.

El triángulo de Hellwag demuestra esta clasificación.

b) Observando la mayor *fuerza de pronunciación de las vocales*, éstas se han clasificado en:

PRIMER GRADO DE PERCEPTIBILIDAD: *a*
SEGUNDO GRADO DE PERCEPTIBILIDAD: *o, e*
TERCER GRADO DE PERCEPTIBILIDAD: *i, u*

A la *a* la *e* y la *o*, por ser las *más perceptibles*, se las llama también *vocales fuertes*. La *i* y la *u*, son *débiles*. Esta clasificación es muy importante par la formación de los diptongos y triptongos.

c) Según la mayor o menor abertura del canal bucal, se dividen en «abiertas» y «cerradas». La *a* es la más abierta. La *e* y la *o* son intermedias. La *i* y la *u* son cerradas.

d) Según el triángulo orcheliano, las vocales se clasifican en:

GUTURAL: *a*
PALATAL: *i*
LABIAL: *u*
INTERMEDIAS: *e, o*.

Consonantes: las consonantes son sonidos que, al igual que las vocales, también pueden pronunciarse independientemente, pero necesitando para su articulación la ayuda de los sonidos vocálicos. En las consonantes el aire, al salir al exterior, encuentra diversos obstáculos en el canal bucal.

CLASIFICACIÓN DE LAS CONSONANTES: las consonantes pueden clasificarse teniendo en cuenta: *a)* el punto de articulación; *b)* el modo de articulación.

a) *Según el punto de articulación*, las consonantes pueden ser:

BILABIALES: articulación con los dos labios, *b, p, m*.
LABIODENTALES: articulación del labio inferior con los dientes superiores: *f, v*.

INTERDENTALES: articulación de la lengua con el borde de los dientes incisivos: *z, c.*

DENTALES: la punta de la lengua con la cara posterior de los dientes superiores: *t, d.*

ALVEOLARES: punta de la lengua con la encía o alvéolo: *s, n, l, r, rr.*

PALATALES: paladar duro y parte anterior de la lengua: *ch, y, ll, ñ.*

VELARES O GUTURALES: velo del paladar; región gutural y parte posterior de la lengua: *k, q, c, j, g.*

b) Desde el punto de vista del modo de la articulación, atendiendo a la forma de contacto de los órganos, ya sea este completo y momentáneo, o de mayor o menor frotamiento, las consonantes se clasifican en *oclusivas o explosivas; fricativas* o de fricción; *africadas* o de fricción parcial.

SON OCLUSIVAS O EXPLOSIVAS: p, b, d, t, m, n, c, (ca, co, cu); g (ga, go, gu).

SON FRICATIVAS: f, z, s, l, ll, j, g, c, (ce, ci).

SON AFRICADAS: ch, ñ.

SON VIBRANTES: r, rr.

A la *s* también se la llama *silbante,* o *sibilante,* y a la *ñ,* nasal.

En las sílabas: bra, bla, pli, tre, cra, fro, gla, etc. las consonantes *l* y *r,* son *líquidas;* las que articulan con ellas, son *licuantes.*

EJERCICIOS. — Diga la diferencia que hay entre Fonética, Prosodia y Ortografía. Cite las etimologías de esas palabras. Explique estos términos: Fonema, grafía y letra. Distintas clases de alfabetos. Fisiología del aparato de fonación. Clasificación de las vocales, según Hellwag. Clases de vocales según Orchell. Explique estos términos: bilabial, alveolar, palatal, velar, oclusiva, explosiva, fricativa, africada, nasal, líquida, licuante. Clasifique estas consonantes: m, r, t, b, v, l, j, c, d, g, h, f, ll, p, ñ, s y z.

Lección 26

LAS CUALIDADES DE LA VOZ

Las principales cualidades de la voz son las *articulaciones*, la *intensidad*, la *duración* y la *extensión*.

Las *articulaciones* son los movimientos de la boca que modifican la voz. Las articulaciones producen las letras, las sílabas y las palabras. Ya vimos en la lección anterior como se producen las vocales y las consonantes por medio de las articulaciones de los distintos elementos de la boca: garganta, lengua, dientes, labios, paladar, etc.

La *intensidad* de la voz es el mayor o menor grado de fuerza al emitir los sonidos. El mayor grado de intensidad constituye el *acento*, por eso decimos que la sílaba tónica o acentuada de una palabra es la que se pronuncia con mayor intensidad.

La *duración* de la voz es el tiempo que se emplea en emitir los sonidos; la duración de la voz constituye la *cantidad*. Por la *cantidad*, las *sílabas* pueden ser *largas* o *breves*: En la palabra *translúcido* tenemos una sílaba de *larga* duración: *trans*, y las otras *breves*. Tienen sílabas *largas* las palabras siguientes: *sustracción, transportar, infracción*.

La *extensión* de la voz es la inflexión aguda o grave que se produce según se dilate más o menos la laringe. La *extensión* de la voz constituye el *tono*, que puede ser *grave* o *agudo*. Uno de los aspectos más interesantes de la expresión es la *entonación;* buena prueba de ello la tenemos en las oraciones interrogativas, admirativas, exhortativas, etc. *Énfasis* es sinónimo de *entonación*, y viene a significar entonación exagerada.

Otro aspecto también interesante de la voz, es el *timbre*, éste depende de las modificaciones que recibe el sonido por las condiciones individuales del órgano de fonación de cada persona. Por el *timbre* de su voz, podemos fácilmente distinguir, sin verlo, a cualquier individuo.

También son estudios relativos a la voz o expresión oral, el de las *pausas* y el *ritmo*. Las *pausas* son detenciones, más o menos breves, que hacemos después de las palabras tónicas, de mayor importancia, para deslindar las ideas o para respirar. Sirva este mismo párrafo como ejemplo de esas pausas, las cuales se indican con las comas, los puntos y comas, y los puntos. Se hacen muchas pausas que no están indicadas por comas, por ejemplo: *Fue imposible obtener el permiso*. En la oración anterior se hace una pausa entre las palabras imposible y obtener sin necesidad de indicarla con una coma.

El *ritmo*, que es la combinación armoniosa de las frases y oraciones en la cláusula, depende de la atinada distribución de los acentos y las pausas. Para la elegancia y armonía de la expresión, el ritmo es imprescindible, tanto en la prosa como en la poesía.

Nótese cómo en el siguiente párrafo las pausas y los acentos constituyen una hermosa armonía con verdadero ritmo:

«Mil leguas ocuparon mis brazos, pero mi corazón se hallará siempre en Caracas: allí recibí la vida, allí debo rendirla; y mis caraqueños serán siempre mis primeros compatriotas. Este sentimiento no me abandonará sino después de la muerte».

SIMÓN BOLÍVAR

EJERCICIOS. — ¿Cuáles son las principales cualidades de la voz? — ¿Qué producen las articulaciones de la voz? — ¿De qué depende el acento en una palabra? — ¿Por qué hay sílabas largas y breves? — Cite dos tipos de cantantes de voz aguda y dos de voz grave. — Dos instrumentos musicales que produzcan sonidos agudos y dos que produzcan sonidos graves. ¿Qué clase de oraciones necesitan de la entonación para su expresión? — ¿Qué quiere decir énfasis? — ¿Qué nombre recibe el sonido característico de la voz de cada persona? — ¿Por medio de qué signos se señalan las pausas en la expresión oral? — ¿Qué es el ritmo?

Lección 27

SÍLABAS, DIPTONGOS Y TRIPTONGOS

En la lección 4.ª tratamos de las *sílabas*. Se dijo que la *sílaba* es el sonido vocal simple o modificado por una o más consonantes expresado en una sola emisión de voz. En la composición de algunas sílabas figura más de una vocal. Véanse estos ejemplos:

Pre-*cio*   *Pei*-ne   *sie*-te   Arapu*ey*   a-pre-*ciáis*.

Recordemos que las vocales se dividen en *fuertes* y *débiles*. Las *fuertes* son *a, e, o*. Las *débiles* son *i, u*.

Sepárense las sílabas de las palabras *continua* y *continúa*:

con-*ti*-nua   con-ti-*nú-a*

Vemos que *continua* tiene tres sílabas y *continúa*, cuatro, ¿por qué? Porque en la sílaba *nua* se han expresado las dos vocales en una sola emisión de voz, mientras que en continúa, se expresan esas vocales separadamente, constituyendo dos sílabas.

Si dividimos en sílabas las palabras *aéreo* y *héroe*: a-é-re-o, hé-ro-e, notamos que las vocales fuertes, no pueden combinarse en una sola sílaba. Véanse estos otros ejemplos:

ai-re   *sie*-te   *ve*-o   sua-ve   po-e-*ta*   hue-*co*

Una vocal fuerte y una débil o *viceversa*, pueden combinarse y formar una sola sílaba, mientras que dos vocales fuertes no pueden hacerlo.

A la combinación de dos vocales, una fuerte y una débil, una débil y una fuerte o dos débiles, dichas en una *sola sílaba*, es a lo que se llama un *diptongo*.

Si combinamos las vocales fuertes con las débiles y las dos débiles podemos formar el cuadro de los catorce diptongos que hay en nuestro idioma:

ai	au	ia	ua	iu
ei	eu	ie	ue	ui
oi	ou	io	uo	

70

Sepárense en sílabas estas palabras: *país, raíz, baúl, salían, púa:*

pa-ís   ra-íz   ba-úl   sa-lí-an   pú-a

En todas ellas está disuelto o destruido el diptongo porque se ha acentuado la vocal débil.
Observemos las sílabas de estas palabras:

A-ra-puey   Pa-ra-guay   a-pre-ciéis   a-pa-ci-guáis

En las sílabas *puey, guay, ciéis, guáis,* concurren tres vocales: una fuerte en medio de dos débiles. A esta combinación se le llama TRIPTONGO. Sólo hay cuatro triptongos en español:

iai   uai   iei   uei

También pueden disolverse los triptongos acentuando una de sus vocales débiles. Ejemplos: *apreciaríais, veríais.*

El hiato: Cuando las vocales concurrentes no forman diptongo o triptongo, se dice que están en *hiato.*

Ejemplos de hiatos: Saavedra, reelegir, héroe, antihigiénico, alcohol, cetáceo, acentúa, río.

Clasificación de las sílabas: Por el número de letras pueden ser:

monolíteras: a, e, a-*diós,* e-*lla,* i-*dea.*
bilíteras: el, la, si, no.
trilíteras: sin, por, las, nos.
polilíteras: tres, dios, trans.
(*Litera* significa letra
mono - uno; *bi* - dos;
tri - tres y *poli* - muchos)

Por la posición de la vocal, se clasifican en:
Directa, cuando la vocal está después de la consonante, como en *di.*

Inversa, cuando la vocal está antes de la consonante, como en *in.*

Mixta, cuando la vocal está en medio de consonantes como en *mix.*

Observación: Como un recurso *nemotécnico* (nemo-memoria y tecnia-arte), nótese que la primera sílaba de cada una de las palabras *directa, inversa* y *mixta,* son ejemplos de esas clases de sílabas.

71

Cuando estas sílabas tienen una sola consonante son *simples* y cuando tienen más de una consonante seguidas son *compuestas*.

Ma, en, tan, son simples. *Pre, ins, trans,* son compuestas.
Las sílabas directas también se llaman *abiertas*, porque terminan en vocal. Las inversas y mixtas, se llaman *cerradas*, porque terminan en consonante. Son abiertas: *La, de, no.* Son cerradas: *las, en, tres.*

Las palabras, según el número de sus sílabas, se clasifican en:
Monosílabas, las de una, como dos, tres, pan, si.
Bisílabas, las de dos, como casa, mesa, tejer.
Trisílabas las de tres, mérito, sábana, música.
Polisílabas, las de más de tres sílabas: ferrocarrilero, desordenadamente.

División de las palabras en sílabas: Ya hemos visto cómo se separan las palabras en sílabas gramaticales atendiendo a la conservación de la estructura de los diptongos y triptongos: au-sen-cia; a-preciáis.

Cuando una palabra sea compuesta, será potestativo dividir el compuesto separando sus componentes, aunque no coincidan con el silabeo.

Así, podrá dividirse vos-otros y vo-sotros; des-animados y de-sanimados.

Las sílabas directas compuestas que están formadas por consonantes licuantes y líquidas. (Son líquidas la l y la r; las que con ellas articulan, son licuantes): *bla, pre, tri, dro, cre, glu,* etc.

o-*tro*   a-*trio*   hí-*dri*-co   a-mue-*blar*
                          a-*cri*-so-lar

Cuando hay concurrencia de consonantes que no son licuante y líquida, quedan separadas. Ejemplos:

ins-tan-te   dig-ni-dad
at-mós-fe-ra   in-ne-ce-sa-rio

Debe evitarse dejar solas una o dos letras al final de un renglón:

Ella iba a-   Ella iba ade-   Fuimos al pa-   Fuimos al país.
delante.   lante.   ís.

EJERCICIOS. — ¿Qué es sílaba? — Diga cuáles son las vocales fuertes y las débiles. — ¿Qué es un diptongo? — Separe las sílabas y subraye los disptongos de estas palabras:

ausencia	recuerdo	seriedad	noviembre	puerta
aseo	heroísmo	país	baúl	feo
dios	cien	Luisa	aula	raíz

¿Qué es el hiato?: dé ejemplos. ¿Qué son sílabas, directas, inversas y mixtas? ¿Qué son sílabas abiertas y cerradas?

¿Qué es un triptongo? Cite los cuatro triptongos. — Separe en sílabas estas palabras y subraye los triptongos:

despreciéis	Uruguay	apacigüéis
amortiguáis	buey	apreciáis

¿Cómo se disuelven los diptongos y triptongos? Cite dos ejemplos. Cite dos ejemplos de cada una de estas clases de palabras:

Trisílabas	Polisílabas	Bisílabas	Monosílabas

Lección 28

LOS ACENTOS. CLASIFICACIÓN DE LAS PALABRAS
POR EL ACENTO

Al tratar de la *intensidad de la voz* vimos que el mayor grado de intensidad constituye el *acento*.

Compárense las palabras con caracteres cursivos en estas oraciones.

1. — Él *liquidó* el vapor de agua.
2. — Yo *liquido* mis deudas.
3. — El agua es un *líquido*.

Obsérvese que en la palabra *liquidó*, la sílaba que se pronuncia con más fuerza o intensidad de voz es la *última*, *dó*.

En la palabra liquido, la fuerza de la pronunciación está en la *penúltima* sílaba, *qui*. Y en la palabra *líquido*, la sílaba más intensa es *lí* y ocupa el *antepenúltimo* lugar. La intensidad o fuerza con que se pronuncia una de las sílabas de cualquier palabra se llama *acento prosódico*, y la sílaba que lleva el acento, se denomina *sílaba tónica*.

Algunas palabras llevan en la vocal de su sílaba tónica una rayita o tilde que se llama *acento ortográfico* o *escrito*.

Clasificación de las palabras por su acento: Hemos visto como cambió el lugar del acento en las palabras *liquidó, liquido* y *líquido*. En *liquidó*, el acento cae en la *última* sílaba; lo mismo ocurre en las palabras *corazón, papel ají, amar*. Las palabras que tienen su sílaba tónica en el último lugar se llaman *palabras agudas*.

En la palabra *liquido*, la sílaba tónica se halla en el *penúltimo* lugar, así lo tienen también las palabras *martes, fácil, azúcar, casa, deseo*. Las palabras que tienen su sílaba tónica en el penúltimo lugar, se llaman *palabras llanas o graves*.

En la palabra *líquido*, la sílaba tónica *lí*, se halla en el *antepenúltimo* lugar como sucede con las palabras *ácido*, *sábado*, *música*, *huérfano*. Estas palabras que tienen su sílaba tónica en el antepenúltimo lugar se llaman *esdrújulas*.

Hay palabras que tienen su sílaba tónica en el *trasantepenúltimo* lugar como *fácilmente*, reco*giéndoselos*. Estas palabras se llaman *sobresdrújulas*.

Muchas palabras compuestas como *decimoséptimo*, *fácilmente*, *agridulce*, tienen dos acentos y se llaman *dítonas*.

En los monosílabos no se escribe el acento, pues teniendo una sola sílaba, en ella ha de ir el acento forzosamente. Ejs.: col, tul, paz, fue, vio.

A la *Ortografía* corresponde dictar las reglas para el uso del acento ortográfico o tilde. En la lección correspondiente trataremos de estas reglas.

EJERCICIOS. — ¿Qué es acento prosódico de una palabra? — ¿Cómo se llama la sílaba que lleva el acento prosódico? —¿Qué es el acento ortográfico? — ¿Qué son palabras agudas? — Cite un ejemplo. — ¿Qué son palabras llanas? Cite un ejemplo. — ¿Qué son palabras esdrújulas? Cite un ejemplo. — ¿Qué son palabras sobreesdrújulas? Cite un ejemplo. — ¿Qué son palabras dítonas? Cite un ejemplo — ¿Qué son palabras átonas? Cite un ejemplo.

Diga las etimologías de estas palabras:

tónica   dítona   átona   penúltima   antepenúltima.

Clasifique estas palabras subrayando sus sílabas tónicas y diciendo si son agudas, breves, esdrújulas o sobresdrújulas:

examen	crisis	miércoles	pan
lunes	viernes	violín	salir
cárcel	decimonono	héroe	mérito
pastel	sintaxis	río	reúnen
bárbaramente	válvula	diálogo	anís

Observación: La Academia ha suprimido el acento ortográfico de las voces compuestas con décimo: decimonono, decimosexto, decimocuarto, decimoquinto, decimoséptimo, etc.

Lección 29

DEFECTOS DE LA PRONUNCIACIÓN

Los *defectos de pronunciación* o faltas de Prosodia son debidos a las articulaciones viciosas, a los errores de acentuación o a las modificaciones de las letras que el vulgo introduce en las palabras.

Las articulaciones viciosas dependen de las dificultades para pronunciar las letras y las sílabas.

Producto de la dificultad son el *gangueo*, pronunciación nasal; el *tartamudeo*, dificultad en la pronunciación que obliga a repetir la primera sílaba de las palabras, la *balbucencia*, que es la pronunciación tardía y vacilante.

Otros defectos de pronunciación son debidos a la articulación viciosa de algunas letras. Estos errores de Prosodia se llaman *barbarismos prosódicos*, tales son:

El *ceceo* que consiste en la viciosa pronunciación de la *ce* y la *zeta: ceñor, Madriz, ací, pazar,* etc.

El *seseo* es la costumbre de pronunciar con la *ese* las articulaciones que deben ser con *c* o *z: servesa, matansa, piesa, cársel,* etc.

Lalación es el vicio de pronunciar *l* por *r* o *d: almiral, alquiril, il, comel, rública, peleglino, almatoste,* etc.

Rotacismo es el uso vicioso de la *rr*, pronunciándola exageradamente o con carácter gutural en vez de lingual, o sustituyéndola por otra letra: *orfato, arcancía, cormillo, carma,* etc.

Taucismo es el uso vicioso de la *t* por *d: Madrit, amistat, venit,* etcétera.

Yeísmo es la pronunciación de la *y* por *ll: cabayo, siya, eya, ayí,* etc.

Es muy frecuente la pronunciación defectuosa de la *r* y la *s*. Las palabras Carlos, carne, etc., se pronuncian con una *r* muy parecida a una *j*: Ca*j*lo, ca*j*ne o también Ca*s*lo, ca*s*ne. La *s* final y la intermedia viciosamente se pronuncian muy oscuras o se suprimen. Se oye decir frecuentemente: salite, llegate, por sali*s*te, llega*s*te; fuimo somo, por *fuimos, somos.* Y en algunos casos se agrega una *s* innecesaria como *salistes, mirastes, llegastes.*

Los *barbarismos prosódicos* pueden corregirse haciendo un cuidadoso estudio de las reglas de la acentuación; con la lectura cuidadosa de los vocablos. Por la observación e imitación de las expresiones orales de las personas cultas. Con voluntad e interés pueden corregirse todos esos vicios.

Estúdiense estos ejemplos de palabras que el vulgo suele pronunciar mal. Sólo se presentan las formas correctas. Observe la sílaba tónica de esos vocablos:

aísla	paralelo*gr*amo	maúlla	sin*cero*
ali*né*ense	tele*gr*ama	pa*í*s	va*y*amos
aeró*s*tato	epi*gr*ama	ma*í*z	vol*v*amos
a*v*aro	kilo*gr*amo	u*c*ase	*se*amos
perito	kilo*li*tro	o*p*imo	si*có*pata
ca*tá*logo	deca*li*tro	pedi*c*uro	ve*a*mos
carac*ter*es	re*gí*menes	suprema*cía*	se*á*is
disente*ría*	inter*v*alo	su*til*	si*có*moro
*c*on*q*ue	*s*ino	poli*c*romo	desa*h*ucia
co*l*ega	re*s*eda	*sáns*crito	acro*b*acia
centi*gr*amo	*ín*terin	men*d*igo	

Estúdiense estas voces verbales que *no* disuelven el diptongo:

yo vacio   yo me expatrio   yo auxilio   yo concilio

yo amplío   yo ansío   yo desvarío   yo me extasío
gradúo   fluctúo   conceptúo   insinúo

Véanse estas palabras que pueden acentuarse de dos maneras:

afrodisiaco — afrodisíaco   cardiaco — cardíaco
aloe — áloe   celtibero — celtíbero
alveolo — **alvéolo**   cuadrumano — cuadrúmano
ambrosia — ambrosía   chofer — chófer
amoniaco — amoníaco   dinamo — dínamo
atmosfera — atmósfera   dómino — dominó
aureola — **auréola**   elixir — elíxir

austriaco — austríaco
aeromancia — aeromancía
balaustre — balaústre
bimano — bímano
cantiga — cántiga
meteoro — metéoro
mucilago — mucílago
nigromancia — nigromancía
olimpiada — olimpíada
omoplato — omóplato
orgia — orgía
onomancia — onomancía
onicomancia — onicomancía
oniromancia — oniromancía
pelicano — pelícano
policiaco — policíaco
pediatra — pedíatra
podiatra — podíatra
periodo — período

farrago — fárrago
gladiolo — gladíolo
gratil — grátil
medula — médula
metemsicosis — metemsícosis
pentagrama — pentágrama
pabilo — pábilo
piromancia — piromancía
poligloto — po'ígloto
quiromancia — quiromancía
Ravena — Rávena
Rumania — Rumanía
robalo — róbalo
siquiatra — siquíatra
Tokio — Tokío
torticolis — tortícolis
utopia — utopía
varice — várice
zodiaco — zodíaco

Hay algunos nombres propios que son breves o llanos y con frecuencia se pronuncian como esdrújulos. Estas son sus formas correctas:

Arístides   Catulo   Eufrates   Iturbide
Arquimedes   Diomedes   Leonidas   Sardanapalo

Véanse estos otros en su forma correcta de pronunciación:

Célebes   Dámocles   Melquíades   Demóstenes
Heródoto   Dánae   Ciríaco   Aristóteles

EJERCICIOS. — ¿Qué son barbarismos prosódicos? — ¿A qué se deben los defectos de pronunciación? — Explique en qué consisten estos defectos:

Gangueo   Tartamudeo   Balbucencia   Ceceo
Seseo   Rotacismo   Yeísmo   Lalación

Examine este grupo de palabras y diga qué regla puede introducirse:

Singular:		Plural:
Carácter	—	caracteres
Régimen	—	regímenes

Emplee en frases u oraciones estas voces y diga qué clase de palabras son por su acento:

Intervalo	Kilogramo	Mendigo	Avaro
Vayamos	Catálogo	Telegrama	Seamos
Colega	Sincero	Opimo	Estratosfera

¿Qué se observa en estas palabras respecto a los diptongos?

país	período	cardíaco	amoníaco
supremacía	maúlla	amplío	varío
conceptúo	extasío	vanaglorío	insinúo
fluctúo	gradúo	acentuó	raíz

¿Qué se observa en los diptongos de estas voces verbales?

vacío	concilio	oblicuo
auxilio	fraguo	expatrio
promiscuo	espacio	licuo

Cite diez vocablos que la Academia autoriza acentuarlos de dos maneras.

Emplee en oraciones estos nombres propios:

Diomedes, Arístides, Eufrates, Damocles.
Heródoto y Demóstenes — (consulte el diccionario).

Busque en el diccionario todas aquellas voces cuya significación desconozca.

Lección 30

CONTINUACIÓN DE LOS BARBARISMOS PROSÓDICOS

Son muy frecuentes los *barbarismos prosódicos* por la alteración de las letras; se cometen por ignorancia o descuido; para evitarlos se recomienda la consulta del diccionario y la práctica de la conversación con personas cultas. Practíquese también la lectura en alta voz como ejercicio ortológico.

Estúdiense estas palabras que con frecuencia el vulgo pronuncia mal. Busque en el diccionario aquéllas cuyos significados desconozca.

Estas son las formas correctas:

aceptar	calentísimo	desinfectar	estricto
ácido	convalecencia	desvariar	explayar
adrede	carraspera	delante	flux
¡ajá!	ciénaga	destornillar	flácido
adición	contrición	descifrar	fusilar
albahaca	constipado	diabetes	hediondo
aeroplano	coligar	disgusto	hemoptisis
ambidextro	clisé	diferencia	hollejo
amigdalitis	clueca	enjundia	halar
armatoste	cónyuge	efecto	humareda
antediluviano	caucho	escena	hojaldre
antiflogistina	cervuno	escenario	gualdrapear
arteriosclerosis	coste	etcétera	gaznatón
apalabrar	cloroformizar	estremecer	grupera
apartamiento	concuñado	espléndido	ictericia
baladronada	chisporrotear	espontáneo	interinidad
bazofia	debilidad	esófago	ígneo
berbiquí	descender	estrambótico	Ignacio
bistec	dentífrico	estornudo	istmo
brebaje	denle	encalabrinado	jamaicano
cande	denme	esparadrapo	Joaquín
canadiense	díselo	escofina	juventud

80

línea	pintorrear	paseemos	sarta
mellado	padrastro	probabilidad	susceptible
moscada	pinino	quimono	superstición
manutención	polvareda	resistero	satisfacción
madrastra	palmacristi	reumatismo	sabihondo
menear	para	rendija	señuelo
moblar	pelear	revolotear	tranquera
molinillo	prefecto	roldana	usted
nadie	prever	relamido	ungüento
objeto	proveer	reemplazar	viceversa
orzuelo	peleé	reloj	vendaval.
orangután	paseé	salcochar	verraco
occiso	peleemos	sancochar	ventrílocuo

Estúdiense estas palabras que la Academia de la Lengua autoriza sus dos formas:

aplanchar — planchar
batiborrillo — batiburrillo
cangrena — gangrena
caluroso — caloroso
champán — champaña
doscientos — docientos
puertorriqueño — portorriqueño
trecientos — trescientos
mudada — mudanza
pergenio — pergeño
damaceno — damasceno
pantufla — pantuflo
torreja — torrija
molledo — mollero
cañuto — canuto
tifus — tifo
enamoricar — enamoriscar
séptimo — sétimo
septiembre — setiembre
paranomasia — paronomasia
mendigante — mendicante
minoría — menoría
amnistía — amnestía

81

EJERCICIOS. — Emplee en frases u oraciones estas palabras:

denle — dénmelo — díselo — madrastra — encalabrinado
bazofia — concuñado — bistec — ajá — ictericia

Con auxilio de un diccionario diga las etimologías de estas voces:

dentífrico — arteriosclerosis — hemoptisis — antiflogistina
ambidextro — viceversa — semáforo — asfixia

Diga los primitivos de estos derivados:

padrastro — ciénaga — polvareda — canadiense — jamaicano
cañuto — debilidad — humareda — riguroso — mudanza

Cite la otra forma autorizada de estas palabras.

champaña — tifus — septiembre — planchar — molledo — minoría

Lección 31

LA ORTOGRAFÍA. REGLAS PARA LA ACENTUACIÓN

La ortografía (de *orto*-correcto y *grafía*-escribir) es la parte de la Gramática que trata de la acentuación ortográfica, del uso de las letras de escritura dudosa y de los signos de puntuación.

Ya se dijo en la Lección 28.ª que había dos clases de acentos: el *prosódico* y el *ortográfico*. El acento ortográfico es una rayita, o tilde que se coloca sobre la vocal de la sílaba tónica de algunas palabras.

Reglas de acentuación ortográfica: Véanse estas palabras agudas:

ma*ní*	cora*zón*	pa*pel*
ca*fé*	vio*lín*	co*ger*
si*jú*	cor*tés*	co*ñac*
bam*bú*	a*nís*	re*loj*
domi*nó*	ade*más*	us*ted*
ma*má*	come*jén*	a*zul*
pa*pá*	capi*tán*	sa*lir*

Son agudas porque tienen su sílaba tónica en el último lugar.

Obsérvese que todas las que terminan en vocal (primera columna), llevan *acento ortográfico*. Las de la segunda columna, que terminan en consonante *n* o *s*, también llevan *acento ortográfico;* pero las de la tercera columna, que terminan en consonantes, que no son *n* ni *s*, ninguna lleva el acento. De estas observaciones podemos inducir la siguiente regla:

Las palabras agudas llevan acento ortográfico cuando terminan en *vocal* o en las consonantes *n, s*. (La *y* final se considera como consonante, por lo tanto, estoy, batey, virrey, no llevan acento.

Examínense estas voces breves o llanas:

casa	camino	sintaxis	fértil
monte	montes	lunes	álbum

lago	cantan	cárcel	azúcar
serie	virgen	mármol	Pérez
libreta	examen	mártir	Suárez

Puede notarse que solamente llevan acento ortográfico o tilde las que terminan en consonante que no sea *n, s.* Se ve claramente que las breves terminadas en vocal no llevan la tilde. Así se puede formular la siguiente regla:

Las palabras breves o *llanas* llevan tilde cuando terminan en consonante que no sea *n, s.*

Véanse estas palabras esdrújulas o sobresdrújulas:

| cáscara | lámparas | música | mándaselos | fácilmente |
| mérito | héroe | bárbaro | difícilmente | recógelos |

En todas se ha puesto la tilde, por consiguiente, la regla es bien fácil:

Las palabras esdrújulas siempre se acentúan ortográficamente.

Estúdiese esta Fábula de Iriarte y busque las voces esdrújulas que hay en ella.

El GATO, EL LAGARTO Y EL GRILLO

Ello es que hay animales muy científicos
En curarse con varios específicos
Y en conservar su construcción orgánica,
Como hábiles que son en la Botánica,
Pues conocen las hierbas diuréticas,
Catárticas, narcóticas, eméticas,
Febrífugas, estípticas, prolíficas,
Cefálicas también y sudoríficas.

En esto era gran práctico y teórico
Un gato, pedantísimo retórico,
Que hablaba en un estilo tan enfático
Como el más estirado catedrático.
Yendo a caza de plantas salutíferas.
Dijo a un lagarto: «¡Qué ansias tan mortíferas!
Quiero, por mis turgencias semihidrópticas,
Chupar el zumo de hojas heliotrópicas.»

Atónito el lagarto con lo exótico
De todo aquel preámbulo estrambótico,
No entendió más la frase macarrónica
Que si le hablasen lengua babilónica.
Pero notó que el charlatán ridículo
De hojas de girasol llenó el ventrículo,
Y le dijo: «Ya, en fin, señor hidrópico.
He entendido lo que es zumo heliotrópico.»

Y no es bueno que un grillo, oyendo el diálogo,
Aunque se fue en ayunas del catálogo
De términos tan raros y magníficos,
Hizo del gato elogios honoríficos.
Sí; que hay quien tiene la hinchazón por mérito,
Y el hablar liso y llano por demérito.

Mas ya que esos amantes de hiperbólicas
Cláusulas y metáforas diabólicas
De retumbantes voces el depósito
Apuran, aunque salga un despropósito,
Caiga sobre su estilo problemático
Este apólogo esdrújulo enigmático.

EJERCICIOS. — ¿Qué es la Ortografía? — ¿Qué es acento ortográfico?
¿Cuándo se acentúan ortográficamente las palabras agudas? — ¿Cuándo se
acentúan las palabras breves? — ¿Cuándo se acentúan las palabras esdrújulas y las sobresdrújulas? — Analice las siguientes palabras diciendo:
1.º La clase de palabras por su acento. 2.º Si lleva acento ortográfico o no
3.º Por qué lleva tilde o por qué no la lleva. Colóquense los acentos donde
correspondan.

carne	*arbol*	*sabado*	*linea*	*medico*
reo	*tenue*	*fatuo*	*debil*	*Lopez*
Ordoñez	*viernes*	*barbaramente*	*exito*	*cutis*

Lección 32

CASOS ESPECIALES DE LA ACENTUACIÓN

En algunos casos las reglas expuestas en la Lección anterior no se cumplen. Veamos estas excepciones:

Disolución de diptongos y triptongos. Examínense estos vocablos:

rí-o	ba-úl	frí-o
continú-a	ma-íz	sitú-an
permitirí-ais	pa-ís	sonre-írse
apreciarí-ais	ata-úd	fí-e

En los anteriores ejemplos vemos cómo se infringen las reglas de acentuación de las palabras agudas y llanas, por causa de la disolución de diptongos y triptongos, formándose dos sílabas.

Voces verbales con sufijos pronominales:

perdió-se	miró-se	permití-les	andará-se
contó-le	seguió-los	llamó-me	conmoví-la

Cuando una voz verbal lleva acento, lo conserva, al agregar una variante pronominal como sufijo. Todas las anteriores palabras son llanas terminadas en *vocal* o en *s*, y sin embargo, están acentuadas.

Las palabras compuestas: Por lo general, estas palabras conservan el acento ortográfico de sus elementos: Véanse estos ejemplos:

fría-mente	fácil-mente	ágil-mente	lícita-mente

Todos los adverbios terminados en *mente* cuyo anterior elemento lleve acento, lo conserva.

Sin embargo, la Academia recomienda que *no se acentúe* el primer elemento de los compuestos numerales ordinales:

decimotercio o decimotercero; decimocuárto, decimoquinto, decimosexto, decimoséptimo, etc.

Tampoco acentúa: sabelotodo, dolico-céfalo, sanalotodo, cefalorra-quídeo, rioplatense, etc.

Las conjunciones *e, o, u* y la preposición *a* no llevan tilde. Sólo la lleva la conjunción *o* cuando va entre cifras, para evitar que se confunda con el cero. Ejemplos:

5 ó 6. María va *a* casa. Pagarás *o* saldrás. Madre *e* hija. Uno *u* otro.

Las letras mayúsculas: La Academia recomienda su acentuación.

Las voces extranjeras se acentúan de acuerdo con las reglas castellanas; pero los nombres propios extranjeros se escribirán sin ponerles ningún acento que no tengan en el idioma original: Schubert, Newton, Valéry, Müller.

Los acentos diacríticos: Son los que se aplican para distinguir la función o el oficio de ciertos vocablos de igual escritura o con carácter homónimo. Entre ellos hay varios *monosílabos* como *el, si, se, mi, tu, de, te, mas.* Veamos los casos en que *deben acentuarse.*

Tu: solamente se acentúa cuando es pronombre personal: *Tú cantas.* No se acentúa cuando es pronombre posesivo: *Tu carta; tu mano.*

El: solamente se acentúa cuando es pronombre personal: *él estudia.* No se acentúa cuando es artículo determinante: *el papel, el día.*

Mi lleva acento si es variante pronominal: *Es para mí.* No lleva acento si es pronombre posesivo: *mi casa, mi cara.*

Se, sólo se acentúa cuando es del verbo ser o del verbo saber: *Sé bueno. Yo sé escribir.* No se acentúa si es variante pronominal: *Ella se casó.*

De lleva acento cuando es voz del verbo dar: *Dé limosnas.* No me *dé* pan. No lleva acento cuando es preposición o el nombre de la letra d: *Casa de madera. Una de mayúscula.*

Mas debe acentuarse cuando es adverbio de cantidad: *Quiero más leche.* No se acentúa cuando es conjunción adversativa: *Te perdono mas no lo olvido.*

Si, cuando es variante pronominal o adverbio de afirmación: *Volvió en sí. Yo sí te quiero.* No se acentúa cuando es conjunción condicional: *Si él viniere.*

Te solamente se acentúa cuando es nombre: una taza de *té.* No lleva acento si es variante pronominal: Yo *te* quiero.

Aun lleva acento si equivale a todavía. *Aún* no podemos anunciarlo. No lleva acento si equivale a *hasta:* Aun esto merece arreglo.

Ti, fe, pie, fin y todos los demás monosílabos nunca se acentúan; asimismo las voces *fue, fui, vio* y *dio,* que antes se recomendara su acentuación.

Cuando no hay posibilidad de confusión tampoco deben acentuarse, según la Academia, los pronombres demostrativos: este, ese y aquel y sus formas derivadas.

Solo puede ser nombre, adjetivo o adverbio. Solamente se acentúa cuando es adverbio. *Sólo* te quiero a ti (equivale a solamente). *adonde,* se acentúan cuando tienen carácter de *interrogativos* o *admirativos.*

Ejemplos:

¿*Qué* hora es?   ¿*Dónde* estabas?
¿*Cuál* es tu nombre?   ¿*Adónde* fue?
¿*Quién* llamó?   ¡*Qué* hermoso!
¿*Cúyo es este lápiz?*   ¡*Cuánto* sufrir!
¿*Cuándo* lloverá?   ¡*Cuán* delicado!
¿*Cuánto* vale?   ¡*Cómo* llueve!
¿*Cómo* te sientes?

EJERCICIOS. — ¿Cuándo hay disolución de diptongos y de triptongos? Dé ejemplos. Explique por qué *rompióse* lleva acento. ¿Qué puede decir de la acentuación de las voces compuestas? — Cite compuestos que se acentúan y que no se acentúan. — ¿Qué dice la Academia respecto a la acentuación de las letras mayúsculas y las voces extranjeras? — ¿Qué son acentos diacríticos? — Construya frases u oraciones con los monosílabos el, tu, mi, se, de, te, en los casos en que lleven tilde.

Emplee las voces aun, solo, mas, que, cual, quien, cuando, donde, en los casos en que deben acentuarse.

Escriba oraciones empleando estas palabras: como, este, cuando solo, mas, en los casos en que no deben acentuarse.

Emplee de, se, mi, si, tu, en los casos que no llevan acento.

Lección 33

USO DE LAS LETRAS DE ESCRITURA DUDOSA

REGLAS SOBRE LA B

Las letras que presentan mayor dificultad en la Ortografía son la b, c, g, h, j, k, ll, m, r, s, v, x, y.

En esta sección se hace el estudio ortográfico de las palabras que presentan varias reglas que se han formado mediante la inducción. Algunas de estas reglas ya han sido expuestas en los ejercicios de las lecciones anteriores; su repetición no será perjudicial al estudiante.

Además de las reglas se practican varios ejercicios de dictado y escritura de palabras sueltas.

Ya hemos visto que son magníficos auxiliares de la Ortografía la Etimología, la Morfología y el estudio de los significados de las palabras, especialmente el que se refiere a los *parónimos*.

El mejor procedimiento o método de aprendizaje de la Ortografía es aquel que asocia estrechamente la *pronunciación* de la palabra con su *significación* y su *imagen gráfica* y *visual*. La lectura atenta de un vocablo nos dará la *imagen visual* del mismo, y la repetición de su escritura, nos proporcionará la *imagen gráfica* o *motriz*.

El *método inductivo* es aquel que de los hechos o fenómenos particulares formula una ley o regla. Cuando examinamos en un grupo de palabras un detalle común de su escritura y derivamos de ese examen una regla ortográfica, estamos empleando el *método inductivo*.

Examínense estos vocablos e indúzcase la regla:

1.—
amabilidad
sensibilidad
afabilidad
contabilidad
posibilidad
responsabilidad
civilidad
movilidad

REGLA: Se escriben con *b* los nombres abstractos terminados en *bilidad*, menos *civilidad* y *movilidad*.

2.—
llenaba
rezaba
miraba
cantaba
mirábais
copiábamos
miraban
llamaban

REGLA: Se escriben con *b* las palabras que expresen voces verbales correspondientes al copretérito (pretérito imperfecto de indicativo) de la primera conjugación y las formas verbales del mismo tiempo del verbo *ir* (*iba, ibas, iba, íbamos, ibais, iban*).

3.—
bisiesto
bisel
bizcocho
bisagra
bípedo
bimestre
bilingüe
bisnieto
bivalvo
biedro

REGLA: Los prefijos *bi, bis, biz*, que significan, *dos*, se escriben con *b*.

4.—
vagabundo
nauseabundo
tremebundo
meditabundo
furibundo
sitibundo

REGLA: La terminación *bundo* se escribe siempre con b.

5.—
bravo
brete
brisa
brote
bruto
tabla
tableta
tablilla
blusa
bloqueo

REGLA: Las sílabas *bra, bre, bri, bro, bru* y *bla, ble, bli, blo, blu*, se escriben con *b*.

EJERCICIOS. — Póngase la letra que falta en estas palabras, escribiendo la palabra completa:

furi...undo	*observa...an*	*recrea...a*	*no...le*
...iligüe	*ci...ilidad*	*esta...lo*	*mo...ilidad*
salta...ais	*nausea...undo*	*imposi...ilidad*	*costum...re*
...isagra	*nota...ilidad*	*...isiesto*	*...isectriz*

Obsérvense estas palabras e indúzcase una regla:

escuchabais   ocultaban   desafiaban   rechinaba   limpiábamos

Para lograr la imagen gráfica o motriz de las palabras, practique este ejercicio. Escriba cinco veces ,a columna, estos vocablos:

bicicleta	*civilidad*	*vagabundo*	*observabais*
inductivo	*anhelábamos*	*asfixiaba*	*sensibilidad*

Escriba al dictado estas oraciones; pero antes léalas con atención: El cloroformo priva de la sensibilidad. — No acepto esas cosas de brujería. — Volubilidad es el nombre del adjetivo voluble. — En la casa de huéspedes admitieron a un vagabundo. — Movilidad se deriva de móvil, y esta palabra de mover. — Esa bisagra está bastante oxidada. — Mientras tú bostezabas, ella te observaba. Jenaro recibió un golpe con ese tablón. — Esa zanja despide un olor nauseabundo. — El uso de las monedas es antiquísimo. — Diedro quiere decir de dos superficies. — Tu espejo tiene la luna biselada. — Hay moluscos de conchas bivalvas. — Esas montañas son muy abruptas o escarpadas. — El pavo es un animal bípedo.

Observación: Estas 17 lecciones relativas a la Ortografía (33ª a 50ª) deberán intercalarse gradualmente entre las otras lecciones gramaticales en los casos y momentos oportunos siguiendo las indicaciones del Programa Oficial. Este procedimiento dará más interés y valor práctico a los estudios de la Ortografía.

Lección 34

CONTINUACIÓN DE LAS REGLAS SOBRE LA B

Examínense estas palabras e indúzcase la regla:

escribir
recibir
concebir
prohibir
percibir

6.— subir

exhibir
inhibir
hervir
servir
vivir

REGLA: Se escriben con *b* los verbos terminados en *bir*, menos *hervir, servir* y *vivir*; en *ber*, o *aber*, menos *precaver*; y en *buir*.

buzo
bulla
burbuja
burla

7.— buscar

busto
Biblia
biblioteca

REGLA: Se escriben con *b* las palabras que empiezan con las sílabas *bu, bur, bus* y *bibl*.

rábano
rabia
ribete
ribera
robo

8.— roble

robusto
rubio
Rávena
rival
rivera

REGLA: Se escribe con *b* toda palabra que comienza con *rab, rib, rob, rub,* menos *Rávena, rival* y *rivera*.

abogado
abolengo
abolir
abonar

9.— abuelo

abundancia
avocar
avutarda

REGLA: Se escriben con «*b*» las palabras que empiezan con *abo,* y *abu,* menos *avocar* y *avutarda*.

abstracto
absorber
obtener
obvio   REGLA: Se escribe con *b* toda palabra en
súbdito   que el sonido *b* vaya delante de
10.—substancia   una consonante cualquiera, o lle-
obsequio   ven los prefijos: *ab, ob, sub.*
obstáculo
obscuro
obtuso

EJERCICIOS. — Póngase la letra que falta en estas palabras, escribiendo la palabra completa:

...*urbuja*	*o...tuso*	*vi...ir*	...*usto*
ser...ir	*o...vio*	*prohi...ir*	*ri...al*
exhi...ir	*Rá...ena* (1)	*ri...ete*	*her...ir*
...*ulla*	...*uzo*	*ru...or*	*perci...ir*
rú...rica	*a...stracto*		

Obsérvense estas palabras e indúzcase la regla:

obscuro	— *oscuro*	*substantivo*	— *sustantivo*
substancia	— *sustancia*	*obscuridad*	— *oscuridad*
substraer	— *sustraer*	*substraendo*	— *sustraendo*
subscribir	— *suscribir*		

Escriba al dictado estas oraciones; pero antes léalas con atención:

El vendaval derribó con bárbara violencia el tabique. — Se va a prohibir el hacer obsequios a los rabinos. — Los rebeldes abandonaron la
bandera en el baluarte. — Hay muchos robos en los suburbios de Rávena (1). — El buzo buscaba por la ribera de la rivera un robalo. — El agua
al hervir produce burbujas. — Los súbditos escribieron sus rúbricas al
recibir los rublos. — El higienista desea exhibir a esos mozos robustos. —
Bustrófedon es una escritura antiquísima que se trazaba de izquierda a
derecha y seguidamente de derecha a izquierda, a semejanza de los surcos
que trazan los bueyes arando.

Escriba cinco veces, a columna, estas palabras:

ribetear	*absolver*	*hervor*	*superviviente*
rubicundo	*rubiáceas*	*robustez*	*embutirse*
inhibición	*servidumbre*	*absorber*	*bustrófedon*

Lección 35

REGLAS SOBRE LA C

Examínense estas palabras e indúzcase la regla:

clemencia
ausencia
ciencia
experiencia
ponencia
11.—indulgencia
tendencia
indigencia
conciencia
ocurrencia
Hortensia

REGLA: Las palabras terminadas en *encia*, se escriben con *c* menos *Hortensia*.

arrogancia
ignorancia
tolerancia
infancia
lactancia
12.—ambulancia
constancia
substancia
extravagancia
rancia
ansia

REGLA: Las palabras terminadas en *ancia*, se escriben con *c* menos *ansia*, que significa deseo.

conducir
producir
aducir
reducir
reproducir
deducir
educir
13.— traducir
inducir
relucir
decir
lucir
uncir
esparcir
zurcir
asir

REGLA: Los verbos terminados en *cir* y *ducir* se escriben con *c* menos *asir*.

conocer
pacer
hacer
padecer
adolecer
mecer

14.— convencer
retorcer
cocer
fortalecer
toser
coser
ser

REGLA: Se escriben con *c* los verbos ter-minados en *cer*, menos *ser*, *coser* y *toser*.

ictericia   vicio
codicia   indicio
malicia   perjuicio

15.— justicia   fenicio
pericia   quicio
planicie   alisios
molicie

REGLA: Se escriben con *c* las ter-minaciones *icia, icie, icio*, menos en *alisios*.

EJERCICIOS. — Póngase la letra que falta en estas palabras, escribiendo la palabra completa:

indigen...ia	*concien...ia*	*an...ia*
a...ir	*co...er*	*mili...ia*
icteri...ia	*Horten...ia*	*substan...ia*
tradu...ir	*conven...er*	*un...ir*
ali...ios	*moli...ie*	

Forme el nombre abstracto de estos adjetivos:

clemente	*ausente*	*constante*
ponente	*arrogante*	*ocurrente*
ignorante	*indigente*	*tolerante*
indulgente	*infante*	*extravagante*

Estudie estas palabras y formule una regla:

feliz	— *felicitar*	*raíz*	— *raicilla*
nariz	— *naricita*	*maíz*	— *maíces*
codorniz	— *codornices*	*cruz*	— *cruces*
luz	— *lucir*		

Escriba al dictado estas oraciones; pero antes léalas con atención:

Ese joven ignorante dijo cosas extravagantes. — Parece que el fenicio padecía de ictericia. — Los vientos alisios soplan en los trópicos. — Su codicia ya es un verdadero vicio. — Esa leche rancia no sirve para la lactancia. — La ausencia de Hortensia fue extraordinaria. — El abogado no pudo asir la soga que le lanzaron. — Desde la planicie hasta el valle van a esparcir las simientes. — Ignacio desea traducir esa nueva obra de milicia.

Lección 36

REGLAS SOBRE LA G

coger
recoger
proteger
acoger
16.— rugir
fingir
infringir
tejer
crujir

REGLA: Los verbos terminados en *ger* y *gir* se escriben con g menos *tejer* y *crujir*, etc.

vigésimo
trigésimo
quincuagésimo
17.— sexagésimo
octogenario
septuagenario
nonagenario

REGLA: Las terminaciones *gésimo* y *genario* se escriben con g.

origen	exigente
imagen	agente
margen	tangente
virgen	negligente
18.— sargento	diligente
urgente	comején
ingente	jengibre
gente	ajenjo
regente	ojén

REGLA: La sílaba *gen* se escribe con g menos en *comején* *jengibre, ajenjo* y *ojén*.

gesto	ambages
congestión	sugestión
19.— digestión	digestivo
gesticular	majestad
gestión	

REGLA: Se escribe con g la sílaba *ges*, menos en *majestad*.

96

20.— cirugía   religión
     elegía   legión
     vigía   elogio
     pedagogía   regio
     magia   arpegio   REGLA: Se escriben con g las pa-
     estrategia   agio   labras terminadas en *gia*,
     litúrgia   colegio   *gía, gio, gión*, menos *bu-*
     litigio   bujía   *jía, lejía, apoplejía, Me-*
     naufragio   lejía   *jía, hemiplejía*, etc.
     contagio   apoplejía
     presagio   Mejía
     sufragio   hemiplejía
     región

EJERCICIOS. — Ponga la letra que falta en estas palabras:

sufra...io   *come...én*   *mar...en*   *prote...er*
te...er   *bu...ía*   *amba...es*   *apople...ía*
sar...ento   *infrin...ir*   *co...er*   *...engibre*
ma...estad   *su...estivo*

Examine estas palabras y formule una regla:

Biología   *Etimología*   *Fisiología*   *Cosmología*   *Mitología*
Analogía   *Lexicología*   *Morfología*   *Paleontología* *Meteorología*

Estudie detenidamente estas oraciones para escribirlas después al dictado:

Ese sexagenario se salvó del naufragio. — Dile al sargento que no sea tan negligente. — El comején ha atacado la imagen de la virgen. — No debes gesticular ante su majestad. — Es el vigésimo aniversario de su natalicio. — No debes fingir que sabes tejer y bordar. — Apaga esas bujías y lava la ropa con agua de lejía. Mauricio Mejía falleció de una apoplejía. Por infringir la orden te van a infligir un castigo. — Con carácter urgente buscó un refugio para evitar el contagio..

Escriba cinco veces a columna estas palabras:

octogenario   *quincuagésimo*   *ajenjo*   *rugidos*
contingente   *encogerse*   *pedagógico*   *elegíaco*
cosmología   *fisiología*   *biología*   *sexología*

Lección 37

REGLAS SOBRE LA H

hierro
hielo
hiena
hueso
21.— huevo
huevo
hueco
huir
hialino
hioides

REGLA: Se escriben con *h* las palabras que empiezan con *ia, ie, io, ue, ui*. Se exceptúan *ueste* (oeste) y sus compuestos.

haber
he
has
hemos
había
22.— hubo
hubieron
haya
habrá
hubiese
habido
hay

REGLA: Se escriben con *h* todos los tiempos y formas verba es derivadas del verbo *haber*.

hidratar
hidratos
hidrografía
hidrógeno
23.— hidráulica
hidrodinámica
hidrocéfalo
hidrostática
hidrofobia

REGLA: Se escriben con *h* todas las palabras que empiezan con el prefijo *hidr*, que significa *agua*.

24.—

hipódromo
hípico
hipnotismo
hipérbaton
hipertrofia
hipérbola
hiperemia
hipocondrio
hipopótamo
hipnotizar
ipecacuana
hipócrita

REGLA: Se escriben con *h* todas las palabras que comienzan con los prefijos *hiper, hijo, hipo,* excepto *ipecacuana.*

(Obsérvese que casi todas esas palabras son compuestas de raíces estudiadas en las Etimologías.)

25.—

deshabitar
desheredar
inhábil
deshonra
rehacer
deshacer
hacedero
heredero
habilidoso
hambriento

REGLA: Un vocablo primitivo, al formar compuestos y derivados, mediante la adición de prefijos y sufijos conserva su estructura ortográfica.
Se exceptúan los derivados *osario* (de hueso), *ovario, óvalo* (de huevo), *oquedad* (de hueco), *orfandad* (de huérfano).

EJERCICIO. — Ponga la letra que falta en estas palabras:

...iodes   ...iperemia   des...onra   ...ubiese   ...uerto
...idráulica   des...abitar   ...ipnotizar   ...ialino   he...acer

Examine estos ejemplos y formule reglas prácticas sobre el uso de la *ha, a* y *ah:*

Ella ha *llegado*   Juan ha *impreso*   Llamé a *María*
El ha *salido*   El ha *dicho*   Fui a *casa*
Inés ha *escrito*   Voy a *salir*   ¡Ah, *qué pena!*

Escriba al dictado estas oraciones; pero antes estúdielas cuidadosamente:

La hierbabuena es medicinal y aromática como la albahaca. — Ese hombre honrado no debe ser desahuciado de su habitación. — Debes ahuyentar a esos perros con hidrofobia. — Ayer extrajeron varios huesos del osario. — El herido ha tenido hemorragias e hiperemias. — Si hubieran hipnotizado con habilidad al truhán estaríamos salvados. — El infeliz huérfano ha quedado desheredado. — El hueso hioides se halla situado en la base de la lengua. — ¡Ah! si se ha ahogado; habrá que llevarlo a su casa. Hay que rehacer todo ese trabajo de hidrografía.

Escriba con atención cinco veces, a columna, estas palabras:

Adhesión	*ahínco*	*ahijado*	*alcohol*	*alhaja*	*almohada*
cohesión	*enhiesto*	*cohibir*	*exhalar*	*exhausto*	*exhibir*
exhortan	*harapo*	*hebilla*	*enhebrar*	*hélice*	*herbáceo*

Lección 38

REGLAS SOBRE LA J Y LA K

26.—
equipaje
pasaje
paraje
viraje
paje
coraje
ambages
enálage
companage
garage

REGLA: Se escribe con *j* la terminación *aje*, excepto en *ambages* (rodeos), *enálage* (figura gramatical), *companage* (comida fiambre) y *garage*.

27.—
ajedrez
ajenjo
ajeno
eje
ejecutar
ejemplo
ejercicio
agenciar
agente, etc.

REGLA: Se escriben con *j* las palabras que empiezan por *aje*, *eje*, menos *agenciar* y sus derivados.

28.—
viajero
relojero
extranjero
pasajero
cerrajero
cajero
lisonjero
agujero
consejero
tinajero
ligero

REGLA: Se escribe con *j*, la terminación *jero*, menos *ligero* y *alígero*.

29.—
decir - dijimos
dije
maldecir - maldije
conducir - conduje
reducir - reduje
traer - traje
trajiste
trajeron
producir - produjeron

REGLA: Se escriben con *j* las personas de aquellos verbos cuyos infinitivos no tienen este sonido gutural.

kilogramo
kilómetro
kilolitro
30.— kilociclo
kilográmetro
kilométrico
kilometraje

REGLAS Se escribe con *k* el prefijo *kilo* que significa mil.

La Academia autoriza la *escritura* de estas palabras con *q:*

quilogramo   quiosco (kiosco)
quilómetro   coque (cok)
quilolitro   quilográmetro
etc.   etc.

EJERCICIOS. — Ponga la letra que falta en estas palabras:

li...ero   *tra...e*   *amba...es*
maldi...eron   *campana...e*   *di...eron*
...iosco   *extran...ero*   *codu...e*
para...e   *baga...e*   *lison...ero*
redu...iste   *...ilogramo*

Examine estos ejemplos y formule por inducción una regla de ortografía:

conserjería   relojería   encajería   mensajería   cerrajería

Escriba al dictado estas oraciones; pero antes estúdielas cuidadosamente:

Déjate de ambages y habla claro. — El espionaje es castigado severamente. — Todo el pasaje recogió su equipaje. — El extranjero no llevaba bagaje. — Ellos trajeron un probo cajero para la encajería. — Hice un estudio ligero del proyecto de ese consejero. — El cerrajero comió ávidamente sin companage. — Ya te dije que no hagas tantos agujeros. — Ese paje tiene mucho coraje. — Engracia se confeccionó un precioso traje de encaje.

Escriba cinco veces, a columna, estas palabras

Jerónimo	*Jenaro*	*Jeremías*	*jerigonza*	*jenjibre*
injerto	*hereje*	*hemiplejía*	*envejecer*	*jinete*
vajilla	*vejiga*	*ejercicio*	*sujeto*	*brebaje*

Lección 39

REGLAS DE LA LL, LA M Y LA R

silla
camilla
milla
campanilla
tortilla
31.— tornillo   REGLA: Se escriben con *ll* las terminacio-
rosillo   nes *illo, illa.*
cuchillo
trillo
palillo

calle
talle
muelle
fuelle
aquello
32.— camello   REGLA: Se escriben con *ll* las palabras.ter-
sello   minadas en *alle, elle, ello,* menos
bello   *plebeyo, leguleyo, Pompeyo.*
leguleyo
Pompeyo

embarcar
embestir
empujar
33.— imperio   REGLA: Delante de *p, b* y *n* se escribe *m,*
alumno   excepto *perenne, innegable,* etc.
columna
perenne
innegable, etc.

enrejillar
desenredar
deshonra
Israel

34.— Etelredo   REGLA: Después de consonante se escribe
Enrique   una sola *r*.
Conrado
subrayar
sonreír

rayo - pararrayos
redondo - carirredondo REGLA: En las voces compuestas es
35.— rojo - pelirrojo   necesario duplicar la *r*, si
racional - irracional   no está precedida de con-
religioso - irreligioso   sonante.

EJERCICIOS. — Ponga la letra que falta en estas palabras:

senci...o   plebe...o   fue...e   Etel...edo   sub...ayar
Pompe...o   e...bestir   carri...o   legule...o   colu...pio
deshon...a   i...eligioso   rosi...o   Is...ael

Combine estas palabras formando voces compuestas:

rededor   honrado   rama   al   mil   en   des
razón   rejilla   sin   risa   son   rizar

Escriba, a columna, cinco veces estas palabras:

mnemotécnico (1)   omnívoro   omnisciente   insomnio
Némesis   omnipotente   ómnibus   somnílocuo
amnesia   amnistía   himno   gimnasia
indemne   álbum   ídem   quídam
ultimátum   minimum   réquiem   maremágnum

Estudie cuidadosamente estas oraciones y después escr'balas al dictado:

Jacinto era el hazmerreír de todos los convecinos. — Ayer desembarcó
el vicerrector de ese colegio. — Ambrosio no debió malrotar su herencia.
Conrado y Enriqueta enrejillaron varias sillas bajo ia enramada. — Ese
quidam no debe hacer gimnasia en tu gimnasio. — Ese joven que bajó
del ómnibus es somnílocuo. — Higinio padece de amnesia y de insomnio.
Jerónimo empezó a calumniar a ese plebeyo. — Dios es omnisciente y omnipotente. — Benjamín Franklin inventó el pararrayos.

(1) Según las nuevas normas académicas puede prescindirse de la *m*
inicial: *nemotécnico* (N. del E.)

REGLAS SOBRE LA S

36.—
emulsión
expulsión
convulsión
revulsión
avulsión
impulsión

REGLA: Se escribe con *s* la terminación *ulsión*.

37.—
parisiense
ovetense
londinense
bonaerense
estadounidense
costarricense
canadiense
nicaragüense
vascuence

REGLA: Se escribe con *s* la terminación *ense* de algunos adjetivos gentilicios, excepto *vascuence*.

38.—
seguir
seglar
según
segundo
seguro
segueta
sigilo
signo
siguiente
sigma
cigarro
cigarra
ciguato
cigüeña

REGLA: Se escriben con *s* las palabras que empiezan por *seg, sig*, menos cigarro, *cigarra, ciguato, cegajo, cegato, cegesimal, cegrí, cigüeña*, etc.

39.—
bonísimo
felicísimo
afectísimo
malísimo
riquísimo
sacratísimo
fidelísimo

REGLA: Se escribe con *s* la terminación *ísimo* de los superlativos.

excesivo - **exceso**
expansivo - expansión   REGLA: Se escribe con *s* la termina-
corrosivo - corrosión   ción *sivo* de los adjetivos;
40.— pasivo - pasión   excepto *nocivo* y *lascivo*.
progresivo - progresión   Los nombres de esos ad-
nocivo   jetivos terminan en *sión*.
lascivo

mirase
llamase
dijese
oyese
41.— hablase   REGLA: Se escriben con *s* las terminacio-
leyese   nes verbales *asé, ese*.
cogiese
muriese

EJERCICIOS. — Ponga la letra que falta en estas palabras:

avul...ión   ...igilo   parisien...e   no...ivo
afectí...imo   oye...e   emul...ión   ..egueta
...igarro   londinen...e vascuen...e   pa...ivo
las...ivo   cogie...e   ..eglar   expan...ión

Observe estas palabras e induzca una regla:

semicírculo   semicircunferencia   semitransparente
semibreve   semicilíndrico   semicorchea
semidiós   semiesfera   semilunio

Escriba, a columna, cinco veces cada una de estas palabras:

sexual   soez   sintaxis   saliva   sexagonal
servicio   servidumbre   sesgo   siesta   siciliano
sicigia   silvestre   sifón   sílice   silbato

Estudie atentamente estas oraciones y escríbalas después al dictado:

La sidra es una bebida y la cidra es una fruta. — Un siervo es un
esclavo y un ciervo un cuadrúpedo parecido al venado. — Te he dicho
cien veces que la sien encanece pronto. — Puse el cesto de la basura en
el sexto piso. — Celebramos una cena cabe el río Sena. — En la sesión se
trató de la cesión del terreno. — Cierra la puerta de la sierra que está
en la sierra. — El sirio apagó todos los cirios de un soplo. — El infeliz
campesino se cegó cuando segó esa planta. — Te cito para su domicilio
sito en la calle Séptima.

Lección 41

REGLAS SOBRE LA V

divertir
dividir
diván
divorcio   REGLA: Se escribe *v* después de *di*, excepto
divergente   en *dibujo*, *mandíbula* y sus deri-
divisible   vados.
divieso
dibujo
mandíbula

subvención
subvertir
subversivo
obviar
obvio
advertir   REGLA: Se escribe *v* después de *b* y *d*.
adverbio
adviento
advocación
adverso
advenedizo
adventicio

octava
esclava
brava
suave
grave
clave   REGLA: Se escriben con *v* las terminacio-
clavo   nes *ava, ave, avo*, menos en *sílaba*,
44.— esclavo   *bisílabo, trisílabo*, etc., *árabe* y
eslavo   *baba*.
bisílabo
sílaba
trisílabo
árabe
baba

leve
levante
levadura
levita
levadizo

45.— levantisco
levítico
levirato
lebeche
lebení
leberquisa

REGLA: Se escribe *v* después de *le*, menos en *lebeche*, *lebení*, *leberquisa*.

olivo	nuevo
motivo	suave
pasivo	lave
vivo	longevo
46.— relativo	octava
activo	bravo
vomitivo	claro
lenitivo	onceavo
estribo	

REGLA: *Se escribe* con *v* la terminación *ivo*, excepto en *estribo* y *catibo* (pez de Cuba). También los terminados en *evo, ava, ave, avo.*

voy	vaya
vas	vayas
47.— va	vaya
vamos	vayamos
vais	vayáis
van	vayan

REGLA: Se escriben con *v* los presentes de indicativo, imperativo y subjuntivo del verbo *ir;* y el pretérito indefinido, pretérito imperfecto y futuro imperfecto de subjuntivo de *estar, andar* y *tener (estuve, anduviera, tuviere).*

EJERCICIOS. — Ponga la letra que falta:

ad...ocación   di...orcio   escla...o   le...rel
di...ergente   leniti...o   ...amos   ob...io
di...ujante   trisíla...o   le...adizo   mandí...ula
estri...o   ...ayamos   ára...e   le...ita

Examine estas palabras y formule la regla:

vicepresidente   vicedirector   vicesecretario
vicealmirante   vicecónsul   vicerrector

Escriba estas palabras cinco veces a columna:

inclusive   verbena   válvula   calvicie   clavícula
avestruz   absolver   revólver   avaricia   benevolencia
coadyuvar   reverbero   aseverar   vendaval   víbora

Estudie atentamente estas oraciones y escríbalas al dictado:

Absorber equivale a chupar y absolver a libertar. — Por revelarme el secreto se rebelaron los gendarmes. — El agua de la vasija se ha evaporado al hervir. — Junto al vestíbulo había una bóveda perteneciente al obispado. — Divisible es un adjetivo que se deriva de dividir. — En el diván se concertó el divorcio del divo. — Ese viento de levante nos traerá lluvia. El lebrel saltó sobre el puente levadizo. — Debo advertirte que la subvención se ha de dividir. — Ya dibujé las líneas divergentes y convergentes.

Lección 42

REGLAS SOBRE LA X, LA Y Y LA Z

48.—

elíxir
exacto
exigir
máximo
óxido
oxígeno
próximo
anexión
conexión
asfixia
sexo
tóxico
facsímile

REGLA: Se escribe *x* cuando se percibe el sonido *cs*, excepto en *facsímile* (copia de una firma o dibujo).

49.—

expresidente
exhumar
extraer
excavar
exponer
excarcelar
exsecretario
extraordinario
extravagante
extrajudicial
extramuros
extralimitarse
extraviar
extravagancia

REGLA: Se escriben con *x* los prefijos *ex* y *extra* que dan idea de *fuera*.

50.—

ley
rey
buey
Hatuey
batey
convoy
Arapuey

REGLA: El sonido *i* se escribe con *y* al *final* de palabra, excepto en las voces verbales en pretérito indefinido, como *fui, seguí, salí, recibí,* etc., en *benjuí* y en los adverbios *allí, ahí, aquí, casi.*

yunta
yuca
yute
yunque
51.— yugo
yugular
yucateco
Yucatán
lluvia

REGLA: Se escriben con *y* las palabras que empiezan por *yu*, menos *lluvia* y sus derivados. *Llubina* (pez), *llueca* (clueca).

alabanza
esperanza
holganza
añoranza
52.— confianza
panza
matanza
danza
mansa
gansa

REGLA: Se escribe con *z* la terminación *anza*, excepto en *Ansa, gansa* y *mansa.*

nobleza
pereza
tristeza
dureza
53.— destreza
agudeza
flaqueza
largueza
viveza
torpeza

REGLA: Se escribe con *z* la terminación *eza*, de los nombres abstractos.

Díaz
Álvarez
Pérez
López
54.– Hernández
Ordóñez
Ortiz
Muñoz
Núñez

REGLA: Las terminaciones *iz, ez, oz, az*, de los nombres patronímicos se escriben con *z.*

110

55.—

rojez
dejadez
estupidez
sencillez
altivez
ridiculez
solidez
niñez
vejez
desnudez

REGLA: La terminación *ez* de los nombres abstractos se escribe con *z*.

EJERCICIOS. — Ponga la letra que falta:

e...travagancia fac...ímile benju... ...unque alaban...a
franque...a altive... ane...ion e...humar ...uvia
...ugular man...a Ordóñe... sencille...

Examine estos vocablos y formule la regla:

inmunizar armonizar neutralizar bautizar
simpatizar autorizar agonizar generalizar

Escriba estas palabras cinco veces a columna:

explosión exquisito extraviar expugnar
exangüe inextricable extirpar exequias
exprimir exorbitante expectación crucifixión
zodíaco zarza zigzag o ziszás zoófitos
azorar zahorí zambra zozobrar
zuncho

Escriba al dictado estas oraciones; pero antes estúdielas:
Por falsear sus expedientes fueron expulsados. — Los campos de Cuba son espléndidos y exuberantes. — Se sentía un calor excesivo y exorbitante. — Ese fue un pretexto para eximirse del pago. — Calixto se siente extenuado, casi exánime. — En la explanada exhibieron un espectáculo extraordinario. — Las azucenas y los azahares perfumaban el ambiente. — No botes esas cenizas porque contienen mucha potasa. — En el zaguán había un zambo tocando una zampoña. — El azufre se extendió por toda la zona de contagio.

111

Lección 43

OTRAS REGLAS PRÁCTICAS

Palabras que deben escribirse juntas:

Los números cardinales entre veinte y treinta:

veintiuno	veinticuatro	veintisiete
veintidós	veinticinco	veintiocho
veintitrés	veintiséis	veintinueve

Las centenas entre cien y mil:

doscientos — trescientos — cuatrocientos — quinientos
seiscientos — setecientos — ochocientos — novecientos

Estos adjetivos ordinales:

decimotercero o decimotercio — decimocuarto — decimoquinto
decimosexto — decimoséptimo — decimoctavo — decimonono
o decimonoveno

Deben escribirse juntos estos vocablos:

sordomudo	cualesquiera	anteayer	encima	adelante
avemarías	quienesquiera	cualquiera	anteanoche	asimismo
sinnúmero	además	acaso	afuera	atrás
aparte	zigzag	siempreviva	huir	

Pueden escribirse juntas o separadas:

a dentro	—	adentro	alrededor	—	alrededor
a prisa	—	aprisa	de fuera	—	defuera
en frente	—	enfrente	a penas	—	apenas
entre tanto	—	entretanto	en seguida	—	enseguida

Deben siempre escribirse separados:

Los numerales:

treinta y uno	treinta y tres	y así sucesivamente
treinta y dos		hasta noventa y nueve

Pueden escribirse juntas o separadas:

dieciséis	diez y seis	dieciocho	diez y ocho
diecisiete	diez y siete	diecinueve	diez y nueve

Deben escribirse separadas estas locuciones:

a bordo	a propósito	en donde
a deshora	a veces	en medio
a menudo	antes de ayer	en tanto
ante todo	de repente	sin embargo
a pesar	de prisa	de contado

Porque — conque — sino — se escriben juntos cuando son conjunciones.

Examínense estos ejemplos:

Ella no cantó *porque* estaba ronca.
Ya tienes el dinero, *conque* (así que) dame el recibo.
No lo quiero vivo *sino* muerto.

Como puede notarse, las palabras *porque, conque* y *sino* han servido para enlazar dos oraciones, por eso son conjunciones.

Véanse estos casos en que se escriben separadas y no son conjunciones:

¿*Por qué* me llamas? (*Por*, preposición; *qué*, pronombre interrogativo).

Ahí están las flores *por que* te interesabas. (*Por*, preposición; *que*, pronombre relativo).

¿*Con qué* derecho lo exiges? (*Con*, preposición, y *qué*, pronombre interrogativo).

Este es el libro *con que* te enseñaré. (*Con*, preposición, y *que*, relativo)

Si no quieres, déjalo. (*Si* es una conjunción condicional y *no*, adverbio).

Sí, no sirve (*Sí*, es un adverbio de afirmación, y *no*, un adverbio de negación).

EJERCICIOS. — Escriba con letras estos números:

16, 17, 18, 19, 21, 22, 23, 24, 25. 26, 27, 28, 29,
31, 44, 53, 66, 82, 99, 200, 400, 600, 700, 800, 900, 500.

Escriba con letras estos adjetivos numerales ordinales:

10° 11° 12° 13° 14° 15° 16° 17°
18° 19° 20° 21° 30° 39° 50° 90°

113

Emplee las palabras *porque, conque* y *sino* en oraciones.
Componga oraciones usando estas palabras:

Si,   sí,   que,   qué,   porqué.

Estudie cuidadosamente estas oraciones y escríbalas después al dictado:
Ayer recé diecisiete avemarías. — Sobre su tumba deposité fervorosamente un ramo de siemprevivas. — Hoy he dicho un sinnúmero de dislates. El pollino ascendió por la colina haciendo zigzag. — Alrededor del obelisco se congregaron más de novecientas personas. — No debes llegar a deshora porque ante todo está el cumplimiento del reglamento. — En seguida que recibí la noticia fui a bordo. — Sin embargo, yo creo que de repente no debe resolverse ese asunto. — A menudo suele suceder que un sordomudo acierta. — Antes de ayer se situó la lechuza encima de la azotea.

114

Lección 44

VOCABULARIO DE PALABRAS CON DIFICULTADES ORTOGRÁFICAS

Palabras con duplicación de vocales:

contraalmirante	preeminente	sobreentender
(contralmirante)	preelegir	(sobrentender)
guardaalmacén	reelegir	sobreesdrújulo
(guardalmacén)	reedificar	(sobresdrújulo)
Isaac	reembarcar	sobreedificar
Saavedra	reemplazar	sobreexcitar
Transversal	reenganchar	sobreeexceder
Canaán	reexplotar	(sobrexceder)
Aarón	reembolsar	sobreempeine

Voces verbales:

desees	veedor	deseé	acreedor	loó
leeremos	peleé	poseerán	proveedor	dígoos
creerás	paseé	sobreseer	releer	amándoos

Otros ejemplos:

zoófito zoología zootecnia cooperar coordenadas coordinación

Palabras con doble c:

predicción	diccionario	accesoria	accesible
traducción	inducción	acción	acceder
reducción	dicción	accidente	accesorio

Palabras con f intermedia:

afta   nafta   difteria   oftalmía   oftálmico   oftalmología

115

Palabras con g intermedia:

apotegma	consigna	sigma
maligno	insignia	ignorar
benigno	resignarse	ignorancia
indigno	significativo	magno
digno	propugnar	magnánimo
dignidad	impugnar	diafragma
signo	repugnar	persignar
signar	paradigma	pragmática

Palabras con h intermedia:

ahí	ahumar	enhoramala
ahora	albahaca	inherente
ahorro	azahar	enhiesto
ahorcar	almohada	inhábil
ahogar	vahído	inhabitable
ahito	vaho	zaherir
anhelo	cohibir	zahúrda
exhalar	exhibir	desheredar
aherrojar	tahona	buhardilla
ahinco	cohesión	buhonero
ahijado	rehén	ahuyentar
adherir	bohío	ahuecar
alhelí	bohemio	ahondar
adhesión	enhorabuena	desahucio
adherencia	enhebrar	truhán
deshilvanar	Abrahán	rehusar

Palabras con p intermedia:

eclipse	cápsula	interceptar
reptil	rapto	séptimo
septiembre	apto	optar
adoptar	captar	adopción
adaptar	elíptico	hemíptero
elipse	aceptar	septuagésimo
reptar	óptimo	septicemia
asepsia	inepto	opción
irrupción	septimio	eptásílabo
egipcio	áptero	hipnotizar

116

Palabras con x intermedia:

elíxir o elixir	próximo	lexicología
flexión	inflexible	intoxicar
anexión	oxígeno	yuxtaponer
reflexivo	inexorable	contextura
léxico	auxiliar	nexo
flexible	mixto	sexo
exagerar	sexual	texto
contexto	laxante	sexto

Palabras que pueden usar indistintamente el prefijo tras o trans:

tra (n) satlántico	tra (n) scrito	tra (n) spiración
tra (n) salpino	tra (n) sfusión	tra (n) svasar
tra (n) sbordar	tra (n) smontar	tra (n) sferir
trá (n) sfuga	tra (n) sposición	tra (n) sfigurar
tra (n) smontar	tra (n) scurrir	tra (n) sformar
tra (n) sportar	tra (n) scurso	tra (n) smitir
tra (n) scribir	tra (n) sferencia	tra (n) sponer
tra (n) scripción	tra (n) sgresión	tra (n) sversal

Palabras que pueden suprimir la b:

sustancia	suscripción	oscuro
sustanciar	sustituir	oscurecer
sustantivo	sustitución	oscuridad
sustantivar	sustituto	oscurantismo
sustancioso	sustraer	
sustantivación	sustracción	
suscribir	sustraendo	

Palabras que pueden suprimir la p:

sicología	setena	adscrito
sicosis	setenario	inscrito
siquiatra	sétimo	prescrito
siquiatría	setiembre	suscrito
síquico	setembrino	circunscrito

Pueden suprimir la m:

nemotécnica	nemónica	nemotecnia

Pueden suprimir la g:

neis	néisico	nomo	nómica

117

Pueden suprimir la h:

alelí	arrear	Elena	overo
arpa	acera	iguana	¡uf!
armonía	arpillera	odómetro	ujier
arpía	baraúnda	ogaño	urraca
arria	bataola	oploteca	
arriero	desarrapado	orondo	

NOTA: El estudiante deberá buscar en el diccionario aquellas palabras que desconozca.

EJERCICIOS. — Diga las etimologías de estas palabras (puede usarse el diccionario):

transcrito	*intoxicar*	*lexicología*	*transferencia*	*yuxtaponer*
hipnotizar	*áptero*	*asepsia*	*eptasílabo*	*diafragma*

Fórmese el pretérito de indicativo (1.ª persona del singular) de los verbos:

pelear	*hojear*	*cojear*	*gotear*	*sortear*
marear	*tambalear*	*recrear*	*balbucear*	*olfatear*

Subraye los prefijos de estas palabras:

coordinación	*predicción*	*contralmirante*	*inducción*
reembarcar	*persignar*	*sobreesdrújulas*	*reelegir*
indigno	*adherir*	*enhorabuena*	*ahondar*
consignar	*trasalpino*	*anexión*	*reflexión*

Escriba cinco veces, a columna, estas palabras:

Transvaal	*ignorancia*	*apotema*	*zootecnia*
zahurda	*enhiesto*	*rehusar*	*alhelí*
cohibir	*difteria*	*afta*	*nafta*
sobreseer	*proveedor*	*Saavedra*	*oxígeno*

Estudie atentamente estas oraciones y después escríbalas al dictado:

Al herido le hicieron dos transfusiones de sangre. — La leche de magnesia es un buen laxante. — José Antonio Saco abogó valientemente por la no anexión de Cuba a los EE.UU. — Será necesario reexportar esas mercancías extranjeras. — Miguel de Cervantes Saavedra fue el autor de «Don Quijote de la Mancha». — Tanto almíbar en esos buñuelos me repugna. El ahorcado exhaló su último suspiro en la buhardilla del buhonero. — Aarón, hermano de Moisés, les habló de Canaán y del patriarca Abrahán. En esa Zoología se explican extensamente los zoófitos. — Ahuyenta a esos cerdos de aquella zahurda inhabitable.

Lección 45

LOS SIGNOS DE PUNTUACIÓN
USO DE LA COMA

Cuando se trató de la *expresión oral*, se dijo que al hablar se hacían pausas más o menos largas que nos daban a conocer el sentido de las frases y sus relaciones. También se dijo, que las expresiones orales van acompañadas del *ritmo*, la *entonación* y el *énfasis*.

Para escribir todas esas expresiones con sus diversos matices no bastan las letras, se necesitan además otros signos llamados *signos de puntuación* y *entonación*. Los principales signos de esta clase son:

...	— puntos suspensivos	,	— coma
¿ ?	— signos de interrogación	;	— punto y coma
¡ !	— signos de admiración	:	— dos puntos
( )	— paréntesis	.	— punto final
ü	— diéresis o crema	-	— guión
« »	— comillas	—	— raya

USOS DE LA COMA. — La *coma* expresa una breve pausa. Se emplea:

1. — Para separar palabras de la misma clase. Ejemplos:
Compré lápices, plumas, libros, libretas y gomas. Esa niña es atenta, correcta, simpática, noble y cariñosa. Ella cantará dos, tres, cuatro o más canciones.

2. — Para separar frases y oraciones cortas:
Me levantaré temprano, tomaré el desayuno, preparé el equipaje y me embarcaré.
Sus principales características son: suave brisa, sol radiante, cielo azul, verde campiña y vegetación exuberante.

3. — Para separar frases u oraciones intercaladas:
Todas las grandes ideas, dijo Martí, tienen un gran Nazareno.
Atanasio Girardot, que desde joven luchó por la Patria, cayó heroicamente en Bárbula.

Miguel de Cervantes Saavedra, el *Manco de Lepanto*, escribió el *Quijote*.

En Panamá, como en todas partes, hay analfabetos.

4. — Para separar la localidad de la fecha en las cartas:
Bogotá, 6 de marzo de 1972.
Guatemala, 15 de octubre de 1973.

5. — Para separar el vocativo:
Luis, tú llevarás la bandera.
Tú sabrás, Inés, quién tiene la culpa.
Ellos pagarán esas cuentas, Pedro.

6. — Cuando se invierte el orden regular de una oración, expresándose primero lo que debería ir al final, debe ponerse una coma al fin de la parte que se antepone:
Escribió magníficas poesías e interesantes artículos, el periodista.
Fue maltratado por aquellos a quienes dio riquezas, el descubridor del Nuevo Mundo.

7. — Para separar expresiones como:
Esto es, es decir, sin embargo, no obstante, por consiguiente, por último, etc.
«Comprendo tus razones; sin embargo, ahora debes permanecer callado.»
La mayor parte de las veces, la entonación que se da a las frases y oraciones, es la mejor indicadora de la colocación de la *coma*.

Lección 46

EMPLEO DEL PUNTO Y COMA Y DE LOS DOS PUNTOS

El *punto y coma* indica una pausa mayor que la coma. Su empleo:

1. — **Se coloca el punto y coma entre los períodos que constan de varias oraciones, las cuales han sido separadas por comas:**

Trajeron dulces, helados y frutas; arreglaron la mesa y dispusieron los puestos; todos se sentaron y disfrutaron de un exquisito banquete.

Los estudiantes, regocijados y satisfechos, recogían sus notas; los padres gozaban del triunfo de sus buenos hijos; las madres lloraban de puro regocijo; ¡cuán felices eran todos!

2. — **Se pone punto y coma delante de las conjunciones adversativas mas, pero, aunque, cuando la oración o período que le antecede sea algo extenso; si fuere corto se usará la coma:**

Los médicos emplearon todos los recursos que conoce la ciencia; pero fue imposible salvar al enfermo.

Ella vendrá, mas no lo verá.

Tratamos de convencerle, de hacerle ver su grave error; mas todo fue inútil.

Quiso comprobarlo y satisfacer su ansiosa curiosidad; aunque ya le habían advertido lo peligroso que era.

Los *dos puntos* sirven para advertir o indicar algo. Se emplean:

1. — **Después del saludo de una carta, de un discurso, etc.**

Estimado amigo:
Distinguido señor:
Señoras y señores:

2. — **Después de las frases** por ejemplo, verbigracia, **etc.**

Hay muchos puertos en Venezuela, por ejemplo: La Guaira, Puerto Cabello, Maracaibo, etc.

Los adjetivos numerales ordinales expresan orden, verbigracia: primero, segundo, tercero.

3. — Se usan los dos puntos cuando se van a citar frases o pensamientos. **Ejemplos:**

Bolívar dijo: «A la sombra del misterio no trabaja sino el crimen.»

Las últimas palabras de Simón Bolívar fueron: «Si mi muerte contribuye a que cesen los partidos y se consolide la unión, yo bajaré tranquilo al sepulcro.»

4. — Se ponen dos puntos delante de las frases que completan una afirmación que se ha expresado previamente. **Ejemplo:**
Él figuró en el cuadro de honor: obtuvo sobresaliente en todas las asignaturas.

Martí fue un mártir: murió por el ideal de la Libertad.

Observación: Después de los dos puntos puede escribirse letra mayúscula o minúscula, indistintamente.

EJERCICIOS. — Coloque el punto y coma donde corresponda:
Colombia posee varias industrias y un comercio bien desarrollado sus aduanas recaudan importantes sumas. — Una palabra mal comprendida basta a veces para producir serios trastornos sólo el hábito de hablar con exactitud y emplear debidamente los vocablos evitará graves cuestiones. Ese joven está bien desarrollado posee una musculatura de atleta pero sus conocimientos y su cultura son escasos. — Se le ha advertido que las bebidas alcohólicas le perjudican mas no por eso deja de tomarlas. — Son ejemplos de actos cívicos: La erección de una estatua a un gran patriota las ofrendas florales ante los monumentos históricos el saludo a la bandera el respeto y el cumplimiento de las leyes.

Aplique las reglas relativas al empleo de los dos puntos, colocando ese signo donde falte:

Las formas del artículo determinante son el, la, los, las y lo. Ejemplos de preposiciones por, sobre, en, hacia, sin, de. Respetable Señor Recibí su carta de ayer. — Distinguido auditorio Sean mis primeras palabras... Y el esclavo exclamó por Dios, soltadme. — Y le dio este consejo Continúa trabajando en esa obra y triunfarás. — Al morir dijo estas palabras soy inocente. — Allí los frutos brotan rápidamente, las cosechas son abundantes, el labriego vive feliz es una tierra privilegiada. — Las cuatro estaciones son primavera, verano, otoño e invierno. — Y por este medio se hace saber que mañana permanecerán cerrados todos los establecimientos. — Yo, Alcalde Municipal, certifico que el señor... — Se consideraba un desgraciado todos lo despreciaban, nadie se compadecía de él, vivía en perpetua soledad. — El lleva acento cuando es pronombre: verbigracia él llamó.

Lección 47

EL PUNTO FINAL. LOS PUNTOS SUSPENSIVOS.
LA DIÉRESIS O CREMA

El *punto* indica el final de un párrafo, de un período o de un escrito. Se llama *punto y aparte* cuando al terminar un párrafo se inicia otro párrafo que deberá escribirse en renglón aparte. Se llama *punto y seguido*, cuando se sigue escribiendo dentro del mismo párrafo. Y *punto final*, cuando termina definitivamente el escrito.

Como ya se dijo antes, el *punto y aparte* se emplea para separar los párrafos, es decir, el conjunto de oraciones que constituye un todo.

El *punto y seguido* se coloca al final de una oración o período, cuando éstos forman ya sentido completo y se puede pasar a otros. Ejemplos:

En la biblioteca había libros de todas clases. En uno de los rincones lucía un elegante quinqué. Toda la habitación era espléndida y en ella reinaba mucho silencio.

También se emplea el *punto* después de las abreviaturas y de las iniciales. Ejemplos:

Ud.   etc.   Sr.   Dr.   Dra.   E.P.D.   N.°   B.L.M.

Los *puntos suspensivos* expresan una suspensión de lo que se expresa. Se emplean:

1. — Cuando se quiere dejar incompleta la oración o el período y pendiente la idea:

Si no fuera por que...

Dime con quién andas...

Será posible que tú...

123

2. — Cuando es necesario detenerse para expresar duda o temor o para sorprender al lector:

> Si ella supiera que yo... no, no lo sabrá.
> Tal vez llegará esta noche... bueno, lo esperaré.
> Y después de mucho pensar y cuando todos esperábamos una contestación razonable... no dijo nada.

3. — Cuando se copia un texto y una parte de él no es necesaria exponerla, se pone puntos suspensivos en la parte no insertada:

> La juventud es la edad de los viajes. Ni en la niñez, ni en la vejez, debe salirse de la patria: en una y otra época se necesita el calor de la madre ....

La *diéresis* o *crema* son dos puntitos que se colocan sobre la *u* para que ésta suene en las sílabas *gue, gui*. Ejemplos:

cigüeña   Güira   Camagüey   Güines

También se usa en poesía para deshacer los diptongos y obtener una sílaba más en la palabra. Así, *rui-na*, se descompone en *rü-i-na; sua-ve* en *sü-a-ve, rui-do* en *rü-i-do*.

EJERCICIOS. — Coloque los puntos y las comas donde correspondan y escríbase la letra mayúscula donde proceda:

> Anduvo anduvo anduvo le vio la luz del día le vio la tarde pálida le vio la noche fría y siempre el tronco de árbol a cuestas del titán

> De «Caupolicán» - Ruben Darío.
> (Nicaragüense).

Emplee los puntos suspensivos según las reglas:

Ella merecía que bueno la perdono. — Tú no te atreverías porque eres muy cobarde. — Se insultaron, se enviaron los padrinos, ¿vino después el desafío? no, vino un almuerzo.

Ponga la diéresis o crema a las palabras que convenga:

Aguado	guagua	unguento	guerra
ceguera	guaguero	Guigue	verguenza
antiguedad	paraguas	cigueña	iguana
arguir	paraguero	regueldos	averigue

Lección 48

SIGNOS DE INTERROGACIÓN Y ADMIRACION.
EL PARÉNTESIS. LAS COMILLAS

Los *signos de interrogación* se emplean en las oraciones interrogativas. Ejemplos:

¿Qué hora es? — ¿Dónde vives? — ¿Cuál será su casa? — Bueno, dime, ¿cuánto vale? — Y después de todo, ¿por qué quieres saberlo?

También se usan cuando se quiere expresar duda o incertidumbre: ¿Será posible que no quiera aceptar?

Los *signos de admiración* se usan en las oraciones admirativas:

¡Qué alegría! — ¡Cómo llueve! — ¡Oh, qué horror!

¡A las armas, valientes, corred!

Cuando las oraciones con interrogación o admiración son varias, breves y seguidas, sólo la primera se pone con letra mayúscula:

¿Por qué no viniste?; ¿estabas enfermo?; ¿te lo prohibieron?
¡Qué atrocidad!; ¡cuánta malicia!; ¡es increíble!

Cuando la cláusula participa de uno y otro tono, se pone el signo de interrogación al principio y el de admiración al final:

¿Por qué me hará sufrir tanto, Dios mio!

Para expresar duda, sorpresa o ironía, se intercalan estos signos colocándose entre paréntesis. Ejemplos:

Puede que sea (¿ ?) obra de él.
Dijo (¿ ?) que renunciaría.
Dicen que es (¿ ?) preciosa.

125

El *paréntesis* sirve para encerrar palabras o frases aclaratorias. Ejemplos:

En la Guayana venezolana (Estado Bolívar y Territorio Delta Amacuro) abunda el hierro.

El Libertador Simón Bolívar murió en Santa Marta (Colombia).

La entrevista entre Bolívar y Morillo (27 de noviembre de 1820) se celebró en el pueblo de Santa Ana de Trujillo.

Las *comillas* se emplean para indicar que se citan literalmente palabras o frases de otra persona; para señalar las voces extranjeras; los títulos de los libros, de los establecimientos, etc.

Ejemplos:

Es oportuno citar aquí las palabras del referido autor: «En todo proceso del raciocinio entra el lenguaje como instrumento esencial».

El profesor realizó los «tests» para graduar a sus alumnas.

Ayer leí en su última obra «Los Invencibles», un pensamiento muy parecido a ése.

Ese «gentleman» compra sus trajes en «El Elegante».

A veces se sustituyen las comillas, escribiendo las palabras o frases que deben llevarlas, con letra cursiva o también subrayándolas.

EJERCICIOS. — Ponga los signos de interrogación y de admiración donde falten:

Quién es el autor de este libro — Por qué no lo avisaste — Qué mala intención — Eso es imposible, no lo crees — Eh, fuera, salid de aquí — Conque tú eras el causante — Qué atrocidad, y cómo pudo hacer tal cosa.

Coloque el paréntesis donde corresponda.

Acento es la mayor intensidad de la espiración con que se pronuncian ciertas sílabas en relación con las demás Compendio de la Gramática Española, pág. 274. Y Juan González hijo dijo que no le pagaran. — Y utilizando un intérprete él no conocía el idioma nativo les anunció que había tomado posesión del territorio. — Cuando estalló la guerra de emancipación 1810 él vivía en España. — La palabra taciturno del latín *tacere* - callar significa callado.

Coloque las comillas donde corresponda: Éstas fueron sus palabras textuales: morir por la patria es vivir. — Tu hermana me invitó a la *soirée*. Ese establecimiento tiene un buen *stock*. — Ayer visité la redacción de El Heraldo y la de El Mundo. — En Valencia, Estado Carabobo, se han desarrollado muchas industrias.

Lección 49

EL GUIÓN. LA RAYA. EL ASTERISCO.
EL APÓSTROFE. LAS ABREVIATURAS

Se emplea el *guión* para separar las sílabas de una palabra cuando no caben en el renglón. Para su mejor empleo deben observarse las siguientes reglas:

No deben separarse los diptongos y triptongos. Ejemplos:

> Todos asistieron a su primer concier-
> to y quedaron admirados.

Abundan mucho los pastos y cañaverales en Camagüey.

Las palabras compuestas de prefijos pueden dividirse sin romper dichos prefijos o atendiendo al silabeo: así, *des*-amparar y *de*-samparar; *nos*-otros y *no*-sotros.

Las letras dobles no deben separarse: fe-rro-ca-rril; a-rre-o; si-lla; pe-cho.

Es de mal gusto separar una sola vocal para finalizar un renglón o iniciarlo. No debe escribirse así:

> tención, y cuidado a mis desea-
> os.

La *raya* se emplea en los diálogos para indicar que toma la palabra cada una de las personas que hablan. Ejemplos:

> —¿Cómo te sientes?, Juan.
> —Algo mejorado.
> —¿Tomaste la medicina?
> —Sí, y me ha sentado bien.

127

Suele sustituirse el *paréntesis* con la *raya* cuando se trata de pasajes muy enlazados al texto por su sentido:

No puedo consentirlo —dijo el padre— es una falta de respeto.
No debe saberlo —pensé— y así era.

En general, la raya o *guión largo,* se emplea para cualquier separación.

El *asterisco* es un signo parecido a una estrellita * (de *áster*-estrella). Se usa sencillo, doble o triple, al lado o en la parte superior de ciertas palabras de texto como llamada o nota, que en el margen o el pie de la página va encabezada con el mismo signo. En lugar del *asterisco* se emplean también números, letras, cruces, etc.

El *apóstrofo* es una coma alta que indica una elisión; se usa poco en nuestro idioma. Son escasas las palabras que lo llevan.

O'Reilly   O'Donell   O'Farril   O'Higgins   O'Leary

Hay otros signos que están en desuso, tales son *párrafo,* el cual se sustituye por números o letras, las *manecillas,* etc.
Las *llaves* o *corchetes* se emplean para los cuadros sinópticos:

Ejemplos de las principales abreviaturas:

@	— arroba	lb	— libra
$	— pesos	Q.B.S.M.	— que besa sus manos
%	— tanto por ciento	v. g.	— verbigracia
N.º	— número	Q.E.G.E.	— que en gloria esté
admón.	— administración	Srta.	— señorita
Excmo.	— excelentísimo	Sta.	— santa
gral.	— general	Vto. Bno.	— Visto Bueno
íd.	— ídem	cm.	— centímetro
J. C.	— Jesucristo	Km.	— kilómetro

EJERCICIOS. — Transcriba este trozo colocando todos los signos de puntuación que falten en él:

Siendo el lenguaje el medio de que se valen los hombres para comunicarse unos a otros cuanto saben piensan i sienten

no puede menos de ser grande la utilidad de la Gramática ya
para hablar de manera que se comprenda bien lo que decimos sea de viva voz o por escrito ya para fijar con exactitud
el sentido de los que otros han dicho lo cual abraza nada
menos que la acertada enunciación i la jenuina interpretación de las leyes de los contratos de los testamentos de los
libros de la correspondencia escrita objetos en que se interesa
cuanto hai de mas precioso i más importante en la vida social.

Andrés Bello,
(Venezolano).

NOTA. — En este ejemplo se ha respetado la ortografía original de
Andrés Bello.

Infórmese el alumno de quién fue Andrés Bello.

Aplique las reglas de la puntuación:

El valiente oficial y los dos soldados al sentir ruido se prepararon
y dieron el quién vive el jefe de la guerrilla contestó Cuba era un engaño
alto gritó el cubano haciendo fuego en seguida porque conoció que era
el enemigo disfrazado.

Lección 50

IMPORTANCIA DE LA PUNTUACIÓN.
EJEMPLOS CURIOSOS

Sirvan los ejemplos que se presentan en esta lección para demostrar la gran importancia que tiene el buen uso de los *signos de puntuación*. Nótese cómo el cambio de los referidos signos altera por completo el significado de las expresiones escritas. Aunque estos ejemplos aparecen en varios tratados de Ortografía, conviene su reproducción en esta obra para que el alumno reconozca la importancia de la puntuación.

«Soledad, Julia e Irene, tres hermanas bastante lindas y jóvenes, eran visitadas con mucha frecuencia por un caballero muy culto, elegante y buen mozo. Era tan sabio este señor y tan simpático que conquistó el corazón de las tres hermanas sin haberse declarado a ninguna de ellas, y llegó a tal grado el entusiasmo de las pobres hermosas, que todo era entre las mismas, disputas y discusiones, amenazando turbar la paz de la familia y convertir la casa en un infierno.

Para salir de esta situación penosa exigieron del joven que se declarase, y acosado y comprometido ofreció consignar en una décima el estado de su corazón con respecto a ellas; pero con la condición precisa de que no había de estar puntuada, y autorizando a cada una de las tres hermanas para que la puntuase a su manera. Ésta es la décima:

> *Tres bellas que bellas son*
> *Me han exigido las tres*
> *Que diga de ellas cuál es*
> *La que ama mi corazón*
> *Si obedecer es razón*
> *Digo que amo a Soledad*
> *No a Julia cuya bondad*
> *Persona humana no tiene*
> *No aspira mi amor a Irene*
> *Que no es poca su beldad.*

130

Soledad, que abrió la carta, la leyó para sí y dijo a sus hermanas: Hijas mías, la preferida soy yo, o si no oíd, y leyó la décima con la siguiente puntuación:

> *Tres bellas, que bellas son,*
> *Me han exigido las tres,*
> *Que diga de ellas cuál es*
> *La que ama mi corazón.*
> *Si obedecer es razón,*
> *Digo, que amo a Soledad;*
> *No a Julia, cuya bondad*
> *Persona humana no tiene;*
> *No aspira mi amor a Irene,*
> *Que no es poca su beldad.*

—Siento mucho desvanecer esa ilusión, hermana mía, dijo la hermosa Julia; pero soy yo la preferida, y en prueba de ello escucha:

> *Tres bellas, que bellas son,*
> *Me han exigido las tres,*
> *Que diga de ellas cuál es*
> *La que ama mi corazón.*
> *Si obedecer es razón,*
> *Digo que, ¿amo a Soledad?*
> *No. A Julia, cuya bondad*
> *Persona humana no tiene.*
> *No aspira mi amor a Irene,*
> *Que no es poca su beldad.*

—Las dos estáis engañadas, dijo Irene, y el amor propio os ofusca, porque es indudable que la que él ama, de las tres soy yo. Veamos:

> *Tres bellas, que bellas son,*
> *Me han exigido las tres,*
> *Que diga de ellas cuál es*
> *La que ama mi corazón.*
> *Si obedecer es razón,*
> *Digo que, ¿amo a Soledad?*
> *No. ¿A Julia, cuya bondad*
> *Persona humana no tiene?*
> *No. Aspira mi amor a Irene*
> *Que no es poca su beldad.*

Quedaron en la misma duda, en la misma confusión, y determinaron salir de la incertidumbre exigiendo al joven la puntuación de la décima, el cual les envió una copia puntuada de esta manera:

Tres bellas, que bellas son,
Me han exigido las tres,
Que diga de ellas cuál es
La que ama mi corazón.
Si obedecer es razón,
Digo que, ¿amo a Soledad...?
No. ¿A Julia, cuya bondad
Persona humana no tiene...?
No. ¿Aspira mi amor a Irene?
¡Que no! Es poca su beldad.

Queda demostrado que cambiando la puntuación, se cambia totalmente el sentido de las expresiones.

Lección 51

LOS VALORES Y OFICIOS DE LAS PALABRAS
LA ANALOGÍA

En las lecciones anteriores hemos estudiado la estructura de las palabras, sus etimologías, sus significados, los caracteres de su pronunciación y de su escritura; vamos ahora a tratar de sus *valores* y *oficios*.

Véanse estos ejemplos:

Rico	Jaime es un hombre *rico*.
	¡Qué *rico* está ese helado!
Pagaré	Mañana te *pagaré*.
	Ya firmé el *pagaré*.
Solo	*Sólo* tú podrás ir.
	Quiero café *solo*.
	Luis tocó un *solo* de flauta.
Duro	Un cuerpo *duro*.
	No seas tan *duro*, no lo martirices
	Págame el *duro*.

Como puede notarse, las palabras *rico, pagaré, solo* y *duro*, tienen distintos significados y oficios, según su empleo.

La palabra aislada, sola, sin emplearse en oraciones o frases, tiene su significación propia y es considerada por esa misma significación con carácter de nombre, de adjetivo o de verbo. etc.

Así en los ejemplos anteriores bien podemos decir que *rico* es generalmente un adjetivo y significa poseedor de riqueza, *pagaré* es una voz verbal en tiempo futuro; *solo*, adjetivo que da idea de aislamiento y *duro*, adjetivo que significa solidez. Estos son realmente *valores absolutos* de esas palabras.

Al emplearse en las oraciones que aparecen a la derecha de cada una de esas palabras, notamos cómo cambian de significación y de oficio según la relación que guardan con las otras palabras; esos son sus *valores relativos*. Esa variedad en los valores de una palabra permite emplearla en distintos oficios gramaticales y alterar su significación; por consiguiente el *valor gramatical* de las palabras depende de la *significación* y el *oficio* que desempeñen en la oración.

Véanse estos otros ejemplos:

Valores absolutos:

Recibo — documento que acredita una entrega o pago (nombre).
Río — corriente de agua (nombre o sustantivo).
De — nombre de una letra.

Valores relativos:

El *río* es caudaloso — (nombre).
Yo me *río* de ti — (verbo, acción de reírse).
Entrégame el *recibo* — (nombre; documento).
Hoy no *recibo* visitas — (verbo; acción de acoger o recibir).
Una casa *de* madera — (preposición; elemento de enlace).
No le *dé* nada — (verbo; acción de dar o entregar).
Esa *de* está bien hecha — (nombre; una letra).

Ya hemos visto en una lección anterior que las palabras, según su oficio gramatical, se han dividido en ocho clases:

El *nombre* tiene por oficio designar las personas, los animales y las cosas.

Ejemplos: criado, gato, papel.

El *pronombre* se emplea para sustituir al nombre. Ejs.: *Yo* (Juan) compré ese libro. *Esa* (María) es mi hermana.

El *adjetivo* sirve para calificar o determinar al nombre. Ejs.: *Un* lápiz suave. *Varios* papeles. *Cinco* casas.

El oficio del *artículo* es indicar si el nombre se emplea en sentido determinado o indeterminado. Ejs.: Dame *la* carta. Dame *una* carta.

El *verbo* expresa el atributo del sujeto que es generalmente un nombre. Ejs.: Tomás *bailó*. Marcelo *pinta* muy bien.

El *adverbio* sirve para modificar la significación del verbo, del adjetivo o de otro adverbio. Ejs.: Ella vive *aquí*. Es *muy* pobre. *Bastante* mal.

La *preposición* enlaza palabras entre sí. Ejs.: Casa *de* madera. Hombre *sin* talento.

La *conjunción* enlaza oraciones. Ejs.: María salió *y* Luis llegó. Te quiero, *pero* no te perdono.

La parte de la Gramática que estudia los valores de las palabras se llama *Analogía*. También trata de los accidentes gramaticales de las palabras, sus aspectos morfológicos y hasta de sus acepciones o significados.

EJERCICIOS. — ¿De qué depende el valor gramatical de una palabra? ¿Cómo pueden ser los valores de las palabras? — Cite dos ejemplos de valor absoluto y de valor relativo. — Emplee con distintos valores las palabras *casa, dulce* y *aviso*. — ¿Cómo se han clasificado las palabras atendiendo a sus oficios gramaticales? — ¿Qué es la Analogía? — Diga los oficios de las palabras con caracteres gruesos:

El *pintor* derramó la *pintura*.
Ella vino *ayer sin* sombrero.
Aquella es tu casa *nueva*.
Cesó la lluvia *y salió* el *sol*.

Lección 52

ESTUDIO DEL NOMBRE O SUSTANTIVO

Definición. — Para establecer una distinción es necesario designar o nombrar con algún vocablo a las personas, los animales y las cosas, por eso muy bien podemos definir el *nombre* o *sustantivo* diciendo que es la palabra variable que sirve para distinguir fundamentalmente las personas, los animales y las cosas.

División. — Atendiendo a su *significación* y a su *origen,* los nombres se han agrupado en estas clases:

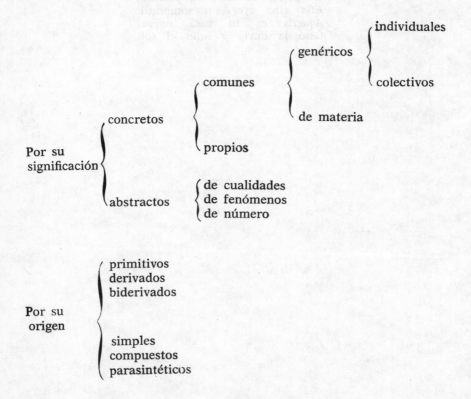

Por su significación
- concretos
  - comunes
    - genéricos
      - individuales
      - colectivos
    - de materia
  - propios
- abstractos
  - de cualidades
  - de fenómenos
  - de número

Por su origen
- primitivos
- derivados
- biderivados

- simples
- compuestos
- parasintéticos

Nombres concretos y abstractos. — Las palabras *concreto* y *abstracto* son antónimas. *Concreto* equivale a material y *abstracto* a inmaterial. Los nombres *papel, agua, pan, mesa, tinta, piedra,* son palabras que expresan ideas de cosas materiales, objetivas, perceptibles. Los nombres *odio, amor, fe, bondad, dulzura, decencia,* expresan ideas de cosas inmateriales, imperceptibles, abstraídas.

Los nombres que expresan cosas reales, perceptibles, se llaman *concretos.* Son nombres concretos: *mano, hueso, tierra, azúcar, caballo.*

Los nombres que expresan las cualidades separadas en nuestro entendimiento de los objetos que las poseen, se llaman *abstractos.* Son nombres abstractos: *fealdad, holganza, dicha, entusiasmo.*

Nombres comunes y propios. — Los nombres concretos pueden ser *comunes* y *propios.* Ej.:

«La *ciudad* de *México* es atractiva.»

Las palabras con caracteres cursivos en esta oración son nombres porque han servido para designar una cosa. El nombre «ciudad» puede aplicarse a todas las poblaciones grandes, es un vocablo *común* a todas ellas; por este motivo a esta clase de nombres se les llama *comunes.* El nombre «México» es exclusivo o particular de una ciudad; es lo que se conoce con el nombre de *propio.*

Son *nombres comunes* aquellos que se refieren a personas, animales o cosas de la misma especie. Ej.: *niño, casa, perro, señora, agua, obrero,* etc.

Son *nombres propios* aquellos que se refieren a una persona, animal o cosa determinados para distinguirlos de los demás de su especie. Ej.: *Ramón, María, Rocinante, Babieca, Chile, Madrid,* etc.
Los nombres propios se escriben siempre con letra mayúscula.

Muchas veces se emplean nombres comunes con carácter de propios y también nombres propios como comunes. Véanse estos ejemplos:

Visité la Península.
La noticia circuló por toda la Isla.

En la primera oración el nombre común *península* está en lugar del nombre propio *España.* En la segunda oración ocurre algo seme

137

jante: el nombre común *isla* está referido al nombre propio *Cuba*.

Y por el contrario, cuando decimos *es un Nerón*, por *un hombre cruel*; o *es un Hércules*, por *un hombre fuerte*, estamos empleando los nombres propios *Nerón* y *Hércules* con carácter de nombre común.

Esta figura del lenguaje que permite usar un nombre común como propio y viceversa, se llama *antonomasia* (de «anti» en lugar de, y «onoma» nombre).

Se llaman *figuras,* en sentido gramatical, a las modificaciones en el empleo o significado de las palabras para dar más gracia, elegancia o eufonía a la expresión.

Nombres genéricos (individuales y colectivos) y nombres de materia. — Los nombres comunes se dividen, a su vez, en *genéricos* y *de materia.*

Son *genéricos* aquellos nombres que se refieren a seres u objetos que poseen cierto número de cualidades comunes. Si el nombre está referido a un ser u objeto en particular se llama *individual.* Pero si nos referimos a un conjunto de seres u objetos de la misma especie, el nombre entonces se llama *colectivo.*

Así, por ejemplo: *oveja* y *árbol* son dos nombres *individuales,* porque con ellos designamos a seres únicos y particulares. Si quisiéramos expresar varios de estos seres tendríamos que usar el nombre *oveja* y el nombre *árbol* en plural, así: *ovejas, árboles.* Sin embargo, el idioma posee palabras que estando en singular, dan idea de pluralidad: A un conjunto de *ovejas* le damos el nombre de *rebaño*, y a un conjunto de *árboles* lo llamamos *arboleda.* Estos nombres que, como *rebaño* y *arboleda*, que estando en singular, dan idea de pluralidad, se llaman *colectivos.*

Los denominados *nombres comunes de materia* son los nombres que no se refieren a un ser u objeto determinado, sino a la sustancia que posee las cualidades significadas por el nombre. Ej.: *oro, carbón, madera,* etc.

Nombres abstractos: De cualidades, de fenómeno y de número. — Los nombres abstractos son generalmente también nombres comunes, y se dividen en: *abstractos de cualidad, abstractos de fenómeno* y *abstractos de número.*

Nombres abstractos de cualidad son nombres derivados de adjetivos calificativos, y cuyas cualidades son expresadas por el propio nombre en abstracto. Ej.: *blancura, justicia,* etc.

138

Nombres abstractos de fenómenos son nombres expresivos de acciones y fenómenos. Ej.: *movimiento, lectura,* etc.

Nombres abstractos de número son los nombres que expresan número. Si expresan fracción o parte de una cosa se llaman *numerales partitivos.* Ej.:

La *mitad* de una naranja.
El *tercio* de un queso.
El *centésimo* de un billete.

Pero también estos nombres abstractos pueden expresar multiplicación, y entonces se llaman *numerales multiplicativos* o *múltiplos.* Ej.:

El *duplo* de tu capital.
Me entregó el *doble.*
Vale el *triple* o el *cuádruplo.*

EJERCICIOS. — Defina el nombre o sustantivo. — Diga cuáles de estos nombres son comunes y cuáles son nombres propios:

Bogotá	cordel	hoia	La Habana	Magdalena
máquina	mosca	cascada	Inés	Ceilán

¿Qué es antonomasia? — Aplique un nombre común adecuado a estos nombres propios:

Edison	Honduras	París	Júpiter	Jamaica
Darío	Marconi	Chicago	Cervantes	Andes

Forme los nombres abstractos derivados de estos adjetivos:

fiel	rico	fácil	entero	decente
cándido	blanco	amargo	feo	feliz

Cite nombres colectivos que expresen conjunto de:

árboles	pinos	barcos	músicos	casas
hormigas	avispa	cantantes	álamos	vides

Emplee en oraciones estos colectivos numerales:

centenar	ciento	veintena	millar	par	docena

Cite tres ejemplos de nombres numerales partitivos y tres de numerales múltiplos.

Lección 53

CONTINUACIÓN DEL ESTUDIO DEL NOMBRE

Nombres primitivos, derivados y biderivados. — En las lecciones 5.ª y 6.ª se hizo un estudio amplio de la *derivación* y se explicaron las características de las palabras primitivas, derivadas y biderivadas. Será muy conveniente para el estudiante repasar las citadas lecciones.

Recordemos que son *primitivos* los nombres que no proceden de otra palabra castellana, como *árbol, pan, casa, pluma, barba.*

Son *derivados* los que provienen de los primitivos y son *biderivados* los que se derivan de los *derivados.* Véanse estos ejemplos:

PRIMITIVOS	DERIVADOS	BIDERIVADOS
voz	vocablo	vocabulario
pan	panadero	panadería
sombra	sombrero	sombrerería
barba	barbero	barbería

Entre los *nombres derivados* encontramos los *aumentativos,* los *diminutivos,* los *despectivos,* los *estimativos,* los *patronímicos* y los *verbales.*

Cuando estudiamos las distintas clases de sufijos (Lecciones 7.ª y 8.ª), se trató de todas estas clases de *nombres derivados.* Repase el alumno esas lecciones. Estúdiese este cuadro:

DIVISION DE LOS NOMBRES DERIVADOS

AUMENTATIVOS . . . . Expresan aumento.
Emplean los sufijos *on, azo, ote.*
Ejemplos: salón, perrazo, animalote.

DIMINUTIVOS . . . . . Expresan pequeñez.
Emplean los sufijos *ito, illo, ico, in, uelo.*
Ejs.: palito, pelillo, gatico, violín, pañuelo.

DESPECTIVOS . . . . . Expresan burla o desprecio.
Emplean los sufijos *aco, acho, ucha, ajo, astro, uza, orrio.*
Ejemplos: libraco, hilacha, casucha, poetastro, gentuza, villorrio.

	Expresan estimación, cariño, afecto.

ESTIMATIVOS . . . . . Expresan estimación, cariño, afecto.
Emplean sufijos propios de los diminutivos.
Ejemplos: *mamaíta, papaíto, hijito, abuelito.*
También pueden considerarse como *estimativos*
los apodos como *Nena, Cheo, Fina, Ñico,* etc.

PATRONÍMICOS . . . . Son los apellidos.
Emplean los sufijos *az, ez, iz, oz.*
Ejemplos: *Díaz, Pérez, Ruiz, Ortiz, Muñoz.*
Por extensión son patronímicos todos los ape-
llidos.

VERBALES . . . . Son los que provienen de verbos.
Emplean los sufijos *ador, edor, idor, tor.*
Ejemplos: hablador, vendedor, regidor, escritor.

Nombres simples, compuestos y parasintéticos. — En la Lección 5.ª se explicaron las características de las palabras *simples, compuestas* y *parasintéticas.* Invitamos al alumno a repasar esa lección.

Recordemos que son *simples* los nombres que constan de una
sola voz o palabra; *compuestos* los que constan de más de un elemento
y *parasintéticos* los que provienen de la derivación y la composición
efectuadas al mismo tiempo. Véanse estos ejemplos:

SIMPLES:	COMPUESTOS:	PARASINTÉTICOS:
día	mediodía	enrojecimiento
libro	maniobra	entorpecimiento
papel	portalibros	indisposición
luz	desamor	composición
interés	desinterés	extracción

Análisis de los *compuestos:*

mediodía - de *medio* y *día.*
maniobra - de *mano* y *obra.*
portalibros - de *portar* y *libros.*
desamor - de *des* (prefijo) y *amor.*
desinterés - de *des* e *interés.*

Análisis de los *parasintéticos:*

Enrojecimiento: primitivo - *rojo;* derivado - *enrojecer* que es un
compuesto por llevar el prefijo *en; enrojecimiento,* biderivado de
enrojecer.

Entorpecimiento es un biderivado de *entorpecer;* esta palabra es
un compuesto del prefijo *en,* del vocablo *torpe* y del sufijo *er* con
su incremento *c.*

Indisposición: tiene dos prefijos: *in* y *dis;* la palabra *posición* se deriva del verbo *poner.*

Composición: tiene el prefijo *con* y el derivado de poner, *posición.*

Extracción: Prefijo *ex* y el derivado de traer - *tracción.*

Como puede comprobarse por los análisis anteriores, en esas palabras se han producido al mismo tiempo los dos fenómenos de la derivación y la composición, efectuándose por lo tanto, la *parasíntesis.*

Sustantivación de palabras y frases. —Véanse estos ejemplos:

El *respirar* aire puro es conveniente.

Ella me dio el *sí.*

No espero un *nunca* de ti.

No contestes con el *se me perdió* de siempre.

Las palabras y frases con caracteres cursivos en los ejemplos anteriores están empleadas con carácter de *nombre;* este cambio de valor en las palabras se debe al empleo del artículo delante de ellas. A las palabras y frases empleadas con ese valor de nombre se les llama *sustantivadas.*

EJERCICIOS. — ¿Cómo se han dividido los nombres derivados? — Diga a qué clase de derivados pertenecen estos nombres:

traductor	*aldehuela*	*hermanito*	*hombrón*	*pajarraco*
partidor	*medicucho*	*Alvarez*	*cornetín*	*compositor*
perrazo	*populacho*	*riachuelo*	*Hernández*	

Forme los derivados patronímicos de estos nombres de pila:

Diego	*Martín*	*Ramiro*	*Rodrigo*	*Enrique*
Galindo	*Domingo*	*Nuño*	*Pelayo*	*Gonzalo*
Esteban	*Lope*	*Ruy*	*Pedro*	*Alvaro*

Sustituya el guión con el elemento o vocablo que falte para formar el nombre compuesto, escribiendo el nombre completo:

—discípulo	—secretario	—mudo	—carril	—veneno
—sol	—hora	—mala	va—vén	quita—pon

¿Qué son nombres parasintéticos? — Analice estos nombres parasintéticos:

influencia   *incumplimiento*   *endurecimiento*

¿Qué es substantivar una palabra? — Emplee como nombres o sustantivos estas palabras y frases:

estudiar   *no*   *malo*   *difícil*   *se me olvidó*

Lección 54

GÉNERO DE LOS NOMBRES

En la Lección 10.ª tratamos de los accidentes gramaticales y de las desinencias que sirven para determinarlos. Entre esos accidentes gramaticales enunciamos el *género*. Veamos estos ejemplos:

niño - niña   perro - perra   Antonio - Antonia

Puede notarse el cambio de la terminación *o* por *a* para designar el sexo opuesto. Esa distinción que establece el cambio o accidente para determinar el sexo, se llama *género*.

Clases de géneros: Fundamentalmente sólo existen dos sexos. el masculino y el femenino; así podemos decir también que fundamentalmente hay dos *géneros:* el *masculino* y el *femenino.* Al primero pertenecen los nombres de hombres, de animales machos y de cosas a las que se pueda atribuir este sexo. Al femenino corresponden los nombres de mujeres, de animales hembras y de las cosas a las que se les pueda atribuir este sexo. Ejemplos:

SON FEMENINOS: criada   SON MASCULINOS: criado
                 Carlota   Carlos
                 leona   león
                 casa   libro

A los nombres de personas y animales se les dice que poseen el género¹ por propiedad y a los nombres de cosas, por atributo. Así decimos que caballo, chivo, carpintero, son *masculinos por propiedad;* yegua, chiva, cocinera, son *femeninos por propiedad.* El carro, el lápiz, el banco son *masculinos por atributo* y la libreta, la pared, la tinta son *femeninos por atributo.*

No siempre la terminación nos indica el género de los nombres: Hay *nombres de personas* que tienen una terminación común para los dos sexos y por medio del artículo puede hacerse la distinción. Ejemplos:

     El violinista   *El* testigo   *El* reo
     La violinista   *La* testigo   *La* reo

Estos nombres de *personas* que tienen la misma terminación para los dos sexos y se distinguen por el artículo, se dice que son del *género común.*

Existen muchos *nombres de animales* que tampoco alteran su terminación para señalar el sexo y no cambian el artículo. Ejemplos:

La ballena (macho o hembra)
El mosquito (macho o hembra)
La mosca (macho o hembra)
El cocodrilo (macho o hembra)

Los *nombres de animales* que no varían la forma ni el artículo, pertenecen al *género epiceno.*

Hay unos pocos *nombres de cosas* que se usan indistintamente en el género masculino o el femenino, por ejemplo: *el mar, la mar; el dote, la dote; el puente, la puente; el azúcar, la azúcar; el tilde, la tilde;* etcétera.

Estos *nombres de cosas* que se usan indistintamente en masculino o en femenino, pertenecen al *género ambiguo.*

Hay palabras sustantivadas (adjetivos y pronombres) que no expresan un género determinado. Ejemplos: *lo bueno; lo difícil; lo malo; eso, esto, aquello, lo mío, lo suyo.* Estas palabras de género indeterminado, es decir que no señalan si son masculinos o femeninos, las llama la Gramática palabras de *género neutro.* En latín *neutro* significa, *ni uno ni otro.*

Resumiendo, podemos decir que los *géneros gramaticales* son seis: *Masculino, femenino, común, epiceno, ambiguo y neutro.*

El *masculino* y el *femenino* pueden ser por *propiedad* o por *atributo.*

El género *común* se refiere a nombres de *personas.*
El género *epiceno* se refiere a nombres de *animales.*
El género *ambiguo* a nombre de *cosas.*
El género *neutro* a palabras que expresan sexo *indeterminado.*

Formación del femenino: Para la formación del femenino existen varias terminaciones: *a, ina, esa, isa, triz.* También puede formarse el femenino con otra palabra completamente distinta a la del masculino. Veamos estos ejemplos:

MASCULINO:	FEMENINO:	MASCULINO:	FEMENINO:
maestro	maestra	actor	actriz
autor	autora	emperador	emperatriz
gallo	gallina	hombre	mujer
Alejandro	Alejandrina	padre	madre
conde	condesa	yerno	nuera
poeta	poetisa	carnero	oveja

144

Por lo tanto, para determinar el género de los nombres, obsérvese la terminación y el artículo. Hay que tener en cuenta que por razón de eufonia, algunos nombres femeninos llevan el artículo masculino: el agua, el alma, el hambre, etc.

Hay muchos nombres, que no son ambiguos, y al cambiar el artículo cambian de significación. Ejemplos:

El cometa, la cometa; el parte, la parte; el orden, la orden; el capital, la capital; el pez, la pez, el cólera, la cólera, etc.

EJERCICIOS. — Clasifique estos nombres por sus géneros:

suegro	conserje	heroína	avispa	reloj	lo nuestro
Jaime	hormiga	carbón	máquina	flautista	elefante
mano	lo difícil	aquello	abeja	herpe	dote

Forme el femenino de estos nombres:

tigre	conde	señor	carnero	elefante	dentista
emperador	marqués	rey	tiburón	príncipe	abad

Construya frases u oraciones empleando estos nombres:

dote	guía	consonante	heroína
lid	institutriz	institutor	cometa

Cite nombres femeninos que terminen con estas desinencias:

a	ina	esa	isa	triz

Observe estas palabras e induzca una regla de ortografía:

princesa	condesa	duquesa	marquesa
baronesa	abadesa	archiduquesa	vizcondesa

145

Lección 55

EL NÚMERO DE LOS NOMBRES

El número: Examine estos grupos de palabras:

libro — libros	menor — menores	nené — nenés
casa — casas	papel — papeles	café — cafés
peine — peines	anís — anises	pie — pies
espíritu — espíritus	pan — panes	canapé — canapés

maní — maníes	hijodalgo — hijosdalgo
ají — ajíes	cualquiera — cualesquiera
majá — majaes	portalibro — portalibros
rubí — rubíes	contraveneno — contravenenos

el martes	— los martes
la crisis	— las crisis
———————	— las nupcias
	— las exequias

Hay palabras en esos grupos que expresan *una sola cosa* o *persona*. Hay palabras que expresan *más de una*. Las palabras que expresan *una sola cosa* se dice que están en *número singular* y las que expresan *más de una*, están en *número plural*.

Reglas para la formación del plural: Si observamos el primer grupo de palabras notaremos que todas terminan en *vocal no acentuada* y que han formado su plural agregando una *s:* casa - casas.

Las del segundo grupo terminan en *consonante* y forman su plural con la terminación *es:* papel - papeles.

Las del tercer grupo terminan en *é acentuada* y sólo se les agregó una *s:* café - cafés.

Las del cuarto grupo terminan en *vocal acentuada*, que no es e y han formado su plural añadiendo la desinencia *es: rubí - rubíes.*

En el quinto grupo hemos notado que los nombres compuestos forman el plural en el primer elemento o en el segundo; generalmente en el segundo cuando el primer elemento es un verbo: *mondadientes, sacacorchos.*

Y por último en el sexto grupo hemos visto palabras que tienen la misma forma para los dos géneros: éstas son las terminadas en *s:* análisis, lunes. Y otras como nupcias, exequias, que sólo se usan en plural.

También se podrá comprobar que sólo hay dos terminaciones para la formación del plural: la letra *s* y la sílaba *es.*

De esas observaciones, podemos inducir estas reglas:

1ª — **Los nombres terminados en vocal no acentuada forman su plural con la letra** s.

2ª — **Los nombres terminados en vocal acentuada forman su plural con la sílaba es. Excepto los terminados en é acentuada, que admiten una** s.

3ª — **Los nombres terminados en consonante forman su plural con la sílaba** es.

OBSERVACIONES SOBRE LOS PLURALES

1. — **Las palabras mamá, papá, sofá, forman sus plurales: mamás, papás, sofás.**

2. — **Las palabras terminadas en** z, **cambian esta letra por** c, **al formar el plural: cruz - cruces; raíz - raíces.**

3. — **Hay palabras compuestas que no admiten la forma del plural: hazmerreír, correveidile, quitaipón.**

4. — **La** y **al final de palabra se considera como consonante para los efectos de la formación del plural: mamey - mameyes, rey - reyes, batey - bateyes.**

5. — **Permanecen invariables en el plural los terminados en** x: **fénix, sílex, ántrax, ónix.**
Ónix tiene también las formas: ónice - ónices.

6. — **Los nombres propios y los apellidos carecen de plural. Sin embargo en ciertas ocasiones puede decirse: Los Juanes, las Américas, los Velázquez, etc.**

7. — Solamente se usan en plural: **Albricias, andurriales, antiparras, añicos, crece**s**, efemérides, enseres, expensa**s**, esponsales, exequias, ínfulas, maitines, nupcias, trébedes, víveres, etc. Los objetos que son dobles: tijeras, alicates, pinzas, tenazas, gafas, pantalones, etc. (Algunos gramáticos opinan que éstos pueden usarse también en singular).**
8. — **Permanecen invariables en el plural los nombres** no agudos **terminados en** s: **lunes, martes, miércoles, jueves, viernes, análisis, crisis, tesis.**
9. — **Algunos nombres de origen extranjero presentan anomalías en sus plurales. Ejemplos: vivac - vivaques; cinc - cines; club - clubes; lord -lores; frac - fraques; etc.**

EJERCICIOS. — Forme el plural de estos nombres:

voz	*colibrí*	*nené*	*cóndor*	*papá*	*sobrecama*
tos	*corazón*	*régimen*	*maíz*	*bisturí*	*gentilhombre*
coz	*corsé*	*azúcar*	*carácter*	*mamá*	*rompenuez*
éter	*buey*	*tisú*			

Explique el número de estos nombres:

trizas	*crisis*	*pies*	*jueves*	*leyes*
albricias	*Martínez*	*ónix*	*maravedíes*	*té*
anís	*antorchas*	*tórax*	*quitaipón*	

Cite las reglas principales para la formación del plural de los nombres. Cite seis nombres que carezcan de singular. — ¿Por qué los nombres terminados en é acentuada no agregan la sílaba es para formar el plural?

LECTURA COMENTADA: Escoja el profesor un texto de lectura cualquiera, o un artículo breve de una revista o periódico; hágalo leer en la clase y después practíquense los siguientes comentarios: El autor, sus caracteres. El asunto principal del artículo. Las ideas secundarias. Opiniones de los alumnos respecto a esos asuntos. Crítica del estilo. Si es posible, hacer un vocabulario con las voces de significación dudosa o desconocida que estén empleadas en el trabajo. Utilícese el diccionario. Repítanse periódicamente esta clase de ejercicios sobre lecturas comentadas.

Lección 56

ESTUDIO DEL ADJETIVO

El adjetivo. — Ya hemos visto que el *nombre* hace la distinción fundamental; para hacer más amplia esta distinción, es preciso usar alguna palabra que describa, califique o limite su significación, por ejemplo: libro *grande;* libro *interesante; seis* libros.

La palabra variable que se une al nombre para calificarlo o determinarlo se llama *adjetivo* (del latín *adjectus* - agregado).

Clases de adjetivos: En el primer ejemplo el adjetivo *grande* describe el nombre *libro;* en el segundo, el adjetivo *interesante,* lo califica; en el tercero el adjetivo *seis,* ni describe ni califica, sólo limita o determina la significación del nombre libro. Basándonos en esta doble función del adjetivo podemos dividirlo en *calificativo* y *determinativo.*

Adjetivos calificativos son los que describen al nombre asignándose alguna cualidad. Ejemplos: calle *ancha,* niño *robusto,* hombre *sapiente.*

Los *adjetivos calificativos* pueden ser de una terminación o de dos. Ejemplos de adjetivos de una terminación:

> Niño inteligente - niña inteligente
> Criado fiel - criada fiel
> Hombre fuerte - mujer fuerte
> Árbol silvéstre - planta silvestre.

Ejemplos de adjetivos de dos terminaciones.

sala amplia	perro manso	mujer ciega	paredes altas
salón amplio	perra mansa	hombre ciego	postes altos

Si observamos los ejemplos anteriores podemos notar que el adjetivo adopta los accidentes gramaticales del nombre a quien califica, es decir, concuerda en género y número con él. *Concordancia* es la conformidad de accidentes gramaticales entre dos o más palabras.

Colocación del adjetivo: *Variación del significado de un adjetivo, según el lugar que ocupa con respecto del sustantivo.* Generalmente el adjetivo se coloca después del sustantivo, sin embargo, en poesía y para hacer más elegante la expresión, suele colocarse delante del sustantivo: *vil* gusano; *bella* joven; *terrible* enfermedad. Recordemos que los adjetivos numerales cardinales, siempre se colocan antes del sustantivo: *siete* pesos; *mil* insectos; *trescientas* personas. Algunos adjetivos que se colocan delante del nombre sufren la apócope: *buen* hijo; *mal* trato; *cualquier* día.

Es interesante notar que en algunos adjetivos su cambio de lugar altera la significación. Veamos estos ejemplos:

Es un indicio *cierto* de tempestad.

Cierto día recibí su grata visita.

Obsérvese la diferencia de significado en el 2.º ejemplo: *cierto* tiene un sentido vago e indeterminado.

Ella es una mujer *pobre* (denota penuria). Ese *pobre* niño sufre mucho (expresa idea de menosprecio o compasión).

Analícense estos otros ejemplos: Una mujer *simple*. Se nota a *simple* vista. Una persona muy *triste*. Es un *triste* sueldo.

Adjetivos primitivos y derivados: Lo mismo que el nombre, el *adjetivo* puede ser *primitivo* o *derivado, simple* o *compuesto.*

Son *primitivos* los que no se derivan de otra palabra de nuestro idioma y *derivados,* los que provienen de otra. Ejemplos:

Son primitivos:	Son derivados:
verde	verdoso
grande	grandote
feo	feúcho
negro	negruzco
blanco	blancuzco
pardo	pardusco

Como puede notarse, algunos de los anteriores adjetivos tienen carácter de aumentativos, otros de despectivos, etc. Hay también diminutivos como *malito, pillín, pobrecito, tontuelo.* Los que se derivan de nombres se llaman *nominales* y los que provienen de verbos, *verbales.* Ejemplos:

Son derivados *nominales: sombrío, marítimo, terrestre, aéreo, acuoso,* etc.

Son derivados *verbales: amoroso, temeroso, sufrido, amable, aceptable*, etc.

Ejemplos de adjetivos simples y compuestos:

Son *simples: verde, agrio, redondo, lampiño, lucido*, etc.

Son *compuestos: verdinegro, agridulce, carirredondo, barbilampiño, deslucido*, etc.

También hay adjetivos *parasintéticos* como *desagradable, insubordinado, desamigable, extraordinario*, etc.

Adjetivos gentilicios o nacionales son los que indican la patria o la religión. Ejemplos: *cubano, holandés, belga, chino, mahometano, cristiano, budista*. Muchas veces estos adjetivos se usan sustantivados:

Los *venezolanos* son entusiastas. Los *ingleses* son europeos.

Véanse estos ejemplos de adjetivos gentilicios:

Gaditano, de Cádiz.
Jerosolimitano, de Jerusalén.
Moscovita, de Moscú.
Neoyorkino, de Nueva York.
Sardo, de Cerdeña.
Guatemalteco, de Guatemala.
Lisbonés, de Lisboa.

Ovetense, de Oviedo.
Vallisoletano, de Valladolid.
Chalaco, de El Callao.
Danés, de Dinamarca.
Costarricense, de Costa Rica.
Bordelés, de Burdeos.
Londinense, de Londres.

Repase el alumno la Lección 9.ª que trata de los sufijos para la formación de los adjetivos.

EJERCICIOS. — ¿Qué es adjetivo? — ¿Cómo se divide? — ¿Cuáles son los accidentes del adjetivo? — Cite cinco adjetivos de una terminación y cinco de dos terminaciones. — Cite cinco ejemplos de adjetivos primitivos y derivados. — Cite cinco ejemplos de adjetivos simples y compuestos. — Observe la terminación de estos adjetivos e induzca una regla de ortografía:

blancuzco   negruzco   blanduzco   pardusco   verdusco

¿Qué son adjetivos gentilicios o nacionales? — ¿Qué es concordancia? Emplee en frases u oraciones estos adjetivos:

tenue   idóneo   fútil   sutil   legible   didáctico

Busque los adjetivos que provienen de estos nombres:

cubo   prisma   círculo   esfera   vértice
cilindro   rectángulo   cuadrado   huevo   punto
línea   cono   pirámide   triángulo   lado

Lección 57

GRADOS DE PONDERACIÓN DEL ADJETIVO

Examínense estos ejemplos:

Un trabajo *malo*.
Un trabajo *peor* que el otro.
Un trabajo *pésimo*.

Se nota que en el primer ejemplo se expresa simplemente la cualidad del trabajo. En el segundo se califica atendiendo a una comparacion, y en el tercero se expresa la cualidad en un grado superior o superlativo. Existe, por consiguiente, una graduación de la cualidad.

Cuando se expresa la cualidad simplemente, sin establecer comparaciones, se dice que el adjetivo está en *grado positivo*. Ejemplos: Una casa *nueva*. El papel *suave*. El río está *tranquilo*. Una niña *bondadosa*.

Cuando se establece una comparación usamos una forma especial del adjetivo para expresar esa graduación de significados, entonces decimos que está en *grado comparativo*. Ejemplos:

Este niño es *más atento que* aquél.
Esa niña es *menos atenta que* aquélla.
Ese muchacho es *tan atento como* aquéllos.

En los ejemplos anteriores podemos notar una diferencia en las distintas formas del comparativo. En el primero: *Este niño es más atento que aquél*, se aumenta la cualidad por medio del adverbio de cantidad *más*. Se dice que el adjetivo está en grado *comparativo de superioridad*.

En el segundo ejemplo: Esa niña es menos atenta que aquélla, se rebaja la cualidad por medio del adverbio *menos*. Este es el grado *comparativo de inferioridad*. Y en el tercer ejemplo: Ese *muchacho es tan atento como aquéllos*, el adverbio *tan* establece una igualdad en la cualidad. Se dice que el adjetivo está en grado *comparativo de igualdad*.

El grado superlativo: Véanse estos ejemplos:

1. — Una casa *muy alta*.   3. — La casa *más alta de todas*.
2. — Una casa *altísima*.   4. — Ella es la *menos alta de la familia*.

Se nota que el adjetivo *alto* está empleado con una significación de la cualidad en grado máximo. Estas son formas del *grado superlativo*.

En los dos primeros ejemplos se expresa el adjetivo en un grado eminente que no presupone comparación, esta forma es la del *superlativo absoluto*.

En los otros dos ejemplos (3 y 4) se encarece o rebaja la cualidad con relación a otra cosa o cosas. Estas formas son del *superlativo relativo*.

Empleo del adjetivo dulce en todos los grados:

POSITIVO	Una fruta *dulce*.
COMPARATIVO DE SUPERIORIDAD . .	La piña es *más dulce que* la naranja.
COMPARATIVO DE INFERIORIDAD . .	La toronja es *menos dulce que* la naranja.
COMPARATIVO DE IGUALDAD	El mamey es *tan dulce como* el plátano.
SUPERLATIVOS ABSOLUTOS	Una naranja *muy dulce*. Una naranja *dulcísima*.
SUPERLATIVOS RELATIVOS	La piña *más dulce de* todas las que he probado. Es *la menos dulce* que hay.

Formas especiales de comparativos y superlativos. — Hay seis adjetivos que poseen una sola palabra para expresar el comparativo y el superlativo, éstos son:

POSITIVOS:
  bueno   malo   alto   bajo   grande   pequeño

COMPARATIVOS:
  mejor   peor   superior   inferior   mayor   menor

SUPERLATIVOS:
  óptimo   pésimo   supremo   ínfimo   máximo   mínimo
  o sumo

153

Entre las irregularidades más frecuentes en la formación de los superlativos están:

1. — **Los que cambian el diptongo ie en e: caliente - calentísimo, ardiente - ardentísimo, ferviente - ferventísimo. (Viejo hace viejísimo).**

2. — **Cambian el diptongo ue en o: bueno - bonísimo, fuerte - fortísimo.**

3. — **Los terminados en ble, agregan bilísimo: noble - nobilísimo; amable - amabilísimo; afable - afabilísimo.**

4. — **Los que toman la forma latina: fidelísimo, crudelísimo, sacratísimo, antiquísimo, sapientísimo, benevolentísimo, beneficentísimo, etcétera.**

5. — **Los que toman la desinencia** érrimo **del latín: libérrimo, pulquérrimo, paupérrimo, aspérrimo, celebérrimo, misérrimo, integérrimo, etcétera.**

El adjetivo *pobre* tiene la forma *pobrísimo* y también *paupérrimo*. Abundante tiene *abundantísimo* y *ubérrimo*.

Hay algunos adjetivos que no admiten la terminación *ísimo*: exquisito, superfluo, espontáneo, deleznable, desconsolador, etc. Hay otros que sólo se usan en grado positivo: único, otro, demasiado, eterno, y los determinativos.

EJERCICIOS. — ¿Cuáles son los tres grados del adjetivo? — Emplee el adjetivo *delicado* en todos sus grados. — Cite los seis adjetivos que tienen formas especiales para el comparativo y el superlativo. — Forme con la terminación *ísimo* los superlativos de:

caliente	afable	cruel	sagrado	ferviente	antiguo
benévolo	viejo	noble	bueno	sabio	fiel

Forme con la terminación *érrimo* los superlativos de:

pobre   libre   áspero   pulcro   íntegro   mísero   célebre   abundante

Diga en qué grado están empleados los adjetivos señalados en letra cursiva de estas frases y oraciones. El *Sumo* Pontífice. — El *máximo* común divisor. — El *mínimo* común múltiplo. — El más *célebre* de los inventores. Un hombre *holgazán*. — Eres más *fiel* que ella. — El *menos* olvidado de todos. Eres tan *inteligente* como él.

154

Lección 58

CONTINUACION DEL ESTUDIO DEL ADJETIVO

Adjetivos determinativos. — Son los que limitan la significación del nombre, limitación que puede llevarse a cabo mediante relaciones diversas. Ejemplos: Sea el nombre genérico «silla». La significación de este nombre —o de cualquiera otro— puede limitarse mediante otras palabras llamadas *adjetivos determinativos:* «*esta* silla»; «*nuestra* silla»; «*alguna* silla»; «*¿qué* silla?», etc.

Dado que las relaciones establecidas entre el nombre y los adjetivos determinativos son de varias clases, es necesario establecer una clasificación de los adjetivos determinativos. Son éstos:

demostrativos
indefinidos
posesivos

numerales
- cardinales
- ordinales
- múltiplos
- partitivos

distributivos
interrogativos-exclamativos

Como muchos de estos adjetivos pueden confundirse con los pronombres de igual denominación y forma, conviene tener en cuenta lo siguiente: Serán adjetivos cuando acompañen al nombre, y serán pronombres cuando lo sustituyan. Ej.:

«*Este* libro es mío» . . . . Adjetivo demostrativo
«*Este* es mío» . . . . . . Pronombre demostrativo

155

Adjetivos demostrativos. — Señalan la situación del nombre en relación con las personas que intervienen en la conversación. Sus formas son:

«*este*»   «*esta*»
«*estos*», «*estas*»   ... Proximidad al que habla

«*ese*», «*esa*»
«*esos*», «*esas*»   ... Proximidad al que escucha

«*aquel*»,   «*aquella*»
«*aquellos*», «*aquellas*»   ... Alejamiento de ambos

Los adjetivos demostrativos concuerdan siempre con los nombres que acompañan: *Estos niños, esa casa, aquellas montañas.*

Adjetivos indefinidos. — Señalan el nombre de un modo vago; indeterminado. Sus formas más frecuentes son: *alguno, ninguno, otro, cierto, poco, mucho,* etc., con sus correspondientes femeninos y plurales. Ej.: *otros soldados, cierto día.*

Las formas *alguno* y *ninguno* se apocopan cuando preceden al nombre. Ej.: *algún árbol, ningún vaso.*

Adjetivos posesivos. — Indican idea de posesión o pertenencia, y referidas también a las personas que intervienen en la conversación. Son sus formas:

mi, mío, mía, míos, mías	Para la persona
nuestro, nuestra, nuestros, nuestras	que habla
tu, tuyo, tuya, tuyos, tuyas	Para la persona
vuestro, vuestra, vuestros, vuestras	que escucha
su, suyo, suya, suyos, suyas	Para la persona
	de quien se habla

Ej.: «Serán opiniones *tuyas*». «*Nuestros* hijos nos acompañan». «*Su* mirada es dulce».

156

EJERCICIOS. — Del siguiente párrafo diga los nombres y sus clases; los adjetivos, sus clases y grados en que están empleados:

«Nació en humilde cuna, nació de la más esclava de las razas, y llegó a ser prócer, y se rodeó en tres décadas de constante lucha de los prestigios todos del valor militar en él aquilatados por el más fervoroso patriotismo y por la disciplina más severa...»

Coloque el adjetivo demostrativo que convenga en el siguiente párrafo:
«... niños juegan a la pelota, mientras que ... chicas los contemplan.»

Formar tres frases en donde aparezcan cada uno de los adjetivos posesivos e indefinidos que siguen:
«nuestros», «su», «tuyos», «muchos», «otros», «cierto».

Lección 59

CONTINUACIÓN DEL ESTUDIO DEL ADJETIVO

Adjetivos numerales. — Son los que expresan idea de número. Pueden ser *cardinales, ordinales, múltiplos* y *partitivos.*

Los *numerales cardinales* indican la serie natural de los números: *uno, dos, tres, cuatro..., diez, once..., treinta y cinco..., ciento noventa y ocho...*

Los *numerales ordinales* expresan idea de orden sucesivo en los números: *primero, segundo, tercero, noveno, vigésimo, centésimo...*

Los *numerales múltiplos* indican multiplicación: *doble, triple, quíntuple...* Suelen sustantivarse.

SON ADJETIVOS: *Doble cantidad.*
Triple acción.
Cuádruple tamaño.

SON SUSTANTIVOS: *Dame el doble.*
Eso es el triple.
Cogí el cuádruple.

Los *numerales partitivos* indican parte o división: *medio, cuarto, milésimo...* Los ordinales se usan también como partitivos. Ejemplos:

SON ORDINALES: *Libro cuarto*
Octava fila.
Centésimo lugar.

SON PARTITIVOS: *La cuarta parte*
La octava parte de un litro.
Centésima parte de un peso.

Adjetivos distributivos. — Son los que indican distribución en partes: *sendos, cada, ambos.*

Sendos se usa siempre en plural y significa *uno* o *una para cada cual.* Elj: *Dio sendos libros a los hermanos* (uno a cada uno)

Cada es invariable. Ej.: *Cada persona. Cada cien hombres.*
Ambos sólo se usa en plural y equivale *a los dos.* Ej.: *Ambas manos. Ambos pies.* Su compuesto *entrambos* significa lo mismo. Ej.: *Estuvieron entrambos a verme.*

Adjetivos interrogativos-exclamativos. — Son aquellos que, acompañando al nombre, interrogan sobre alguna particularidad del sustantivo, o expresan sobre el mismo algún matiz exclamativo. Ej.:

¿Qué libro quieres?
¡Qué gran obra hemos visto!

EJERCICIOS. — Cite seis adjetivos determinativos que no sean numerales. — Diga el significado de estos adjetivos y empléelos en oraciones:

Octogenario   vigésimo   sextuple   septuagésimo   quincuagésimo

Escriba con palabras los adjetivos correspondientes a estos números:

19,   21,   27,   18,   49,   200,   349,   700,   0'01,   0'001

Diga la diferencia que hay entre un adjetivo múltiplo y un partitivo. — Con la expresión *sendos sombreros* escriba tres frases diferentes. — Haga igual con la expresión *ambos hermanos.*

Escriba formas apocopadas en estas frases incompletas·

He asistido a un .... *bautizo*
No tengo .... *miedo*
Ayer saludé a .... *hermano*

Clasifique los adjetivos siguientes:

leal	ambos	tuyas	sendos	primero
sexto	blanco	¿cuál?	aquel	diez
mucho	treinta y cinco	mis	algunos	

159

Lección 60

ESTUDIO DEL ARTÍCULO

El artículo: Examínense estas oraciones:

Dame el libro.   Dame los libros.   Dame las libretas.
Dame un libro.   Dame unos libros.   Dame unas libretas.

¿Qué palabras articulan con los nombres *libro* y *libretas*?

¿Qué diferencia hay entre *un libro* y *el libro*?

Las palabras variables que articulan con el nombre y se colocan delante de él para señalar su género y número y para indicar si está determinado o no, se llaman *artículos*.

Oficios del artículo: Además de su carácter determinante, el *indeterminante* o *indefinido*.

Las formas del artículo definido EL son *la, los, las* y *lo*.

Las del indefinido UN son *una, unos* y *unas*. Carece de forma neutra.

Oficios del artículo. — Además de su carácter deteminante el artículo señala el género y el número de los nombres que precede. *El* pianista, *la* pianista, *los* lunes, *el* lunes, *un* análisis, *unos* análisis.

Los nombres que empiezan por *ha* o *a* y con acento en la primera sílaba, llevan el artículo *el* para evitar la cacofonía: *El* alma, *el* hacha, *el* agua, *el* ave, *las* hamacas, *las* Américas, *la* actitud.

Si el artículo va delante de un adjetivo no se sustituye: *La* áspera superficie; *la* ávida muchacha. Tampoco se sustituye delante de nombres de persona: *La* Ana, *la* Ángela, *la* Álvarez.

Con el artículo *un* y *una* sucede lo mismo: *Un* ave, *un* alma, etc.

160

Uno de los oficios más frecuentes del artículo es el de la sustantivación: *el* saber, *el* olvidar, *el* porqué, *el* no, *el* sí, *lo* bueno, *lo* malo, *lo* difícil. Todas las palabras que llevan el artículo en los ejemplos anteriores tienen valor de nombre.

Contracciones: Se llama contracción a la unión de palabras con pérdidas de letras. El artículo *el* al unirse con la preposición *de* forma la contracción *del.* Y al unirse con la preposición *a,* forma la contracción *al.* Ejemplos: Esa casa es *del* príncipe. Ella irá *al* teatro.

Omisión del artículo: El artículo se omite o se suprime cuando el nombre está en vocativo: *Niño,* tú debes ser obediente. Decid, *señores,* ¿qué desean? Cuando lo sustituye un adjetivo pronominal: Esa casa. Aquella niña. Mi carta. Tu sombrero. También se omite delante de los nombres propios: Juan es atento. Mercedes está aquí. Fernández se fue. Sin embargo puede usarse en estas expresiones: La Marta, la Dolores, la Teresa, 'os Cervantes, la Francia, la China, el Perú, etc.

Origen y evolución del artículo: El artículo determinante se formó del pronombre latino *illo, illa, illo,* pasando a ser en los primeros tiempos de la lengua, *el, ela, elo, elos, elas.* La forma antigua del artículo determinante femenino era *ela.* Se decía *ela* niña; *ela* casa. Esta forma evolucionó perdienda la vocal *a* cuando el sustantivo comienza por vocal: *el* alma; *el* ama. Cuando el sustantivo comienza por consonante ,pierde la *e: la* casa; *la* mano; *la* luz. Por consiguiente el artículo *el,* que empleamos delante de agua, alma, hacha, no es masculino, sino el antiguo femenino *ela* que perdió la *a* final.

EJERCICIOS. — ¿Qué es el artículo? — Cite las dos clases de artículos y todas sus formas. — ¿En qué caso se emplea el artículo masculino delante de nombre femenino? — Cite tres oficios del artículo. — Sustantive estas palabras y empléelas en oraciones:

Principal   *primera*   *quizás*   *estudiar*   *probable*

¿Cuáles son las contracciones del artículo? — Cite tres casos en que se encuentre omitido el artículo. — Diga cuáles son los artículos empleados en este párrafo:

«Los trabajadores llegaron del taller y dejaron las herramientas sobre el suelo del zaguán. Tenían un cansancio y un hambre extraordinarios.»

¿Qué puede decir del artículo *el* que se coloca delante de nombres femeninos que empiezan por *a*?

Lección 61

ESTUDIO DEL PRONOMBRE

Pronombre: Compárense estas dos oraciones:

Enrique desea que vendan *a* Enrique un libro para regalar *el* libro *al* hermano de Enrique.

El (Enrique) desea que *le* vendan un libro para regalár*selo* a *su* hermano.

Puede notarse que varios nombres de la primera oración se han sustituido por las palabras *le, se, lo, el.*

La palabra que se emplea para sustituir al nombre, se llama *pronombre.*

División: Hay varias clases de pronombres: *personales, posesivos, demostrativos, relativos, interrogativos, indefinidos* o *indeterminados.*

Personas gramaticales: Hay tres personas gramaticales: primera, segunda, tercera. Se llama *primera persona* a la que habla; *segunda,* a la persona con quien se habla, y *tercera* a la persona de quien se habla.

Los pronombres que representan por sí solos a las personas gramaticales se llaman *pronombres personales.* Estos pronombres son:

	SINGULAR	PLURAL
Primera persona:	Yo	Nosotros, nosotras
Segunda persona:	Tú	Vosotros, vosotras
	Usted	Ustedes
Tercera persona:	Él, ella	Ellos, ellas

Variantes pronominales son las distintas formas que toman los pronombres personales para enunciar los casos. Veamos en el siguiente cuadro, los pronombres con sus variantes:

	SINGULAR		PLURAL
PRONOM.:	VARIANTES:	PRONOM.:	VARIANTES:
1.ª — YO	me, mí	NOSOTROS NOSOTRAS	nos nos
2.ª — TÚ	te, tı	VOSOTROS VOSOTRAS	os, vos os, vos
3.ª — ÉL	se, sí lo, le	ELLOS	se, sí los, les
ELLA	sé, sí la, le	ELLAS	se, sí las, les

Observaciones sobre los pronombres personales: *Usted* y *ustedes*, aunque de segunda persona, usan variantes de tercera, así como las formas verbales que corresponden también a la tercera persona. *Usted* es una contracción del antiguo tratamiento *vuestra merced*. Puede abreviarse así. Ud. o Vd.

Cuando la preposición *con* precede a las variantes *mí, ti, sí*, forma los compuestos *conmigo, contigo, consigo.*

La variante *lo* de 3.ª persona puede ser del género *masculino* o del *neutro*. Es del masculino cuando sustituye a un solo nombre y es neutro, cuando sustituye a una oración. Ejemplos:

Masculino: Escribí un *artículo* y *lo* leí a mis amigos.

Neutro: Dijo que resolvería el problema y así *lo* hizo.

Las variantes pueden colocarse delante o detrás del verbo. Cuando van delante se llaman *proclíticas* y cuando van detrás *enclíticas;* en este caso se unen al verbo formando una sola palabra: dáme*lo*, di*le*, ve*te*, dad*nos*, etc.

La variante *se* suele usarse para evitar la cacofonía que produce el empleo de las variantes *le* y *lo*. Decimos: *se* lo traje por *le* lo traje. También se usa *se* en la forma reflexiva del singular y el plural:

Él se peina. Ellos se afeitan. La forma recíproca también emplea esta variante: Ellos *se* idolatran. Además se usa SE en la voz pasiva. *Se* dice. *Se* vende.

Cuando concurre la variante *se* con otra, debe colocarse delante. *Se* me cayó. *Se* te perdió.

La variante *le* se usa lo mismo para el masculino que para el femenino. Yo *le* dije a él que viniera. Yo *le* dije a ella que viniera. Lo mismo sucede con *les*: Yo *les* dije a ellos. Yo *les* dije a ellas.

Nos y *vos* se usan como sujeto de la oración. En este caso sólo lo emplean los reyes, papas y grandes dignatarios. Su uso es poco frecuente.

EJERCICIOS. — ¿Qué es el pronombre? — Cite las seis clases de pronombres. — ¿Cuáles son las personas gramaticales? — Cite los pronombres personales y sus formas. — ¿Qué son las variantes pronominales? — Diga a qué pronombres corresponden estas variantes:

nos   se   me   os   le   les   vos   ti   mi   las

¿Cómo se han formado los vocablos conmigo, contigo y consigo? Examine estas palabras e induzca una regla de ortografía relativa a la acentuación:

miróse   llamólo   prendióle   acercóse   cogiólos

¿De dónde proviene el pronombre usted?

LECTURA EN SILENCIO de un trozo, elegido con anterioridad; terminada la lectura, comentarla. Señalar los artículos y pronombres empleados.

164

Lección 62

CONTINUACIÓN DEL ESTUDIO DEL PRONOMBRE

Los pronombres demostrativos son aquellos que sirven para señalar las personas o cosas más o menos cercanas a la persona que habla.

Los pronombres demostrativos son tres: *este, ese, aquel.*

Este indica el objeto o cosa más próximo a la persona que habla.

Ese, el más próximo a la persona que escucha.

Aquel, el objeto alejado igualmente de la persona que habla y de la que escucha.

FORMAS DE LOS PRONOMBRES DEMOSTRATIVOS

	MASCULINO	FEMENINO	NEUTRO
Singular	Este	Esta	Esto
Plural	Estos	Estas	
Singular	Ese	Esa	Eso
Plural	Esos	Esas	
Singular	Aquel	Aquella	Aquello
Plural	Aquellos	Aquellas	

Compuestos: Los pronombres demostrativos *este* y *ese* forman compuestos con el adjetivo *otro, estotro* y *esotro,* con sus femeninos y plurales.

Existen también las formas arcaicas *aqueste* y *aquese,* en vez de *este* y *ese.*

Pronombres posesivos son los que expresan posesión o pertenencia: *mío, tuyo, suyo, nuestro* y *vuestro,* formas del masculino plural. *Mía, tuya, suya, nuestra* y *vuestra*, para el femenino singular; *mías, tuyas, suyas, nuestras* y *vuestras* para el femenino plural.

Lo mío, lo tuyo, lo suyo, lo nuestro y *lo vuestro*, para el neutro.

El neutro carece de plural.

Apócopes: Cuando se anteponen al nombre se apocopan y entonces tienen carácter de adjetivos: MI, TU, SU. Ejemplos: Mi lápiz, tu libro, su casa, nuestra escuela, vuestra libreta, sus sombreros.

EJERCICIOS. — ¿Qué son pronombres demostrativos? — Cite los pronombres demostrativos y sus formas. — Emplee este, ese y aquel como pronombres y como adjetivos. — ¿Cuáles son los pronombres posesivos? — Empléelos como pronombres y como adjetivos. ¿Cuáles sufren apócope? Diga cuáles son los pronombres empleados en las siguientes oraciones y qué clase de pronombres son:

Una palabra tuya lo convencería. — Coge ése y deja aquél. — Eso es mío y tú no lo tocarás. — Ella nos trajo lo suyo. — A vuestra casa pronto. Esa libreta es tuya. — Trajimos lo nuestro.

Lección 63

OTRAS CLASES DE PRONOMBRES

Pronombres relativos: Examínense estas tres expresiones:

Este es el niño.　　　　　Tú deseas conocer.
Este es el niño *que* tú deseas conocer.

Las dos oraciones anteriores han sido relacionadas por la palabra *que* la cual además hace referencia a una persona o cosa ya nombrada que se llama *antecedente*. Véanse estos otros ejemplos:

Esta es la casa de la *cual* te he hablado.
Regino es la persona en *quien* he pensado.
Ese es el libro *cuyo* forro has roto.

Como puede observarse, las palabras con caracteres cursivos *cual, quien, cuyo*, establecen relaciones entre dos oraciones haciendo referencia a un antecedente.

Que, cual, quien, cuyo, son *pronombres relativos* porque hacen relación a una persona o cosa ya nombrada que se llama antecedente.

Formas de los pronombres relativos: *Que* tiene una sola forma; su género y número se conocen por los del antecedente. El niño *que* estudia. La niña *que* cose. Eso *que* traes ahí. Las libretas *que* te regalé.

Cual tiene la forma *cuales* para el plural y por medio del artículo indica el género: Comí la fruta, la *cual* estaba muy sabrosa. Este es tu trabajo, el *cual* tiene algunos defectos. Contestó que no, lo *cual* nos perjudicó mucho. Estos son los soldados muertos, los *cuales* eran rusos.

Quien tiene la forma *quienes* para el plural y es invariable en género: Ella fue *quien* lo descubrió. Él fue *quien* lo mató.

Cuyo tiene para el femenino *cuya* y los plurales *cuyos* y *cuyas*, y significa *de que, quienes, del cual*, etc., expresando siempre posesión o pertenencia y concordando con la cosa poseída: Esta es la casa *cuyo* precio te parece caro. Esas son las plantas *cuyas* flores tienen tan buen olor.

Son incorrectas las construcciones en que *cuyo* no se emplea con cual). Está enfermo, por *cuyo* motivo no pudo asistir (por tal motivo).

El adjetivo *cuanto* (cuanta, cuantos, cuantas) suele emplearse con carácter o valor de pronombre relativo con los antecedentes *todo* o *tanto*.

Tendrás *tantos* libros *cuantos* quieras. Trajo *todos cuantos* pudo.

Son interrogativos los mismos pronombres relativos cuando se emplean en oraciones interrogativas, en ese caso llevan acento ortográfico. Ejemplos:

¿Qué hora es? — *¿Qué* cantidad quieres? — *¿Cuál* es tu nombre? *¿Cuáles* son sus caracteres? — *¿Quién* es ese señor? — ¿De *quiénes* son esos libros? — *¿Cúya* es la casa? — Algunos gramáticos no incluyen al pronombre *cuyo* entre los interrogativos. Estos pronombres, cuando concuerdan con un nombre tienen más bien carácter de adjetivos interrogativos; cuando concuerdan con un verbo son verdaderos pronombres: ¿Qué haces? (pronombre). — ¿Qué cosa quieres? ¿Cuál dulce deseas? (adjetivo). — *Quien* siempre es pronombre.

Pronombres correlativos: Así se les llama a los demostrativos, a los relativos y a los interrogativos, porque establecen una relación o correlación con la persona o cosa a que hacen referencia.

Pronombres indeterminados o indefinidos, que algunos gramáticos llaman también *nombres neutros*, son los que hacen referencia a personas o cosas de una manera vaga o indefinida. Los principales son:

Alguien, nadie, cualquiera y *quienquiera*, que se refieren a personas.

Algo y *nada* que se refieren a cosas. Ejemplos:

Alguien estuvo aquí. *Nadie* sabe su nombre. *Cualquiera* puede hacerlo.

Quienquiera que sea tendrá que pagarlo. *Algo* tiene ese motor que no funciona. *Nada* había en el saco

Alguien, nadie, algo y *nada* carecen de plural y nunca se adjetivan.

Cualquiera tiene como plural *cualesquiera*: Dame los libros, *cualesquiera* que sean sus precios. Cuando es pronombre no se apocopa pero si es adjetivo, suele perder la última letra: *Cualquier* día, *cualquier* noche. Es un disparate decir: Cualesquier persona, cualesquier momento.

Quienesquiera es el plural de *quienquiera.* Puede también apocoparse.

Alguno y *ninguno* suelen emplearse por *alguien* y *nadie*.

El adjetivo *uno* también se usa como pronombre indefinido: Ejemplo: No puede *uno* hacer nada. *Unos* lo resolvieron, *otros* no. En esta oración el adjetivo *otro* también tiene valor de pronombre indefinido. Obsérvese que el adjetivo *uno* cuando se emplea como pronombre lleva el verbo en tercera persona.

Otras muchas palabras suelen emplearse como pronombres indefinidos: *Todo* está perdido. *Mucho* has perdido en el juego. *Poco* has ganado. *Tal* cantó muy bien. *Cuál* recitó admirablemente. *Bastante* lograste, etc.

EJERCICIOS. — Cite los pronombres relativos y diga por qué se llaman así. — Emplee estos pronombres en oraciones:

que	*cual*	*quien*	*cuyo*

¿Qué puede decir del adjetivo *cuanto*? — ¿Cuáles son los pronombres interrogativos? Empléelos en oraciones. — ¿A qué pronombres se les llama correlativos? — Cite cinco pronombres indeterminados y empléelos en oraciones. — Diga cuáles son los pronombres empleados en las siguientes oraciones, y qué clase de pronombres son:

Tú puedes decirme quién es ése. — Aquél me relató todo cuanto había oído. — Cualquiera sabe quién es él. — Alguien te lo dijo. — Él nos dijo que los libros cuyas hojas estaban rotas eran los nuestros. — Nada lograste de ellos.

Hágase un breve estudio biográfico de un autor, si es posible muéstrese su retrato o fotografía. Redacten los alumnos su retrato, es decir sus características físicas y morales, haciendo resaltar su personalidad y su influencia social. Procurar que unos alumnos hagan la crítica de los trabajos de otros, es decir, crítica recíproca.

ESTUDIO DEL VERBO. DEFINICIÓN Y DIVISIÓN

CONCEPTO DE LA CONJUGACIÓN

Véanse estos ejemplos:

Jesús *es* bueno.
Jenaro *escribe* una carta.
Matilde *ama* a Enrique.
Ricardo *está* enfermo.

Las palabras *es, escribe, ama* y *está* expresan, respectivamente.
esencia o *existencia, acción, pasión* y *estado* y por sí solas o con el
auxilio de otra palabra, indican en la oración lo que se dice del sujeto.
A la palabra fundamental del predicado que expresa esencia, acción,
pasión o estado, se le llama *verbo*.

De acuerdo con la significación, la estructura, la función y el
aspecto, los verbos se han agrupado en varias clases. Sirva el cuadro
que se expone a continuación, para dar una idea de la importancia y
extensión que el estudio del verbo tiene.

DIVISIÓN DEL VERBO

Por su significación . . . .

{
De *esencia* o *sustancia*: ser.
De *estado*: estar, yacer.
De *acción*: correr, pintar.
De *pasión*: amar, odiar.
Transitivos o *activos*: Llamé a Luis.
Intransitivos o *neutros*: Salí para el campo.
Reflexivos: Yo me peino.
Recíprocos: El y ella se abrazan.

Por su estructura	$\begin{cases} \textit{Simples}: \text{ decir, poner.} \\ \textit{Compuestos}: \text{ contradecir, componer.} \\ \textit{Primitivos}: \text{ pedir, estar.} \\ \textit{Derivados}: \text{ bailotear, enamorar.} \\ \textit{Regulares}: \text{ cantar, partir.} \\ \textit{Irregulares}: \text{ mover, pedir.} \end{cases}$

Por su función	$\begin{cases} \textit{Copulativos}: \text{ ser, estar.} \\ \textit{Atributivos}: \text{ pintar, escribir.} \\ \textit{Auxiliares}: \text{ haber, ser.} \\ \textit{Completos}: \text{ copiar, tomar.} \\ \textit{Defectivos}: \text{ abolir, aterirse.} \\ \textit{Impersonales}: \text{ amanecer, llover.} \end{cases}$

Por su aspecto significativo	$\begin{cases} \textit{Incoativos}: \text{ amanecer, enrojecer.} \\ \textit{Frecuentativos}: \text{ picotear, revolotear.} \end{cases}$

Concepto de la conjugación: En la Lección 10.ª, al hablar de la flexión y de las desinencias, se enunciaron los distintos accidentes gramaticales del verbo; éstos son cinco: *modo, tiempo, número, persona* y *voz*. Para poder expresar en el verbo esas distintas circunstancias relativas a sus accidentes, es necesario cambiar la terminación o desinencia adoptando distintas formas. *Conjugación* es el conjunto de formas que adopta un verbo para enunciar todos sus accidentes.

EJERCICIOS. — ¿Cómo se puede definir el verbo? — Diga cuáles son, en estas oraciones, el sujeto, el predicado y el verbo:

Raúl compró un lápiz. — Ellos estudian sus lecciones. — Ernesto ha amado a Inés. — Lucía está impaciente. — Él es ágil.

Cite los tres grupos en que se han colocado las distintas clases de verbos. — Forme verbos compustos de:

hacer   decir   torcer   hilvanar   traer   elegir   poner   habitar   venir

Forme los verbos derivados de estos adjetivos:

blanco   negro   feo   dulce   amargo   fácil   duro   intenso   contento

¿Cuáles son los accidentes del verbo? — ¿Qué elemento de la palabra designa los distintos accidentes del verbo? — Construya oraciones empleando estos verbos:

adicionar   solventar   eludir   infligir   asir

171

Lección 65

LOS VERBOS POR SU SIGNIFICACIÓN

Verbo de esencia: El único verbo de esencia o sustancia es el verbo ser que expresa la existencia de las personas, animales y cosas. También se le llama verbo *sustantivo*. También el verbo *estar*, en cierto modo, tiene carácter de verbo sustantivo. Véanse estos ejemplos: El niño *está* triste. María *está* satisfecha.

Verbos de estado: son aquellos que expresan estabilidad, quietud o inactividad como yacer, permanecer, estar.

Verbos de acción son todos aquellos que expresan movimiento o actividad, tales son correr, cantar, llevar, traer, etc.

Verbos de pasión son los que expresan sentimiento, como amar, idolatrar, aborrecer, querer, odiar, simpatizar, etc.

Verbos transitivos o activos: Analicemos esta oración:

Tomás *escribe* una carta.

El sujeto de la oración es Tomás; el *predicado* es escribe una carta. Este predicado está formado por el verbo escribe y la frase *una carta* que completa la significación del verbo y que por esta función se llama *complemento*.

Si nos fijamos en la significación del verbo *escribe* notaremos que la acción recae directamente sobre el complemento *una carta*.

Véase este otro ejemplo:

Enrique *rompió* el papel.

La acción del verbo *rompió* recae directamente sobre el complemento *el papel* que por esta circunstancia se le llama *complemento directo*, por recibir directamente la acción del verbo.

También son *complementos* directos los de estas oraciones:

Luis dibujó *un perro*   Yo limpio *ese piso*.

El verbo cuya acción recae directamente sobre una cosa o persona que viene a ser el complemento directo de la oración se llama verbo *transitivo* o *activo*.

Verbos intransitivos o neutros son los que no tienen complemento directo y por lo tanto su acción o significación no recae sobre nadie. Tampoco pueden ponerse en voz pasiva. Ejemplos:

Romualdo *bostezó* siete veces. Orlando *vive* en Guatemala.
Tiburcio *partió* para París. Ignacio *paseaba* por la calle.

Hay verbos que según se emplean pueden tener carácter de transitivos o intransitivos. Ejemplos:

SON TRANSITIVOS   SON INTRANSITIVOS

Yo *parto* un palo.   Yo *parto* para Camagüey.
Ella *canta* una romanza.   Ella *canta*.
Ella *corrió* la cortina.   Ella *corrió* por la calle.

Verbos reflexivos: ¿Cuáles son los complementos directos de estas oraciones?

Juan se peina.   Yo me inyecto.
Tú te lavas.   Nosotros nos vestimos

Se nota claramente que son las variantes *se, te, me, nos,* las cuales corresponden precisamente a la persona que ejecuta la acción del verbo. El verbo cuya acción recae sobre el mismo que la ejecuta se llama *reflexivo*.

Hay verbos reflexivos propiamente dichos: son los que siempre se emplean como reflexivos. Ejemplos: resignarse, jactarse, conformarse, condolerse, arrepentirse, quejarse, etc.

Otros pueden usarse como reflexivos o no. Ejemplos:

Yo me lavo.   Yo lavo la ropa.
Él se peina.   Él peina al niño.
Luis se rasca.   Luis rasca a Juan.

Fácilmente se nota que todos ellos son verbos transitivos. Sin embargo, hay algunos verbos intransitivos que impropiamente se usan como reflexivos: Yo me voy. Yo me muero. Tú te marchas. Él se pasea, etc.

Verbos recíprocos: Estúdiese esta oración:

María y Tomasa se abrazan.

Puede notarse que las acciones se cruzan: **María abraza a Tomasa** y Tomasa abraza a María. Los verbos que indican un cambio mutuo de acción entre dos o más personas, se llaman *recíprocos*. Otros ejemplos:

Luis y María se *quieren*.   Tú y yo nos *apreciamos*.
Vosotros os *amáis*.   Ellos se *ayudan* mutuamente.

Tanto los *reflexivos* como los *recíprocos*, se usan siempre con las variantes pronominales, por eso se les llama también verbos pronominales. Los *recíprocos* sólo se emplean en plural.

EJERCICIOS. — ¿Cuál es el único verbo de esencia? — Cite tres ejemplos de esta clase de verbos:

de acción   de pasión   de estado

Diga cuál es el sujeto, cuál el predicado, el verbo y el complemento de estas oraciones:

Regino enrejilló una silla   *Ellos cobrarán sus sueldos.*
Hortensia invitó a Eduvigis.   *Tú tocas el violín.*

¿Qué clase de verbos y qué clase de complementos son los de las anteriores oraciones? — ¿Qué son verbos transitivos? — ¿Qué son complementos directos? — ¿Qué son verbos intransitivos? — ¿Qué son verbos reflexivos? — ¿Cuál es el complemento directo en los verbos reflexivos? ¿Cuál es el complemento directo en los verbos reflexivos? — ¿Qué son verbos recíprocos? — ¿Qué calificativo común reciben estos verbos? — Diga qué clase de verbos son los de estas oraciones:

Rita se peina. — Lucía bostezó varias veces. — Luis mató un ratón. — Yo me visto. — Ellos se miraban. — Hermenegildo suspira por ti. — Yo te amo. — Os queréis.

174

Lección 66

LOS VERBOS POR SU ESTRUCTURA

Verbos simples y compuestos; primitivos y derivados: Lo mismo que el nombre y el adjetivo el verbo puede estar formado por una sola palabra y en ese caso es simple, o por más de una palabra o elemento y entonces es *compuesto*. Ejemplos:

> **Simples:** partir, poner, decir.
> **Compuestos:** compartir disponer, contradecir.

Los verbos amar, salir, llegar, son *primitivos* porque no provienen de otras palabras castellanas. Malear, enriquecer, estacionar son verbos *derivados* porque provienen de los vocablos malo, rico y estación.

Verbos regulares: Recordemos que en todo verbo hay dos elementos importantes: la raíz y la terminación o desinencia.

Para hallar la raíz del verbo, basta separar la terminación *ar, er* o *ir*. Las letras restantes constituyen la raíz. Hay verbos que al conjugarse mantienen invariables sus letras radicales. Ejemplos: *cant*-o, *cant*-aba, *cant*-é, *cant*-aré, *cant*-aría, etc. Otros verbos alteran su raíz al conjugarse, como *perd*-er, *pier*-do; *pod*-er, *pue*-do; *ten*-er, *teng*-o, etc.

La Gramática nos presenta como *verbos* modelos para la conjugación los verbos *am-ar, tem-er* y *part-ir*, expresando todas las *terminaciones* o *desinencias* que corresponden a los distintos modos, tiempos, números y personas.

Aquellos verbos que al conjugarse, no alteran sus letras radicales y sus terminaciones son iguales a las del verbo modelo que les corresponde, son *verbos regulares*. Y aquellos que al conjugarse alteran sus letras radicales o no toman las mismas terminaciones del verbo modelo correspondiente, o ambas cosas a la vez, son *verbos irregulares*.

El verbo *est-ar* mantiene invariable la raíz en toda la conjugación, pero sus terminaciones no son iguales a las del verbo *am-ar* que es el modelo, por eso es irregular:

Yo am-o	Yo est-oy
Yo am-é	Yo est-uve
Yo am-ara	Yo est-uviera

El verbo *hacer* sufre irregularidades en la raíz y en la terminación:

Yo tem-í. Yo hic-e. Cambió la raíz *hac* por *hic* y en vez de la terminación *í*, tomó *e*.

Hay que tener en cuenta que las alteraciones que se consideran como irregularidades han de ser observadas por el oído y no por la vista. Hay verbos que tienen cambios ortográficos que no constituyen irregularidad. El verbo *cog-er*, forma su presente así: *coj-o*. Cambió la *g* por *j* pero el sonido gutural de su raíz se mantuvo, por lo tanto es un verbo regular. Lo mismo sucede con venc-er, venz-o; esparc-ir, esparz-o; atac-ar, ataqu-é; le-er, ley-ó; etcétera.

Ya se dijo anteriormente que los *verbos* modelos para la conjugación son *amar, temer* y *partir*.

De acuerdo con las terminaciones *ar, er, ir*, todos los verbos castellanos se han agrupado en tres conjugaciones: primera, segunda y tercera. Pertenecen a la *primera conjugación* todos los verbos terminados en *ar*, como amar, llamar, copiar, etc. Son de la *segunda conjugación*, los terminados en *er* como temer, perder, oler. Son de la *tercera conjugación* los que terminar en *ir* como partir, salir, permitir.

EJERCICIOS. — ¿Cuáles son los verbos modelos de la conjugación? ¿Qué son verbos regulares? — ¿Qué son verbos irregulares? — ¿Por qué las formas cojo, venzan, aplaquemos, no son irregulares? — Diga cuáles de estos verbos son regulares y cuáles irregulares; cite una forma irregular.

torcer   mover   salir   llamar   cambiar   pedir   estar   sentir

¿Cuáles son las tres conjugaciones castellanas? — Cite cinco ejemplos de verbos de cada conjugación. — Forme el verbo y el adjetivo de estos nombres:

brillo   noche   carne   pie   mano   luz   oscuridad   hierro   mar   nube

Lección 67

LOS VERBOS POR SU FUNCIÓN Y SU ASPECTO SIGNIFICATIVO

Verbos copulativos: Obsérvense estas oraciones:

Regina *está* enferma.	Jaime *es* bondadoso.
Los niños *están* cansados.	Pedro *será* ingeniero.

Obsérvese que los verbos, *es*, *será*, *está* y *están* sirven de nexo o cópula entre el sujeto y el artículo subjetivo, por eso se llaman *verbos copulativos*. Los principales verbos copulativos son *ser* y *estar*.

Verbos atributivos: Excepto ser y estar, todos los demás son atributivos porque forman parte del atributo o predicado. El verbo atributivo lleva en sí el verbo ser y el atributo. José *estudia* equivale a José *es* estudioso, Roque *atiende*, a Roque es *atento*.

Verbos completos y defectivos: Muchos verbos se pueden conjugar en todos los modos, tiempos, números y personas, como amar, partir, poner, cantar, llamar, perder, etc. Por eso se les llama *completos*. Hay otros que no pueden conjugarse en todas las formas de la conjugación por ello se llaman *defectivos*. Por ejemplo, el verbo *abolir*, sólo se conjuga en aquellas formas en que la terminación empieza con *i: aboli-mos, abolí, aboliré, aboliendo*. No puede decirse: abolo, abolen, etc. Son defectivos: aterirse, soler, preterir, agredir, garantir, etc.

Verbos auxiliares: Como su nombre lo indica, son los que sirven para auxiliar o ayudar a la formación de las voces compuestas: he cantado; había llegado, hube salido, fue recibido, será empleado, es permitido, etc.

Los verbos auxiliares más importantes son *haber, ser* y *estar*.

Haber se usa en la voz activa, *ser* en la pasiva y *estar* en la acción progresiva o continuada. Los verbos ir, andar, venir, etc., se usan también en la forma progresiva. Ejemplos:

177

Yo *estoy* estudiando. Él *anda* buscando. Ella *va* corriendo.

Tú *vienes* progresando notablemente. Yo *estaré* cantando.

También pueden hacer oficio de auxiliares los verbos tener, dejar, quedar, llevar. Ejemplos: *Tengo* entendido que él es rico. *Dejó* pagado el importe. *Lleva* esperando mucho tiempo. *Queda* dispuesto que tú lo resuelvas.

Verbos impersonales son aquellos cuyos sujetos no se expresan porque no se conocen. Los verbos que indican acciones de la naturaleza, pertenecen a esta clase. Ejemplos: amanecer, llover, tronar, relampaguear, etc. Solamente se emplean en la tercera persona y por ello también se les llama *unipersonales o tercero-personales.* Así diremos: Llueve, relampaguea, truena, anochece, amanece.

El verbo haber tiene también carácter de *impersonal.* En ese caso sólo se conjuga en la tercera persona y en el singular: hay, había, hubo, habrá, etc.

Verbos incoativos son verbos expresivos de acciones que comienzan: *amanecer, enrojecer, envejecer.*

Verbos reiterativos son verbos que expresan acciones que se repiten de una manera continuada: *picotear, martillear, reanudar.*

EJERCICIOS. — Diga cuál es el sujeto, cuál el verbo y cuál el predicado de estas oraciones:

Raúl es bondadoso. — Lucrecia estaba convaleciente.

Nosotros somos pobres. — Remigio será abogado.

¿Qué son verbos copulativos? — Diga cuál es el sujeto, el predicado y el verbo en estas oraciones:

Jeremías escribió un poema. — Tú llegarás a casa.

Herminio ha comprado un libro. — Los perros ladraron anoche.

¿Qué son verbos atributivos y cuáles son? — ¿Qué son verbos completos? — ¿Qué son verbos defectivos? — Cite tres verbos defectivos. — ¿Qué son verbos auxiliares? — Cite seis ejemplos de formas compuestas empleando los verbos auxiliares haber, ser y estar. — ¿Qué son verbos impersonales? — Cite cinco ejemplos de verbos impersonales.

Lección 68

ESTUDIO DE LOS ACCIDENTES DEL VERBO

El *número* en el verbo se divide, como en las demás partes variables, en *singular* y *plural* aunque las desinencias que lo indican son muy distintas a las del nombre o sustantivo. Obsérvense estos ejemplos:

Singular:	Plural:
canto	cantamos
cantas	cantáis
canta	cantan

Las *personas* gramaticales en el verbo corresponden a las personas que ya hemos estudiado en el pronombre personal, son tres: *primera, segunda* y *tercera*. Ejemplos:

Singular:		Plural
Primera persona	Yo mir-o	Nosotros mir-amos
Segunda persona	Tú mir-as	Vosotros mir-áis
Tercera persona	Él mir-a	Ellos mir-an.

Los modos. — Véanse estas oraciones:

Yo *escribo* ahora.
Escribe tú inmediatamente.
Yo deseo que ella *escriba* si es posible.
Ellos *escribirían* si los dejaran.
Escribir no es difícil.

Puede observarse cómo se ha presentado en distintas maneras el verbo escribir; esas distintas formas o maneras de presentar el verbo en la oración se llaman *modos*.

Los *modos* son cinco: *indicativo, subjuntivo, imperativo, potencial* e *infinitivo*.

El *indicativo* indica acción real e independiente. Ejs.: Yo canto. Él miraba. Tú comerás. Nosotros hemos salido.

El *subjuntivo* expresa acción irreal y subordinada. Ejs.: Es importante que tú cantes. Si yo tuviera dinero lo compraría. Si ella llegare temprano, avísame.

El *imperativo* da la orden para una acción. Ejs.: Toma esa libreta Meditad sobre esos hechos.

El *potencial* expresa posibilidad. Ejs.: Ella caminaría hasta su casa; él habría llegado ya.

El *infinitivo* está considerado tradicionalmente como un modo aunque realmente no lo es, e integra con el gerundio y el participio las formas no personales del verbo.

Los tiempos son tres: *presente,* que indica o expresa que la acción se realiza en el momento; *pretérito* o *pasado* que expresa la acción ya realizada, y *futuro* o *venidero,* que expresa la acción por realizarse. Pueden ser simples o compuestos, según estén formados por una sola voz verbal o por el participio pasivo del verbo y el auxiliar haber.

Las voces son dos: *activa* y *pasiva.* Se dice que un verbo está en *voz activa* cuando su sujeto ejecuta la acción de dicho verbo. Ejemplos: Regino escribe una carta. Ella llama a Luisa.

En las oraciones anteriores los sujetos *Regino* y *Ella* son los que ejecutan las acciones de escribir y llamar, por lo tanto esos verbos están empleados en *voz activa.*

Veamos estas oraciones:

Una carta es escrita por Regino.
Luisa es llamada por ella.

Los sujetos de estas dos últimas oraciones son *Una carta* y *Luisa;* pero ellos no son los que ejecutan la acción del verbo, sino todo lo contrario, son los que reciben dicha acción, son sujetos pacientes, por lo tanto, los verbos de esas oraciones están empleados en *voz pasiva.*

Los *verbos transitivos* son los que tienen voz pasiva.
El verbo *ser* es el auxiliar de la voz pasiva.

EJERCICIOS. — Diga cuáles de estas formas verbales están en singular y cuáles en plural:

miraban — viste — llegaremos — limpias — cambiarías

cambiaremos — contemplamos — partid — siento — miraron

Diga a qué personas pertenecen las voces verbales anteriores. — ¿Cuáles son los cinco modos? — ¿Qué modo expresa mandato? — ¿Cuál indica una posibilidad? — ¿Cuál expresa la acción como imaginaria y subordinada? — ¿Qué expresa el indicativo? — ¿Qué expresa el infinitivo? — ¿Cuáles son los tres tiempos? — Diga en qué tiempo están estas voces verbales:

caminaban — caminaremos — llevan — comiste

partiré — cantas — he salido — hubiste escrito

habrán comprado — salváis

¿Cómo se forman los tiempos compuestos? — Cite las clases de pretérito. — ¿Cuándo un verbo está en voz pasiva? — ¿Cuándo un verbo está en voz activa? — Diga en qué voz están empleados estos verbos:

Luis *recitó* una poesía. La llave *fue* perdida.

Ellos *son* apreciados por todos. Las aves *vuelan*.

181

Lección 69

ESTUDIO DEL MODO INDICATIVO

Tiempo presente

Singular:	Plural:
Yo am-o	Nosotros am-amos
tú am-as	vosotros am-áis
él am-a	ellos am-an.

Este presente de indicativo significa una acción que se ejecuta en el momento en que se habla. Yo *amo* a Julia expresa la repetición continua o interrumpida en un estado de tiempo más o menos largo. Podemos expresar el tiempo presente en una forma más precisa, utilizando como auxiliar el verbo *estar,* por ejemplo cuando decimos yo *estoy cantando.*

Tiempo pretérito imperfecto

Singular:	Plural:
Yo am-aba	Nosotros am-ábamos
tú am-abas	vosotros am-abais
él am-aba	ellos am-aban

El pretérito imperfecto indica una acción pasada que se ha verificado al mismo tiempo que otra pasada: Yo cantaba cuando tú llamaste. (Por ello Andrés Bello lo llamó *copretérito.*)

Tiempo pretérito indefinido

Singular:	Plural:
Yo am-é	Nosotros am-amos
tú am-aste	vosotros am-asteis
él am-ó	ellos am-aron

El pretérito indica un hecho completamente pasado; ocurrido en un período de tiempo anterior al actual o que tiene relación con el momento presente: Martí nació en La Habana. (Bello lo llamó *pretérito.*)

Tiempo pretérito perfecto

Singular:

Yo he am-ado
tú has am-ado
él ha am-ado

Plural:

Nosotros hemos am-ado
vosotros habéis am-ado
ellos han am-ado

Este es un tiempo compuesto formado por el participio pasivo del verbo que se conjuga y el presente de indicativo del auxiliar haber. Este tiempo expresa una acción que se acaba de realizar en el momento en que hablamos o que se ha realizado en el actual período de tiempo; por eso Bello lo llamó *antepresente*.

No debe emplearse con sujetos que ya han desaparecido; así diremos: Edison *inventó* la lámpara incandescente y no Edison *ha inventado* la lámpara incandescente. Si el sujeto aún existiera, puede usarse el pretérito: Alemania *ha dado* notables químicos. Existe la posibilidad de que los dé nuevamente.

Refiriéndose a hechos ocurridos recientemente, se puede usar indistintamente el pretérito indefinido o el pretérito perfecto: Jaime *escribió* o *ha escrito* hoy.

Tiempo pretérito anterior

Singular:

Yo hube am-ado
tú hubiste am-ado
él hubo am-ado

Plural:

Nosotros hubimos am-ado
vosotros hubisteis am-ado
ellos hubieron am-ado

Está compuesto del participio pasivo y del pretérito indefinido del verbo haber. Cuando *hube llegado* me fui. Como puede notarse por este ejemplo, el pretérito anterior expresa una acción inmediatamente anterior a otra pasada respecto al momento en que se habla, por lo que Bello lo llamó *antepretérito*. Siempre va acompañado de frases como así que, cuando, luego que, después que, en seguida que, tan pronto como, no bien, etc.: No bien *hubimos llegado*, recibí el telegrama.

Tiempo pretérico pluscuamperfecto

Singular:

Yo había am-ado
tú habías am-ado
él había am-ado

Plural:

Nosotros habíamos am-ado
vosotros habíais am-ado
ellos habían am-ado

Está formado por el participio pasivo y el pretérico imperfecto de indicativo del verbo haber. Cuando tú llamaste yo ya había terminado de comer: expresa una acción pasada respecto a otra, también pasada. Recibe por eso el nombre de *antecopretérito,* según la nomenclatura de Andrés Bello.

Tiempo futuro imperfecto

Singular:	Plural:
Yo amar-é	Nosotros amar-emos
tú amar-ás	vosotros amar-éis
él amar-á	ellos amar-án

Indica una acción por venir. A veces indica mandato o prohibición: *estudiarás* bien esas lecciones. No *fumarás* aquí. Tambien expresa duda o vacilación: *¿estará allá?* No sé si lo haré o no. (Bello lo llamó *futuro.*)

Tiempo futuro perfecto

Singular:	Plural:
Yo habré am-ado	Nosotros habremos am-ado
tú habrás am-ado	vosotros habréis am-ado
él habrá am-ado	ellos habrán am-ado

Se forma con el participio pasivo y el futuro de indicativo del verbo haber. Cuando tú empieces yo *habré terminado*: indica que, al llegar el tiempo a que nos referimos, el hecho se habrá realizado. Cuando llegue el año nuevo habré terminado este trabajo. En la nomenclatura de Bello se denomina *antefuturo.*

EJERCICIOS. — ¿Cuáles son los tiempos simples del modo indicativo? ¿Cuáles son los tiempos compuestos del modo indicativo? — Conjugue el presente, el copretérito, el pretérito y el futuro de indicativo del verbo hacer. — Diga en qué tiempos están empleados estos verbos:

tú habías cantado	El llamaba
Yo habré copiado	Tú miras
Ellos hubieron pintado	Nosotros hemos saltado
Yo gasté	Ellos llenaron

¿A qué tiempo se le llama copretérito? — ¿A qué tiempo se le llama antefuturo? — ¿A cuál se le dice antepresente? — Conjugue el modo indicativo del verbo mirar, expresando solamente la primera persona del singular de cada tiempo.

Lección 70
ESTUDIO DEL MODO SUBJUNTIVO
Tiempo presente

Singular:

Yo am-e
tú am-es
él am-e

Plural:

Nosotros am-emos
vosotros am-éis
ellos am-en

Además de la idea de presente, expresa con frecuencia hechos futuros. Ejemplos: Aquí no hay quien no *sepa* contar (presente). Lo sabrás cuando te lo *diga* (futuro).

Tiempo pretérito imperfecto

Singular:

Yo am-ara o am-ase
tú am-aras o am-ases
él am-ara o am-ase

Plural:

Nosotros am-áramos o am-ásemos
vosotros am-arais o am-aseis
ellos am-aran o am-asen

Este tiempo encierra idea de futuro y se subordina a cualquier tiempo pretérito: No sospeché que *hiciera* tal cosa. No pensé que *cobrase* hoy.

La forma terminada en *ra* (am-ara, tem-iera) puede usarse como sustituto del potencial. Yo *pudiera* o *podría hacerlo*. Sin embargo, el potencial no debe sustituirse con la forma terminada en *se*.

Tiempo pretérito perfecto

Singular:

Yo haya am-ado
tú hayas am-ado
él haya am-ado

Plural:

Nosotros hayamos am-ado
vosotros hayáis am-ado
ellos hayan am-ado

Está formado por el participio pasivo y el presente de subjuntivo del verbo haber. Expresa un hecho ya concluido y subordinado a un

185

tiempo presente o futuro: *Llegaremos* cuando ya él *haya terminado.*
No aseguro que ella *haya obtenido* el premio.

Tiempo pretérito pluscuamperfecto

Singular:

Yo hubiera o hubiese am-ado.
tú hubieras o hubieses am-ado.
él hubiera o hubiese am-ado.

Plural:

Nosotros hubiéramos o hubiésemos am-ado.
vosotros hubierais o hubieseis am-ado.
ellos hubieran o hubiesen am-ado.

Se compone del participio pasivo y del pretérito imperfecto del subjuntivo del verbo haber. Expresa un hecho ya concluido y subordinado a otro también pasado: *Bastaba* que él *hubiera* o *hubiese pagado.*

Tiempo futuro imperfecto

Singular:
Yo am-are
tú am-ares
él am-are

Plural:
Nosotros am-áremos
vosotros am-areis
ellos am-aren

Señala una acción venidera, pero siempre posible, es decir, contingente: Si alguien *preguntare* por mí, avísame. Cuando te *ocurriere* proceder mal, acuérdate de mis consejos.

En el primer caso puede sustituirse por el presente de indicativo: Si alguien *pregunta* por mí... En el segundo caso, por el presente de subjuntivo: Cuando te *ocurra* proceder mal... Nunca se cambiará por la forma en *se* del pretérito de subjuntivo: Si *hubiere* trabajo. No se dirá: Si *hubiese* trabajo.

Tiempo futuro perfecto

Singular:
Yo hubiere am-ado
tú hubieres am-ado
él hubiere am-ado

Plural:
Nosotros hubiéremos am-ado
vosotros hubiereis am-ado
ellos hubieren am-ado

Se forma del participio pasivo y el futuro de subjuntivo del verbo haber. Expresa una acción por venir, pero ya terminada con respecto a otra: Si *hubiere llegado* después de las seis, no la aceptes.

Como puede comprobarse por los ejemplos y explicaciones anteriores, el modo subjuntivo expresa la acción como existente en la imaginación, subordinada y dependiente de otra.

NOTA: Por el orden en que han sido presentados reciben los nombres de presente, pretérito, antepresente, antepretérito, futuro y antefuturo, según la nomenclatura de Andrés Bello, el insigne gramático venezolano.

EJERCICIOS. — ¿Cuáles son los tiempos simples del modo subjuntivo? ¿Cuáles son los tiempos compuestos del modo subjuntivo? — Conjugue el verbo haber en los tiempos simples del subjuntivo. — Diga a qué tiempos corresponden estos verbos:

Yo pintare	*Él haya llegado*
Ellos canten	*tú hubieres copiado*
yo dibujara o dibujase	*nosotros hayamos visto*
Vosotros hubierais o hubieseis mirado.	

Conjugue el modo subjuntivo del verbo llamar, expresando solamente la primera persona del singular de cada tiempo.

Lección 71

MODO POTENCIAL
MODO IMPERATIVO

FORMAS NO PERSONALES DEL VERBO

Potencial simple

Singular:
Yo amar-ía
tú amar-ías
él amar-ía

Plural:
Nosotros amar-íamos
vosotros amar-íais
ellos amar-ían

Potencial compuesto

Singular:
Yo habría am-ado
tú habrías am-ado
él habría am-ado

Plural:
Nosotros habríamos am-ado
vosotros habríais am-ado
ellos habrían am-ado

El potencial simple indica la posibilidad del hecho en cualquier tiempo; el potencial compuesto enuncia el hecho como terminado. Algunos gramáticos opinan que tiene carácter de futuro condicional. Yo *caminaría* si no tuviera esta pierna enferma.

NOTA: Para Bello las formas del Potencial pertenecen al modo Indicativo por lo que llamó al simple *pospretérito* y al compuesto, *antepospretérito*, ambos del Indicativo.

Forma afirmativa	Imperativo	Forma negativa	
PRESENTE		PRESENTE	

Singular:	Plural:	Singular:	Plural:
	am-emos nosotros		no am-emos nosotros
am-a tú	am-ad vosotros	no ames tú	no am-éis vosotros
am-e él	am-en ellos	no am-e él	no am-en ellos

Carece de la primera persona. Sus dos formas peculiares son la segunda persona del singular: *canta* tú, y la segunda del plural: *cantad* vosotros. Las otras personas, y estas mismas cuando van con negación, se toman del presente de subjuntivo. Algunos gramáticos lo llaman futuro porque el mandato se cumple después del acto de la palabra.

Formas no personales

Simples:		Compuestas:	
Infinitivo:	am-ar	Infinitivo:	haber am-ado
Gerundio:	am-ando	Gerundio:	habiendo am-ado
Participio:	am-ado		

(Bello llamó a las formas compuestas *anteinfinitivo* y *antegerundio*.)

Como puede notarse son tres formas principales: *infinitivo, gerundio* y *participio*. La primera, el infinitivo, tiene carácter de *nombre;* la segunda, el gerundio, tiene carácter de *adverbio;* y la tercera, el participio, se emplea como *adjetivo* y a veces como *nombre* o *sustantivo.* Véanse estos ejemplos:

El *saber* siempre es conveniente — (nombre)
Ella vino *corriendo* — (adverbio)
Una mano *lavada* — (adjetivo)
Un tren de *lavado* — (nombre)

Cada una de estas tres formas corresponde a uno de los tres tiempos fundamentales. Véase este cuadro:

INFINITIVO	**Presente:** Pintar	
	Pretérito: Haber pintado	
	Futuro: Haber de pintar	
PARTICIPIO	**Presente:** *Activo:* Pintante	
	Pretérito: *Pasivo:* Pintado	
GERUNDIO	**Presente:** Pintando	
	Pretérito: Habiendo pintado	

Los *infinitivos simples* terminan en *ar, er, ir*: Mir*ar*, pod*er*, hu*ir*.

Los *participios activos* con *ante, iente;* cant*ante*, corr*iente*, vi*viente*.

Los *participios pasivos* se forman con las terminaciones *ado, ido, to, so, cho*: mir*ado*, pod*ido*, hu*ido*, escri*to*, impreso, di*cho*.

Los *gerundios*, con *anao, iendo*: cant*ando* corr*iendo*.

EJERCICIOS. — ¿Cuántas formas tiene el llamado modo potencial (pospretérito)? — ¿Cómo está constituida la forma compuesta? Emplee en oraciones el verbo escribir usándolo en las dos formas del potencial. ¿Por qué el modo imperativo no tiene primera persona del singular? — Conjugue completo el modo imperativo del verbo cambiar. — Examine estas voces verbales y formule una regla de Ortografía:

cantad   mirad   llorad   pensad   buscad   salvad

¿Cuáles son las tres formas no personales del verbo? — Conjugue completo el infinitivo del verbo *pasear*. — Explique el modo y el tiempo de estas voces verbales:

caminarían — pintad — no salgamos — llegando — partido
habríamos tenido — contar — miren

COMPOSICION: Haga la descripción de una máquina de contar o una máquina de escribir.

Lección 72

ESTUDIO DEL VERBO HABER

Los verbos ser y haber sirven para la formación de los tiempos compuestos, por esto se les llama verbos auxiliares.

El verbo haber puede conjugarse como activo o transitivo, como auxiliar y como impersonal. En esta lección vamos a conjugar principalmente el verbo haber como activo; equivale a tener o poseer y es poco usado.

Indicativo

Presente	Pretérito perfecto	
he	he	habido
has	has	habido
ha	ha	habido
hemos o habemos	hemos	habido
habéis	habéis	habido
han	han	habido

Pretérito indefinido	Pretérito anterior	
hube	hube	habido
hubiste	hubiste	habido
hubo	hubo	habido
hubimos	hubimos	habido
hubisteis	hubisteis	habido
hubieron	hubieron	habido

Pretérito imperfecto	Pretérito pluscuamperfecto	
había	había	habido
habías	habías	habido
había	había	habido
habíamos	habíamos	habido
habíais	habíais	habido
habían	habían	habido

Futuro Imperfecto

habré
habrás
habrá
habremos
habréis
habrán

Futuro perfecto

habré habido
habrás habido
habrá habido
habremos habido
habréis habido
habrán habido

Subjuntivo

Presente

haya
hayas
haya
hayamos
hayáis
hayan

P. perfecto

haya habido
hayas habido
haya habido
hayamos habido
hayáis habido
hayan habido

Pretérito imperfecto

hubiera   o hubiese
hubiera   o hubieses
hubieras   o hubiese
hubiéramos   o hubiésemos
hubierais   o hubieseis
hubieran   o hubiesen

P. pluscuamperfecto

hubiera   o hubiese   habido
hubieras   o hubieses   habido
hubiera   o hubiese   habido
hubiéramos o hubiésemos habido
hubierais o hubieseis habido
hubieran   o hubiesen   habido

Futuro

hubiere
hubieres
hubiere
hubiéremos
hibiereis
hubieren

Futuro perfecto

hubiere habido
hubieres habido
hubiere habido
hubiéremos habido
hubiereis habido
hubieren habido

Potencial

Simple

habría
habrías
habría
habríamos
habríais
habrían

Compuesto

habría habido
habrías habido
habría habido
habríamos habido
habríais habido
habrían habido

Modo imperativo

(Con sentido de futuro)

he   (tú)
habed   (vosotros)

Simples

Infinitivo:
Gerundio:
Participio:

habiendo
habido
haber

Compuestas

Indicativo
gerundio:

haber habido
habiendo habido

El verbo *haber como auxiliar*: se conjuga sólo en las formas simples.

Presente indicativo: (sólo presentamos la primera persona del singular; las otras pueden verse en el paradigna o modelo anterior).
Yo he:
Sirve para la formación del pretérito perfecto de Indicativo:
Yo he amado — tú has partido— ellos han perdido.

Pretérito imperfecto: Sirve para formar el pluscuamperfecto de Indicativo:
Yo había:
Yo había pintado — tú habías salido.

Pretérito indefinido: Para formar el pretérito anterior:
Yo hube:
Yo hube cantado. — Nosotros hubimos reído.

Futuro: Yo habré: Sirve para formar el futuro perfecto.
Yo habré llamado. — Ellos habrán temido.

Potencial simple: Forma el condicional compuesto:
Yo habría
Yo habría amado.

Subjuntivo

Presente: Yo haya   Forma el pretérito perfecto de Subjuntivo:
Yo haya amado. — Ellos hayan huido.

P. imperfecto: Yo hubiera   Forma el pretérito pluscuamperfecto:
o hubiese   *Yo hubiera o hubiese amado.*

Futuro imperfecto: Forma el futuro perfecto:
Yo hubiere   *Yo hubiere ido.*

Imperativo: No se emplea en ninguna forma compuesta.

Infinitivo de haber   Como auxiliar se presenta así:

Presente: haber. El *pretérito*: *haber amado;* el futuro: *haber de amar.*

El *Gerundio*: *habiendo*. Compuesto: *habiendo amado.*

El *participio*: *habido.*

EL VERBO HABER COMO IMPERSONAL sólo se usa en singular y en la tercera persona. Carece de pretérito anterior de indicativo y del Modo Imperativo.

Indicativo

Presente:	ha o hay	**P. perfecto**	ha habido
Pretérito indefinido:	hubo	**P. anterior:**	(carece)
P. imperfecto:	había	**P. pluscuamperfecto**	había habido
Futuro:	habrá	**F. perfecto:**	habrá habido

Subjuntivo

Presente:	haya	**P. perfecto:**	haya habido
Pretérito:	hubiera o hubiese	**P. pluscuam.:**	hubiera o hubiese
Futuro:	hubiere	**F. perfecto:**	hubiere habido

Imperativo: carece

NOTA. — Las formas no personales de *haber* son las ya expuestas anteriormente.

194

EJERCICIOS. — ¿Cuáles son los tres oficios del verbo *haber?* — ¿Qué significado tiene *haber* cuando se emplea como activo o transitivo? — Diga a qué persona, tiempo y modo pertenecen estas formas del verbo *haber:*

había	*hubimos*	*habrían*	*he*	*habréis*
hemos	*has*	*hubieron*	*hayamos*	*habed*

¿Qué formas se conjugan del verbo *haber* cuando es auxiliar? — ¿Qué características tiene el verbo *haber* en su conjugación cuando es impersonal? — Diga cómo está empleado el verbo *haber* en estas oraciones:

En la fiesta *hubo* muchas diversiones. — Cuando ella *haya* cobrado, te pagará. — El que malas mañas *ha*, tarde o temprano las perderá.

Emplee en oraciones estas formas del verbo *haber* como impersonal:

habrá   hay   hubo   hubiese   haya

195

Lección 73

ESTUDIO DEL VERBO SER. OTROS VERBOS
AUXILIARES E IMPERSONALES

El verbo *ser* se usa como auxiliar de la voz pasiva; en su propia significación de sustantivo; como impersonal y algunas veces adopta la forma reflexiva. Ejemplos:

Como auxiliar en la voz pasiva: Ella *es* celebrada por ti.
Como sustantivo copulativo: Tú *eres* inteligente.
Como impersonal: *Es* tarde.
Como reflexivo: *Érase* un hombre...

El verbo *ser* es un verbo completo porque se conjuga en todos los modos y tiempos.

Indicativo

Presente	P. perfecto:
soy	he sido
eres	has sido
es	ha sido
somos	hemos sido
sois	habéis sido
son	han sido

P. indefinido:	P. anterior:
fui	hube sido
fuiste	hubiste sido
fue	hubo sido
fuimos	hubimos sido
fuisteis	hubisteis sido
fueron	hubieron sido

P. imperfecto	P. pluscuam.	
era	había	sido
eras	habías	sido
era	había	sido
éramos	habíamos	sido
erais	habíais	sido
eran	habían	sido

Futuro imperfecto	Futuro perfecto	
seré	habré	sido
serás	habrás	sido
será	habrá	sido
seremos	habremos	sido
seréis	habréis	sido
serán	habrán	sido

Potencial

simple	compuesto	
sería	habría	sido
serías	habrías	sido
sería	habría	sido
seríamos	habríamos	sido
seríais	habríais	sido
serían	habrían	sido

Subjuntivo

Presente	P. perfecto	
sea	haya	sido
seas	hayas	sido
sea	haya	sido
seamos	hayamos	sido
seáis	hayáis	sido
sean	hayan	sido

Pretérito imperfecto		P. pluscuamperfecto		
fuera	o fuese	hubiera	o hubiese	sido
fueras	o fueses	hubieras	o hubieses	sido
fuera	o fuese	hubiera	o hubiese	sido
fuéramos	o fuésemos	hubiéramos	o hubiésemos	sido
fuerais	o fueseis	hubierais	o hubieseis	sido
fueran	o fuesen	hubieran	o hubiesen	sido

Futuro perfecto	Futuro imperfecto	
fuere	hubiere	sido
fueres	hubieres	sido
fuere	hubiere	sido
fuéremos	hubiéremos	sido
fuereis	hubiereis	sido
fueren	hubieren	sido

Imperativo

(Con sentido de futuro)
sé (tú)
sed (vosotros)

FORMAS NO PERSONALES DE SER

Infinitivo:	ser
Gerundio:	siendo
Participio:	sido

Otros verbos auxiliares: Hacen el oficio de auxiliares los siguientes verbos:

TENER: *Tengo* entendido que...
QUEDAR: *Quedó* constituido el club.
ESTAR: *Estaba* leyendo. *Está* señalado.
DEJAR: *Dejó* encargado.
VENIR: *Vino* empeñado en...
DEBER: Tú *debes* de estudiar. Algunos gramáticos opinan que *deber* es auxiliar sólo cuando se usa con la preposición *de* indicando duda, presunción o sospecha: Mañana *debe de* avisar. *Debe de* estar aburrido. Hoy *debe de* llegar.

Otros verbos impersonales: Como sucede con el verbo haber cuando se usa como impersonal que solamente se conjuga en la tercera persona, lo mismo acontece con los demás verbos impersonales, aunque algunos de ellos se conjugan también en el plural, pero sólo en la tercera persona.

Ejemplos: alborear, llover, helar, nevar, tronar, diluviar, amanecer, relampaguear, etc. *Hacer, estar, ser* y otros, pueden usarse como impersonales. *Hace* tiempo que. *Está* nublado. *Es* la una. *Dicen* que *habrá* frío etc.

EJERCICIOS. — ¿Cuáles son los tres oficios del verbo *ser?* — Diga cómo está empleado el verbo *ser* en estas oraciones:

> Jenaro *es* atento. — El papel *fue* escrito por Luis. — *Era* de noche. — *Érase* un gigante.

Diga a qué persona, número, tiempo y modo, pertenecen estas formas del verbo *ser:*

> *soy — fuimos — sed — hemos sido — son*
> *seréis — fuere — fuésemos — hubiste sido — sean*

Diga cuáles de estas oraciones están en voz pasiva:

> Regino ha limpiado la sala. — Los venados fueron vistos por él. — Soy amado por mis padres. — Ellos salvarán al herido. — Será operado hoy.

Cite cinco ejemplos de otros verbos que se usen como auxiliares, empleándolos en oraciones. Emplee en oraciones, como verbos impersonales, los verbos *hacer, estar, decir, amanecer, llover, tronar.*

COMPOSICIÓN: Escribir un decálogo de urbanidad; discutirlo y aprobarlo.

Lección 74

CONJUGACIÓN DE LOS VERBOS REGULARES

Los verbos modelos que generalmente se emplean en las gramáticas son *am-ar, tem-er* y *part-ir*. Para conjugar cualquier verbo regular, basta agregarle a la raíz las terminaciones del verbo modelo que le corresponda según pertenezca a la primera, la segunda o tercera conjugación. En las lecciones 69, 70 y 71 se presentó completa la conjugación del verbo modelo *am-ar*, mostrando separadas la raíz y las desinencias o terminaciones. Presentaremos ahora los verbos modelos *tem-er* y *part-ir* expresando, separadas de la raíz, las distintas desinencias.

Indicativo

Presente	P. perfecto	
part-o	he	part-ido
part-es	has	part-ido
part-e	ha	part-ido
part-imos	hemos	part-ido
part-ís	habéis	part-ido
Part-en	han	par-tido

Pretérito indefinido	Pretérito anterior	
part-í	hube	part-ido
part-iste	hubiste	part-ido
part-ió	hubo	part-ido
part-imos	hubimos	part-ido
part-isteis	hubisteis	part-ido
part-ieron	hubieron	part-ido

Pretérito imperfecto	P. pluscuamperfecto	
part-ía	había	part-ido
part-ías	habías	part-ido
part-ía	había	part-ido
part-íamos	habíamos	part-ido
part-íais	habíais	part-ido
part-ían	habían	part-ido

Futuro imperfecto	Futuro perfecto	
partir-é	habré	part-ido
partir-ás	habrás	part-ido
partir-á	habrá	part-ido
partir-emos	habremos	part-ido
partir-éis	habréis	part-ido
partir-án	habrán	part-ido

Potencial

Simple	Compuesto	
partir-ía	habría	part-ido
partir-ías	habrías	part-ido
partir-ía	habría	part-ido
partir-íamos	habríamos	part-ido
partir-íais	habríais	part-ido
partir-ían	habrían	part-ido

Subjuntivo

Presente	Pretérito perfecto	
part-a	haya	part-ido
part-as	hayas	part-ido
part-a	haya	part-ido
part-amos	hayamos	part-ido
part-áis	hayáis	part-ido
part-an	hayan	part-ido

Pretérito imperfecto / Pretérito pluscuamperfecto

part-iera	o part-iese	hubiera	o hubiese	part-ido
part-ieras	o part-ieses	hubieras	o hubieses	part-ido
part-iera	o part-iese	hubiera	o hubiese	part-ido
part-iéramos	o part-iésemos	hubiéramos	o hubiésemos	part-ido
part-ierais	o part-ieseis	hubierais	o hubieseis	part-ido
part-ieran	o part-iesen	hubieran	o hubiesen	part-ido

Futuro imperfecto / Futuro perfecto

part-iere	hubiere	part-ido
part-ieres	hubieres	part-ido
part-iere	hubiere	part-ido
part-iéremos	hubiéremos	part-ido
part-iereis	hubiereis	part-ido
part-ieren	hubieren	part-ido

Imperativo

(Con sentido de futuro)
part-e

part-id

FORMAS NO PERSONALES DE PARTIR

Infinitivo: part-ir
Gerundio: part-iendo
Participio: part-ido

(Formas compuestas)
Infinitivo: haber part-ido
Gerundio: habiendo part-ido

EJERCICIOS. — Diga a qué persona, número y tiempo pertenecen estas formas del indicativo:

*hubieron partido — partiste — teméis — temisteis
habían partido — habéis partido — partís — temían
temeremos — habré temido.*

De los verbos *cantar* y *vivir* diga las siguientes formas:

*F. imperfecto: 2.ª persona del singular.
Presente: 2.ª persona del plural.
Pretérito indefinido: 2.ª persona del singular.
Gerundio.
Participio.
Pretérito anterior: 3.ª persona del singular.
Futuro perfecto: 1.ª persona del plural.
P. perfecto: 1.ª persona del plural.
P. imperfecto: 3.ª persona del plural.
P. pluscuam.: 2.ª persona del singular.*

Emplee el verbo *pintar* en voz *activa* y en voz *pasiva*. — Diga los cinco accidentes que enuncia la desinencia *o* en la voz *limpi-o*.

Lección 75

CONTINUACIÓN DE LA CONJUGACIÓN DE LOS VERBOS REGULARES. TEMER

Indicativo

Presente		P. perfecto	
tem-o		he	tem-ido
tem-es		has	tem-ido
tem-e		ha	tem-ido
tem-emos		hemos	tem-ido
tem-éis		habéis	tem-ido
tem-en		han	tem-ido

Pretérito indefinido		Pretérito anterior	
tem-í		hube	tem-ido
tem-iste		hubiste	tem-ido
tem-ió		hubo	tem-ido
tem-imos		hubimos	tem-ido
tem-isteis		hubisteis	tem-ido
tem-ieron		hubieron	tem-ido

Pretérito imperfecto		P. pluscuamperfecto	
tem-ía		había	tem-ido
tem-ías		habías	tem-ido
tem-ía		había	tem-ido
tem-íamos		habíamos	tem-ido
tem-íais		habíais	tem-ido
tem-ían		habían	tem-ido

Futuro imperfecto		Futuro perfecto	
temer-é		habré	tem-ido
temer-ás		habrás	tem-ido
temer-á		habrá	tem-ido
temer-emos		habremos	tem-ido
temer-éis		habréis	tem-ido
temer-án		habrán	tem-ido

Subjuntivo

Presente

tem-a	
tem-as	
tem-a	
tem-amos	
tem-áis	
tem-an	

Pretérito perfecto

haya	tem-ido
hayas	tem-ido
haya	tem-ido
hayamos	tem-ido
hayáis	tem-ido
hayan	tem-ido

Pretérito imperfecto

tem-iera	o	tem-iese
tem-ieras	o	tem-ieses
tem-iera	o	tem-iese
tem-iéramos	o	tem-iésemos
tem-ierais	o	tem-ieseis
tem-ieran	o	tem-iesen

Pretérito pluscuamperfecto

hubiera	o	hubiese	tem-ido
hubieras	o	hubieses	tem-ido
hubiera	o	hubiese	tem-ido
hubiéramos	o	hubiésemos	tem-ido
hubierais	o	hubieseis	tem-ido
hubieran	o	hubiesen	tem-ido

Futuro imperfecto

Yo	temiere
Tú	temieres
Él	temiere
Nos.	temiéremos
Vos.	temiereis
Ellos	temieren

Futuro perfecto

Yo	hubiere temido
Tú	hubieres temido
Él	hubiere temido
Nos.	hubiéremos temido
Vos.	hubiereis temido
Ellos	hubieren temido

Potencial

Simple

temer-ía
temer-ías
temer-ía
temer-íamos
temer-íais
temer-ían

Compuesto

habría	tem-ido
habrías	tem-ido
habría	tem-ido
habríamos	tem-ido
habríais	tem-ido
habrían	tem-ido

Imperativo

(Con sentido de futuro)

tem-e
tem-ed

FORMAS NO PERSONALES DE TEMER

Simples

Infinitivo: tem-er
Gerundio: tem-iendo
Participio: tem-ido

Compuestas

Infinitivo: haber tem-ido
Gerundio: habiendo tem-ido

EJERCICIOS. — Diga el número, la persona, el tiempo y el modo de estos verbos:

hubiere llegado — habrían mirado — hayan pintado — permitid — copiares — hubiere salido — pelearían cojas — no corráis — perdieren.

De los verbos *llamar, ceaer* y *recibir,* diga las siguientes formas:

Potencial, forma simple, segunda persona del plural. Modo imperativo, forma afirmativa, 2.ª persona del plural. Modo subjuntivo, futuro imperfecto, 3.ª persona del singular. Modo subjuntivo, pretérito imperfecto, 1.ª persona del singular. Modo subjuntivo, p. pluscuamperfecto, 2.ª persona del singular. Modo subjuntivo, presente, 1.ª persona del singular.

Forme los nombres y adjetivos de estos verbos:

debilitar   *afinar*   *embellecer*   *cantar*   *sonar*
ablandar   *llamar*   *pulir*   *oler*   *facilitar*

¿Por qué en amar-e y amar-ía, el radical es *amar* y no *am?*

Lección 76

IRREGULARIDADES DE LOS VERBOS
LAS FORMAS AFINES

Irregularidades de los verbos: Ya se dijo en una lección anterior que son verbos irregulares aquellos que al conjugarse alteran fonéticamente sus letras radicales o que sus terminaciones no son iguales a las del verbo modelo que le corresponde. Hay verbos que presentan la irregularidad solamente en la raíz, como *perder* (pierdo); otros sólo en la terminación, como *estar* (est-oy), y otros en la raíz y en la terminación, como *poder* (pued-o, pud-e).

No debe olvidarse que para determinar si un verbo es regular o irregular, no debe atenderse a las letras con que se escribe, sino a los sonidos con que se pronuncia. Así, las formas *cojo, crucé* y *pagué*, de los verbos *coger, cruzar* y *pagar* no se consideran como irregulares.

El número de verbos irregulares en castellano es cerca de mil, pero sus irregularidades, en la mayor parte de ellos, sólo se presentan en algunas personas de unos pocos tiempos. Las irregularidades aparecen siempre en las formas simples, o sean, los presentes, pretéritos indefinidos, pretéritos imperfectos potencial simple, futuros imperfectos, participio y gerundio. Hay solamente tres verbos que tienen irregulares el pretérito imperfecto: *ser, ver, ir.*

Como que la irregularidad se presenta generalmente en el presente, la regla más práctica para determinar si un verbo es regular o irregular, es la de conjugar el presente de Indicativo. Hay que tener presente estas excepciones: Los verbos *andar* y *desandar* y los terminados en *añer* (tañer); *añir* (gañir); *iñir* (retiñir); *uñir* (gruñir); *eller* (empeller); *ullir* (zambullir); tienen regulares sus presentes aunque en otros tipos presentan irregularidades.

Cambios de letras que no constituyen irregularidad: Ya se dijo que los verbos son irregulares por los cambios de sonidos y no por los cambios ortográficos; por lo tanto, no constituyen irregularidad.

1. — El cambio de la *c* en *qu*, delante de la *e*, *i*: brincar — brinqué.
2. — El cambio de *qu* por *c*: delinquir — delinco.
3. — El cambio de la *g* por *j*: coger — cojo; fingir — finjo.
4. — El cambio de la *c* por *z* y viceversa: vencer — venzo; lanzar — lancé.
5. — El cambio de la *i* por *y*: cayera por caiera; creyera por creiera.
6. — La pérdida de la *u* de los terminados en *guir*: extinguir — extingo.
7. — La adición de una *u* en los terminados en *gar*: pagar — pagué.

Las formas afines: Cuando se hace un estudio comparativo de las irregularidades de los verbos, se observa que si una forma verbal experimenta una alteración, casi siempre sucede que otras formas la experimentan del mismo modo, presentando cierta afinidad o simpatía. El estudio de estas formas afines facilita el aprendizaje de los verbos irregulares. Examine el alumno los ejemplos que se exponen a continuación y así comprenderá las seis *formas afines* de las irregularidades en los verbos:

Presente de Indicativo: **Modo Imperativo:**

Yo pierdo   Nosotros perdemos   Perdamos nosotros
Tú pierdes   Vosotros perdéis   Pierde tú   Perded vosotros
Él pierde   Ellos pierden   Pierda él   Pierdan ellos

Presente de Subjuntivo:

Yo pierda   Nosotros perdamos
Tú pierdas   Vosotros perdáis
Él pierda   Ellos pierdan

1.ª — Los verbos que son irregulares en todas las personas del singular y última del plural del presente de indicativo, lo son en las mismas formas de los presentes de imperativo y subjuntivo. Conjúguense: *mover, soñar, poder.*

Presente de Indicativo: **Modo Imperativo:**

Yo nazco   Nosotros nacemos   Nazcamos nosotros
Tú naces   Vosotros nacéis   Nace tú   Naced vosotros
Él nace   Ellos nacen   Nazca él   Nazcan ellos

Presente de Subjuntivo:

Yo nazca   Nosotros nazcamos
Tú nazcas   Vosotros nazcáis
Él nazca   Ellos nazcan

2.ª — Todo verbo que es irregular en la primera persona del singular del presente de indicativo, lo es en la tercera del singular y primera y tercera del plural del imperativo y en todo el presente de subjuntivo. Exceptúanse los verbos *ser, estar, haber, saber, ir* y *dar*. Conjúguense: *lucir, hacer, conocer.*

Pretérito indefinido de Indicativo:

Yo traduje   Nosotros tradujimos
Tú tradujiste   Vostros trdujisteis
Él tradujo   Ellos tradujeron

Pretérito imperfecto de Subjuntivo:

Yo tradujera o tradujese
Tú tradujeras o tradujeses
Él tradujera o tradujese
Nosotros tradujéramos o tradujésemos
Vosotros tradujerais o tradujeseis
Ellos tradujeran o tradujesen

Gerundio: traduciendo.

Futuro imperfecto de Subjuntivo:

Yo tradujere   Nosotros tradujéremos
Tú tradujeres   Vosotros tradujereis
Él tradujere   Ellos tradujeren

3.ª — Todo verbo irregular en el pretérito indefinido de indicativo lo es también en las dos formas del pretérito imperfecto de subjuntivo, en el futuro imperfecto del mismo modo y algunas veces en el gerundio. Conjúguense: *reducir, decir, traer.*

Pretérito indefinido

Yo tañí	Nosotros tañimos
Tú tañiste	Vosotros tañisteis
Él tañó	Ellos tañeron

Futuro imperfecto de Subjuntivo.

Yo tañere	Nosotros tañéremos
Tú tañeres	Vosotros tañereis
Él tañere	Ellos tañeren

Pretérito imperfecto de Subjuntivo

Yo tañera o tañese	Nosotros tañéramos o tañésemos
Tú tañeras o tañeses	Vosotros tañerais o tañeseis
Él tañera o tañese	Ellos tañeran o tañesen

Gerundio: tañ-endo

4.ª — El verbo irregular en las terceras personas de singular y plural del pretérito indicativo, experimenta igual cambio en las dos formas del pretérito de subjuntivo, en el futuro del mismo modo y en el gerundio. Conjugue los verbos: *bruñir, zambullir, empeller, gruñir.*

Presente de Indicativo:

Yo mido	Nosotros medimos
Tú mides	Vosotros medís
Él mide	Ellos miden

Imperativo:

	Mídamos nosotros
Mide tú	Medid vosotros
Mida él	Midan ellos

Pretérito indefinido

Yo medí	Nosotros medimos
Tú mediste	Vosotros medisteis
Él midió	Ellos midieron

Presente de Subjuntivo:

Yo mida	Nosotros midamos
Tú midas	Vosotros midáis
Él mida	Ellos midan

Pretérito imperfecto de Subjuntivo:

Yo midiera o midiese	Nosotros midiéramos o midiésemos
Tú midieras o midieses	Vosotros midierais o midieseis
Él midiera o midiese	Ellos midieran o midiesen

Gerundio: midiendo

5.ª — Los verbos que cambian la e del radical i en las personas del singular y en la última del plural del presente de indicativo, experimentan igual variación en las terceras personas del singular y plural del pretérito indefinido de indicativo; en todo el singular y primera y tercera persona del plural del imperativo; en todo el preesnte de subjuntivo; en las dos formas del pretérito imperfecto de subjuntivo; en el futuro imperfecto del propio modo y en el gerundio. Conjúguense estos verbos: *servir, pedir, regir, vestir.*

Futuro imperfecto de Indicativo: **Potencial simple**

Yo tendré	Nosotros tendremos	Yo tendría	Nos tendríamos
Tú tendrás	Vosotros tendréis	Tú tendrías	Vostros tendríais
Él tendrá	Ellos tendrán	Él tendría	Ellos tendrían

6.ª — Cuando un verbo es irregular en el futuro de indicativo, lo es también en el potencial simple. Conjugue: *salir, valer, sobresalir.*

OBSERVACIONES: Estudiando lo expuesto anteriormente podemos derivar estas reglas:

1.ª — Hay tres raíces primitivas:

      1. — Raíz del *PRESENTE* de Indicativo.
      2. — Raíz del *PRETÉRITO* indefinido de Indicativo.
      3. — Raíz del *FUTURO* imperfecto de Indiactivo.

2.ª — De la 1.ª raíz se forman los demás presentes.
3.ª — De la 2.ª raíz se forman el pretérito y el futuro imperfecto de Subjuntivo
4.ª — De la 3.ª raíz se forma el potencial simple.

INFINITIVOS:	Presente de Indicativo:	Presente de Imperativo:	Presente de Subjuntivo:
POD-ER	*PUED*-o	*PUED*-e	*PUED*-a
PED-IR	*PID*-o	*PID*-e	*PID*-a

	P. indefinido de Indicativo:	P. imperfecto de Subjuntivo:		F. imperfecto de Subjuntivo:
POD-ER	*PUD*-e	*PUD*-iera	*PUD*-iese	*PUD*-iere
VEN-IR	*VIN*-e	*VIN*-iera	*VIN*-iese	*VIN*-iere

          Gerundio: *PUD*-iendo   *VIN*-iendo

	Futuro imperfecto de Indicativo	**Potencial simple**
SAL-IR	*SALDR*-é	*SALDR*-ía
DEC-IR	*DIR*-é	*DIR*-ía

EJERCICIOS. — ¿Cuáles son las formas de los verbos en que se presentan las irregularidades? — ¿Qué verbos irregulares tienen regulares sus presentes? — Cite cinco cambios de letras que no constituyan irregularidad. ¿Qué son las formas afines de los verbos irregulares y cuántas son? — De acuerdo con las formas afines, ¿cuáles son las raíces primitivas para formar las irregularidades? — Diga qué tiempos se forman con esas raíces. — Conjugue el presente de indicativo del verbo *mover* y diga cuáles son sus formas afines. — Conjugue el presente de indicativo del verbo *lucir* y diga cuáles son sus formas afines. — Conjugue el pretérito indefinido de indicativo del verbo *reducir* y diga en qué otros tiempos y formas tiene la misma irregularidad. Conjugue el potencial simple del verbo *valer* y diga cuáles son sus formas afines.

Lección 77

IRREGULARIDADES MAS FRECUENTES
CLASES DE VERBOS IRREGULARES

Irregularidades más frecuentes: Los cambios que sufren los verbos irregulares, tanto en la raíz como en la terminación, obedecen a principios generales de eufonía. Las irregularidades más frecuentes son:

1.ª — *Debilitación* de las vocales fuertes, *e, o,* en *i, u.* Ejemplos-pedir - pido; - morir - murió; venir - vino; dormir - durmió.

2.ª — *Diptongación* de la vocal tónica. Ejemplos: almorzar - almuerzo; dormir - duermo; perder - pierdo; herir - hiero.

3.ª — *Guturización,* que consiste en colocar una *c* fuerte o una *g* suave entre la raíz y la desinencia. Ejemplos: nacer (nazer) - nazco; traducir (traduzir) - traduzco; salir - salgo; asir - asgo; poner - pongo.

4. — *Admisión* de *y* eufónica entre la raíz y las vocales fuertes *o, e, a.* Ejemplos: hu-ir - huyo; arguir - arguya.
Admisión de *ig* como en ca-er - caigo; oír - oigo; traer: traigo.

5.ª — *Pérdida* de la *i* de la desinencia cuando la radical termina en *ll* o en *ñ.* Ejemplos: tañer - tañera; empeller - empellera; zambullir - zambullendo.

6.ª — *Pretérito llano* o *breve* que consiste en hacer breve o llana la primera y tercera personas del singular del pretérito de indicativo. Ejemplos: estuve, pudo, anduve, vino, tuve.

7.ª — *Contracción* del futuro y el potencial simple o cambio en ellos de la *e* o *i* de la desinencia en *d.* Ejemplos: Podré por poderé; habré por haberé; haré por haceré; podría por podería, haría por hacería; saldré por saliré. Algunos gramáticos lo llaman futuro mutilado.

8.ª — *Admisión* de *y* después de la desinencia: dar - doy, estar - estoy; ser - soy.

Las clases de verbos irregulares: Los verbos irregulares se dividen primeramente en dos grupos: los de *irregularidades comunes* y los de *irregularidades propias.*

212

Los verbos de *irregularidades comunes* se han dividido en varias clases. Hay gramáticos que los agrupan en trece clases, otros en ocho. La Academia los presenta en *doce clases*.

Primera clase: Es la de los que presentan la *diptongación* de la *e* en *ie* y sus irregularidades corresponden a la *primera forma afín*. Ejemplos:

acertar - ac*ie*rto   entender - ent*ie*ndo   querer - qu*ie*ro
discernir - disc*ie*rno   perder - p*ie*rdo   pensar - p*ie*nso

Segunda clase: Son los que presentan la *diptongación* de la *o* en *ue* y sus irregularidades también corresponden a la *primera forma afín*. Ejemplos:

contar - c*ue*nto   mover - m*ue*vo   soñar - s*ue*ño
probar - pr*ue*bo   sonar - s*ue*no   desosar - desh*ue*so

Tercera clase: Comprende los terminados en *acer, ecer, ocer lucir*. Admiten una *z* antes de la *c* del radical o *guturizan*, admitiendo una *c*: nacer - nazco. Sus irregularidades corresponden a la *segunda forma afín*. Ejemplos:

nacer - na*z*co   padecer - pade*z*co   conocer - cono*z*co
agradecer - agrade*z*co   lucir - lu*z*co   perecer - pere*z*co

Exceptúanse: *mecer y remecer,* que son regulares.
Cocer, placer y *escocer,* que son de la segunda clase.
Hacer, placer y *yacer,* que tienen irregularidades propias.
Los terminados en *ducir,* que pertenecen a la cuarta clase.

Observación: La Academia dice que admiten *z* antes de la radical cuando ésta tiene sonido fuerte.

EJERCICIOS. — Diga en qué consiste la irregularidad de estos verbos:

traducir   mover   salir   tañer   pedir   morir   ser   ir

Enumere los ocho cambios o irregularidades más frecuentes. — ¿Cómo se han agrupado los verbos irregulares castellanos? — Cite un verbo de la primera clase de los verbos irregulares y diga en qué consiste su irregularidad. — Cite un verbo de la segunda clase y diga en qué consiste su irregularidad. — Cite un verbo de la tercera clase y diga en qué consiste su irregularidad. — ¿Qué puede decir de los verbos *mecer* y *remecer*? — Conjugue todos los presentes del verbo *desosar*.

213

Lección 78

CONTINUACION DEL ESTUDIO DE LAS CLASES DE VERBOS IRREGULARES

Cuarta clase: Es la de todos los terminados en *ducir*. Presentan *guturización* o admisión de *c*; pérdida de la *i* de la terminación; cambio de la *c* por *j* y *pretérito llano*. Sus irregularidades corresponden a las *segunda y tercera formas afines*. Ejemplos:

traducir	— traduzco	— traduje —	tradujo	— tradujera
conducir	— conduzco	— conduje —	condujo	— condujese
inducir	— induzco	— induje —	indujo	— indujera

Quinta clase: Corresponde a los terminados en *añer, añir, iñir, uñir, eller* y *ullir*. Pierden la *i* de la desinencia y corresponden sus irregularidades a la *cuarta de las formas afines*. Ejemplos:

tañer	— tañó	— zambullese	— zambullendo
mullir	— mulló	— tañera	— tañendo
zambullir	— zambulló	— mullera	— mullendo

Sexta clase: Son los que presentan debilitación de la *e* en *i* y corresponden a la *quinta forma afín*. Pertenecen a esta clase el verbo *servir* y todos los terminados en *ebir* (concebir), *edir* (pedir) *egir* (regir), *eguir* (seguir), *enchir* (henchir), *endir* (rendir), *estir* (vestir), *etir* (repetir). Ejemplos:

medir	— mido	— midiera	— midiendo
servir	— sirvo	— sirviera	— sirviendo
vestir	— visto	— vistiera	— vistiendo
seguir	— sigo	— siguiese	— siguiere — siguiendo.

Séptima clase: Es la de los terminados en *eír* y *eñir*. Presentan también la debilitación de la *e* en *i* como los de la sexta clase y la pérdida de la *i* de la desinencia como los de la clase quinta. Corresponden sus irregularidades a la *cuarta* y *quinta formas afines*. Ejemplos:

```
reír   — rió  — riera  — riendo
teñir  — tiño — tiñese — tiñendo
ceñir  — ciño — ciñese — ciñendo
freír  — frío — friera — friendo
```

Octava clase: Comprende el verbo *hervir* y su compuesto *rehervir* y los terminados en *entir* (sentir), *erir* (herir) y *ertir* (advertir). *Diptongan* la *e* del radical en *ie* en los tiempos de la 1.ª forma afín y la debilita en *i* y en la cuarta de las formas afines, con la diferencia que la segunda irregularidad se extiende a la primera persona del plural del imperativo y a las dos primeras del plural del presente de subjuntivo. Ejemplos:

```
hervir — hiervo — hirvió — hirviera — hirviendo — hirvamos
sentir — siento — sintió — sintamos — sintiera — sintiendo
advierto — advirtió — advirtiera — advirtiendo — advirtamos
```

Novena clase: Comprende el verbo *jugar* y los terminados en *irir* como adquirir, inquirir. Admiten una *e* en el radical y corresponden a la *primera forma afín*. Ejemplos:

```
jugar - juego    adquirir - adquiero    inquirir - inquiero
```

Décima clase: Los terminados en *uir*, menos *inmiscuir* que es regular. Admiten una *y*, y pertenecen a la *primera forma afín*, pero su irregularidad se extiende a las dos primeras personas del plural del presente de subjuntivo.

```
huir - huyo    atribuir - atribuyamos    destruir - destruye
```

Undécima clase: Comprende los verbos *dormir* y *morir*. Tienen *diptongación* y *debilitación*. Corresponden a la primera y a la cuarta formas afines pero con los cambios que tienen los de la octava clase. Ejemplos:

```
dormir — duermo — durmiera — durmió — durmiere — durmiendo
morir  — muero  — murió    — muriese — muriendo — muerto
```

Duodécima clase: Comprende los verbos *valer* y *salir* y sus compuestos. Presentan *guturización;* pérdida de la *e* del imperativo (segunda persona del singular) y cambio de la vocal por *d* en el futuro y el potencial simple. Corresponden a la *segunda* y a la *sexta formas afines*. Ejemplos:

> valer — valgo — vale — valdré — valdría — valga
> salir — salgo — sal — salgamos — saldré — saldría
> equivaler — equivalgo — equivaldré — equivalga

EJERCICIOS. — Cite un verbo de la cuarta clase y diga en qué consiste su irregularidad. — Cite un verbo de la quinta clase y diga en qué consiste su irregularidad. — Cite un verbo de la séptima clase y diga en qué consiste su irregularidad. — Cite un verbo de la octava clase y diga en qué consiste su irregularidad. — Cite uno de la novena clase y diga su irregularidad. — Cite un ejemplo de la décima clase y diga su irregularidad. Cite un verbo de la undécima clase y diga en qué consiste su irregularidad. — Cite uno de la duodécima clase y explique su irregularidad. — Diga la segunda persona del singular del pretérito indicativo de los verbos:

traducir	*inducir*	*conducir*
reducir	*producir*	*reproaucir*

Conjugue los presentes del verbo *hervir*.

Lección 79

VERBOS DE IRREGULARIDADES PROPIAS

Llámanse verbos de irregularidades propias aquellos que no pueden agruparse en las doce clases citadas en la lección anterior porque sus cambios o alteraciones no son comunes a dichos verbos. El número de estos verbos de irregularidades propias es alrededor de 25. Tales son:

DE LA PRIMERA CONJUGACIÓN: *Andar — dar — estar.*

DE LA SEGUNDA CONJUGACIÓN: *Caber — caer — haber — hacer — placer — poder — poner — querer — saber — ser — traer — tener — ver* y *yacer.*

DE LA TERCERA CONJUGACIÓN: *Asir — decir — bendecir — erguir — ir — oír — pudrir* o *podrir — venir.*

A todos ellos se agregan los compuestos de algunos, tales como desandar, satisfacer, complacer, imponer, malquerer, distraer, desoír, convenir, prevenir, etc., etc.

Vamos a presentar las irregularidades de algunos de esos verbos especialmente de aquellos que ofrecen mayor dificultad:

Pretérito indefinido de Indicativo:

Anduve	Anduvimos
Anduviste	Anduvisteis
Anduvo	Anduvieron

Pretérito imperfecto de Subjuntivo:

Anduviera, anduviese	Anduviéramos. etc.
Anduvieras, anduvieses	Anduvierais, etc.
Anduviera, anduviese	Anduvieran, etc.

217

Futuro imperfecto de Subjuntivo:

Anduviere   anduvieres   anduviere
Anduviéremos   anduviereis   anduvieren

De la misma manera se conjuga su compuesto *desandar*.

DAR

Presente de Indicativo: Doy.
Pretérito indefinido de Indicativo: Di, diste, dio. Dimos, disteis, dieron.
Pretérito imperfecto de Subjuntivo: Diera, diese. Diéramos, diésemos, etcétera.
Futuro imperfecto de Subjuntivo: Diere, dieres, diere. Diéremos, etc.

CABER

Presente de Indicativo: Quepo.
Pretérito indefinido de Indicativo: Cupe, cupiste, cupo. Cupimos, cupisteis, cupieron.
Futuro imperfecto de Indicativo: Cabré, cabrás, cabrá. Cabremos, cabréis, cabrán.
Potencial simple: Cabría, cabrías, cabrían. Cabríamos, etc.
Imperativo: Quepa. Quepamos, quepan.
Presente de Subjuntivo: Quepa, quepas, quepa. Quepamos, etc.
Pretérito imperfecto de Subjuntivo: Cupiera o cupiese, cupieras, cupieses, cupiéramos, cupiésemos, etc.
Futuro imperfecto de Subjuntivo: Cupiere, cupieres, cupiere. Cupiéremos, etc.

CAER

Presente de Indicativo: Caigo.
Presente de Subjuntivo: Caiga, caigas, caiga. Caigamos, caigáis, caigan. caigan.
     Las formas *cayó, cayera, cayese, cayera,* no son irregulares. Lo mismo se conjugan sus compuestos, *decaer* y *recaer.*

HACER

Presente de Indicativo: Hago.
Pretérito indefinido: Hice, hiciste, hizo. Hicimos, hicisteis, hicieron.

Futuro imperfecto: Haré, harás, hará. Haremos, haréis, harán.
Potencial simple: Haría, harías, haría. Haríamos, etc.
Imperativo: Haz, haga. Hagamos, hagan.
Presente de Subjuntivo: Haga, hagas, haga. Hagamos, hagáis, hagan.
Pretérito imperfecto de Subjuntivo: Hiciera o hiciese, etc.
Futuro imperfecto de Subjuntivo: Hiciere, hicieres, etc.
Participio: Hecho.

Lo mismo se conjugan los compuestos *contrahacer, deshacer, satisfacer, rarefacer.* Estos dos últimos llevan *f* en vez de *h.*

EJERCICIOS. — ¿Qué son verbos de irregularidades propias? — Conjugue los tres presentes del verbo *caber.* — Diga las personas, números, tiempos y modos de estas voces:

        hagamos   hiciere   haréis   haz   hice   harías

Conjugue el pretérito indicativo del verbo *satisfacer.* — Cite seis formas, de distintos tiempos del verbo *caer* que sean regulares. — Conjugue el pretérito de subjuntivo del verbo *andar.* — Forme el verbo y el adjetivo de estos nombres:

        tósigo   paz   guerra   ansia
        verdad   vacilación   lectura   raíz

Lección 80

CONTINUACION DE LOS VERBOS DE IRREGULARIDADES PROPIAS
PLACER

Se puede conjugar como *nacer,* pero a veces adopta formas con los radicales *pleg* o *plug.* Ejemplos:

Pretérito de Indicativo: Terceras personas: Plugo o plació. Plugieron o placieron.

Presente de Subjuntivo: Tercera persona del singular: Plega, plegue o plazca.

Pretérito imperfecto de Subjuntivo: Tercera persona del singular: Pluguiera, pluguiese o placiese.

Futuro imperfecto de Subjuntivo: Tercera persona: Pluguiere o placiere.

Así se conjugan también sus compuestos: *complacer* y *desplacer.*

QUERER

Presente de Indicativo: Quiero, quieres, etc.
Pretérito indefinido: Quise, quisiste, etc.
Futuro imperfecto: Querré, querrás, querrá. Querremos, querréis, etc.
Potencial simple: Querría, querrías, etc.
Imperativo: Quiere, quiera, queramos, quered, quieran.
Pretérito imperfecto de Subjuntivo: Quisiera, quisiese, quisiéramos, quisiésemos, etc.
Futuro imperfecto de Subjuntivo: Quisiere, quisieres, etc.

Así se conjugan sus compuestos *bienquerer* y *malquerer.*

SABER

Presente de Indicativo: Sé. (Lleva acento diacrítico).
Pretérito indefinido: Supe, supiste, supo. Supimos, supisteis, supieron.

Futuro imperfecto de Indicativo: Sabré, sabrás, sabrá, sabremos, sabréis, sabrán.
Potencial simple: Sabría, sabrías, etc.
Imperativo: Sepa, sepamos, sepan.
Presente de Subjuntivo: Sepa, sepas, etc.
Pretérito imperfecto de Subjuntivo: Supiera, supieras, supiera, supiéremos, etc.
   Lo mismo se conjuga su compuesto *resaber.*
Futuro imperfecto de Subjuntivo: Supiere, supieres, supiere, supiéremos, etc.

YACER

Presente de Indicativo: Yazco, yazgo o yago.
Imperativo: Yaz o yace, yazca, yazga o yaga, yazcamos, yazgamos o yagamos, yazcan, yagan o yazgan.
Presente de Subjuntivo: Yazca, yazga o yaga, etc., etc.
   La forma *yazca* es la más usada.

ASIR

Presente de Indicativo: Asgo.
Imperativo: Asga, asgamos, asgan.
Presente de Subjuntivo: Asga, asgas, asga, asgamos, asgáis, asgan.

   Así se conjuga su compuesto *desasir.*

   Bendecir, maldecir, contradecir, predecir y otros compuestos de decir no siguen todas las irregularidades de éste. Tienen distintas formas en el Futuro imperfecto de Indicativo; en el Potencial simple y en el Imperativo. Ejemplos:

Futuro imperfecto de Indicativo: Bendeciré, bendecirás, bendecirá. Bendeciremos, bendeciréis, bendecirán.
Potencial simple: Bendeciría, bendecirías, bendeciría. Bendeciríamos, bendeciríais, bendecirían.
Imperativo: Bendice tú.
   Bendecir tiene como participios: *bendecido y bendito,* y *maldecir: maldecido y maldito.*

ERGUIR

Presente de indicativo: Irgo o yergo, irgues o yergues, irgue o yergue. Irguen o yerguen.
Pretérito indefinido de Indicativo: Irguió. Ir guieron.
Imperativo: Irgue o yergue; irga o yerga, Irgamos o yergamos, irgan o yergan.

Presente de Subjuntivo: Irga o yerga, irgas o yergas, etc.
Pretérito imperefcto de Subjuntivo: Irguiera o irguiese, etc.
Futuro imperfecto de Subjuntivo: Irguiere, irguieres, etc.
Gerundio: Irguiendo.

I R

Presente de Indicativo: Voy, vas, va, vamos, vais, van.
Pretérito imperfecto: Iba, ibas, iba, íbamos, íbais, iban.
Pretérito indefinido: Fui, fuiste, fue, fuimos, fuisteis, fueron.
Futuro imperfecto: Iré, irás, iremos, iréis, irán.
Potencial simple: Iría, irías, iría, iríamos, etc.
Imperativo: Ve, vaya, vayamos o vamos, id, vayan.
Presente de Subjuntivo: Vaya, vayas, vaya, vayamos, vayáis, vayan.
Pretérito imperfecto de Subjuntivo: Fuera, fuese, fueras o fueses.
Futuro imperfecto de Subjuntivo: Fuere, fueres, fuere, fuéremos, fue-
    reis, etc.
Gerundio: Yendo.

> *Pudrir o podrir:* Este verbo es regular en todas sus formas,
> excepto en el participio pasivo, *podrido.* En el Infinitivo se usa
> con *u* o con *o* indistintamente.

EJERCICIOS. — Diga la primera persona del singular del presente de
indicativo de los siguientes verbos:

asir	haber	valer	placer	desasir	huir
caber	saber	yacer	rehuir	satisfacer	erguir

Conjugue el futuro de indicativo de los verbos *bendecir* y *maldecir.*
Diga cuáles son los verbos empleados en el siguiente párrafo, si son
regulares y cuáles son sus accidentes.

> «El lenguaje, no solamente nos facilita los medios de comu-
> nicación con nuestros semejantes, sino que ejerce otra función
> más grandiosa: la de servirnos de instrumento en las operacio-
> nes de nuestra misma inteligencia y nuestra propia imaginación.
> Las voces son las alas de nuestros pensamientos. Sin la agencia
> de las palabras, los fenómenos de la mente carecerían de aire
> para su desarrollo. La lengua aumenta nuestra vista mental, fija
> las ideas y las imágenes, y las detiene para someterlas a cons-
> tante contemplación.»

COMPOSICIÓN: Hacer la descripción (retrato) de un patriota conocido
por la mayoría de los alumnos.
El *retrato* trata de las cualidades físicas y las morales.

Lección 81

EL PARTICIPIO Y EL GERUNDIO

EL PARTICIPIO: Examínense las palabras con caracteres cursivos en las siguientes frases:

Ella es una mujer *complaciente*.
Él quedó muy *complacido*.
Cuando me hayas *complacido*...

Tenemos agua *corriente*.
La cortina está *corrida*.
Ya he *corrido* bastante.

Hay muchos *aspirantes*.
Aire *aspirado* por la bomba.
Yo he *aspirado* a ese cargo.

Mira hacia el *poniente*.
Ya está *puesta* la mesa.
Él ha *puesto* su dinero.

Puede notarse que todas son derivadas de verbos, algunas tienen carácter de nombre, otras de adjetivos y las otras de verbos; participan, pues, de los valores de esas clases de partes de la oración; por eso decimos que el *participio* es el derivado verbal que tiene carácter de sustantivo o de adjetivo.

Entre los participios citados anteriormente hay algunos que denotan *acción*: corriente, complaciente, poniente, aspirante; estos son los llamados *participios activos* o de *presente*. Terminan en *ante, ente, iente*. Ejemplos: amante, componente, escribiente, teniente, ayudante, etcétera.

Otros expresan *pasión*, como corrido, complacido, aspirado; estos se llaman *participios pasivos* o de *pasado*. Terminan en *ado, ido*. Ejemplos: amado, cantado, temido, olido, salido, partido. Algunos adoptan una forma irregular y toman las terminaciones *to, so, cho*. Ejemplos: di*cho*, he*cho*, expre*so*, impre*so*, escri*to*, cubier*to*.

223

Hay verbos que tienen dos participios pasivos, uno regular y otro irregular. Ejemplos:

abstraer	—	abstraído	—	abstracto
atender	—	atendido	—	atento
bendecir	—	bendecido	—	bendito
concluir	—	concluido	—	concluso
confesar	—	cónfesado	—	confeso
confundir	—	confundido	—	confuso
elegir	—	elegido	—	electo
eximir	—	eximido	—	exento
expresar	—	expresado	—	expreso
suspender	—	suspendido	—	suspenso

El regular se usa en los tiempos compuestos: Yo he *elegido a* Juan.

Hay algunos que se usan indistintamente en las formas compuestas, así podemos decir: Yo he rompido o he roto. Él ha freído o ha frito. Él ha prendido o ha preso. Tú has proveído o provisto.

Hay algunos verbos como *obedecer* y *carecer*, que al formar el participio *activo*, pierden letras: *obediente, carente.*

Oficio de los participios: Ya vimos en los ejemplos anteriores que los *participios activos* pueden emplearse como *nombres* y como *adjetivos*. Algunos suelen usarse como *adverbios*.

Ejemplos:

Como nombres: Yo soy *estudiante.*   Llama al *escribiente.*

              Llegó el *teniente.*   Es un buen *cantante.*

Como adjetivos: Una bomba *aspirante.*   La parte *saliente*

              Dinero *contante y sonante.* Tono *suplicante.*

Como adverbios: Ya tengo *bastante.*   Trabajó *durante* una hora.

Los *participios pasivos* se emplean en la formación de los tiempos compuestos con los auxiliares *haber* y *ser.* Ejemplos: Yo he *salido.* Un cuadro ha sido *pintado* por mí. Ellos han *estudiado.* Fue *traído.* También con el auxiliar *estar:* Estaba *confundido.* Está *nombrado.*

Como adjetivos: Rosa *cortada.* Libro *leído.* Tecla *rota.*
Como nombres: El *partido* fue estupendo. Ese *dorado* es firme.

El gerundio: Es también un derivado verbal que tiene generalmente carácter de adverbio. Se forma con las terminaciones *ando,* *iendo.* Ejemplos: *cantando, rompiendo, huyendo, sufriendo, copiando, riendo,* etc.

El *gerundio* se emplea en la formación de los tiempos de acción progresiva: Yo estoy *escribiendo.* Ella estará *cantando.* Como puede notarse esos gerundios modifican la significación del verbo y por ello se dice que tienen *carácter adverbial* Véanse estos otros ejemplos: Tú andas *buscando* algo. Estoy *predicando* eso desde hace tiempo. Ellos iban *renegando.* Y bailábamos *cantando.*

Para que el *gerundio* esté empleado correctamente debe expresar una acción coetánea o coexistente con la significación del verbo a que se refiere, es decir, la acción del gerundio debe verificarse al propio tiempo que la del verbo, o bien, ser inmediatamente anterior a la del gerundio. Ejemplos: Ella viene *cantando.* Jesús, *abriendo* los brazos, se abalanzó hacia mí.

Están empleados incorrectamente, estos gerundios: Te envío una caja *conteniendo* los pañuelos. Recibí su carta *pidiéndome* los datos. Me leyó un trabajo, *describiendo* la batalla.

Sólo se emplean como *adjetivos,* los gerundios de los verbos *arder* y *hervir:* Una casa *ardiendo.* Se quemó con agua *hirviendo.*

EJERCICIOS. — ¿Qué es el participio? — Cómo se divide? — ¿Cuáles son las terminaciones de los participios activos? — ¿Qué oficios desempeñan los participios activos? — Forme los participios activos de los siguientes verbos y empléelos en oraciones:

tender	*ambular*	*oler*	*desinfectar*	*fumar*	*rugir*

¿Cuáles son las terminaciones de los participios pasivos regulares? — ¿Y las de los irregulares? — Diga el participio regular y el irregular de estos verbos:

dividir	*corregir*	*difundir*	*erigir*	*exceptuar*
extinguir	*torcer*	*soltar*	*presumir*	*incluir*

¿Qué es el gerundio? — ¿Cómo se forman los gerundios? — Diga los gerundios de los verbos:

caber	*caer*	*pedir*	*dormir*	*ir*
ver	*bullir*	*reír*	*poder*	*bruñir*
oír	*traer*	*erguir*	*morir*	*decir*

LECTURAS SUPLEMENTARIAS: El profesor recomendará la lectura de temas o trabajos de autores hispanoamericanos. Mediante el uso de preguntas hábiles, el profesor tratará de apreciar si se ha leído e interpretado lo indicado.

Asignar un tema a un alumno; el resto de la clase hará preguntas a este alumno y observará el empleo de los verbos y el uso correcto del gerundio.

Lección 82

ESTUDIO DEL ADVERBIO

El adverbio: La significación del verbo puede modificarse de varias maneras, mediante palabras y frases que se le agregan. Véanse estos ejemplos:

	bien		mucho
	mal		aquí
Regino estudió	fácilmente	Luis trabajó	demasiado
	ahora		después
	ayer		temprano

Como puede observarse, los verbos *estudió* y *trabajó* modifican notablemente su significación al agregársele ciertas voces que dan idea de lugar, de tiempo ,de modo, etc. Estas palabras modificadoras también se emplean para alterar la significación de los adjetivos y de los mismos adverbios. Ejemplos:

	muy			bastante	
Lorenzo es	demasiado	incorrecto	Luis trabaja	muy	bien
	sumamente			demasiado	

Esas palabras invariables que se juntan a un verbo, a un adjetivo o a un adverbio para modificar su significación, se llaman *adverbios*.

División del adverbio: Por su significación, los adverbios pueden dividirse en:

Adverbios de tiempo: hoy, ayer, mañana, ahora, antes, después, luego, tarde, temprano, presto, pronto, ya, nunca, jamás, aún, todavía, mientras, etc.

Adverbios de lugar: aquí, allí, allá, ahí, cerca, lejos, enfrente, dentro, fuera, arriba, abajo, detrás, encima, delante, etc.

Adverbios de cantidad: mucho poco, más, casi, bastante, tan, tanto, demasiado, nada, etc. También se llaman *adverbios de grado*.

Adverbios de afirmación: sí, cierto, ciertamente, realmente, verdaderamente, también, etc.

Adverbios de negación: no, nunca, tampoco, jamás, etc.

Adverbios de duda: quizá o quizás, tal vez, acaso, probablemente, posiblemente, etc.

Adverbios de modo: bien, mal, así, apenas, despacio, aprisa, adrede, aposta, buenamente, fácilmente, tranquilamente. Muchos adjetivos se convierten en adverbios de modo agregándoles la terminación *mente*: feamente, raramente, completamente, bravamente, etc.

De excepción: excepto, salvo, menos, etc.

De orden: primeramente, sucesivamente, posteriormente, últimamente, antes, detrás, delante, después, etc.

Obsérvese que los adverbios de lugar algunas veces se emplean como adverbios de orden; así pasa también con el adverbio de cantidad *menos* que puede ser de excepción: Todos saldrán *menos* él.

Adverbios interrogativos son los que preguntan por las circunstancias de lugar, modo, tiempo, etc.: ¿dónde?, ¿cuándo?, ¿cómo?, ¿cuánto? Ejemplos: ¿Dónde estamos? ¿Cuándo llegamos? ¿Cómo salimos? ¿Cuánto vale?

Adverbios relativos son los que se refieren o hacen relación a un antecedente, expresado o no, que indica lugar, tiempo o modo, etc. Ejemplos:

ANTECEDENTES:	ADVERBIOS RELATIVOS:	VERBOS:
Iremos al lugar	donde	él diga.
Lo haremos allí	cuando	tú lo mandes.
Escribiré así, del modo	como	ella lo indique.
Cantaré tanto	cuanto	se me pida.

Obsérvese la correlación que existe entre los adverbios interrogativos, los relativos y los adverbios de lugar, de tiempo y de modo.

EJERCICIOS. — Defina el adverbio. — Cite seis frases u oraciones en las que se emplean adverbios modificando a un verbo, a un adjetivo o a un adverbio. — Diga a qué clase pertenecen estos adverbios:

fácilmente	*acaso*	*tarde*	*quizás*	*jamás*
tanto	*excepto*	*gratamente*	*casi*	*después*

Emplee en frases u oraciones estos adverbios:

donde   gratis   adrede   inclusive   cuando   presto

Emplee la palabra *cerca* como nombre, como verbo y como adverbio. Use las palabras *tanto* y *cuanto*, como adjetivos y como adverbios.

COMPOSICIÓN: Escribir en oraciones numeradas, las ideas principales de un artículo, una selección, una obra.

Lección 83

LOS MODOS O FRASES ADVERBIALES
IDIOTISMOS

Modos adverbiales: Hay frases que hacen el mismo oficio que los adverbios y por ello se les llaman *frases adverbiales* o *modos adverbiales*. Veamos estos ejemplos:

> Ella viene *de noche*
> Él lo dice *de veras.*

> Tú escribes *de cuando en cuando.*
> Llegaremos *al anochecer.*

a diestro y siniestro	en balde	de improviso
a ojos de buen cubero	por alto	a sabiendas
a la chita callando	a tientas	a hurtadillas
a la buena de Dios	taz a taz	a troche y moche
de cuando en cuando	de pronto	a la moda
en un santiamén	en efecto	en el acto
sin más ni más	en fin	por mayor
de ningún modo	en el acto	por junto

Es muy frecuente el uso de los adverbios y modos adverbiales latinos. Véanse estos ejemplos:

Lo hizo *gratis.*
Lo escribió *exprofeso.*
Lee, *ínterin* llega.
Lo tocó *ad libitum* (a voluntad).
Murió *ab intestato* (sin hacer testamento).
Fue acordado *némine discrepante* (por unanimidad).
¿Me lo dirás — *Nequáquam* (de ningún modo).
Pagarás los anteriores meses y éste *inclusive.*
Parece difícil *prima facie* (a primera vista).
Fue hecho *ad hoc* (especialmente).
Y se realizó *incontinenti* (inmediatamente).
Lo sorprendieron *in fraganti* (en el acto).
Lo hizo *motu proprio* (espontáneamente).

Algunas observaciones sobre los adverbios: Hay adverbios que sufren *apócope*. Ejemplos: tanto, cuanto, quizás, entonces, lejos, mientras, donde. Veamos estos adverbios apocopados.

Tan difícil. ¡*Cuán* fácil! *Quizá* venga. *Recién* nacido. *Do* vayas. *doquiera* esté. *Entonces, lejos* y *mientras,* suelen perder la última letra cuando se usan en poesía.

Son anticuados los adverbios: allende, aquende, acullá, hogaño, antaño.

Muy es abreviación de *mucho* y además de emplearse en los grados superlativos de los adjetivos, a veces se emplea con nombres: *Muy* señor, *Muy* literato, *Muy* abogado.

Hay adverbios que toman la forma diminutiva: ahorita, cerquita. Algunos presentan grados como los adjetivos: muy mal, menos mal, tan mal.

Hay gramáticos que llaman a los adverbios de tiempo y de lugar, *adverbios demostrativos.*

Modismos o idiotismos son los modos de expresión propios o privativos de una lengua que suelen apartarse en algo de las reglas de la Sintaxis. Son locuciones de lenguaje o de estilo familiar. Muchas de las locuciones adverbiales citadas anteriormente constituyen verdaderos modismos. Los idiotismos son vulgarismos y no los desdeñan los escritores pulcros. Veamos algunos ejemplos de idiotismos castellanos:

A más ver — uno que otro — por fas o por nefas — a mata caballo — hacerse de pencas — cerrarse de campiña — a ojos vistas — no dar a uno una sed de agua — en un santiamén.

Busque esos idiotismos en el diccionario.

EJERCICIOS. — ¿Qué son modos adverbiales? — Emplee estas frases adverbiales en oraciones:

al revés — a las claras — en vilo — por arte de birlibirloque — némine discrepante — cálamo currente — ad líbitum — en un santiamén — ad hoc — a troche y moche.

Diga los adverbios y las frases adverbiales empleados en el siguiente párrafo:

«El hábito tiene a veces en los vicios más influjo que la perversidad del corazón; y de aquí es que muchos hombres, conociendo el mal que hacen, y aun arrepintiéndose de sus acciones, no pueden, sin embargo, contenerse, y vuelven a perpetrar lo mismo que poco antes detestaron.»

Derive de estos nombres, adjetivos y adverbios:

traición	*valor*	*mes*	*año*	*dolor*
halago	*afán*	*verdad*	*duda*	*fervor*

¿Qué son modismos o idiotismos? Cite cinco ejemplos.

COMPOSICIÓN: Redactar varias semblanzas de los alumnos, hechas por sus compañeros.

Lección 84

LA PREPOSICION

Examínense estas oraciones:

Julia llamó a *Luis*.
Se arrodilló *ante* el altar.
Vivo *cabe* la montaña.
Él está *bajo* tus órdenes.
Vino *con* sombrero.
Se fue *contra* el muro.
Vino *desde* Maracaibo.
La casa *de* Jaime.
Estuvo *en* casa.
Nadaba *entre* dos aguas.

Voy *hacia* el sur.
Él luchará *hasta* vencer.
Lo traje *para* ti.
Iba *por* la acera.
Lo haré *según* convenga.
Estaba *sin* zapatos.
Se prohibió *so* pena de castigo.
Ponlo *sobre* la mesa.
Ella iba *tras* el carro.

Como puede observarse, las palabras con caracteres cursivos sirven para establecer una relación entre dos palabras, un nombre con otro nombre: casa *de* madera; un adjetivo con un nombre: contento *con* el trabajo; un verbo con un nombre: voy *hacia* casa; etcétera. Sirven de nexo a los complementos. Estas palabras invariables que establecen una relación entre dos ideas o palabras, se llaman *preposiciones*.

División: Hay preposiciones propias o separables; preposiciones impropias o inseparables y frases preposicionales.

Las *preposiciones propias* o *separables* son las enunciadas en los ejemplos anteriores: a, ante, bajo, cabe, con, contra, de, desde, en, entre, hacia, hasta, para, por, según, sin, so, sobre, tras.

Las *preposiciones impropias* o *inseparables* son verdaderos prefijos que se anteponen a las palabras para formar compuestos. Ejemplos: adolorido, antedicho, contrarrestar, deformar, sobretodo, sinsabor, parabrisa, traspunte, entreacto, pordiosero, etc.

Las *frases preposicionales* son las que hacen el oficio de preposiciones. Ejemplos:

Fue *en dirección* a la playa (hacia).
Estaba *junto* a la orilla (por, cabe).
Lo hará *por encima de* todas las dificultades (sobre).
Y murió *a causa* de la explosión (por).

Hay otras preposiciones, verdaderos prefijos, que proceden del latín y del griego, que se anteponen a las palabras para la formación de compuestos. Ejemplos: ab, ad, anti, ana, circum, peri, epi, ex, in, inter, per, pre, re, retro, sub, super, infra, bi, dis, día; etcétera. Ya estudiadas en la Lección 11.ª

El sentido o significación de las preposiciones puede variar según su empleo. Ejemplo: La preposición *de* puede indicar:

Posesión: Lápiz *de* Luis. *Procedencia*: Vengo *de* casa. *Materia*: Caja *de* hierro. *Tiempo*: Es *de* noche. *Modo*: Los conocen *de* nombre; lo sé *de* memoria.

EJERCICIOS. — ¿Qué es preposición? — ¿Cómo se dividen las preposiciones? — Cite todas las preposiciones propias o separables. Emplee, en frases u oraciones, cada una de esas preposiciones. — Cite ocho palabras que lleven preposiciones inseparables. — Cite las dos contracciones que se forman con el artículo *el* y las preposiciones *a* y *de*. — Diga cuáles son las preposiciones empleadas en este párrafo y cuáles son los términos que enlazan:

»Así como la naturaleza necesita de tiempo y cataclismos para desarrollarse y perfeccionarse, así la humanidad (duro es apuntarlo) ha de pasar por los mismos trámites para su elaboración y mejoramiento.»

Diga la distinta significación que tienen estas expresiones, según vayan con preposición o sin ella:

Dar un perro.	Ella debe pagar hoy.	Perder un amigo.
Dar a un perro.	Ella debe de pagar hoy.	Perder a un amigo.
Salió director.	Lo mandó castigar.	
Salió de director.	Lo mandó a castigar.	

Lección 85

ESTUDIO DE LAS CONJUNCIONES

LA CONJUNCIÓN: Compárense estas oraciones:

Los niños están sin zapatos. Los niños están sin sombreros.

Los niños están sin zapatos y sin sombreros.

Juan sabrá mucho.   Juan estudia bastante.

Juan sabrá mucho *porque* estudia bastante.

Nosotros iremos al teatro.   Ellos nos dan el dinero.

Nosotros iremos al teatro, *pues* ellos nos dan el dinero.

Las oraciones sueltas han sido enlazadas por las palabras: *y porque* y *pues*. Las palabras que sirven para enlazar dos o más palabras u oraciones se llaman *conjunciones*.

Función de las conjunciones: Son los elementos esenciales en la coordinación y la subordinación de las oraciones compuestas. Son *conjunciones de coordinación*, las que unen oraciones independientes entre sí. Generalmente hacen ese oficio, las llamadas copulativas, disyuntivas, adversativas, continuativas o ilativas. Son *conjunciones de subordinación*, las que enlazan oraciones dependientes o subordinadas, con oficio de complemento, tales son las llamadas causales, condicionales comparativas, finales, temporales, modales y la copulativa que. En las lecciones sobre las oraciones coordinadas se ampliarán estos conceptos.

Por su sentido o significación, las conjunciones se dividen en *copulativas, disyuntivas, adversativas, condicionales, causales, continuativas, comparativas, finales* e *ilativas*.

Conjunciones copulativas son las que enlazan simplemente las oraciones. Las principales son: *y, e, ni, que.* Ejemplos: Él fue a casa *y* tú fuiste al teatro. María borda *e* Ignacio canta. *Ni* tú *ni* él saben lo *que* sucedió. Lo harás tú *que* no ella.

234

Conjunciones disyuntivas son las que expresan diferencia, separación o alternativa. La más usada es *o*. También se emplean *ora, ahora, ya que*. Ejemplos: Juan *o* Enrique irán. María *u* Orosio leerán. *Ahora* como hombre, *ahora* como subalterno, me niego. *Ora* en la escuela, *ora* en la casa se comporta correctamente. *Ya* en el campo, *ya* en la ciudad, se hace necesario. *Que* quieras o *que* no quieras, tendrás que hacerlo.

Conjunciones adversativas son las que expresan contrariedad. Las principales son: *mas, pero, empero, aunque, sino, sin embargo, antes bien*, etc. Ejemplos: Quise obtenerlo, *mas* me fue imposible. Él trabajó, *pero* no pudo cobrar. No fue él, *sino* Jesús. Tú eres inteligente, *aunque* un poco vago. Él lo sabía, *sin embargo*, no pudo decirlo.

Conjunciones condicionales son las que establecen una condición: *si, como, con tal que, siempre que, ya que, dado que*, etc. Ejemplos: *Si* lo deseas, cógelo. Lo conseguirás *con tal que lo* gestiones. Te lo quitaré *como* me fastidies mucho. Tendré que ceder, *dado que* él lo solicite. Te complaceré, *siempre que* tú me complazcas también.

Conjunciones causales son las que expresan causa, razón o motivo: *porque, pues, pues que, supuesto que, una vez que*, etc. Ejemplos: Lo hizo *porque* quiso. Me iré, *pues* no me entiendes. Devuélveme el dinero, *supuesto que* ya cobraste. Se fue *una vez que* lo consiguió.

Conjunciones continuativas indican continuidad: *pues, así que, conque, asimismo, ahora bien*, etc. Ejemplos: *Asimismo* los que no asistieron, pagarán. Te decía, *pues*, que ella llegó ayer. *¿Conque* tú eras el que llamabas? *Ahora bien*, como tú no podrás ir, déjame que yo vaya.

Conjunciones comparativas son las que expresan comparación: *como, así, así como, así que, cual*. Ejemplos: Tan bueno *como* su padre. *Así como* engañó a Luis, te engañará a ti. Ligero *cual* una pluma.

Conjunciones finales son las que expresan una finalidad: *para que, a fin de que*. Ejemplos: Ella vino *a que* le prestara mi libro. Lo llamo *a fin de que* me informe sobre lo ocurrido.

Conjunciones ilativas o **consecutivas** son las que indican una deducción o consecuencia: *conque, luego, pues, por consiguiente, por tanto, por lo tanto*, etc. Ejemplos: Nos amenazan, *conque* a prepararse. Ella gana bastante, *por consiguiente*, podrá pagar. Él está enfermo, *por lo tanto* no podrá concurrir.

Conjunciones concesivas son las que expresan concesión: «aunque, «aun cuando», «por más que», «a pesar de que», etc. Ejemplos: «*Aunque* te empeñes no saldrás». «Quisiera ir al teatro, *aun cuando* no tengo el permiso». «*Por más* que quiero entenderlo, no me es posible». «No eres gracioso, *a pesar de que* te lo propones».

Lo mismo que sucede con los adverbios y las preposiciones existen frases o locuciones que hacen el oficio de conjunciones y reciben el nombre de *modos conjuntivos*. Ejemplos: *sin embargo, no obstante, a fin de que, por consiguiente, por lo tanto, para que, en consecuencia,* etc.

Asíndeton y polisíndeton: En el lenguaje literario, para dar elegancia a la expresión, muchas veces se omite la conjunción aplicándose la figura llamada *asíndeton*, de *a*-sin y *síndeton* - conjunción. Ejemplos de asíndeton:

Un no rompido sueño,
un día puro, alegre, libre quiero.

FRAY LUIS DE LEÓN.

El alma libre, generosa, fuerte,
viene, te ve, se asombra.

JOSÉ M. HEREDIA.

Por el contrario, cuando se repite la conjunción para dar belleza y armonía a la expresión, se aplica la *polisíndeton, de poli* — mucho y *síndeton* — conjunción. Ejemplos de polisíndeton:

Cual pensamiento rápidas pasando.
Chocan *y* se enfurecen.
Y otras mil *y* otras mil ya las alcanzan,
Y entre espuma *y* fragor desaparecen.
Ni canta, *ni* ríe, *ni* llora, *ni* habla... HEREDIA.

EJERCICIOS. — ¿Para qué sirven las conjunciones? — Emplee estas conjunciones y diga a qué clase pertenecen: *pues, ni porque, si, sino, pero, conque, que, como, aunque, o, ora.* — Cite cuatro modos conjuntivos y empléelos. — Diga cuáles son las conjunciones empleadas en este párrafo y a qué clase pertenecen:

»Mi más ferviente anhelo es que la ciencia y las letras se difundan tanto en mi país que formen como una atmósfera social; que mis conciudadanos respiren por todas partes el aire de la civilización y que sobrevenga por fin el reinado de paz, dicha y gloria a que está llamado, por índole y por suerte, un pueblo tan espiritual como Venezuela.»

CECILIO ACOSTA.

Diga qué son la asíndeton y la polisíndeton.
Dé ejemplos de esas figuras.

Lección 86

ESTUDIO DE LAS INTERJECCIONES

La interjección: Hay expresiones y frases que sirven para dar a conocer el estado de ánimo, expresando y alegría, ya tristeza, asombro, dolor, etc. Veamos estos ejemplos:

> ¡Hurra! ¡Valientes soldados!
> ¡Ah! ¡Qué atrocidad!
> ¡Hola! ¡Qué alegría!
> ¡Ojalá se ponga bien!
> ¡Diantre! ¡Qué bárbaro es!

Las interjecciones, más bien que partes de la oración, se consideran oraciones implícitas que no guardan relación con las otras palabras. Cuando decimos *¡Ay!*, expresamos con esa sola palabra, la oración: *siento mucho dolor.* Si decimos *¡Ojalá!*, queremos expresar: *tengo vivos deseos de que suceda* (quiera Dios). De modo que muy bien podemos decir que las interjecciones no son partes de la oración, sino partes del discurso.

Sus clases: Hay interjecciones propias, impropias y modos o locuciones interjectivos.

Son *interjecciones propias* las que siempre tienen el oficio de la interjección, es decir, no tienen otro valor gramatical. Ejemplos:

¡ay! — ¡ah! — ¡oh! — ¡eh! — ¡ojalá! — ¡hola! — ¡bah! — ¡quiá! — ¡uf! — ¡huy! — ¡caramba! — ¡ea! — ¡zape! — ¡zas! etc.

Son *interjecciones impropias* las que siendo otra parte de la oración hacen el oficio de interjecciones. Ejemplos: ¡viva! — ¡muera! ¡abajo! — ¡alerta! — ¡vaya! — ¡arriba! — ¡ojo! — ¡cuidado!

Son *modos* o *locuciones interjectivas* los formados por varias palabras. Ejemplos: ¡dale que dale! — ¡Ave María! — ¡Ay de mí! — ¡Oh dolor! — ¡mal haya! — ¡válgame Dios! — ¡bendito sea Dios! — ¡qué tal! — ¡bien va!

EJERCICIOS. — ¿Qué es interjección? — ¿Cómo se divide? — Emplee estas interjecciones:

¡Ojalá! ¡Oh! ¡Bah! ¡Arriba! ¡Alerta! ¡Alabado sea Dios!

¿Por qué la interjección no debe considerarse como parte de la oración? — Enumere las distintas clases de partes de la oración .— Diga los adverbios, preposiciones, conjunciones e interjecciones que se han empleado en estas oraciones:

Hoy no recibirán a las visitas sino a las delegaciones especiales .— Para ti no hay regalos porque no los mereces. — ¡Hola! ¿Por dónde estabas? — ¡Diablo! Has tardado tanto que ya no te esperábamos.

COMPOSICIÓN: Redacte una carta de felicitación a un amigo por haber obtenido una beca de estudios.

Lección 87

EL ANÁLISIS ANALÓGICO

Analizar equivale a descomponer; así analizar una oración desde el punto de vista analógico, es descomponerla en sus partes para determinar las características de cada una de ellas. Recordemos que la Analogía estudia las palabras que componen o integran la oración señalando su valor, sus accidentes, su morfología, sus acepciones. Cuando practicamos el análisis de una oración en el aspecto analógico determinamos qué clase de parte de la oración es cada una de sus palabras integrantes, cuáles son sus accidentes y sus detalles morfológicos.

Veamos este ejemplo: Análisis analógico de la oración.

«El niñito cogió una piedra»

Ésta es una oración compuesta de cinco palabras:

EL   es un artículo determinante. Está usado en género masculino y en número singular.

NIÑITO   *es* un nombre común, simple, concreto, derivado, diminutivo. Está en género masculino por propiedad y en número singular.

COGIÓ   es una voz verbal del verbo de la segunda conjugación *coger*. Es un verbo transitivo, regular, atributivo, simple y completo. Está empleado en el Modo Indicativo, en voz activa y es la forma de la tercera persona del singular del pretérito indefinido.

UNA   es un artículo indeterminante. Está en singular y en género femenino.

PIEDRA es un nombre común, concreto, simple y primitivo. Usado en singular y su género es femenino por atributo.

Observaciones: Cuando analizamos un *nombre* o *sustantivo* diremos si es común o propio, concreto o abstracto, simple, compuesto o parasintético, primitivo, derivado o biderivado; aumentativo o diminutivo, numeral, colectivo, despectivo, patronímico, etc. Después explicaremos su género y su número.

Si es un *artículo*, diremos primeramente si es determinante o indeterminante, y después su género y número.

En el *adjetivo*, si es calificativo o determinativo, si es de una o de dos terminaciones, simple o compuesto, primitivo o derivado, despectivo, apocopado, gentilicio, etc. Indicaremos también en el grado en que está empleado: positivo, comparativo o superlativo. Y si fuera numeral, si es cardinal, ordinal, partitivo o proporcional. Y por último explicaremos el género y el número.

Al analizar el *verbo* diremos primeramente si es transitivo o intransitivo, reflexivo o recíproco, atributivo o copulativo, completo o defectivo, impersonal, auxiliar, simple o compuesto, primitivo o derivado, regular o irregular, etc. Se dirá, además, la conjugación a que pertenece y sus accidentes: la voz, el modo, el tiempo, el número y la persona.

Los derivados verbales: *participios* y *gerundios* se explicarán diciendo de qué verbos provienen y el oficio que realizan.

En los *pronombres* se dirá la clase a que pertenecen: personales, demostrativos, posesivos, relativos, interrogativos, indeterminados, etcétera, así como sus accidentes.

De las partes invariables: *adverbio, preposición* y *conjunción*, se dirá la clase a que pertenecen y se explicarán también las locuciones o modos que tengan el carácter de esas partes invariables. Asimismo se hará con la *interjección*.

Estúdiese este modelo:

> *«Ella no vendrá hoy porque está haciendo un
> trabajo muy importante».*

ELLA   es un pronombre personal, corresponde a la tercera persona del singular y es del género femenino.

NO   es un adverbio de negación, modifica la significación del verbo *vendrá*.

VENDRÁ es un verbo atributivo, simple, primitivo, intransitivo, irregular, completo y pertenece a la tercera conjugación porque su infinitivo es *venir*. Sus accidentes son: voz activa; modo indicativo; tiempo futuro imperfecto; tercera persona del número singular.

HOY es un adverbio de tiempo que modifica al verbo *vendrá*.

PORQUE es una conjunción causal que está enlazando las dos oraciones.

ESTÁ es un verbo copulativo, auxiliar, simple y primitivo, completo y de estado. Con el verbo *hacer* está formando la acción progresiva en el tiempo presente del Modo Indicativo; su forma es la de la tercera persona del singular.

HACIENDO es el gerundio del verbo *hacer,* está componiendo con el auxiliar *está,* la forma de acción progresiva. El gerundio es una voz verbal que corresponde al Modo Infinitivo.

UN es un artículo indeterminante; está en singular y en género masculino, articula con el nombre *trabajo.*

TRABAJO es un nombre común, derivado del verbo *trabajar;* simple, masculino y en número singular.

MUY es un adverbio de cantidad que está modificando la significación del adjetivo importante, expresando su grado superlativo.

IMPORTANTE es un adjetivo calificativo de una sola terminación; derivado del verbo *importar*: es la forma del participio activo. Viene a ser un parasintético puesto que es un derivado del compuesto *importar.* Está en género masculino y número singular empleado en grado superlativo absoluto.

EJERCICIOS. — ¿De qué trata la Analogía? — ¿Qué es analizar analógicamente una oración? — Haga el análisis analógico de esta oración: *Nosotros vinimos ayer para invitar a los niños huérfanos de ese asilo.*

Forme los verbos y adjetivos de estos nombres:

| *análisis* | *cocina* | *caballo* | *atribución* | *sociedad* |

Diga el nombre y el adjetivo de estos verbos

| *civilizar* | *errar* | *incorporar* | *apetecer* | *apiadar* |

Diga el nombre y el verbo de estos adjetivos:

| *cierto* | *vital* | *lateral* | *literal* | *preventivo* |

241

Lección 88

LOS ELEMENTOS DE LA ORACIÓN. LA SINTAXIS

En la Lección 2.ª se dijo que expresamos nuestros pensamientos por medio de oraciones; en la Lección 3.ª se citaron y explicaron los principales elementos de una oración. Vamos a estudiar ahora las distintas características de todos los elementos de la oración, así como sus relaciones entre sí. La parte de la Gramática que estudia el enlace de los elementos de la oración y la composición de las oraciones para formar las cláusulas y los párrafos se llama *Sintaxis*. La etimología de la palabra *sintaxis es: sin* (con) y *taxis* (orden). Es innegable que el estudio de la Sintaxis tiene gran importancia para la Composición, ya que ella nos da las reglas fundamentales de la coordinación de las palabras, las frases y las oraciones.

Recordemos que los dos elementos principales de una oración son el *sujeto* y el *predicado*. Véase esta oración:

Jacinto escribe una carta.

En esta oración se habla de *Jacinto* y de él se dice que *escribe una carta.* La persona o cosa de quien se dice algo en una oración es el sujeto, y lo que se dice del sujeto es el predicado. Por consiguiente en la anterior oración el sujeto es *Jacinto* y el predicado, *escribe una carta.*

Obsérvense ahora los verbos de estas oraciones:

Ricardo *canta.*   Lucía *es* estudiosa.
El caballo *corre.*   Los alumnos *estaban animosos.*

En las dos primeras, los verbos *canta* y *corre* constituyen el predicado de esas oraciones, por eso se llaman *predicados verbales.*

En las otras dos oraciones, los verbos, *es* y *estaban,* sólo han servido de cópula o enlace entre el sujeto y las cualidades que se atribuyen al sujeto, son *verbos copulativos,* y los verdaderos predicados son *estudiosa* y *animosos.* Estos predicados que se refieren al sujeto sin ser verbos, se llaman *predicados subjetivos* o *predicados nomina les*. También se le llama *atributo subjetivo* al predicado nominal.

Hay gramáticos que analizan las oraciones de verbo copulativo, de esta manera: Luis es bondadoso. *Sujeto*: Luis; *predicado*: es bondadoso; formado por el verbo copulativo *es* y el atributo subjetivo, *bondadoso*.

Distintas formas del sujeto: El sujeto generalmente es un nombre o sustantivo; puede ser también una palabra sustantivada o un grupo de palabras que tienen el carácter o valor de un sustantivo.

Estúdiense estas oraciones:

SUJETOS	CÓPULAS	PREDICADOS
Rafael (sustantivo)	fue	farmacéutico (subjetivo)
Las aves marinas (una frase)	es	ventajoso (subjetivo)
Trabajar (verbo)		pelearon (verbal)
Ellos (pronombre)		viajarán (verbal)
Que paguemos (una oración)	es	su deseo (subjetivo)
Lo bueno (un adjetivo)	es	deseado (subjetivo)

Sujetos simples y compuestos: *Yo* camino. *Los peces* son acuáticos. *La enseñanza moderna* desarrolla la inteligencia. Las palabras con caracetres cursivos en esas oraciones constituyen sus sujetos. Son *sujetos simples* porque están representados por un solo ser o cosa.

Ella y *tú* cantaréis esta noche. *Jaime* y *Alfredo* se aprecian. Los sujetos de estas dos últimas oraciones están representados por varios seres distintos; por eso se llaman *sujetos compuestos*. Las oraciones de sujeto compuesto pueden descomponerse en tantas oraciones como elementos tenga el sujeto. Los mismos caracteres presentan los predicados simples y compuestos.

Sujeto complejo es aquel que está representado por varias palabras que constituyen una frase u oración: *La niña nómbrada Luisa*

243

Pérez obtuvo el premio. *El hombre de quien te hablé anoche* falleció esta mañana. Las palabras con caracteres cursivos son los sujetos complejos.

Ejemplos de *predicados compuestos*: Las horas *vienen* y *van*. Yo *vendí la casa que compré el año pasado.*

Omisión del sujeto: En las oraciones: «Cantaremos mucho» «Llegan a la cerca».«Salid inmediatamente», se han omitido los sujetos porque se sobrentienden, gracias a la desinencia del verbo que expresa la persona. Estas oraciones se llaman oraciones de sujeto *elíptico* o *tácito*.

Sujeto indeterminado y verbos impersonales: «Se dice que habrá frío». «Llaman a la puerta». «Se anuncia un ciclón». En las anteriores oraciones los sujetos no están expresados claramente sino en una forma indeterminada e imprecisa. A estos sujetos sobreentendidos se les llama *sujetos indeterminados*.

Hay oraciones en las que no se puede enunciar el sujeto porque sus verbos son *impersonales*. Veamos estos ejemplos: Llueve a cántaros. Ayer nevó.

Relación entre el sujeto y el verbo: Sería disparatado construir estas oraciones así:

Los pájaros vuela.   Ellos eres atento.   Yo lavéis el plato.
Lo correcto es:

Los pájaros vuelan.   Ellos son atentos.   Yo lavé el plato.

Cada sujeto debe corresponder a la persona gramatical empleada, así como al número. En la primera oración: «Los pájaros vuelan» el sujeto está en la tercera persona del plural y el verbo aparece también en esos mismos accidentes. A la conformidad de accidentes gramaticales entre las palabras, se llama *concordancia*.

El sujeto y el verbo concuerdan en número y persona.

Colocación del sujeto: Véanse estas oraciones:

Desesperado estaba *el enfermo*.
Llegaron *los excursionistas*.
Era *ella* bondadosa.

244

Como puede notarse, el sujeto ocupa distintos lugares en esas oraciones. La Gramática autoriza esa trasposición del sujeto para dar más elegancia a la expresión.

La Sintaxis le llama *hipérbaton* a esta licencia o figura.

EJERCICIOS. — ¿Qué es la Sintaxis? — ¿Cuál es la etimología de la palabra sintaxis? — Diga cuáles son los sujetos y los predicados de estas oraciones y la clase de predicado: Isidoro llamó. Los soldados saldrán. Ella es rubia. Ustedes estaban aburridos.
Construya seis oraciones con sujetos de una sola palabra, de una frase y de una oración. — ¿Qué son sujetos simples? Ponga un ejemplo. — ¿Qué son sujetos compuestos? Ponga un ejemplo. — ¿Qué es sujeto complejo? Ponga un ejemplo. — Cite tres oraciones en las que el sujeto esté elíptico. Cite tres oraciones que carezcan de sujeto. — ¿Cómo concuerdan el sujeto y el verbo? — Diga cuáles son los sujetos de estas oraciones: Ayer falleció el herido. Saldrán por la mañana. Salió ella del hospital. Los del automóvil gris huyeron. Mañana será domingo. Domingo vendrá mañana.

Lección 89

LOS COMPLEMENTOS

Véanse estas oraciones:

1.— Ernesto compró.   2.— El hijo estudia.
    Ernesto compró un *libro*.   El hijo *de Juan* estudia.

Ella compró *un libro para la sobrina de Inés*.

En las oraciones marcadas con los números 1 y 2 solamente se expresa el sujeto con el predicado verbal; en ellas el pensamiento se ha expresado en una forma incompleta. En las otras oraciones se han empleado varias palabras para completar la idea del sujeto o del predicado. Las palabras que completan la significación de los elementos de la oración, se llaman *complementos*.

Clases de complementos: La máquina *de tu padre* es nueva.

En esta oración se ha empleado el complemento *de tu padre* para determinar al sujeto *la máquina*.

Él recibió *una carta*. En esta oración la frase *una carta* ha servido para completar la significación del predicado *recibió*.

Él escribió una carta *para su hermano*. Aquí se ha completado aún más el predicado con el complemento para *su hermano*.

El sacerdote vive *tranquilo*. En esta oración la palabra *tranquilo* completa la idea del sujeto *sacerdote* con carácter de adjetivo y completa también la idea del verbo *vive* con carácter de adverbio.

Por consiguiente, vemos que hay complementos del sujeto, complementos del predicado y complementos de ambos a la vez.

División de los complementos por su significación: Véanse estos ejemplos:

La casa *de Luis* es fresca. Una casa *de madera* está cerrada.

El complemento *de Luis* indica el *poseedor* o *dueño* de *la* casa.

246

El complemento *de madera*, indica la materia o sustancia con que está hecha la casa. Esos complementos se llaman de *genitivo* y siempre se componen con la preposición *de*. Cuando expresa posesión se llama *genitivo de propiedad* y cuando expresa la sustancia, *genitivo de material*. La Sintaxis llama *caso genitivo* al complemento de genitivo.

Examínense estas oraciones:

María llamó a *Luis*.   El gato bebió la *leche*.

En la primera oración la acción del verbo transitivo *llamó* recae directamente sobre *Luis*. En la segunda oración la acción del verbo recae directamente sobre *la leche*. Las palabras que constituyen el término directo de la acción del verbo transitivo, se llaman *complemento directo*. El complemento directo cuando se refiere a persona lleva la preposición *a*, y cuando se refiere a una cosa, carece de preposición. Véanse estos otros ejemplos de complementos directos:

Yo saludé a *Ricardo*.   La niña cogió *una rosa*.
Benito quiere a *su hermano*.   Ella limpia *la pared*.

La Sintaxis llama *caso acusativo* al *complemento directo*.

Algunos verbos intransitivos llevan un complemento, al parecer directo, formado por una palabra de la propia derivación del verbo o de significado análogo a él, pero, sobre todo en el primer caso esta palabra casi siempre va modificada, esto es, lleva complementos. Ejemplos: Yo he vivido *una vida* de pesadumbres. Él murió *la muerte* de los justos. Tú peleaste *una pelea* de héroes.

Ese complemento se conoce gramaticalmente por *acusativo interno* o *cognato*.

Véanse estas oraciones:

Yo compré un libro *para Luis*.   Llevé flores *a María*.

En estas oraciones se observa que después del complemento directo se ha agregado otro que viene a ser el *término indirecto* de la acción del verbo. Éstos son los llamados *complementos indirectos*. Siempre se construyen con las preposiciones *a* o *para*.

Véanse estos otros ejemplos de complementos indirectos:

Le recité unas poesías *a mi mamá.*
Compuse una carta *para tu tía.*
Ella hizo varios dulces *para Hortensia.*

EJERCICIOS. — ¿Qué son los complementos? — ¿A qué elementos de la oración se agregan los complementos? — ¿Cuál es el complemento de genitivo y cómo se divide? — ¿Cuál es el complemento directo? — ¿Cuál es el complemento indirecto? — ¿Qué preposiciones se emplean para construir los complementos de genitivo, directo e indirecto? — ¿En qué caso están esos complementos? — ¿Cómo ha de ser el verbo en las oraciones de complemento directo? — Diga cuáles son los complementos de estas oraciones y a qué clase pertenecen: Alberto rompió la caja de cartón. Inés cosió un vestido para Enriqueta. El padre de Jaime compuso el reloj. Le llevaron a Luisa su vestido nuevo. Regino vendió un libro.

Lección 90

EL COMPLEMENTO CIRCUNSTANCIAL
LA DECLINACIÓN

La Sintaxis llama *caso dativo* al *complemento indirecto*.

Examínense estas oraciones:

Sabino compró un libro para Inés *en esa librería*.

Ella vino *por ti*.

Conrado andaba *sin sombrero*.

Leonor corría *hacia el parque*.

Ella caminaba *de puntillas*.

Tú trajiste una libreta *con forro nuevo*.

Él se divertía *en el teatro*.

Nosotros nos paseábamos *tranquilamente*.

Ellos llegaron *anteayer*.

Nos escribió *desde Puerto Rico*.

Todos los complementos escritos con caracteres cursivos indican algunas circunstancias que acompañan a la acción del verbo, ya sea el tiempo, el modo, la dirección, la causa, etc. Casi todos esos complementos están construidos con alguna preposición, excepto aquellos que tienen el carácter adverbial. Obsérvese además, que a ninguno puede considerárse e como término directo o indirecto de la acción del verbo. Todos ellos son *complementos circunstanciales*.

La Sintaxis llama *caso ablativo* al *complemento circunstancial*.

Analicemos esta oración: El hermano de Luis trajo un perro para Jacinto desde la montaña.

El sujeto de esta oración es *El hermano de Luis* y el predicado compuesto es *trajo un perro para Jacinto desde la montaña.*

El sujeto *hermano* tiene el complemento de genitivo *de Luis.*

El predicado está compuesto del verbo *trajo,* y de los complementos: *un perro* (directo), *para Jacinto* (indirecto) y *desde la montaña* (circunstancial).

También podemos decir que Luis está en caso *genitivo;* perro, en caso *acusativo;* Jacinto, en caso *dativo;* montaña, en caso *ablativo.*

El sujeto siempre está en caso *nominativo.*

LA DECLINACIÓN. — LOS CASOS

Se llama *declinación* al conjunto de todas las formas correspondientes a los distintos casos. Los casos son seis: *nominativo, acusativo, dativo, ablativo, genitivo* y **vocativo.**

Se dice que una palabra está en caso *nominativo* cuando es el *sujeto* de la oración.

Una palabra está en caso *acusativo* cuando es el *complemento directo.*

Está en caso *dativo* cuando es el *complemento indirecto.*

Está en *genitivo* cuando es el dueño o poseedor de algo, o sea cuando hace el oficio de *complemento de genitivo.*

Una voz o palabra está en caso *ablativo* cuando es el *complemento circunstancial.*

Y una palabra está en caso *vocativo* cuando es a quien se llama o invoca en una oración. Ejemplos: *¡Oh, Dios!,* ¡Tú que eres poderoso, sálvanos! *Rafael,* dame ese lápiz. ¿Trajiste las libretas, *Luis?* (El vocativo se llama *apóstrofe*).

Vamos a declinar ahora el nombre *Carlos,* es decir, a emplearlo en todos los casos:

Nominativo: *Carlos* tocó el piano. (Sujeto de la oración).

Acusativo: Tomás llamó *a Carlos.* (Complemento directo).

250

Dativo: Traje un lápiz para *Carlos*. (Complemento indirecto).

Genitivo: Cogí el sombrero de *Carlos*. (Dueño o poseedor).

Ablativo: Ella pensaba en *Carlos*. (Complemento circunstancial).

Vocativo: ¡Oh, *Carlos!*, tú eres incorregible. (A quien se invoca).

EJERCICIOS. — ¿Cuáles son los complementos circunstanciales? — ¿Con qué preposiciones se construyen los complementos circunstanciales? Agregue a estas oraciones algún complemento circunstancial.

Octavio salió...
Mauricio escribió una carta...
Elena bañó al perro...
Los carpinteros labraron la madera...
Raimundo saludó anoche a sus amigos...

¿En qué caso está el complemento circunstancial? — Enumere los seis casos. — ¿Qué es la declinación? — ¿Cuáles son los casos que nunca llevan preposición? — Decline el nombre *Luis*. — Diga en qué caso están las palabras escritas con caracteres en cursiva: *Isidro, ella* leyó ayer la *revista* del *Dr. López*. — Diga en qué casos están las palabras escritas con caracteres en cursiva: Los *médicos* trajeron las *medicinas* para los *heridos* desde la *ciudad más* cercana.

Lección 91

LA DECLINACIÓN DE LOS PRONOMBRES PERSONALES

Hemos visto que al declinar un nombre cualquiera, éste se emplea en distinto oficio o circunstancia, es decir, en los seis casos, sin alterar su estructura, anteponiéndole en algunos de ellos ciertas preposiciones. No sucede lo mismo con los pronombres personales, los cuales poseen formas peculiares para algunos casos.

Véanse estos ejemplos:

DECLINACIÓN DEL PRONOMBRE YO:

Nominativo: *Yo* compré un lápiz.

Acusativo: Ella *me* saludó

Dativo: Tú trajiste este libro para *mí*. Él *me* trajo un libro.

Genitivo: Hazlo a la orden de *mí* mismo. (Poco usado).

Ablativo: Ella pensó en *mí*. Vino *conmigo*. Lo hizo por *mí*.

Vocativo: (Carece).

DECLINACIÓN DEL PRONOMBRE ELLOS:

Nominativo: *Ellos* llamarán por teléfono.

Dativo: Hicimos un dulce para *ellos*. Tú *les* regalaste los lápices.

Genitivo Esa casa es de *ellos*.

Ablativo: No vendrán sin *ellos*. Lucharán contra *ellos*.

Como puede observarse, las variantes pronominales desempeñan un papel importante en la declinación de los pronombres.

Veamos ahora en este cuadro el empleo de las variantes en relación con los casos:

	me, mí nos.	De 1.ª persona
	te, ti, os, vos.	De 2.ª persona
Se emplean en acusativo:	le, lo, los	De 3.ª per., mas.
	la, las	De 3.ª per., fem.
	lo, ello	De 3.ª per., neutro
	se, sí.	De 3.ª per., reflex.

	me, mí, nos.	De 1.ª persona
	te, ti, os vos.	De 2.ª persona
Se emplean en dativo:	le, se, les	De 3.ª per., m. y f.
	ello	De 3.ª per., neutro
	se, sí.	De 3.ª per., reflex.

	mi (conmigo) nos.	De 1.ª persona
	ti (contigo) vos.	De 2.ª persona
Se emplean en ablativo:	ello	De 3.ª per., neutro
	sí (consigo).	De 3.ª per., reflex.

En los casos en que no aparecen variantes, se emplea la forma del pronombre personal propia del *nominativo*, tales como *yo, tú, él, ella, nosotros, vosotros, ellos* y *ellas*.

OBSERVACIONES: Tienen muy poco uso en castellano los genitivos de *mí*, de *ti*, generalmente se emplean los posesivos *mío, tuyo* o sus apócopes, *mi, tu*.

Nunca debe usarse la forma *les* en acusativo; tampoco es recomendable el uso de las formas *a* y *las* en el dativo: Yo *la* dije muchas cosas.

Cuando *mí, ti, sí*, van precedidas de la preposición *con* para su empleo en ablativo forman una sola palabra agregando la terminación *go*: *conmigo, contigo, consigo*.

Se equivale a *le*: Si dijéramos: Ya *le* la entregué, resultaría cacofónico; en su lugar, para buscar la eufonía, decimos: Ya *se* la entregué.

Todas las variantes, excepto *mí, ti* y *sí*, pueden juntarse al verbo formando una sola palabra y se llaman entonces *pronombres enclíticos*. Ejemplos:

*Me d*io - dio*me*.   *Le* piden - píden*le*.
Que *se le* pague - págue*sele*.

Hay casos en que al agregarse la variante a una voz verbal, ésta sufre alguna modificación: La primera persona del plural del Imperativo, pierde la *s* de la desinencia, al agregarse la variante *nos*. Ejemplos: bañémo*nos*, sirvámo*nos*.

La segunda persona del plural del Imperativo pierde la *d* final al agregársele la variante *os*. Ejemplos: apura*os*, aproxima*os*. Exceptúase el verbo *ir:* id*os*.

Cuando se agrega la variante *se* a una voz verbal que termine en *s*, pierde esta letra. Ejemplos: digámo*se*lo, alimentémo*se*los.

EJERCICIOS. — ¿En qué se diferencia la declinación de los pronombres y la de los nombres? — ¿Qué formas especiales de los pronombres personales desempeñan un papel importante en la declinación? — Emplee en *nominativo* los siguientes pronombres:

tú   ella   él   ustedes   vosotros   nosotros

Emplee en *dativo* las variantes *me, nos, le.*

Emplee en *acusativo* las variantes *me, mí, le, la, se* y *las.*

Diga en qué casos están las palabras escritas con caracteres en cursiva: *Ellos* me dieron una caja para *ti.*

Diga en qué caso están empleadas las palabras escritas con caracteres en cursiva: *Tú* viniste *conmigo. Ellos* se bañaron. Por *ellos* se sabrá. Se *lo* dieron.

¿A qué caso corresponden exclusivamente las formas *la, las?* ¿A qué caso corresponde la forma *les?* — ¿De dónde provienen las formas *conmigo, contigo* y *consigo?*

Lección 92

ESTUDIO DE LAS ORACIONES SIMPLES
SU DIVÍSION SEGUN SU SENTIDO Y EL MODO
DEL VERBO

Examínense estas oraciones:

Jacinto saluda a sus amigos.
El tren llegó tarde.

La primera consta de un solo sujeto (*Jacinto*) y de un solo predicado (*saluda a sus amigos*). Lo mismo sucede con la segunda oración: tiene un solo sujeto (*El tren*) y un solo predicado (*llegó tarde*).

Las oraciones que constan de un solo sujeto y un solo predicado se llaman *oraciones simples*.

La Gramática moderna simplifica mucho esta cuestión, considerando oración simple aquella oración en donde haya, junto con otros posibles elementos, un solo verbo en forma personal. Dejan, pues, de considerarse como oraciones compuestas oraciones de este tipo: «Luis y María trabajan juntos». «Vosotros y nosotros iremos de paseo». Estas son oraciones simples, puesto que cada una de ellas tiene un solo verbo en forma personal.

Véanse estas oraciones simples:

1. — María cantó una romanza.
   María cantaría una romanza.
2. — María no cantó.
   María no cantará jamás.
3. — ¿Ha cantado María?
   ¿Por qué cantó María?
4. — ¡Qué bien canta María!

¡Cómo canta María!
5. — «Quizá salga esta tarde»
   «Tal vez acuda a la cita»
6. — ¡Ojalá logres tu deseo!
   Sea como tú quieras.
7. — Revisad esas cuentas.
   Seamos más justos.

Puede notarse fácilmente que el sentido y el modo del verbo en estas oraciones es distinto en cada grupo de ellas. En las oraciones marcadas con el N.º 1, se observa que en la primera se *afirma* la realidad de un hecho, y en la segunda su *posibilidad;* el verbo de la primera está en modo indicativo, y el verbo de la segunda en modo potencial.

Las oraciones en que se afirma la realidad de un hecho o su posibilidad, se llaman *oraciones afirmativas*.

255

En las oraciones marcadas con el N." 2, vemos que se *niega* la acción del verbo. Sólo se ha necesitado del adverbio *no* para expresar la negación; sin embargo, para reforzar esa negación, se añadió el adverbio *jamás*. También suelen emplearse otros adverbios negativos como *nunca*, y algunos pronombres indefinidos como *nadie*, *ninguno*, *nada*.

Véanse estos otros ejemplos de oraciones negativas:

Nada ha dicho.	*Ninguno* lo traerá.	*No* han hecho *nada*.
No vendrá *nunca*.	*Jamás* retornará.	*Nadie* lo conoce.

Obsérvese que cuando en esas oraciones se emplea la voz negativa delante del verbo se suprime el adverbio *no*.

Las oraciones en que se niega algo del sujeto se llaman *oraciones negativas*. La Gramática llama también aseverativas a las oraciones afirmativas y negativas. *Aseverar* equivale a *asegurar* lo que se dice.

Las oraciones señaladas con el N.º 3 establecen una pregunta, son *oraciones interrogativas*. A veces las oraciones interrogativas expresan duda, como las siguientes:

¿Qué habrá pasado?   ¿Será posible eso?

En el primer ejemplo la pregunta se hace sobre uno de los elementos del juicio, y las oraciones se llaman *interrogativas parciales*. Cuando decimos: «¿Quién llamó anoche?» preguntamos por el sujeto. Cuando expresamos: «¿Qué hizo Enrique?», «¿Con quién habló Inés?» establecemos preguntas sobre el predicado.

En el segundo ejemplo («¿Será posible eso?») la pregunta recae, en cambio, sobre la totalidad del juicio y el nombre de ellas es el de *interrogativas generales*.

Aunque la oración interrogativa tiene su forma especial de construcción, muchas veces el aspecto prosódico o entonación es el que determina dicha interrogación. Véanse estos ejemplos:

¿Estaba cantando? (interrogativa)
Estaba cantando (afirmativa)

El tono afirmativo se distingue por un descenso o caída que experimenta la voz en la última parte después del acento de la palabra final. Mientras que el tono interrogativo se distingue por una subida o elevación de la voz en la última parte de la oración después del acento de la palabra final.

En las oraciones simples marcadas con el N.º 4, expresamos una *admiración* o exclamación. Esas son las *oraciones admirativas*. La Ortografía nos enseña que en las oraciones interrogativas y en las admirativas debemos emplear los signos: ¿ ? y ¡ !, respectivamente.

Las oraciones «Quizá salga esta tarde», «Tal vez acuda a la cita», expresan hechos considerados como dudosos. Son las *oraciones dubitativas*. Se construyen generalmente en subjuntivo, acompañado de los adverbios de duda: «quizá», «tal vez», «acaso», «probablemente», etcétera.

Las oraciones: *¡Ojalá logres tu deseo! Sea como tú quieras*, señaladas con el N.º 6, expresan el *deseo* de que se verifique un hecho. Son *oraciones desiderativas* u *optativas*. Desiderativo se deriva de *desiderátum*, voz latina que expresa lo más digno de ser apetecido o deseado. En estas oraciones pueden emplearse los signos de admiración:

¡Bendito sea!   ¡Dios lo quiera!

Por último, las oraciones marcadas con el N.º 7, indican *mandato, ruego* o *exhortación*. Son *oraciones exhortativas* o *imperativas*.

En estas oraciones se emplea el verbo en modo subjuntivo o imperativo cuando se expresa una prohibición: No *gritéis* tan fuerte. *No salgáis* de noche. Suele emplearse también el infinitivo. No *alborotar*. No *huir*.

En resumen, podemos decir que las oraciones simples por el sentido que expresan y por el modo del verbo, se dividen en *afirmativas, negativas, interrogativas, admirativas, dubitativas, desiderativas* u *optativas* y *exhortativas* o *imperativas*.

EJERCICIOS. — ¿Qué son oraciones simples? — ¿Cómo se han dividido las oraciones simples según su sentido y el modo del verbo? — Construya tres oraciones afirmativas y diga en qué modo está empleado el verbo de cada una. — Construya tres oraciones negativas empleando distintas palabras que expresen la negación. — ¿Qué calificativo común reciben las oraciones afirmativas y negativas? — Construya tres oraciones interrogativas y diga sobre quién recae la interrogación. — Construya tres oraciones admirativas. — Construya tres oraciones desiderativas y tres exhortativas. — ¿En qué modo puede estar el verbo en **las oraciones imperativas** o exhortativas?

Lección 93

LA ORACIÓN SIMPLE SEGÚN LA NATURALEZA
DEL VERBO

Recordemos que los verbos, por su naturaleza, pueden ser copulativos, transitivos, intransitivos, reflexivos, recíprocos, impersonales y unipersonales. Las oraciones que se construyan con verbos de estas distintas clases tienen características especiales. Veamos estos ejemplos:

> *Octavio es ingeniero.*   *Luisa esta enferma.*

Los elementos de estas oraciones son: *Sujetos*: Octavio, Luisa; *predicados:* ingeniero ,enferma; *cópulas* o *nexos*: los verbos copulativos, es, está.

Las oraciones que se construyen con verbos que establecen una *cópula* o *nexo* entre el sujeto y el predicado subjetivo, se llaman *oraciones de verbo copulativo.* Examínense estos ejemplos y nótese cómo otros verbos que no son *ser* y *estar,* hacen el oficio de cópula:

Remigio *luce* delicado.   Jenaro se *siente* enfermo.
Lutgarda *parece* preocupada.   Ella *quedó* asustada.
El vigía *permaneció* inmóvil.   Él *anda* desnudo.

Obsérvense estas oraciones, especialmente sus verbos.

> *Nosotros compramos un libro.*

> *El criado de Luis trajo esta carta.*

Los elementos de estas oraciones son:

Sujetos: Nosotros, El criado de Luis.

Predicados: compramos un libro, compuesto del *verbo transitivo* compramos y el *complemento directo* un libro. Trajo esta carta, compuesto del *verbo transitivo* trajo y el complemento *directo* esta carta.

Estas oraciones de verbo transitivo cuyos sujetos son agentes de la acción del verbo que tienen por lo tanto complemento directo, se llaman·*oraciones de verbo transitivo* o *primeras de activa*. Recordemos que una oración está en *voz activa* cuando el sujeto es el que ejecuta la acción del verbo, es decir, es el agente.

Si invirtiéramos la construcción de las oraciones anteriores de esta manera: *Un libro fue comprado por nosotros. Esta carta fue traída por el criado de Luis,* usando como sujetos, los complementos directos; transformando el verbo en su participio pasivo, con el auxiliar *ser,* y poniendo como complemento agente al sujeto, precedido por la preposición *por,* cambiaremos la *voz* del verbo en pasiva. Recordemos que una oración está en *voz pasiva* cuando el sujeto sufre la acción del verbo.

Las oraciones que tienen su predicado verbal en *voz pasiva* se llaman *oraciones de pasiva.* Examínense estos otros ejemplos:

EN VOZ ACTIVA:

EN VOZ PASIVA:

Matilde felicitará a Juana.
Yo he maltratado al perro.

Juana será felicitada por Matilde.
El perro ha sido maltratado por mí.

En las oraciones de voz pasiva, se le llama al sujeto, *sujeto paciente* y al agente de la acción del verbo que va empleando en *ablativo* con la preposición *por,* se le llama *ablativo agente.*

Las *oraciones de verbo transitivo* pueden llevar otros complementos además del directo, sin que por ello cambie la naturaleza de la oración.

Véanse estos ejemplos:

Encontré muy *decaída* a Luisa.
Ella tiene *sometida* a su hijastra.
Veo muy *difícil* el arreglo.

Los adjetivos *decaída, sometida* y *difícil* sirven de complementos al verbo y al complemento directo.

Ellos eligieron *senador* a Jesús.
Él ha nombrado *secretario* a Luis.
Tú llamaste *diablo* a Enrique.

Los sustantivos *senador, secretario* y *diablo* sirven de complemento al verbo y al complemento directo.

Veamos ahora estas oraciones en voz pasiva:

María fue felicitada *por Ines.*
Ellos serán recibidos *por Jacinto.*

Las niñas serán obsequiadas...
El árbol ha sido venerado...

Las dos primeras oraciones tienen *ablativo agente* y las otras dos siguientes carecen de él. Cuando la oración en voz pasiva posee *ablativo agente*, se llama *primera de pasiva*, y cuando no lo posee, se llama *segunda de pasiva*.

Oraciones en voz pasiva con la variante *se*:

Se imprimirán las boletas.

Los informes *se leyeron* por el secretario.

Se han vendido todos los muebles.

Esta construcción se puede hacer cuando el verbo está en tercera persona y el sujeto paciente es un nombre de cosa. Esta forma de oración pasiva es llamada *pasiva refleja*.

EJERCICIOS. — ¿Cómo se han clasificado los verbos según su naturaleza? — ¿Cuáles son los principales verbos copulativos? — Cite otros tres verbos que puedan hacer también el oficio de copulativos. — Construya tres oraciones de verbo copulativo. — Construya tres oraciones de verbo transitivo y diga cuál es el complemento directo. — ¿Qué otro nombre reciben las oraciones de verbo transitivo con complemento directo? — ¿Cómo se transforma una oración de voz activa a una de voz pasiva? — ¿Cómo se le llama al sujeto de las oraciones en voz pasiva?
Ponga en voz pasiva estas oraciones:

Raúl limpió los pisos.   *Benito traerá las libretas.*

Ellos adoran a la madre.

Cite dos ejemplos de oraciones de primera de pasiva y dos de segunda de pasiva. — Construya dos oraciones con la variante *se* en voz pasiva.

Lección 94

LA ORACIÓN SIMPLE SEGÚN LA NATURALEZA DEL VERBO (Continuación)

Oraciones de verbo intransitivo: Véanse estos ejemplos:

María lloraba.	*La joven rubia lucía bien.*

Inés suspiraba mucho.

Ninguna de estas oraciones tiene complemento directo, por consiguiente la acción del verbo no recae sobre nadie. Son oraciones de *verbo intransitivo.* Estas oraciones no admiten la construcción pasiva.

Se llaman *de primera,* cuando el verbo va acompañado de complemento. Ejemplo:

Las personas andaban *por las calles.*

Se llaman *de segunda,* cuando carecen del complemento. Ej.:

Las personas andaban.	El río corre.

Oraciones de verbo reflexivo:

Yo me peino.	*Renato se queja por gusto.*
Restituto se desespera.	*Ella se lava la cara.*

Tienen un sujeto que es agente y paciente al mismo tiempo y el verbo reflexivo con la variante pronominal correspondiente.

La variante puede ser complemento directo o indirecto. Es complemento directo en:

Yo *me* baño	Tú *te* peinas

Es complemento indirecto en:

Tú *te* cortas las uñas	Él *se* lava las manos

Las oraciones reflexivas en donde el pronombre hace oficio de complemento directo se llaman *reflexivas directas.* En aquellas otras en las que el pronombre es complemento indirecto, las oraciones se denominan *reflexivas indirectas.*

Oraciones de verbo recíproco:

Luis y Teresa se quieren.

Él y yo nos abrazamos.

Tienen el sujeto plural y un verbo recíproco con su variante correspondiente. También en estas oraciones la variante pronominal puede ser complemento directo o indirecto.

Es complemento directo en: Anita y Luisa *se* estiman.
Es complemento indirecto en: Tú y ella os enviáis recuerdos.

Oraciones impersonales:

1. — «Lanzan piedras».   3. — «Desde aquí se ve el pueblo».
2. — «Hace frío».   4. — «Llueve a cántaros».

Todas estas oraciones carecen de sujeto, y sus verbos van construidos en tercera persona. Por esta particularidad de carecer de sujeto, estas oraciones reciben el nombre genérico de *impersonales*. Entre ellas se pueden establecer diversos matices, y de aquí su clasificación en: *eventuales, gramaticales, reflejas* y *unipersonales*.

La señalada con el número 1: «Lanzan piedras», y estas otras que pudiéramos añadir: «Llaman desde lejos», «Me enviaron dinero», aparecen sin sujeto expreso por ser éste desconocido o bien porque no interesa decirlo. Son *oraciones impersonales eventuales*, y se construyen con cualquier clase de verbo expresado en tercera persona de plural.

En «Hace frío», «Era de día», «No hay limosna», tampoco existe sujeto. El verbo va en tercera persona de singular. Estas son las *oraciones impersonales gramaticales* y se construyen con los verdos «ser», «haber» y «hacer», etc.

«Desde aquí se ve el pueblo» es otro ejemplo de oración impersonal. También lo son «Se prohibe fumar», «Se dice que habrá toros», etc. Su particularidad consiste en que, como todas las impersonales, carecen de sujeto, llevando además el pronombre «se». Son denominadas *oraciones impersonales reflejas*.

Por último: «Llueve a cántaros», «Anochece», «Ha lloviznado en la ciudad», son oraciones que se refieren a fenómenos de la naturaleza. Son las llamadas *oraciones impersonales unipersonales* o *uniterciopersonales*.

Podemos resumir diciendo que las oraciones, según la naturaleza del verbo, pueden ser: *de verbo copulativo, transitivas, pasivas, pasivas reflejas, intransitivas, reflexivas, recíprocas e impersonales*.

EJERCICIOS. — ¿Qué son verbos intransitivos? — Construya tres oraciones de verbo intransitivo. — ¿Qué son verbos reflexivos? — Construya tres oraciones de verbo reflexivo. — ¿Qué son verbos recíprocos? — Construya tres oraciones de verbo recíproco. — Construya tres oraciones de verbos impersonales y tres de verbos unipersonales. — Diga qué clase de oraciones son las siguientes: Regino saludó a Inés. Jaime salió. Los niños fueron llamados. Anuncian un ciclón. Inés y Luis se aman. Marcelo es obeso. Se venden lápices. Relampaguea mucho. Ella se resignaba. Tú andas descarriado.

Lección 95

COMPOSICIÓN DE LOS ELEMENTOS DE LA ORACIÓN

Podemos enumerar los distintos elementos de la oración de esta manera: 1.—Vocativo. 2.—Sujeto. 3.—Predicado. 4.—Cópula o nexo. 5.—Complementos.

Sintaxis regular: Cuando una oración se construye ordenando sus elementos de modo que en primer término se coloque el *vocativo*, seguidamente el *sujeto* con sus modificativos; después el *verbo* y a continuación de éste los distintos *complementos del verbo*: primero el *directo*, después el *indirecto* y después los *circunstanciales*, se dice que la oración está en *sintaxis regular*. Véase este ejemplo:

Lucio, ellos compraron una libreta para Ignacio en el bazar.

Sintaxis figurada: Cuando una oración no se construye en el orden antedicho, si no se altera la colocación de sus elementos con el fin de darle más elegancia o entonación, se dice que está en *sintaxis figurada*. Veamos la oración anterior construida en *sintaxis figurada*:

En el bazar ellos compraron, Lucía, una libreta para Ignacio.

Se llaman figuras a las licencias o permisos de la Gramática para infringir en cierto modo sus reglas. La figura que se comete al alterar el orden de los elementos de la oración se llama *hipérbaton*.

El *vocativo* puede ir delante del sujeto, en el medio de la oración, o al final, pero siempre deberá estar separado por la coma. Véanse estos ejemplos:

Horacio, ella te llamó anoche a las ocho.
Ella te llamó, *Horacio*, anoche a las ocho.
Ella te llamó anoche a las ocho, *Horacio*.

El *sujeto* también puede ocupar distintos lugares en la oración y lo mismo sucede con los complementos. Ya se dijo en otra lección que a veces el sujeto se omite porque se sobrentiende; esa figura se llama *elipsis*. Ejemplo: Salieron muy temprano. (Sujeto: *ellos*).

Construcción de los complementos: Las palabras que componen los complementos pueden ser nombres, adjetivos, pronombres, verbos, adverbios, preposiciones, etc.

Complementos del nombre: La idea que expresa un nombre puede ser completada con otro nombre o con un adjetivo. Ejemplos:

El *hombre rey*
La *hermana monja*
La *Habana ciudad* comercial
París capital de Francia
Marco Antonio
Fernández hijo

Aposición.
«Cuando queremos explicar o precisar el concepto expresado por un sustantivo, ponemos los dos, uno a continuación de otro.» (Gramática de la Real Academia).

La *casa* de *madera*
Un *niño* sin *padres*
Mano sobre *mano*
Artículos para *hombres*
Camino a la *cárcel*

Todos estos complementos se han construido con preposición.

Persona *decente*
Casa *moderna*
Papel *blanco*
Lección *extensa*

Aquí los complementos del nombre son *adjetivos* y están construidos sin preposición.

María es *bondadosa*
Los *gatos* están *gordos*
Luis será *valiente*
Indalecio fue *capitán*
Jesús era *director*

En estos ejemplos notamos cómo los predicados subjetivos, unidos al verbo copulativo, tienen oficio de complemento de los nombres que hacen de sujeto.

Tinta de *imprimir*
Papel de *envolver*
El *día* de *hoy*
La *tarde* de *ayer*

Ahora vemos complementos de nombres construidos con *preposición* y *verbos* en *infinitivo* y *adverbios*.

En todos los ejemplos anteriores puede notarse que en la construcción de esos elementos oracionales siempre hay una palabra *principal* y una *secundaria*. Hay gramáticos que llaman a esa palabra principal, palabra *regente*, y a la secundaria, palabra *regida*. Así en el ejemplo: Casa moderna, el nombre *casa* es la *regente* y el adjetivo *moderna* es la *regida*. Podemos decir de otro modo que *regentes* son las palabras que tienen otras bajo su dependencia y *regidas* aquellas que completan el sentido de las *regentes*, es decir, que son sus *complementos*.

Hemos visto que la *regencia* se puede efectuar en una forma *inmediata*: casa moderna; hombre rey; papel blanco. También se efectúa en una forma *mediata*, es decir, por medio de otra palabra: Casa *de* madera: tinta *de* escribir; Juan *es* bondadoso.

En resumen, podemos decir que *régimen* es la dependencia que existe entre las palabras y que los regímenes se establecen por medio de los *complementos*.

EJERCICIOS. — ¿Cuándo una oración está en sintaxis regular? — ¿Cuándo una oración está en sintaxis figurada? — Construya en sintaxis regular esta oración: En el campo tiene ella una hermosa vaca, Ricardo. ¿Qué son figuras gramaticales? — ¿Qué es hipérbaton? — ¿Qué es elipsis? — ¿Qué es la aposición? — Al nombre *casa* agréguele complementos de estas clases:

Nombre con verbo copulativo.	*Nombre en aposición.*
Adverbio con preposición.	*Nombre con preposición.*
Pronombre con preposición.	*Adjetivo inmediato.*
Infinitivo con preposición.	*Adjetivo con verbo copulativo.*

¿Qué es régimen? — ¿Cómo puede ser el régimen? — Cuáles de estas palabras son *regentes* y cuáles son *regidas*: Carne de cerdo. Luis es filántropo. Cristo Rey. Vive en El Salvador. — Diga si el régimen es mediato o inmediato en los anteriores ejemplos.

Lección 96

CONSTRUCCIÓN DE LOS COMPLEMENTOS (Continuación)

Complemento del adjetivo: Cualquiera que sea su oficio en la oración, el adjetivo puede llevar como complementos: un nombre, un pronombre o un infinitivo con preposición:

Amable con *nosotros.*
Atento con las *mujeres.*
Procedente de *Guatemala.*
Deseoso de *llegar.*

Cansado de *trabajar.*
Fácil para *ti.*
Caro para los *obreros.*
Difícil de *digerir.*

En otra lección dijimos que el adverbio puede modificar también a los adjetivos. Véanse estos ejemplos:

Demasiado fácil.
Bastante raro.
Bonito *de lejos* (frase adv.)

Sumamente difícil.
Muy blanco.
Feo *de cerca* (frase adverbial).

Complemento del verbo: Pueden servir de complementos al verbo, los nombres o sustantivos, los pronombres, los verbos en infinitivo, los gerundios, los adverbios y los modos o frases adverbiales.

NOMBRES SIN PREPOSICIÓN:

Quiero *pan.*
Dame *dinero.*
Recibimos los *libros.*

NOMBRES CON PREPOSICIÓN:

Vengo desde *Santo Domingo.*
Mató a *Jesús.*
Fue por el *mar.*

PRONOMBRES CON PREPOSICIÓN Y SIN ELLA:

No has hecho *nada.*
Trabajan por *ti.*

Llama a *ése.*
Haz algo.

Estaba *escribiendo*.
Vino *corriendo*.

Trabaja para *ganar*.
Desea *llamar*.

Ya hemos visto que todos los complementos del verbo se clasifican en complementos *directos, indirectos* y *circunstanciales*. Recordemos además que los complementos directos sólo llevan la preposición *a* cuando se refieren a persona: Jaime llamó *a Inés*. Los indirectos pueden llevar las preposiciones *a* o *para*: Traje un libro *para* Luis. Hice un vestido *a* María. Los complementos circunstanciales emplean todas las preposiciones.

El estudio de los complementos y de los regímenes nos ha demostrado la importancia que tienen las *preposiciones*. El uso apropiado de las preposiciones es una de las cosas más difíciles de la *Composición*. La Gramática de la Academia y otros muchos buenos tratados del idioma dedican varias páginas a la construcción de las preposiciones, presentando un extenso manual para la consulta de esta importante materia. En los referidos manuales o prontuarios para el uso de las preposiciones suele presentarse una lista de palabras por orden alfabético con las cuales se emplean las preposiciones. Invitamos al estudiante a que consulte la Gramática de la Academia o un buen Diccionario para que se habitúe al más correcto empleo de esos interesantes elementos de enlace.

Veamos a continuación unos cuantos ejemplos.

Palabras que se construyen con preposición. Inicial *J*:

Jactarse *de* noble — *de* vencerle.
Jaspear (una pared) *de* negro, blanco y rojo.
Jubilar *del* empleo.
Jugar *a* los naipes — unos *con* otros.
Jurar *de* hacer (alguna cosa) *en* vano.
Juntar (alguna cosa), *a, con* otra.
Justificarse *con, para con* el jefe — de algún cargo.
Juzgar *a, por* deshonra — alguna cosa — *en* una materia entre partes — *según* fuero — *sobre* apariencias.

Para asegurarse del buen uso de la preposición se recomienda la siguiente regla: Hágase una pregunta que principie por la preposición de cuyo uso se dude. Si la pregunta no disuena y la respuesta conviene, la preposición está usada con propiedad. Se desea, por ejemplo, averiguar si es propia la preposición *de* en esta frase: «Se esmera con sumo cuidado *de* servirle muy bien». Pregúntese: ¿De qué se esmera? *De* servirle. Como suena mal, el *de* es impropio. Si preguntamos: ¿*En* qué se esmera? La contestación será: Se esmera *en* servirle; como en este caso suena bien, de ellos se infiere que la preposición correcta es *en*.

EJERCICIOS. — ¿Qué clase de palabras puede llevar el adjetivo como complemento? — Forme distintos complementos para estos adjetivos:

<blockquote>

Duro   inteligente   atento   largo   estrecho   rápido.

</blockquote>

Modifique estos adjetivos con adverbios o frases adverbiales:

<blockquote>

Hermoso   enfermo   grande   dulce.

</blockquote>

Empleando pronombres, gerundios, infinitivos y sustantivos, construya complementos para estos verbos:

<blockquote>

Estaba   aspira   consideramos   llegará   tiene   vino.

</blockquote>

Construya seis oraciones con complementos circunstanciales empleando distintas preposiciones. — Diga algo en relación con la importancia del empleo de las preposiciones.

Organícese un debate entre dos grupos de alumnos cuyos miembros presenten preguntas o problemas gramaticales escritos para que sean discutidos o resueltos por los miembros de la parte contraria.

Lección 97

ESTUDIO DE LAS CONCORDANCIAS

Ya se dijo en una lección anterior que a la conformidad que existe en accidentes gramaticales entre dos o más palabras se llama *concordancia*. Sólo pueden concordar las palabras variables.

Hay tres clases de *concordancias*:

1. — De *nombre* y *adjetivo*, en la que se incluye el artículo y cualquier palabra que se adjetive o sustantive.
2. — De *sujeto* y *verbo*.
3. — De *pronombre relativo* y su *antecedente*.

Examínense estos ejemplos:

El hombre herido falleció anoche.
Las mujeres heridas fallecieron anoche.

Obsérvese que las tres palabras que forman los sujetos de ambas oraciones son un artículo, un nombre y un adjetivo, y que las tres se encuentran en el mismo *género*, en el mismo *número* y en el mismo *caso*.

También puede notarse que los sujetos están en los mismos accidentes que sus respectivos verbos, es decir, en el mismo *número* y en la misma *persona*. Por eso decimos que esas palabras concuerdan.

El *nombre* y el *adjetivo* concuerdan en *género, número* y *caso*.
El *sujeto* y el *verbo* concuerdan en *número* y *persona*.

OBSERVACIONES ACERCA DE LA CONCORDANCIA DE NOMBRE Y ADJETIVO

1. — Cuando un adjetivo se aplica a dos o más nombres en singular, hay que emplear en plural el adjetivo: Tomás y Ernesto son *honrados*. Tú y ella estaban *asustados*.
2. — Si los nombres son de distinto género, el adjetivo generalmente se emplea en masculino: María y Antonio son *cubanos*. Jacinto y Hortensia serán *avisados*. La niña y el niño son *cariñosos*.

3. — Dos o más adjetivos que se refieren a partes o divisiones de un nombre, no exigen que éste adopte el plural: Los niños del primero y segundo *grado*. He leído la primera y la tercera *parte*. Puede usarse, sin embargo, en plural: He leído la primera y tercera *partes*.
4. — El artículo *un* y los adjetivos *medio* y *mismo* cuando se aplican a nombres femeninos de ciudades, pueden conservar la terminación masculina: Todavía *medio* Caracas no lo sabe. Habana *mismo*. *Un* Marsella. No debe olvidarse que la palabra *medio* puede emplearse como adverbio y en ese caso no concuerda: Ella está *medio* mala. Lucía llegó *medio* muerta.

OBSERVACIONES SOBRE LA CONCORDANCIA DE SUJETO Y VERBO:

1. — Dos o más sujetos en singular piden el verbo en plural: Rita y José *estudian*. Ni tú ni yo *haremos* nada. Hay excepciones: Esto y lo que te dije *resultó equivocado*.
2. — Cuando los sujetos son de distinta persona, debe preferirse a la primera sobre las dos últimas, y a la segunda sobre la tercera: Él, tú y yo *copiaremos* la lección. Él y tú *copiáis*. En Venezuela se usa mucho la tercera persona por la segunda: Él y tú *copian*.
3. — Los tratamientos como *Usted, Vuestra Majestad, Vuestra Alteza, Vuestra Santidad*, siendo de segunda persona, llevan el verbo en la forma de la tercera: Usted *es*. Vuestra Majestad *estará allí*. Vuestra Alteza *fue llamado*.
4. — Los colectivos pueden llevar el verbo en plural: Mucha gente lo *pellizcaron*. La mayoría de las personas *cree* (o *creen*).
5. — En las frases *yo soy el que, tú fuiste el que, yo soy quien*, etc., el verbo que les sigue puede concordar con el sujeto o con el predicado del verbo *ser*. Así se dice: Yo soy el que *gritó* o *grité*. Tú eres la que *llamó* o *llamaste*. Yo soy quien lo *dijo* o *dije*.

Concordancia de relativo y antecedente: El *pronombre relativo* sirve para enlazar o relacionar una oración, de la que él mismo forma parte, con una frase u otra oración que le antecede, y por eso se llama *antecedente*. Véanse estos ejemplos:

El joven que estaba allí.   *La mujer* de quien te hablé ayer.

Las palabras escritas con caracteres cursivos constituyen los *antecedentes*, y los *relativos* son los pronombres *que* y *quien*.

La *concordancia* de *relativo* y *antecedente* se efectúa en *género* y *número*. Véase este ejemplo: He traído algunas libretas, de las cuales dos son de Gramática. El relativo *las cuales* tiene el mismo género y el mismo número que el antecedente *libretas*.

OBSERVACIONES SOBRE ESTA CLASE
DE CONCORDANCIA:

1. — Dos o más antecedentes en singular, llevan el relativo en plural: Están Ramón y Julián también, *quienes* llegaron anoche.

2. — Cuando hay varios antecedentes de distinto género, el relativo toma el género masculino: Posee una finca y un molino, los *cuales* están en muy buenas condiciones.

3. — El relativo *cuyo*, que tiene carácter de posesivo, concuerda con la cosa poseída: Regino, en *cuyo libro* estudiamos, nos prestará el mapa. La casa *cuyas puertas* son de caoba, está desalquilada.

4. — Cuando el antecedente es una oración, el relativo toma el pronombre neutro: Ordenáronle que saliera, *lo cual* (o *lo que*) hizo en seguida.

EJERCICIOS. — ¿Qué es concordancia? — ¿Cuántas clases de concordancias hay y cuáles son? — ¿Cómo concuerdan el nombre y el adjetivo? Diga cuáles son los accidentes de las palabras con caracteres verticales. Los *infelices prisioneros* ingresaron en el *calabozo*.

Cite dos casos en que la concordancia entre nombre y adjetivo no sea perfecta. — ¿Cómo concuerdan el sujeto y el verbo?

Diga cuáles son los accidentes de los sujetos y los verbos de estas oraciones:

La criada hizo los mandados.   *Ellos cambiaron los puestos.*
Usted es bondadoso.   *Ella y yo bailamos anoche.*

Cite dos casos en que la concordancia entre el sujeto y el verbo no sea perfecta. — Diga cuál es el antecedente y cuál es el relativo en esta oración: Las habitaciones cerradas que te mostré están reservadas.

¿Cómo concuerdan el relativo y el antecedente? — ¿Cómo concuerda el relativo cuyo? — Cite un caso en que la concordancia de relativo y antecedente no sea perfecta. — Diga los grupos de palabras que concuerdan y qué clase de concordancia existe: Los personajes famosos de quienes tú hablaste en la novela son auténticos.

COMPOSICIÓN: Escribir comentarios sobre la apreciación de un cuadro o lámina, o de una pieza musical.

271

Lección 98

LAS FIGURAS DE CONSTRUCCIÓN

Las figuras de construcción corresponden a la Sintaxis. Para dar mayor elegancia a las oraciones, se altera el orden regular de las palabras, se omiten o añaden términos o se dejan de observar algunas reglas de la concordancia. Todos estos cambios o alteraciones se denominan *figuras de construcción.* Son cinco: *inversión* o *hipérbaton; elipsis, pleonasmo, silepsis* y *traslación* o *enálage.*

Inversión o hipérbaton es la figura que trastorna el orden regular de las palabras en la oración o la cláusula. Recordemos que una oración o cláusula está en sintaxis regular cuando se respetan estas reglas: Las oraciones principales deben preceder a las subordinadas. El vocativo se colocará al principio, separado por una coma. El sujeto precede al verbo, a este siguen sus modificativos y después los complementos directos, indirectos y los circunstanciales. El adjetivo se coloca después del nombre, el adverbio después del verbo, etc. Esta construcción adolece del defecto de presentar los pensamientos en una forma rígida y con falta de elegancia, por eso es muy raro encontrar un pasaje en cualquier forma del lenguaje, en que deje de cometerse el hipérbaton. Esta figura propende no sólo a la elegancia, sino a la armonía y la mayor claridad en la expresión de los conceptos.

Todas las partes de la oración admiten la inversión menos el artículo, la preposición y la conjunción. Muchos adjetivos y adverbios siempre se emplean invertidos, pues su significación especial así lo exige. Veamos algunos ejemplos:

Un hombre *pobre.* Un *pobre* hombre. *Cierto* aviso. Aviso *cierto.* Fácilmente se nota la diferencia de significación en esos adjetivos según precedan o sucedan al nombre. Hay adverbios, como medio, casi, no, nunca, nadie, y todos los negativos, que siempre se colocan delante del verbo. Así sucede también con los adjetivos numerales

Ejemplos de oraciones en las que se ha cometido el hipérbaton:

De tus labios oí la grata contestación. En sintaxis regular: «(Yo) oí la contestación grata de tus labios.»

«Ayer puso Antonio en sus manos los antiguos documentos». En sintaxis regular: Antonio puso ayer los documentos antiguos en sus manos».

Elipsis es la omisión de aquellas palabras que no son precisas para interpretar el sentido de la frase. Sirve para dar energía y belleza al lenguaje. Veamos estos ejemplos:

«Juan es cubano, Ricardo, americano y Jaime, francés» Se ha omitido el verbo *es* porque se sobreentiende.

«Yo soy nervioso, tú tímido y ella impasible». Se han omitido los verbos *eres* y *es*. «¿Quieres cantar esa romanza? — *No quiero*». En la oración *no quiero*, se han omitido muchas palabras; aun podía expresarse el mismo pensamiento con el adverbio *no* solamente. Observando los tres ejemplos expuestos, podemos derivar estas tres conclusiones relativas a la *elipsis*:

1.ª Elipsis de palabras idénticas. 2.ª Elipsis de palabras que han sufrido alguna alteración respecto de otras de la misma cláusula. 3.ª Elipsis de casi todas las palabras de la oración.

Pleonasmo es el empleo de palabras redundantes o que no son necesarias para el perfecto sentido de la oración. Pueden ser tres clases de *pleonasmos* los que generalmente se cometen en el lenguaje figurado:

1.º Pleonasmo de un pronombre personal: A *mí* me lo dieron. A *ti* te llaman.

2.º La adición de los adjetivos *propio* o *mismo*: Yo *mismo* lo llevaré. Tú *propia* le acusaste. Le di el paquete a ella misma.

3.º Pleonasmo de palabras superfluas o *redundancia*: Salimos *para afuera*. Entra *para adentro*. Le vi *con mis propios ojos*. Sí que lo vi. Mira a *ver*. Vamos *a ir* mañana. Retrocedo *hacia atrás. Tampoco* yo no lo sé. Como quiera que *se* sea.

Silepsis es la figura por la cual se establece la concordancia con arreglo al sentido y no a las reglas gramaticales. Puede ser de dos clases: *Silepsis* de *número* y *silepsis* de *género*. «La mayor parte *murieron*». «*Acudieron* multitud de gente». En esos ejemplos se ha cometido la *silepsis* al concertar los verbos en plural con sujetos en singular porque tienen carácter colectivo. «Vuestra Majestad está *enojado*». «Su Alteza es *bueno*». Estos son ejemplos en que se ha cometido la silepsis en género. Otros ejemplos: «Yo fui uno de los que *tradujeron* bien la carta». «Ella es de las que *trabajan* con entusiasmo» «Tú eres de los que *acuden* oportunamente».

En la silepsis se hacen concordar las palabras no con aquellas a que gramaticalmente corresponden sino con otra oculta.

Enálage o traslación es la figura que permite usar una forma verbal por otra o usar una parte de la oración en lugar de otra. Veamos ejemplos del primer caso: Mañana *parto* para Miami, por: Mañana *partiré*. *Empiezo* a cobrar la semana próxima, por: *Empezaré* a cobrar la semana próxima. ¡No *correr!*, por ¡No *corráis!* *Llevarás* esta carta en seguida, por *lleva*. Veamos algunos ejemplos en que se usan palabras por otras:

Huyó *de* miedo; calló *de* miedo, por huyó *por* miedo, calló *por* miedo. Todos reían, *sino* el ventero, por todos reían *menos, excepto* el ventero. En *los* ojos, en *sus* ojos.

EJERCICIOS. — ¿Por qué las figuras de construcción corresponden a la Sintaxis? — ¿En qué consiste el hipérbaton? — Construya en sintaxis figurada, empleando el hipérbaton:

La voz clara del tenor se oía perfectamente desde el palco.

¿Qué es la elipsis? — Cite tres ejemplos de distintas clases de elipsis. ¿Qué es el pleonasmo? — Cite tres ejemplos. — ¿En qué consiste la silepsis? — Cite un ejemplo de silepsis de número. — Cite un ejemplo de silepsis de género. — ¿Qué es la enálage ?— Cite tres ejemplos de enálage. Diga qué figuras de construcción se han cometido en estas oraciones:

¿Traigo mañana los libros, Juan? — Un gran número de estudiantes resultaron desaprobados. — A ti te lo digo.

Ejercicio de expresión oral: Relatar experiencias personales. Críticas por los alumnos y por el profesor.

LA ORACIÓN COMPUESTA: SUS CLASES

En la Lección 92.ª se dijo que una oración simple era aquella cuyos elementos se agrupaban alrededor de un solo verbo en forma personal. Veamos ahora estas oraciones:

«La niña cose, el niño juega»
«Quiero ir al cine pero no me dejan»
«Espero que habrás estudiado estas lecciones».

En todos estos ejemplos hay más de una oración simple, porque en todos ellos hay más de un verbo en forma personal. Son *oraciones compuestas*, a las que podemos definir diciendo que son aquellas oraciones que llevan dos o más verbos en forma personal.

Clases de oraciones compuestas: Si nos fijamos en los tres ejemplos anteriormente expuestos, observaremos que las oraciones simples que los forman van enlazadas por procedimientos diversos.

En la primera oración: «La niña cose, el niño juega», ambas oraciones simples van una a continuación de la otra separadas por una coma. A esto se le llama *yuxtaposición*.

En el segundo ejemplo: «Quiero ir al cine pero no me dejan», el elemento de enlace es la conjunción «pero», y las dos oraciones simples componentes tienen valor independiente. Es lo que se denomina *coordinación*.

Si estudiamos la tercera oración: «Espero que habrás estudiado estas lecciones», veremos que el elemento que las une es la conjunción «que», pero ya entre ambas oraciones simples hay una evidente y muy estrecha relación, por la cual la segunda oración «que habrás estudiado estas lecciones» depende totalmente de la anterior «Espero». A estas formas de enlace se les conoce con el nombre de *subordinación*.

De aquí, según los tres procedimientos de enlace, que las oraciones compuestas se clasifiquen en *yuxtapuestas, coordinadas* y *subordinadas*.

Oraciones compuestas yuxtapuestas: Son aquellas oraciones que van unidas sin ninguna partícula de enlace. Unas oraciones a continuación de otras separadas por comas. Ej.: «Llegué, vi, vencí».

Sin embargo, en toda yuxtaposición siempre hay una coordinación o subordinación síquica. Ejemplos:

«Salí a la calle, me encontré con un amigo»
«Fue castigado, había desobedecido»

En la primera oración evidentemente hay una coordinación copulativa: «Salí a la calle (y) me encontré con un amigo». En la segunda oración va implícita una coordinación causal: «Fue castigado (porque) había desobedecido».

Oraciones compuestas coordinadas: Veamos estas oraciones:

«Escribirás la carta y la echarás al correo»
«Iremos al teatro o pasearemos en automóvil»
«Ya trabajo, ya descanso»
«No vendrás a almorzar, pero sí vendrás a comer»
«No podrá hacerlo porque está enfermo»
«Ya te mandé, conque has de obedecer»

Obsérvese que para unir las oraciones anteriores se han empleado las partículas «y», «o», «ya», «pero», «porque», «conque». A pesar de estos enlaces, las oraciones simples tienen valor independiente por sí solas. A estas oraciones compuestas se las denomina *coordinadas*, ya que son, por tanto, oraciones independientes entre sí y que van unidas por conjunciones coordinantes.

De acuerdo con los elementos de enlace empleados, las oraciones pueden ser: *copulativas, disyuntivas, distributivas, adversativas, causales y consecutivas.*

Coordinadas copulativas: Entre las oraciones simples se establece una idea de adición, y van unidas por medio de las conjunciones «y», «e», «ni», «que».
Cuando las oraciones son afirmativas se enlazan con la conjunción *y*, y si son negativas por la conjunción *ni*, que equivale a *y no*. Ejemplos:

Roque baila bien *y* canta mal.
José no escribe *ni* escribirá nunca.

Cuando hay varias oraciones, la conjunción se coloca entre las dos últimas, y entre las primeras, se ponen comas. Ejemplo:
Compraremos los platos, varias cazuelas *y* algunos vasos.
La conjunción *y* se cambia en *e* cuando la palabra que le sigue empieza con *i* o con *hi*. Ejemplo:

Llegó el médico *e* inmediatamente lo operaron.

276

Coordinadas disyuntivas: La relación que se establece entre las oraciones simples que forman el período coordinado disyuntivo es de diferencia o contradicción. Las conjunciones empleadas son «o» y «u», esta última cuando la palabra siguiente empieza por «o» o por «ho», para evitar la cacofonía. Ejem.:

«Entras o sales»

Coordinadas distributivas: La idea que relaciona a las oraciones simples que forman este período es de alternancia o de exclusión. Las partículas de enlace empleadas son elementos correlativos: «ya... ya», «ora... ora», «bien... bien», «estos... aquellos», «unos... otros», «aquí... allí», que se colocan al comienzo de cada una de las oraciones. Ejemplos:

«Ya cantábamos, ya bailábamos»
«Unos jugaban al fútbol, otros veían el espectáculo»

Coordinadas adversativas: Las conjunciones empleadas son «mas», «pero», «sino» «aunque», «sin embargo», «no obstante», «excepto», etc. y la relación establecida es de oposición. Ej.:

«Vendrás a casa, pero permanecerás tranquilo»
«Yo trato de complacerlo, aunque no me lo agradece»

Coordinadas causales: Sirve para expresar la relación de causa a efecto y se establece por medio de las conjunciones causales *pues, pues que, porque, puesto que, supuesto que.* Ejemplos:

Lo incitaste, *pues* sufre las consecuencias.
No lo tiene, *porque* lo vendí.
Te lo entregará, *puesto* que lo ofreció.

Coordinadas consecutivas: Se establece por medio de las conjunciones *conque, luego, pues* y las locuciones *por consiguiente, por lo tanto, así que, ahora bien,* etc. Ejemplos:

Me llamó, *luego* me necesita.
Te está buscando, *conque* prepárate.
No puedes pagar la casa, *por lo tanto,* desalquílala.
Ya no eres de su confianza, *por consiguiente,* renuncia.

EJERCICIOS. — ¿Qué son oraciones compuestas? — ¿Cuándo se dice que dos oraciones están yuxtapuestas? — ¿Qué elementos de enlace se emplean para coordinar las oraciones? — Cite tres ejemplos de oraciones yuxtapuestas. — Cite tres ejemplos de oraciones copulativas. — Construya tres oraciones de coordinación disyuntiva. — Cite tres ejemplos de coordinación distributivas. — Construya tres oraciones de coordinación adversativa y tres de coordinación causal. — Cite tres ejemplos de coordinación consecutiva.

Lección 100

LA SUBORDINACIÓN. LA ORACIÓN SUBORDINADA
ADJETIVA

Oraciones compuestas subordinadas: En la lección anterior vimos que hay ciertas oraciones compuestas, cuyos elementos simples componentes se encuentran íntimamente trabados. Sea por ejemplo la siguiente oración compuesta:

«Saldremos a la calle cuando tú llegues»

En este período oracional existe una oración, «Saldremos a la calle», que tiene por sí sola pleno significado: Es la *oración principal*.

Si analizamos la segunda oración, «cuando tú llegues», observaremos que no tiene valor independiente, y que su significación completa la adquiere en cuanto depende de la oración principal. A estas oraciones dependientes se las conoce con el nombre de *oraciones subordinadas*.

Clases de oraciones compuestas subordinadas: Las oraciones subordinadas realizan, con respecto a la oración principal, diferentes oficios: o de adjetivos o de sustantivos o de adverbios. De aquí su clasificación en *subordinadas adjetivas*, *subordinadas sustantivas* y *subordinadas adverbiales*.

Oraciones subordinadas adjetivas: Compárense estas dos oraciones:

«El hombre *trabajador* merece su paga»
«El hombre *que trabaja* merece su paga»

La primera es una oración simple cuyo sujeto «El hombre» está modificado por el adjetivo «trabajador».
La segunda es una oración compuesta, en la cual la oración simple «que trabaja» es equivalente al adjetivo «trabajador» de la primera

278

oración. A estas oraciones que hacen el mismo oficio que el de un adjetivo en una oración simple se las llama *oraciones subordinadas adjetivas.*

Van también introducidas por los pronombres relativos, por lo que también se las conoce por *oraciones de relativo.*

El papel que el relativo desempeña es doble: servir de enlace entre la oración principal y la subordinada, y reproducir el antecedente, cuyo oficio es muchas veces distinto al oficio que el relativo realiza en su propia oración. Ej.:

«Ese niño que sale de ahí es mi hermano»
«Yo tengo un libro que te agradará»
«Saludé al amigo con quien tú paseas»

En la primera oración el relativo «que» es sujeto de su propia oración, igual oficio que el antecedente «niño».

En el segundo ejemplo el relativo «que» es también sujeto de su propia oración, pero el antecedente «libro» es ya complemento directo.

En el tercer ejemplo el relativo «quien» es ahora complemento circunstancial, y su antecedente «amigo», complemento directo.

Clases de oraciones subordinadas adjetivas:

Veamos otros ejemplos:

Los soldados que no cumplieron las órdenes, fueron castigados.
Los soldados, que no cumplieron las órdenes, fueron castigados.

En el primer ejemplo, la oración adjetiva *que no cumplieron las órdenes* está unida íntimamente al antecedente con carácter *determinativo*, refiriéndose sólo a los soldados que no complieron las órdenes.

En el segundo ejemplo, la misma oración adjetiva está separada del antecedente por medio de una coma, convirtiéndose en una oración *explicativa* o *incidental* para referirse a todos los soldados.

Las oraciones adjetivas que estén en el primer caso, se llaman *determinativas* o *especificativas* y las que estén en el segundo caso *explicativas* o *incidentales.*

Son determinativas las que están escritas con caracteres cursivos:

Te haré un regalo *que te agradará mucho.*
La señora *que te presenté* es mi tía.

Son incidentales o explicativas las que están escritas con caracteres cursivos.

Este señor, *que es el propietario*, te atenderá.
He recibido un libro, *el cual es muy interesante.*

EJERCICIOS. — ¿Qué son oraciones independientes? — ¿Qué son oraciones subordinadas? — ¿Qué es una oración principal? — Diga cuáles de estas oraciones son principales y cuáles son subordinadas: Te pagaré los cinco pesos cuando cobre. — Iremos a la playa si tú quieres acompañarme. Ella le dijo que fuese al hotel.
Cite tres ejemplos de oraciones adjetivas o de relativo. — ¿Qué signo de relación o cópula distingue a las oraciones de relativo? Cite una oración adjetiva explicativa o incidental y otra determinativa o especificativa. — ¿Cuál es el oficio de una oración subordinada adjetiva?

Lección 101

LA ORACIÓN SUBORDINADA SUSTANTIVA

Oración subordinada sustantiva: Comparemos estas dos oraciones:

«Yo deseo *que tú triunfes*»
«Yo deseo *tu triunfo*»

En el primer ejemplo la oración subordinada «que tú triunfes» es equivalente al sustantivo «triunfo» del segundo ejemplo. El primer ejemplo es una oración compuesta. El segundo es una oración simple.

Aquellas oraciones subordinadas que hacen el oficio de un sustantivo con respecto a una oración principal, se llaman *oraciones subordinadas sustantivas*.

Y como el sustantivo puede ser el sujeto de una oración o cualquiera de sus complementos, las oraciones subordinadas sustantivas se dividen en: *de sujeto, de complemento directo, de complemento indirecto, de complemento circunstancial y de complemento de un sustantivo o adjetivo.*

Oraciones subordinadas sustantivas de sujeto: Se llaman también *subjetivas* y representan el sujeto de la oración principal, a la cual están subordinadas. Van precedidas por la conjunción *que*, acompañadas a veces del artículo. Ejemplo:

«*Que te portes bien* es lo que más deseo»

Oraciones subordinadas sustantivas de complemento directo: Se las conoce también por el nombre de *objetivas*, y su oficio es el de ser complemento directo de la oración principal. Su uso es muy frecuente en español, y su construcción es variada. Véanse estos ejemplos:

«El maestro dijo: *cállate*»
«El maestro dijo *que te callases*»
«Te pregunto *dónde compraste el pañuelo*»
«Quisiera saber *si estás ya preparado*»

281

Oraciones subordinadas sustantivas de complemento indirecto: Llamadas igualmente *finales*. Van introducidas por «a que», «para que», «a fin de que», y su función consiste en desempeñar el papel de complemento indirecto en la oración principal. Ej.:

«Escucha con atención *para que no te confundas*»

Oraciones subordinadas sustantivas de complemento circunstancial: Desempeñan el oficio de un complemento circunstancial en la oración principal, si en el elemento introductor la conjunción «que» va precedida de una preposición de ablativo. Ej.:

«Ya me fijé *en que venía descalzo*»
«Comentaban *de que vendrías este verano*»

Oraciones subordinadas sustantivas complementarias de un sustantivo o de un adjetivo: También la oración subordinada sustantiva puede ser complemento de un sustantivo o de un adjetivo. Estas oraciones se introducen por medio de la conjunción «que» precedida de la preposición «de» cuando completan a un sustantivo, y la misma conjunción *que* pero precedida de otras preposiciones cuando completan a un adjetivo. Ej.:

«Tuve miedo *de que llegases tarde*»
«Tus padres están contentos *con que te apliques*»

EJERCICIOS. — ¿Cuál es el oficio de una oración subordinada sustantiva en la oración compuesta? — ¿Cuál es el signo principal de enlace en las oraciones sustantivas? — Diga la división de las oraciones subordinadas sustantivas. — De las siguientes oraciones compuestas, diga cuáles son las sustantivas y qué oficios realizan:

Ella expuso que no comprendía el plan. Te entrego esta sortija para que la uses. No recordaba que ella era casada. Que te mejores es mi deseo.

Dé ejemplos de oraciones subordinadas sustantivas que hagan estos oficios: Sujeto, complemento directo, complemento indirecto, complemento circunstancial, complemento de un sustantivo y complemento de un adjetivo. — Hacer un dictado ortográfico y seleccionar de su conjunto algunas oraciones para clasificarlas.

Lección 102

LA ORACION SUBORDINADA ADVERBIAL

Oración subordinada adverbial: Hagamos igualmente que en la lección anterior la comparación entre dos oraciones:

«Juan se quedó en casa *cuando empezó la lluvia*»
«Juan se quedó en casa *entonces*»

La oración subordinada del primer ejemplo, «cuando empezó la lluvia», es equivalente al adverbio «entonces» del segundo ejemplo. La primera es una oración compuesta. La segunda es una oración simple.

Aquellas oraciones subordinadas que hacen el oficio de un adverbio con respecto a una oración principal, se llaman *oraciones subordinadas adverbiales.*

Estas oraciones se dividen en: *de lugar, modales, temporales, comparativas, consecutivas, condicionales* y *concesivas.*

Oraciones adverbiales de lugar:

«Esta es la ciudad *donde ella nació*»
«Dejaré de ir *a donde no me admitan*»

Se enlazan a la principal por medio del adverbio relativo «donde», precedido muchas veces de las preposiciones «a», «hacia», «de», «en», «para», «por», etc. La oración subordinada indica el lugar de la acción expresada en la oración principal.

Oraciones adverbiales modales:

«Lo haremos *como tú quieras*»
«Se te pagará *según trabajes*»

Van introducidas por «como», «según», «conforme», etc. y expresan el modo de la acción indicada en la oración principal.

Oraciones adverbiales temporales:

«Lo conseguirás *cuando lo solicites*»
«Te lo compraré *en cuanto cobre*»
«Te avisaré *así que me lo notifiquen*»
«*Antes que me avisen* yo actuaré»

Usan como nexos los adverbios o frases adverbiales: «cuando», «en cuanto». «antes que», «luego que», «tan pronto como», «después que», etc. Expresan el tiempo de la acción a que se refiere la oración principal.

Oraciones adverbiales comparativas:

Trabaja tal *como trabajaba Hércules*
Vale tanto *cuanto pesa*
Jesús habló hoy menos *que ayer* (habló)

Los elementos de enlace son partículas correlativas de formas muy variadas: «Tanto... cuanto», «tal... como», «más... que», «menos... que», etc. Con estos elementos se establecen comparaciones entre dos conceptos, dando lugar en ocasiones a unos tipos de construcción muy próximos a las oraciones modales.

Oraciones adverbiales consecutivas:

Tanto insistió *que no pude negarme*
Es de tal modo violento *que resulta insoportable*

También aquí, igual que en las oraciones comparativas, los enlaces se establecen mediante correlaciones entre «tanto», «tan», «de tal modo», «de tal manera», «de tal suerte», etc. y la conjunción «que», que sirve de elemento introductor a la oración subordinada.
La oración subordinada indica el resultado o consecuencia de algo expresado en la oración principal de un modo más o menos intenso.

Oraciones adverbiales condicionales:

«Te lo daré *si lo quieres*»
«*Cuando ella lo dice* será cierto»
«Te recomendaré, *siempre que cumplas bien*»

Se unen por medio de «si», «siempre», «que», «con tal que», «cuando», e indican la condición que es necesaria para que se realice lo expresado en la oración principal.

En estas oraciones condicionales, la subordinada que expresa la condición se llama *prótasis* y la principal que expone la consecuencia, se denomina *apódosis*.

Oraciones adverbiales concesivas:

> *«Aunque él no quiera recibirme,* iré hoy»
> *«Aun pagándome el doble,* no lo haré»
> «No lo perdonaré *así me dé explicaciones»*

Usan las expresiones «aunque», «aun», «así», «aun cuando» «por más que», etc. y exponen una objeción que no impide lo que se afirma en la principal.

EJERCICIOS. — ¿Qué oficio realizan en la cláusula las oraciones subordinadas adverbiales? — Enumere las distintas clases de oraciones adverbiales. — Subraye las oraciones adverbiales y clasifíquelas:

Lucían tan bellos ojos como lucían las estrellas.
Aunque llueva a cántaros, asistiré al trabajo.
Era tanto lo que sufría que tuvieron que operarlo.
Si alguien me traicionara actuaría cívicamente.
Te colocaré cuando termines tus estudios.
Se dirigieron hacia donde tú les indicaste.
No te acompañaré así me obliguen.
Bailaba como si fuera un trompo.

Cite los principales nexos que emplean las oraciones adverbiales.

DISCUSIONES Y COMPOSICIONES sobre un asunto local, nacional, internacional, social o cultural.

Los ejercicios de composición escrita y el dictado ortográfico ofrecerán ocasiones para la práctica de la acentuación y puntuación durante todo el curso escolar, a fin de crear el hábito ortográfico.

Traer a la clase distintos cuentos populares, que son el reflejo de la filosofía del pueblo, los que ahondan y se enraízan en el alma popular con mayor facilidad que el cuento artístico. Concepto del folklore. Explicación de refranes, proverbios, adagios, sentencias, leyendas, etc.

Lección 103

ESTUDIO DE LA CLÁUSULA

Recordemos que las *ideas* se expresan por medio de las *palabras* y de las *frases;* los *pensamientos,* por medio de las *oraciones.*

Para expresar un pensamiento completo o cabal, necesitamos muchas veces, de más de una oración. Véanse estos ejemplos:

La Tierra es un planeta.
La Cívica trata de los deberes y los derechos del ciudadano.
Educar no es dar carrera para vivir, sino templar el alma para la vida.

El que no siente los encantos de la poesía y de la música, podrá ser, si se quiere, espíritu puro o animal puro, no aquel compuesto de alma, vida y corazón que llamamos hombre.

Por los ejemplos anteriores podemos notar que los distintos pensamientos expresados constituyen en algunos casos más de una oración.

A la oración o conjunto de oraciones que expresan un pensamiento cabal o completo se llama *cláusula.* Cada uno de los ejemplos anteriores constituye una *cláusula.* La palabra *cláusula* proviene de la voz latina *clausus - cerrado. Siempre* la cláusula comienza con letra mayúscula y termina en punto.

Las cláusulas pueden ser *cortas* o *largas; simples* o *compuestas.*

Son *cláusulas cortas* las que tienen poca extensión; están formadas por una o varias oraciones principales que no son modificadas. Ejemplo:

Morse inventó el telégrafo y Graham Bell, el teléfono.

Son *cláusulas largas* las de mayor extensión, formadas por *oraciones* principales con muchos modificativos. Ejemplo:

«Los pueblos todos deben reunirse en amistad y con la mayor frecuencia dable, para ir remplazando, con el sistema del acercamiento universal, por sobre la lengua de los istmos y la barrera de los mares, el sistema, muerto para siempre, de dinastías de grupos». — *José Martí*. (Cubano).

Son *cláusulas simples* las que están constituidas por una sola oración principal. Ejemplo:

Bolívar fue un héroe

La *cláusula* es *compuesta* cuando consta de dos o más oraciones principales que pueden ir solas o acompañadas de otras oraciones complementarias. Ejemplos:

Ese joven trabaja durante el día y estudia por la noche.

Las cláusulas compuestas pueden ser *sueltas* o *periódicas*.

Son *cláusulas sueltas* aquellas cuyas oraciones están unidas por medio de signos de puntuación tales como la coma, el punto y coma, etcétera. Ejemplo:

Él pudo alcanzar el triunfo, pero la suerte le fue adversa; en otra ocasión obtendrá el primer premio.

En las *cláusulas periódicas*, llamadas también *periodos*, las oraciones están enlazadas por medio de conjunciones, gerundios, relativos, etcétera.

Ejemplo de *período*:

«Napoleón es cometa que infesta la bóveda celeste y pasa aterrando al universo: vese humear todavía el horizonte por donde se hundió la divinidad tenebrosa que iba envuelta en su encendida cabellera. Bolívar es astro bienhechor que destruye con su fuego a los tiranos, o infunde vida a los pueblos, muertos en la servidumbre: el yugo es tumba; los esclavos son difuntos puestos al remo del trabajo, sin más sensación que la del miedo, sin más facultad que la obediencia».

Un paralelo: de *Juan Montalvo*.

Hay cláusulas muy extensas llamadas *tasis*, las cuales se dividen en dos partes: la *prótasis*, primera parte, donde queda en suspenso el sentido y la *apódosis*, segunda parte, en que se termina el sentido de la cláusula. La *prótasis* expresa una condición, generalmente va precedida de la conjunción *si*. Ejemplo: Si estudias el asunto (prótasis), lograrás un éxito favorable (apódosis).

Las oraciones principales de que constan las cláusulas compuestas se llaman *miembros* o *colones* y las oraciones dependientes, incidentales, *incisos* o *comas*. Según el número de miembros, las cláusulas se llaman *monomembres*, *bimembres*, *trimembres*, *tetramembres*, etc.

EJERCICIOS. — ¿Qué es una cláusula? — Construya tres cláusulas de una sola oración y tres de más de una oración. — Diga cuáles de estas cláusulas son simples y cuáles son compuestas:

> *Entregarás el trabajo por la tarde o de lo contrario no cobrarás.*
> *Los bizarros soldados combatieron sin cesar contra los invasores.*

¿Cómo pueden ser las cláusulas compuestas? — Diga cuáles de estos ejemplos es un período o cláusula periódica:

a) Es la amistad muy delicada planta, porque se marchita con el soplo más ligero, no medra sino a fuerza de cuidados, y no se conserva sin la mano vigilante del cultivador.

José Antonio Saco.

b) El hombre es el único de los animales que hace uso del fuego; primero lo sacó de un pedernal, hoy lo arrebata de las nubes.

Felipe Poey.

¿Cómo se llaman las cláusulas muy extensas? — ¿Qué es la prótasis? ¿Cuál es la etimología de esta palabra? — ¿Qué es la apódosis? — ¿Cuál es la etimología de esta palabra? — ¿Qué son miembros o colones? — ¿Qué son incisos o comas? — Diga cuál es el inciso en esta cláusula:

Sucre, que abandonó su hogar para lanzarse a la revolución, llegó a ser uno de los primeros generales del ejército libertador americano.

Lección 104

ANÁLISIS GRAMATICAL COMPLETO

Ya hemos estudiado todos los aspectos fundamentales relativos a las cuatro partes de la Gramática: Prosodia, Ortografía, Analogía y Sintaxis.

Por medio del análisis gramatical podemos aplicar esos conocimientos comprobando su verdadera adquisición. Este análisis abarca las cuatro partes enunciadas, así es que comprende los *análisis sintáctico, analógico, prosódico* y *ortográfico*.

En el análisis sintáctico se explican:

1.º — Las oraciones que integran la cláusula; determinando su número y clases.
2.º — Los elementos de esas oraciones.
3.º — Las concordancias y los regímenes.
4.º — La construcción de la cláusula, señalando las figuras que se hayan empleado.

En el análisis analógico se explican:

1.º — Las partes de la oración, sus clases y subclases.
2.º — Los accidentes gramaticales de cada parte de la oración.

En el análisis prosódico se explican:

1.º — Las palabras, clasificándolas por el número de sus sílabas y por su acento.
2.º — Las sílabas y sus elementos, señalando los diptongos y triptongos y las clases de letras.

En el análisis ortográfico se explican:

1.º — La escritura de las palabras que tengan letras de empleo dudoso.
2.º — Los acentos ortográficos o escritos.
3.º — Los signos de puntuación y demás signos auxiliares.

Veamos ahora un ejemplo práctico de estos análisis gramaticales:

El profesor lamenta que sus alumnos no estudien
las lecciones.

Análisis sintáctico: Esta cláusula está formada por dos oraciones:

El profesor lamenta, oración principal y *que sus alumnos no estudien las lecciones,* oración subordinada. Ambas oraciones están enlazadas por la conjunción *que.*

La segunda oración está haciendo el oficio de objeto o complemento directo de la primera; es, por lo tanto, una oración *subordinada sustantiva.*

La oración principal, *El profesor lamenta,* es *afirmativa* y de *verbo transitivo.*

La oración subordinada, *sus alumnos no estudien las lecciones,* también es de *verbo transitivo* pero *negativa.*

Los *elementos* de la primera oración son:

Sujeto simple: El profesor.

Predicado: lamenta, completado con la oración subordinada sustantiva que hace oficio de complemento directo.

Los *elementos* de la segunda oración son:

Sujeto: sus alumnos.

Predicado: no estudien las lecciones; compuesto del verbo estudien, del *adverbio* negativo no y del *complemento directo* las lecciones.

Las *concordancias* que en ellas se observan son:

De *sujeto* y *verbo*: El profesor lamenta; sus alumnos estudien.

De *nombre, artículo* y *adjetivo*: El profesor; sus alumnos, las lecciones.

Los *regímenes*:

De *nombre*: *profesor* lamenta; *alumnos* estudien.

De *verbos* lamenta, que rige a la oración subordinada que le sirve de complemento directo, por medio de la conjunción *que. Estudien* rige *a* lecciones. El posesivo *sus* rige a alumnos.

Construcción: La cláusula está en *sintaxis regular,* no hay ninguna figura que explicar.

Análisis analógico: *El* es un artículo determinante y *profesor* es un nombre común; ambas palabras están en género masculino, número singular y caso nominativo.

Lamenta es un verbo de la primera conjugación, es regular y transitivo. Está en voz activa, en modo indicativo y en tiempo presente; es la tercera persona del singular.

Que es una conjunción subordinante; no tiene accidentes por ser palabra invariable.

Sus es un pronombre posesivo, apócope de *suyos*, y está haciendo oficio de adjetivo.

Alumnos es un nombre común, concuerda con *sus;* los accidentes de ambas palabras son: género masculino, número plural y caso nominativo porque constituyen el sujeto de la segunda oración.

No es un adverbio de negación; no tiene accidentes por ser una palabra invariable.

Estudien es un verbo de la primera conjugación, transitivo y regular. Está en voz activa y en el modo subjuntivo; en tiempo presente y es la tercera persona del plural.

Las es un artículo determinante y *lecciones* es un nombre común. Ambas palabras están en género femenino, en número plural y en caso acusativo.

Análisis prosódico: Son palabras agudas: *profesor,* y los monosílabos *el, que, sus, no, las.*

Son *llanas* o *graves: lamenta, estudien, alumnos, lecciones.*

No hay ninguna palabra *esdrújula.*

No hay palabras *bisílabas.*

Son *trisílabas: profesor, lamenta, estudien, alumnos, lecciones.*

Clases de sílabas: Simple: *a*

Directas: pro, fe, la, ta, que, no, tu, cio.

Inversas: el, es.

Mixtas: ser, men, sus, lum, nos, dien, las, lec, nes.

Diptongos: en las sílabas dien, cio.

En el conjunto de todas esas palabras hay *vocales fuertes:* a e, o, y *débiles:* i, u.

También hay *consonantes labiales:* p, m. *Linguales:* l, r. *Dentales:* d, t. *Guturales:* c, q. *Nasal:* n, *Silbante:* s. *Labiodental:* l.

Análisis ortográfico: *Acentuación:* Ninguna palabra de la cláusula lleva acento ortográfico.

Puntuación: Sólo el punto final.

En cuanto a la escritura dudosa de las letras solamente merecen citarse la *m* en la palabra *alumnos* y la doble *cc* en la palabra *lecciones. Alumno* se deriva del latín *alumnus* y conserva esa ortografía de la raíz primitiva. *Lección* viene de la voz latina *lectio;* la *t* se ha cambiado en *c.*

Teotería es un verbo de tercera conjugación, es regular y transitivo. Está en voz activa, en modo indicativo y en tiempo presente, es la tercera persona del singular.

Oye es una conjugación subordinada; no lleva acentuas por ser palabra invariable.

Sus es un pronombre posesivo, apócope de *suyos*, está haciendo oficio de adjetivo.

Alumnos es un nombre común, concreta con esta; los accidentes de ambas palabras son el solo masculino, el caso plural y caso nominativo porque constituye el sujeto de la segunda oración.

No es un adverbio de negación; no tiene accidentes por ser una palabra invariable.

Pueden es un verbo de la primera conjugación, transitivo y regular. Está en voz activa y en modo subjuntivo, en tiempo presente y es la tercera persona del plural.

Los es un artículo determinante y precede a un nombre; ambos concuerdan en género femenino, en número plural y en caso acusativo.

Análisis prosódico. Son palabras agudas: *profesor* y *los*; llanos: *labor* el, *que*, *sus*, *no*, *los*.

Son llanas o graves: *función*, *estudian*, *alumnos*, *tienen*.
No hay ninguna palabra esdrújula.
No hay palabras insonoras.
Son bisílabas: *profesor*, *jornada*, *estudian*, *alumnos*, *función*.
Graves disílabas: *Simple*, *o*.
Directas: *por, la, la, que, no, tú, no*.
Inversas: *el, es*.
Mixtas: *tien, sus, jun, nor, dien, las, ter, les*.
Diptongos: *en, la, silabogación, la*.
En el conjunto de todas estas palabras hay once letras que *d*, *e* o, *y* *a* diez *e* la *n*.
También hay consonantes: *b, h, la, m, n, palabra, f, n, l, l, n, Demir*
las, *c, l, v*, *f, de, q, q, l*, *n, g, m, r, r*, *z, f, l, l, l, c, r, n*.

Análisis ortográfico. Así sucede que ninguna palabra lleva acento ortográfico.
En cuanto a la escritura. Solo el punto final.

En cuanto a la escritura, cuidas de las letras columna merece citarse la en — palabra alumno y *función* es en la palabra *leería* una *h intermedia* de la *v, del intermedia* o conserva su ortografía de la *h la intuitiva*, según *v limpié* la voz *latina lectio b*, *b*, se cambia *g* en *c*.

SEGUNDA PARTE

ESTUDIO DE LA COMPOSICION
NORMAS DE REDACCION

Lección 1

CONCEPTO DE LA COMPOSICIÓN
ESTUDIOS CON QUE SE RELACIONA
LA PROSA Y EL VERSO: SUS GÉNEROS

La composición: concepto. — *Componer* es construir, formar, reunir, producir un conjunto ordenado y armónico. Se componen palabras, frases, oraciones, cláusulas, párrafos, textos, etc., cuando se logra combinar y concertar sus elementos para producir un todo correcto, grato, armonioso e inteligible.

La palabra *composición* tiene dos acepciones principales: Llamamos Composición al conjunto de palabras, frases y oraciones armónicamente combinadas que expresan una unidad de pensamiento. Y llamamos también Composición, al arte de coordinar las palabras, las frases y las oraciones para expresar un conjunto claro, correcto, elegante, en forma oral o escrita.

La *Composición Comercial* es una parte de la Composición General que especializa en la redacción de cartas, documentos, anuncios y demás exposiciones relativas a las transacciones mercantiles y de negocios. Su lenguaje es sencillo, claro, correcto, interesante, persuasivo y convincente.

La *Composición Literaria* es el arte de expresar los pensamientos y las emociones con un lenguaje también claro, correcto, propio, elegante y con giros bellos, armoniosos y emotivos. La Composición Literaria es amplia: abarca todos los géneros literarios en prosa y en versos y aspira a la más bella y estética expresión de los sentimientos. La Composición Comercial es limitada a las actividades del comercio y aspira a interesar a los clientes o compradores para la realización de ventas y negocios.

Estudios con que se relaciona la Composición: Para llegar a poseer el arte de la Composición es necesario estudiar ampliamente el *Lenguaje*, conocer sus cualidades y el *Vocabulario* de nuestro idioma. Es necesario, además, saber aplicar las reglas de la *Gramática* para expresarnos correctamente y realizar una práctica intensa de los ejercicios de *Redacción*, para adquirir y cultivar nuestro estilo. La

Lectura atenta, que aspira a una completa interpretación de lo escrito, es otro medio auxiliar valiosísimo para el estudiante de Composición. Y la *lectura* de obras maestras de la *Literatura* contribuye a despertar y desarrollar el gusto literario y crear un buen estilo, sobre todo cuando se indaga en buenas fuentes de información que nos proporcionan un cabal conocimiento de la materia investigada. Interesarse en la *Semántica*, tratado sobre la significación de los vocablos; en la *Etimología*, la *Morfología* y en el enriquecimiento del vocabulario, utilizando para ello, los conocimientos que nos brindan los diccionarios, es otra actividad que contribuye al mejoramiento de la experiencia en la Composición. La *Lógica* y la *Sicología* son también valiosísimos auxiliares para el compositor. En la actualidad, el Corresponsal (redactor de cartas comerciales) se basa en fundamentos y principios sicológicos para lograr que sus escritos despierten en el lector, interés, aprecio, decisión y acción inmediata para realizar una compra o transacción. Resumiendo podemos decir que son magníficos auxiliares de la Composición las siguientes materias del estudio: Lenguaje, Vocabulario, Gramática, Lectura, Redacción, Literatura, Semántica, Etimología, Morfología, Lógica, Sicología, Estética, etc.

La prosa y el verso: La *prosa* es la forma natural de expresión que no está sujeta a medidas y cadencias determinadas: es fácil. espontánea y fluida. Cuando la *prosa* adquiere caracteres de expresión artística, se somete a normas que regulan su acertado empleo. El *verso* es un conjunto de palabras que se combinan con arreglo a una cantidad de sílabas, medida y cadencia, según reglas fijas determinadas. Las poesías se escriben en *verso*. Las historias, los artículos, las cartas se redactan en *prosa*.

Los géneros en prosa comprenden principalmente la *narración*, la *descripción*, el *diálogo* la *exposición*, el *epistolar*, etc.

La *narración* es el relato de un acontecimiento real o imaginario. A este género pertenecen la historia, la crónica, la biografía, la autobiografía, la anécdota, la novela, el cuento, la leyenda, el mito, la fábula, la parábola, etc.

La *descripción* es una enumeración de las partes, las cualidades o circunstancias relativas a las personas, los animales, las cosas, fenómenos, etc. A la *descripción* corresponden las composiciones llamadas paisajes o topografías, cronografías, prosopografías, epopeyas, retratos, paralelos; ciertas definiciones y las llamadas descripciones propiamente dichas, de artículos, objetos, maquinarias, artefactos, etc.

El *diálogo* es una conversación entre dos o más personas; muy usado en las obras dramáticas o teatrales; en las entrevistas periodísticas, en los juicios de tribunales, en las investigaciones, etc.

La *exposición*: La forma literaria *expositiva* es un razonamiento sobre una verdad, un conocimiento, un hecho, una virtud. Al género expositivo corresponden los discursos, las conferencias, los sermones, alocuciones, críticas, lecciones y trabajos didácticos, los editoriales periodísticos, los ensayos, las monografías; las epístolas o cartas, estas últimas corresponden al *género epistolar*.

Los géneros en verso: comprenden principalmente la *épica*, la *lírica* y la *dramática*.

La *épica* corresponde a la narración de actos heroicos o epopeyas; es objetiva. Son famosos los poemas épicos, la Ilíada y la Odisea, del poeta griego Homero.

La *lírica* expresa el estado espiritual del autor o poeta: sus impresiones, sentimientos, emociones, etc.; es subjetiva. La Avellaneda, Darío, Martí, escribieron notables poesías líricas. Al género lírico pertenecen la oda, la canción, el himno, la elegía, el soneto, el madrigal, el romance, el epigrama, las rimas, los nocturnos, etc.

La poesía *dramática* se aplica a las obras teatrales o de representación. A ella corresponden la comedia, la tragedia, el drama, el auto, el entremés, el sainete, la farsa, la zarzuela, opereta, ópera, melodrama, etc.

Por lo general las composiciones no se ajustan exclusivamente a un género literario determinado: Muchas veces se mezclan la narración con la descripción y las formas expositiva y dialogada.

EJERCICIOS. — Diga qué clase de oración es la siguiente; cuáles son sus elementos; las concordancias y los regímenes que en ella hay:

«Martí murió por Cuba.» — Haga un análisis analógico de esta oración: «Los campos fértiles produjeron muy abundante cosecha.» — Haga un análisis prosódico de la frase: «Las aves cantoras.» — Haga un análisis ortográfico de la oración: «¿Quién llamaba?» — Haga un análisis completo de esta cláusula: «Ella cantó porque le pagaron.»

Lección 2

MÉTODOS PARA EL ESTUDIO DE LA COMPOSICIÓN

Concepto del método: La raíz etimológica de la palabra *método* es *odos* que en griego significa *camino;* es la vía para llegar pronto y fácilmente a un fin o término. En todo método siempre existe un ordenamiento, un plan lógico, racional, de medios y actividades. En los trabajos de redacción o de composición es recomendable la adopción de un método, es decir, de un plan u ordenamiento. Aplíquese este sencillo procedimiento:

El *primer paso* es la selección del *tema* o asunto que se va a tratar. La selección del tema depende de varias circunstancias: puede ser sugerido por el profesor o puede ser escogido libremente por el alumno; puede obedecer a una necesidad, a un mandato; a una oportunidad o motivo de actualidad, o de estados de inspiración, de invención, de originalidad. De aquí se induce que hay temas *libres* y temas *obligados.*

El *segundo paso* persigue un amplio conocimiento del tema: comprenderlo, sentirlo, desearlo, son tres bases esenciales para realizar un buen trabajo. Para llegar a su amplia comprensión es necesario documentarse, acudir a las fuentes de información: diccionarios, enciclopedias, libros, textos. Visitar bibliotecas, archivos, museos, etc. En este paso no debe olvidarse el postulado que dice: «Toda la dignidad del hombre se cifra en el pensamiento, y éste en el momento de la redacción, se ha de poner en contacto con la realidad» (Citado por Martín Alonso en Normas Prácticas de Redacción).

El *tercer paso* corresponde a la disposición, bosquejo, esquema o plan de desarrollo que debe constar de principio (introducción), medio (texto o conceptos fundamentales) y fin (clausura). También en relación con el esquema puede optarse por una de estas dos vías: la ajustada a los cánones o reglas de la redacción, o la libertad del compositor, guiado por su inspiración quien adoptará el plan que desee o sienta.

Y el *cuarto paso* es el relativo a la forma de expresión, a la *elocución*. El desarrollo de un tema merece una exposición clara, correcta, interesante, amena, etc., con cualidades del lenguaje que reflejen la personalidad del autor, es decir, su estilo. Resumiendo, podemos decir, que el método o procedimiento recomendable y que se sigue en el desarrollo de este Programa, está basado en esos cuatro pasos:

1.º — Propiciar la adopción o selección de un tema o asunto.
2.º — Estimar la documentación, conocimiento y sentimiento pleno de la materia.
3.º — Sugerir la adopción de un plan, bosquejo o esquema, libre o sujeto a normas establecidas.
4.º — Estudiar las cualidades de lenguaje, aplicarlas en la elocución y cultivar un estilo propio.

Ese método de trabajo, o cualquier otro, requiere el auxilio de los cuatro métodos fundamentales de todo estudio: *analítico, sintético, inductivo,* y *deductivo*, que serán aplicados en los estudios de modelos, de lecturas selectas, en trabajos de crítica, etc.

Recordemos que el *análisis* es la distinción o separación de las partes de un todo para llegar a conocer sus principios y elementos. El método analítico se aplica con frecuencia en los estudios gramaticales y literarios. La *síntesis* equivale a composición, es decir, suma y compendio de una materia. En la confección de resúmenes y de cuadros sinópticos aplicamos la síntesis.

La *inducción* es el proceso de llegar a un conocimiento, ley o regla, mediante el estudio u observación de los fenómenos que lo producen; parte del análisis de los hechos, para llegar a la ley o regla. Es muy útil la aplicación de la *inducción* en la formación de muchas reglas gramaticales (ortografía) y literarias. La *deducción* procede a la inversa: parte de una ley general, de una regla, para descender a un hecho particular que nos dé su interpretación.

Por lo general, el análisis, la síntesis, la inducción y la deducción no se aplican aisladamente, sino armonizadas o en forma complementaria, de ahí que es bueno recomendar un método *ecléctico*, es decir, un método que aproveche las ventajas y oportunidades de todos los métodos. Esto nos recuerda el aforismo de Don José de la Luz Caballero: «Todos los métodos y ningún método».

EJERCICIOS. — ¿Cuál es la etimología de la palabra método? — ¿Cuáles son los cuatro pasos recomendables para el desarrollo de un trabajo de composición? — ¿Qué puede decir acerca de la adopción de un esquema o plan? — ¿Qué otros métodos pueden auxiliar en el estudio de la Composición? — Explique los términos: análisis, síntesis, inducción, deducción—Ecléctico. —Lea cuidadosamente el fragmento que se transcribe a continuación, y haga un breve comentario del mismo:

«El método imitativo: La imitación consiste en transportar a nuestro propio estilo imágenes, ideas o expresiones de otro estilo. Es el procedimiento más general, el más eficaz en el arte de aprender a escribir. Está consagrado por la tradición. La literatura latina nació por imitación de la griega, y la nuestra surgió al esplendor del Renacimiento, merced al procedimiento asimilativo de las formas y el espíritu de Roma y Grecia.

Es la imitación, no el calco de la frase o la copia forzada de un texto. La buena imitación no es la servil, que mata el talento, sino la *Asimilativa*, que lo crea y aumenta. Hay un fondo de ideas que son de patrimonio común. La manera de expresarlas es lo que constituye el valor literario. Se puede ver y comprender de otro modo lo que ha sido visto y comprendido por otros. La imitación puede referirse a la forma externa (giros, imágenes, modismos, etc.), o al pensamiento. La imitación asimilativa se refiere, sobre todo, a la sensibilidad y a la manera de matizar las formas y las ideas. La buena imitación conduce a la asimilación y se confunde con ella.»

MARTÍN ALONSO.

300

Lección 3

LA ORGANIZACIÓN DEL MATERIAL
PARA LA COMPOSICIÓN

Cuando nos decidimos a realizar un trabajo de Composición, debemos determinar los elementos y factores que contribuyen al mejor éxito de la labor. Esta serie de elementos o materiales han de ser organizados convenientemente. Así, en primer término, determinaremos el propósito, finalidad o necesidad del trabajo de Composición; después a quién va dedicado o dirigido; cuáles son las experiencias que poseemos y las informaciones que necesitamos y por último, la adopción de un plan general con todos los tópicos que podemos tratar para lograr su correcto desenvolvimiento.

Es muy importante tener en cuenta a quiénes va dirigido nuestro trabajo, pues de este requisito puede depender el éxito o el fracaso. No se puede escribir en la misma forma para niños que para adultos; para ignorantes que para personas cultas; para fanáticos que para indiferentes.

Determinados ya, quiénes serán nuestros lectores y cuál es el asunto o idea central que vamos a desarrollar, pasaremos a estudiar las fuentes de información.

La idea central: Como que esta es la base capital o primordial del trabajo, merece especial atención: empezaremos por fijar en nuestro espíritu su significación exacta, apartando cuanto sea dudoso o equívoco en su sentido, teniendo cuidado cuando ocurran dificultades de esta clase, de determinar el verdadero valor de las palabras por su etimología o derivación, o por el modo de usarlas los buenos escritores. Haremos después un análisis de las cualidades del asunto, materia o tesis que nos proponemos desarrollar y podremos establecer una comparación entre dicho asunto y cualquier otro objeto. Esta comparación originará una antítesis que servirá para presentar el asunto desde un punto de vista más claro y comprensible.

Todas esas consideraciones y reflexiones constituyen el estudio del asunto y deberán hacerse cuidadosamente antes de iniciar el escrito. Completarán los conocimientos que uno posea de la materia, las informaciones que podamos obtener por diversos medios.

La información y sus fuentes: Los medios de información son múltiples: observación de los hechos; pruebas o documentos; fotografías; libros de textos; enciclopedias y diccionarios; y como material de información reciente o de última hora: los periódicos y revistas. Hay países que tienen tan bien organizados estos medios de información que cuentan con diversas oficinas o «bureaus» de información que facilitan notablemente esta labor. Según el asunto y las circunstancias que con él se relacionan pueden servirnos de medios de información: personajes, hechos ,archivos oficiales, oficinas policíacas, museos, etc.

Es costumbre agregar a los trabajos de Composición las referencias sobre las fuentes estudiadas: bibliografías, documentos, colaboradores, etcétera.

División del asunto: Después de haber estudiado el asunto del modo indicado anteriormente, debe hacerse una lista o sumario de todas las ideas y subtópicos que se puedan exponer y que vendrán a constituir cada uno de los párrafos del trabajo. Pero ese sumario merece una ordenación o disposición lógica de acuerdo con las reglas de la coherencia. Recomendamos este plan que a continuación se expresa, sin que esto quiera decir que el escritor deba regirse invariablemente por él. El estudiante ha de tener cierta libertad para ejercitar su juicio lo mismo que su inventiva. El plan es recomendable, por consiguiente, para los principiantes.

1. — Debe iniciarse el trabajo, si es posible, con una introducción para despertar el interés y entrever el plan que se va a desarrollar.

2. — Si el asunto requiere explicaciones, se definirá y explicará detalladamente, ya por medio de una definición formal, de una descripción o de una perífrasis.

3. — Se mostrará cuál es la causa o el origen del asunto, esto es, qué lo ocasiona, de dónde proviene o deriva y en qué se diferencia de lo que se cree asemejarse.

4. — Indicar la novedad o antigüedad del asunto y lo que era en los tiempos antiguos y lo que es en la actualidad.

5. — Determinar si se refiere a todo el mundo o solamente a una parte.

6. — Examinar si es bueno o malo y mostrar en qué consiste su excelencia, maldad o inferioridad; sus ventajas o desventajas.

7. — Presentar el asunto en una antítesis y demostrar por medio de ella, sus ventajas o desventajas sobre su opuesto.

8. — Se terminará con una conclusión o comparación que clausure enfáticamente el tema, dejando en el lector la impresión de un nuevo conocimiento o información.

Repetimos nuevamente que no es necesario sujetarse estrictamente a este plan o a ningún otro. El compositor puede libremente usar el más conveniente, siempre que no se aparte de la lógica y de las reglas de la unidad, la coherencia, el énfasis y otras que persiguen la perfección del trabajo.

EJERCICIOS. — ¿Cuáles son los cuatro aspectos más importantes que debemos tener en cuenta cuando nos disponemos a realizar un trabajo de Composición? — ¿Qué puede usted decir acerca de la idea central de un trabajo de Composición? — Cite las principales fuentes de información que se pueden utilizar para la preparación del trabajo de Composición. — ¿Es conveniente trazarse un plan que distribuya el trabajo? — Cite algunas recomendaciones para la adopción de un plan en el desarrollo de un trabajo de Composición.

Lección 4

ESTUDIO DE UN MODELO DE COMPOSICIÓN

Presentamos a continuación un trabajo en el que se ha seguido el plan expuesto anteriormente. Estúdiese bien este modelo, hágase una crítica del mismo y redáctese algún trabajo similar.

TEMA: **La educación**

(Introducción y definición). — El cultivo de la inteligencia humana ha sido considerado siempre como uno de los asuntos más importantes de la sociedad. De aquí nace, que la educación, la cual tiene por objeto el desarrollo de las facultades intelectuales y morales, es una materia que exige la seria atención y el sostén más liberal de parte de todos los individuos de la comunidad.

(Causa). — Un padre reconoce que su hijo es un ente racional, dotado de facultades susceptibles de desarrollar en un alto grado de cultura, y está convencido al mismo tiempo de que la felicidad del hijo aumentará considerablemente con el adelanto de semejantes facultades, por estos motivos deberá prestar especial atención a este asunto.

(Antigüedad). — Sabemos que desde los tiempos más remotos dondequiera que se ha gozado de los medios de proporcionarse la educación, pocos han dejado de aprovecharse de sus ventajas. Los griegos y los romanos, entre quienes brillaron tantos prodigios no sólo en la literatura, sino también en la vida civil y militar y en las artes, atendían muy particularmente a la educación de sus hijos que iniciaban desde su nacimiento. Los niños en Esparta eran arrebatados a los padres desde muy corta edad y educados a costa de la República.

(Novedad). — Actualmente se presta una atención no menor a un asunto tan importante; aunque los sistemas y métodos de educación adoptados, difieren en muchos puntos de los que se practicaban en la antigüedad. La rígida disciplina que prevalece entre los espartanos, griegos y romanos se ha tornado en un régimen más indulgente; pero si esta rigidez hermanada como estaba con una instrucción metódica, tenía o no una tendencia benéfica, es una cuestión que aún no está enteramente decidida.

(Universalidad). — Mas, a pesar de cuanto puedan diferir los antiguos y los modernos en lo que respecta al modo de ejercer la disciplina y comunicar la instrucción, el asunto que nos ocupa ha recibido en todas las naciones, y en todas las épocas, aquella atención que demanda su importancia.

(Localidad). — En nuestra patria la educación va progresando diariamente gracias a la creación de escuelas gratuitas y especiales y a los numerosos colegios y academias que se encuentran en las principales poblaciones. A ellas se pueden agregar la Universidad Nacional, los Institutos de Segunda Enseñanza, Escuelas Normales, Escuelas de Comercio, Escuelas de Artes y Oficios; Técnicas Industriales, etc. Pero si es consoladora la perspectiva que ofrecen nuestras ciudades en relación con la materia de que tratamos, no es así la que presenta esa gran masa de hermanos nuestros diseminados en los campos y privados, en su mayor parte, de los beneficios de la educación. Muchas gestiones se hacen para el establecimiento de buenas escuelas rurales y es de esperar que dentro de poco tiempo veamos esparcida la luz de la educación por todos los ámbitos de nuestra República.

(Ventajas). — Grandes beneficios se derivan de la promoción de este importante asunto. Los conocimientos adquiridos por una parte del mundo han sido transmitidos a otra sin distinción de distancias ni diversidad de edades. El círculo de los goces humanos se ha extendido, y se ha abierto un ancho campo que proporciona el goce de la suma felicidad de que es susceptible nuestra naturaleza, independientemente de los pesares y desgracias comunes de la vida.

(Antítesis). — Pero nada puede mostrar más evidentemente las ventajas de la educación que un contraste con las desventajas que resultan de la falta de ella. Una persona que ha sido bien educada, tiene su espíritu y su cuerpo tan cultivados y mejorados, que sus defectos naturales desaparecen, y sus bellezas colocadas bajo tan hermosa luz, nos impresionan doblemente; mientras que uno que no haya gozado de semejantes ventajas, tiene patentes todas sus imperfecciones naturales, añadiéndose a estas otras artificiales ocasionadas por los malos hábitos. El primero atrae la atención de aquellos con quienes conversa por el buen sentido que muestra en las materias tratadas y por el modo agradable de exponerlas. El otro disgusta a todas las personas en cuya sociedad se presenta, ya por su total silencio y estupidez, o por la ignorancia e impertinencia de sus observaciones. El uno se hace conocer de sus superiores, y adelanta hacia un rango social más elevado. El otro está obligado a representar un papel inferior entre sus iguales en fortuna, y a veces se ve forzado a buscar refugio para su ignorancia en las clases más bajas del género humano.

(**Conclusión**). — Por motivo de todas las consideraciones expuestas debemos colocar la causa de la educación entre los intereses más vitales de la Humanidad. El destruirla o apagarla, producirá una oscuridad en el mundo moral, semejante a la que ocasionaría la aniquilación del sol en el material. Todos los esfuerzos que se hagan para adelantarla y promoverla nunca serán excesivos ya que ella es, sin duda, la clave del éxito y de la felicidad.

J. IMBERNO.

EJERCICIOS. — Desarrolle el alumno, en una forma parecida a la indicada en la Lección, algunos de estos temas: LA AMISTAD. — LOS VIAJES. — LA PAZ. — LA GUERRA. — LOS NEGOCIOS. — LAS NACIONES UNIDAS, etc.

Lección 5

LA CLÁUSULA Y EL PÁRRAFO. SUS CUALIDADES

LA AMPLIFICACIÓN EN LOS PÁRRAFOS

La cláusula: Ya vimos en la Primera Parte de esta obra un estudio de la *cláusula*. Recordemos que a la oración o conjunto de oraciones que expresan un pensamiento cabal o completo se llama cláusula. Que las cláusulas pueden ser simples, compuestas, cortas, largas, sueltas, periódicas, etc. Pueden estar compuestas por uno o más miembros. Concretamente podemos decir que la cláusula se adapta a la necesidad de la expresión de un pensamiento adoptando algunas de sus modalidades. Cuando la cláusula posee cualidades de expresión que la hacen estética o artística, se dice que es una *cláusula literaria*. Veamos un ejemplo de cláusula literaria:

«Todo era paz entonces, todo amistad, todo concordia: aún no se había atrevido la pesada reja del corvo arado a abrir ni visitar las entrañas piadosas de nuestra primera madre: que ella, sin ser forzada, ofrecía por todas partes de su fértil y espacioso seno, lo que pudiera hartar, sustentar y deleitar a los que entonces la poseían.»

CERVANTES.

La *cláusula* anterior es una cláusula periódica, extensa que constituye, además de la expresión de un pensamiento completo, un verdadero *párrafo*. Los escritos literarios y cualquier composición se dividen en *párrafos*. Un *párrafo* puede estar formado por una o varias cláusulas. Generalmente en los *párrafos* se atiende más a la forma que al fondo, es decir a su estructura que a su contenido, puesto que el contenido son una o varias cláusulas y la característica fundamental de ellas es la unidad de pensamientos.

Párrafo: es el conjunto de oraciones o cláusulas coordinadas que se refieren a un mismo asunto. Los párrafos se separan por medio del punto y aparte. Al iniciar un párrafo es costumbre dejar tres o más espacios para hacer resaltar su estructura o conjunto, y hacer más legible el escrito.

Los *párrafos* pueden contener un pequeño número de oraciones o un gran número de ellas. Se recomienda que un párrafo no sea extremadamente largo o extenso. Los párrafos de más de 200 palabras resultan de poco gusto y contrarios a las reglas de la claridad, la precisión, la unidad, la elegancia y el énfasis.

Las principales cualidades del párrafo son la *unidad*, la *coherencia* y el *énfasis*.

La unidad del pensamiento: Una oración es la expresión de un pensamiento. Hemos visto que un párrafo es un conjunto de oraciones que deben guardar una *unidad* de pensamientos. Esta unidad se obtendrá si todas las oraciones que constituyen el párrafo van a referirse a una idea o pensamiento principal. Por ello se recomienda que al preparar un trabajo de composición o redacción se determine antes el número de pensamientos que se desean expresar para constituir los párrafos correspondientes sin faltar a la regla enunciada.

La coherencia: es la ilación o coordinación lógica de las oraciones y las frases que integran un párrafo, así como la relación entre los párrafos. Si ordenamos convenientemente las frases y las oraciones se interpretarán fácilmente las ideas y pensamientos que se quieren expresar.

A las distintas formas de coordinar los pensamientos conforme a la coherencia se llama *amplificación;* ésta puede ser de varias clases: amplificación por *definición;* por *circunstancia*, por *causas* y *efectos;* por *ideas contrarias,* por *gradación.*

Amplificación por definición es la que coordina varias definiciones de un mismo asunto para hacer resaltar sus buenas o malas cualidades. Ejemplo:

Verbo es la parte de la oración que expresa los accidentes de modo, tiempo, número, persona y voz.

Verbo es la palabra que expresa esencia o sustancia, acción, pasión o estado de las personas, animales o cosas.

El verbo es la palabra que expresa el atributo del sujeto.

«Verbo es la parte variable de la oración que, siendo atributo del sujeto, denota esencia o sustancia, acción, pasión o estado expresando modo, tiempo, número, persona y voz.»

Amplificación por circunstancias es la que hace mención de todas las circunstancias de tiempo, lugar, modo, etc. Cuando la amplificación se refiere especialmente a la circunstancia del tiempo, es decir, hace una exposición de los hechos o sucesos de acuerdo con su desenvolvimiento en el tiempo, se dice que es de *orden cronológico.* Ejemplo:

«Recibí su atenta carta del día 8 del corriente mes y de acuerdo con sus instrucciones, hice el depósito en el banco el día 26. Sucesivamente he ido depositando las cantidades señaladas por usted, los días 28 y 30 del propio mes.»

En la redacción de las biografías se aplica la amplificación que emplea el orden cronológico.

Cuando la amplificación se basa principalmente en la circunstancia del lugar, es decir, que las cosas u objetos se describen de acuerdo con el observador y partiendo de lo más próximo a lo más lejano, se llama de *orden en el espacio*. Ejemplo.

«Llegamos a la casa de campo donde nos alojamos. La habitación que se nos dedicó era incómoda y sus muebles escasos, antiquísimos y deteriorados. Los aposentos contiguos no poseían mejores condiciones y hasta podemos decir que todo el resto de la casa no los aventajaba.»

En las descripciones se emplea esa clase de amplificación.

La amplificación por *causas* y *efectos* puede ser de orden *deductivo* o *inductivo*. Cuando los hechos se expresan según como se van deduciendo partiendo de la causa para llegar a los efectos, se dice que se ha empleado el *orden deductivo*.

«Ya sé por qué te han dejado cesante: llegas tarde todos los días, tu trabajo es cada vez más deficiente, y además, se te critica por tus vicios. Son suficientes razones.»

Se dice que la exposición de los conceptos se hace en un *orden inductivo, cuando* por lo contrario del *deductivo,* se enuncian primeramente los efectos para llegar a la causa o motivo principal. Ejemplo:

«Hemos podido observar que, en todas las ocasiones en que el enfermo ingirió jugo de naranja, se ha producido en él un estado de intoxicación; otro tanto ha sucedido con los jugos de toronja y limón, por consiguiente recomiéndesele que se abstenga de esa alimentación, sustituyéndola por jugos de frutas que no contengan ácidos.»

EJERCICIOS. — ¿Qué es una cláusula? — ¿Cómo pueden ser las cláusulas? — ¿Qué es el párrafo? — ¿Cuáles son las principales características del párrafo en cuanto a su estructura? — ¿Qué es la unidad del pensamiento? — ¿A qué se llama coherencia? — ¿Cuáles son las clases de amplificación? — ¿Qué es la amplificación por definición? — Construya un párrafo en que se emplee esa clase de amplificación. — ¿Qué es el orden cronológico en la amplificación? — Redacte una pequeña biografía para aplicar esa clase de amplificación. — Describa un aposento cualquiera para aplicar la amplificación que sigue el orden en el espacio. — ¿Qué diferencia hay entre el orden deductivo y el inductivo?

Lección 6

CONTINUACIÓN DEL ESTUDIO DE LA AMPLIFICACIÓN LA ANTÍTESIS Y LA GRADACION. EL ÉNFASIS

Amplificación por ideas contrarias, llamada también *antítesis* (de anti-contra y tesis-poner); Implica contraste, oposición o diferencia. Se usa frecuentemente cuando queremos dar una idea más clara; cuando deseamos mostrar la verdad o el absurdo de una opinión; la excelencia o inferioridad de un asunto cualquiera, o también para presentar de un modo evidente la diferencia o distinción entre dos cosas. Ejemplo:

«No hay dos sentimientos más opuestos en el espíritu humano que el orgullo y la humildad. El orgullo está fundado en una alta opinión de nosotros mismos y la humildad en el conocimiento interior de la falta de mérito. El orgullo es hijo de la ignorancia, la humildad lo es de la sabiduría. El orgullo endurece el corazón: la humildad suaviza el genio y el carácter. El orgullo es sordo a los clamores de la conciencia: la humildad escucha reverentemente a su consejero interno; y finalmente, el orgullo rechaza los consejos de la razón, la voz de la experiencia, los preceptos de la religión, mientras que la humildad recibe agradecidamente la instrucción de todo el que se dirija a ella con el traje de la verdad.»

La amplificación por gradación, llamada también *clímax*, expresa en progresión gradual un asunto desde su menor hasta mayor interés. Algunas veces la palabra o expresión que termina el primer miembro del período es la que principia el segundo, siguiendo de este modo hasta su conclusión. Ejemplos:

«Al poseedor de las riquezas no le hace dichoso el tenerlas, sino el gastarlas; y el no gastarlas como quiera, sino saberlas gastar.»

El fin de la guerra debe ser la victoria, el de la victoria la conquista, y el de la conquista, la conservación de lo conquistado.»

El énfasis, fuerza, energía o relieve, que de todas estas maneras puede llamarse, consiste en coordinar los diversos elementos de la oración o período de modo que expresen el pensamiento lo más sobresaliente posible, es decir, que atraiga la atención del lector.

La claridad, la unidad y la coherencia son cualidades que contribuyen a la fuerza de expresión, énfasis o relieve de la oración o del párrafo.

Para lograr el énfasis deben seguirse estas reglas: 1. — Omitir toda palabra que no sea necesaria. 2. — No multiplicar excesivamente los artículos, pronombres, preposiciones y conjunciones. 3. — Colocar las palabras más notables o importantes donde más llamen la atención, especialmente al principio o al fin. 4. — Procurar, si es posible, cuando el período se componga de miembros desiguales, colocar a lo último el más largo.

Muchas veces se emplean medios materiales para destacar el énfasis usando caracteres de imprenta que resalten para atraer la atención del lector. Hay que emplear con tacto esta forma y no abusar de ella. Ejemplos:

«Le ofrecemos el artículo más PERFECTO y al mismo tiempo el más BARATO y DURADERO.»

Compárense estas redacciones:

«Nos será muy grato abrir una cuenta a su nombre en la oportunidad que usted indique, sin exigirle una cantidad determinada para ello.»

«Nos será muy grato abrir una cuenta a su nombre sin exigirle una cantidad determinada para ello, en la oportunidad que usted indique.»

La paráfrasis, es una interpretación o explicación amplificativa de un texto, una composición, una poesía, etc. Es una forma de *amplificación* basada en la interpretación que su autor hace de un texto determinado. Su práctica desarrolla la facultad para la redacción o la composición. Tómese una fábula, una poesía, un cuento, una leyenda; hágase una lectura cuidadosa; destáquense los pensamientos o conceptos fundamentales y trátese después de reproducirla con su propio lenguaje y estilo exponiendo su interpretación y hasta su opinión o criterio sobre el asunto.

EJERCICIOS. — ¿Cuál es la etimología de la palabra antítesis? — ¿En qué consiste la antítesis? — Compare las distintas condiciones del pobre y del rico y componga un párrafo aplicando la antítesis. — ¿Qué es la gradación o clímax?

Tome como modelo para imitar este ejemplo de gradación, y componga usted un párrafo aplicando ese tipo de amplificación:

De pozos profundos se extrae el petróleo; éste, refinado, se transforma en gasolina, la cual es utilizada como excelente combustible para mover el atractivo automóvil que nos transporta fácilmente a donde deseamos.

¿Qué es el énfasis? — Diga qué clase de amplificación se ha empleado en este párrafo:

Desear vivamente un cargo, lograr por fin su posesión, desempeñarlo con la mejor eficiencia posible prestando un gran servicio a la sociedad: he aquí la aspiración de todo buen ciudadano.

Componga un párrafo tratando sobre uno de estos tres asuntos:

El diccionario   *El cinematógrafo*   *Una carta*

Distribuya este conjunto de oraciones en los párrafos que sean necesarios:

En nuestra tierra abundan las zonas de terreno feraz, donde los cultivos dan magníficas cosechas. Entre ellas las más notables son las de la caña de azúcar, el tabaco y el café. Otras riquezas también atesora nuestro suelo: minas de cobre, de oro, de manganeso y otros valiosos minerales, así como famosas aguas medicinales y excelentes bosques maderables. Todos esos productos del campo, de las minas y hasta los derivados de animales, los emplea la industria para la confección de infinidad de artículos, utensilios y objetos valiosos para la vida.

¿Qué es una paráfrasis? — Lea el romance de José Martí, *Los dos Príncipes*, y haga la *paráfrasis* del mismo.

312

Lección 7

CONTINUACIÓN DEL ESTUDIO DEL PÁRRAFO
SU ESTRUCTURA. LA SUCESIÓN DE LOS PÁRRAFOS

El asunto central: su plan y desarrollo: Cuando nos decidimos a escribir algo es porque tenemos algún asunto, idea o pensamiento que exponer. Si el escritor tiene suficiente práctica y está avezado a la exposición escrita, sin dificultad hará la redacción del asunto; pero cuando no se posee habilidad, es necesario trazar un plan para el desarrollo del párrafo o composición.

Lo más importante en la redacción del párrafo es su comienzo: el escritor ha de iniciar la labor de algún modo, y en bien de la claridad del escrito dejará entrever el motivo o asunto en las primeras oraciones. Para lograr este propósito se emplean generalmente dos procedimientos: Uno de ellos es comenzar el párrafo con un título o epígrafe que anuncia el asunto que se va a tratar. Como ejemplo de este caso, puede citarse el del párrafo anterior a este, que lleva un epígrafe. Veamos otros ejemplos:

El estudio de la Gramática comprende cuatro partes: la sintaxis, la analogía, la prosodia y la ortografía.

Acuse de recibo: En nuestro poder su carta del 25 de julio la cual gustosamente contestamos.

El más notable de los libertadores cubanos fue, sin duda, el Mártir de Dos Ríos, el ilustre José Martí.

El otro procedimiento no utiliza el epígrafe inicial que da idea del contenido total del párrafo, sino que gradualmente va exponiendo las ideas hasta llegar a su total exposición sin olvidar las reglas del énfasis. Ejemplos:

En todos los alrededores no fue posible encontrar la planta medicinal que posee las propiedades curativas señaladas por el médico.

Al comenzar el trabajo notamos que la obra fundamental, con la cual realizaríamos los estudios, se había extraviado.

La estructura del párrafo: el orden de sus oraciones: Las reglas expuestas en una lección anterior sobre la coherencia de las oraciones son las mismas que han de guiarnos en la ordenación de las oraciones que constituyen el párrafo. Esa ilación o coherencia de sus cláusulas o proposiciones, producen la *armonía* del conjunto. Exige esta *armonía* que las oraciones estén dispuestas con tal arte que ni su gran extensión llegue a fatigar ni su excesiva concisión las prive de la rotundidad necesaria. No es conveniente emplear siempre largos períodos, ni tampoco usar como sistema oraciones cortas. La armonía exige que alternen las cortas con las largas, pues en la variedad está la elegancia y belleza de la expresión. Veamos un ejemplo de un párrafo en el que abundan las frases cortas que dan al estilo cierta sequedad:

Atravesaron el portal, entraron en la casa, lo registraron todo, hallándolo escondido en la buhardilla. Lo golpearon atrozmente y casi desfallecido, lo transportaron a la prisión.

Obsérvese ahora este otro ejemplo en el que están armonizadas las oraciones cortas con las extensas lográndose un equilibrio entre ellas que le da especial elegancia al párrafo.

«Una cosa es cierta desde que Dios formó el mundo, y que sólo variará así que El varíe su obra: que un movimiento en que todos entran, que a todos halaga, que a todos cobija, porque es el derecho en acción y la libertad vindicada, tiene siempre que triunfar, siempre.»

CECILIO ACOSTA.

Obsérvese este otro de Luz y Caballero:

A cada paso también se tropieza con la falta de amor entre los hombres — *reunidos*, no *asociados; hombres* no *hermanos.* ¿Hasta cuándo, Señor?

Nótese además, el empleo del énfasis en forma material al subrayar determinadas palabras.

Contraste entre la apertura y la clausura: Ya se dijo que el énfasis en el párrafo, perseguía despertar el interés y la atención y esto se logra armonizando la colocación de las oraciones de modo que la oración inicial y la final, sean las más importantes. Existe, sin embargo, cierta diferencia entre las oraciones de la apertura y las de la clausura: las primeras deben referirse a la significación o asunto que se va a tratar y las últimas, siguiendo una gradación, si es posible deben ser más bien impresionantes y enfáticas.

La sucesión de los párrafos: La coherencia que debe existir entre las oraciones de un párrafo, debe existir también entre los distintos párrafos de un escrito o composición. Ya sabemos que cada párrafo trata de un solo asunto y por lo tanto es necesario al tratar de otra materia o aspecto, redactar aparte otro párrafo. Así se hace una pausa larga indicada por el punto y aparte y se prepara al lector para otro asunto.

Hay frases que sirven para iniciar el nuevo párrafo y que contribuyen a mantener la ilación o coherencia de todo el escrito; son verdaderas frases conjuntivas, tales como: Ahora bien. En cuanto a... Como que... Por lo tanto.

Obsérvese el siguiente ejemplo: cada asunto ha sido tratado en distinto párrafo y se han usado frases conjuntivas en la apertura:

Las reclamaciones que usted nos hace en su carta del día 6 de mayo, carecen en lo absoluto de fundamento.

Ahora bien, si usted se cree con derecho a establecerlas, puede poner inmediatamente el asunto en manos de su abogado.

En cuanto a la devolución del fondo de $100 por nosotros retenido, le informamos, que puede pasar a recogerlo cuando guste.

EJERCICIOS. — ¿Qué procedimientos se pueden emplear para el inicio de un párrafo? — ¿Qué puede usted decir en relación con la armonía en la estructura del párrafo? — ¿Cómo debe establecerse el enlace o relación entre los párrafos? — Construya tres párrafos breves estableciendo entre ellos una coherencia y empleando frases conjuntivas en sus comienzos. — Desarrolle este tema: *El Día;* distribuyendo el trabajo en .res párrafos de modo que se trate en el primero sobre el tiempo que se dedique a trabajar; en el segundo a las distracciones, y en el tercero, al descanso reparador.

Lección 8

EL ESTILO. SUS CARACTERES. CLASIFICACIÓN

El estilo: Se han hecho múltiples definiciones del estilo. Veamos algunas de ellas:

«El estilo, en general, es aquel aire o forma con que el escritor u orador declara sus pensamientos, y en esto se diferencian, y se retratan, como en la fisonomía, las personas.»

«El estilo es la forma constante con que cada escritor expresa sus pensamientos por medio del lenguaje.»

«Estilo es el modo o forma peculiar de hablar y escribir de cada uno.»

«El estilo es el hombre.»

Podemos observar que, según esas definiciones, en el estilo ha de existir siempre algo que caracterice o personifique al autor.

Sin embargo, es conveniente hacer notar que la palabra estilo tiene dos acepciones, una *particular*; que se refiere a la manera de hablar o de escribir, peculiar y privativa de cada autor, que viene a ser el sello de su personalidad. Y otra *general*: que se refiere a la manera de escribir o de hablar, no por lo que respecta a las cualidades esenciales y permanentes del lenguaje, sino en cuanto a lo accidental, variable y característico del modo de formar, combinar y enlazar los giros, frases y cláusulas o períodos para expresar los conceptos, así decimos: estilo sencillo, grave, lacónico, cómico, jocoso, filosófico, castizo, alegórico, patético, doctrinal, etc.

Diversas clasificaciones del estilo: Estas se han hecho desde distintos puntos de vista:

1.º **Por los caracteres de la cláusula**   *Cortado*, suelto o conciso.
Periódico o extenso.

El estilo es *cortado* cuando en la composición predominan las cláusulas sueltas; es *periódico,* cuando por el contrario, las cláusulas son extensas y ligadas. Hay composiciones en las que se armonizan las dos estructuras: cláusulas sueltas y períodos, entonces se le llama *mixto.*

El estilo cortado se emplea mucho en la Biblia. Entre los clásicos, Baltasar Gracián lo usó muy frecuentemente, véase este ejemplo:

> «Vivir bien: dos cosas acaban presto con la vida, la necedad y la ruindad. Perdiéronla unos por no saberla guardar, y otros por no querer. Así como la virtud es premio de sí misma, así el vicio es castigo de sí mismo; quien vive aprisa, en la virtud nunca muere.»
>
> BALTASAR GRACIÁN.

Otro ejemplo de estilo cortado:

> «Nada en suma. Absolutamente nada. Nada que salga del carril cotidiano. La vida fluye incesable y uniforme: duermo, trabajo, discurro por Madrid, hojeo al azar un libro nuevo, torno a casa, leo de pensado, escribo bien o mal —seguramente mal—, con fervor o desmayo...»
>
> AZORÍN (*autor contemporáneo*).

Ejemplo de estilo periódico:

> «Como el período en que nació, Plácido era fisiológicamente una transición. Venía de la raza africana por su padre hacia la raza caucásica representada por su madre. Iba del negro al blanco como el movimiento etnográfico de la Isla; del estado de esclavitud al de manumisión, como el movimiento político de Cuba.»
>
> EUGENIO MARÍA HOSTOS.

2.º **Por el adorno en el lenguaje empleado:**   *Árido* o sencillo.
                                                   Elegante o florido.

El estilo es *árido* cuando es sencillo, sin adornos. Es *elegante* cuando está plagado de ornamentación: lleno de elegancias literarias, tropos, epítetos, etc. Es llamado también estilo *asiático.* Cuando los caracteres del estilo no corresponden a los dos extremos: árido o florido, se dice que es *medio.*

Veamos un ejemplo de estilo *florido:*

«Todo es allí grande. La soledad con sus mil rumores desconocidos, vive en aquellos lugares y embriaga el espíritu en su inefable melancolía. En las plateadas hojas de los álamos, en los huecos de las peñas, en las ondas del agua, parece que nos hablan los invisibles espíritus de la naturaleza, que reconocen un hermano en el inmortal espíritu del hombre.»

GUSTAVO ADOLFO BÉCQUER.

Obsérvese este otro ejemplo de estilo *florido:*

«La naturaleza tiene mil sonidos santos y suaves que nos llenan de arrobamiento: el canto de los pájaros, el murmullo de las aguas de los ríos, el ruido de las cascadas; pero el que haya escuchado la música de las palmeras, dirá si hay algo que se iguale a tantos suspiros, a tantos sollozos, a tantos lamentos, a tantas quejas, a tantas palabras acariciantes como se escuchan en las pencas agitadas por el soplo de la brisa, perfumada con la fragancia eterna de los campos.»

ANSELMO SUÁREZ Y ROMERO.

Ejemplo de estilo *sencillo:*

«No bien se nace, ya están en pie, junto a la cuna con grandes y fuertes vendas preparadas en las manos, las filosofías, las religiones, las pasiones de los padres, los sistemas políticos. Y lo atan; y lo enfajan; y el hombre es ya, por toda su vida en la tierra, un caballo embridado.»

JOSÉ MARTÍ.

3.º **Por las cualidades del lenguaje:**   *Castizo, impuro, neologizante, correcto, propio, claro,* etc.

Es *castizo* cuando emplea palabras puras, aceptadas por la Academia; es *impuro* o bárbaro, cuando usa arcaísmos y extranjerismos.

Se llama *neologizante* si está plagado de nelogismos; es *correcto* cuando se ajusta a las reglas gramaticales; es *propio* si sus palabras están empledas en su verdadera significación, en sus sentidos propios; es *claro* si se comprende fácilmente.

Ejemplo de estilo *impuro:*

> «Ca non habrá naide en toda la villa que al verme en tal guisa conozca mi gesto.»
>
> TOMÁS IRIARTE.

4.º **Por los caracteres generales de la composición**

*Sencillo o tenue
Grave o sublime.
Medio o templado.*

El estilo *sencillo* es fácil, sin adornos, sutil; propio para los libros de texto o enseñanza. El estilo *grave* es enérgico, vehemente, brillante, grandioso; es propio de la oratoria, de las odas. El estilo *medio* posee las cualidades de los dos anteriores; pero con moderación; propio de la historia y la novela, del ensayo.

Estúdiese este fragmento del discurso de Martí en honor de Bolívar; en él resalta el estilo grave o sublime:

> «Con la frente contrita de los americanos que no han podido entrar aún en América; con el sereno conocimiento del puesto y valer reales del gran caraqueño en la obra espontánea y múltiple de la emancipación americana; con el asombro y la reverencia de quien ve aún ante sí, demandándole la cuota, a aquel que fue como el samán de sus llanuras en la pompa y generosidad, y como los ríos que caen atormentados de las cumbres, y como los peñascos que vienen ardiendo, con luz y fragor, de las entrañas de la tierra, traigo el homenaje infeliz de mis palabras, menos profundo y elocuente que el de mi silencio, al que desclavó del Cuzco el gonfalón de Pizarro...»
>
> «¡De Bolívar se puede hablar con una montaña por tribuna, o entre relámpagos y rayos, o con un manojo de pueblos libres en el puño y la tiranía descabezada a los pies...!»

5.º **Por el tono de expresión**

*Serio. Festivo.
Cómico. Satírico.
Humorístico.
Burlesco,* etc.

319

El estilo *serio* se emplea en obras de materias trascendentales.

El *festivo* es ligero, alegre, propio de los sainetes. El *cómico* es gracioso, produce hilaridad, se usa en las comedias y chascarrillos. El *humorístico* refleja un buen carácter, optimismo y satisfacción: es el característico de las obras de Bernard Shaw.

El estilo *satírico* expone una censura o crítica; se emplea en las fábulas y epigramas. El *burlesco* es una forma del satírico, su fin es ridiculizar; se emplea en obras teatrales; en periódicos ilustrados con caricaturas.

Véase este ejemplo de estilo satírico:

> «Ande yo caliente,
> y ríase la gente.
> Traten otros del gobierno
> del mundo y sus monarquías,
> mientras gobiernen mis días
> mantequillas y pan tierno,
> y las mañanas de invierno
> naranjada y aguardiente,
> y ríase la gente.»

LUIS DE GÓNGORA.

Ejemplo de estilo cómico.

> «Le dijo a cierto empresario
> De teatros, muy agudo,
> Un cantante estrafalario
> Que andaba casi desnudo.
> —Es mi voz tan exquisita.
> Que hago de ella cuanto quiero.
> —Pues hombre, —exclamó el primero—
> Hágase usted una levita.»

VILLEGAS.

6.º **Por la comarca o región de origen**

*Lacónico. Ático.
Asiático. Rodio.
Hebreo.*

El estilo *lacónico* es típico de los lacones, habitantes de la Laconia (Esparta); es conciso, breve; propio del lenguaje sentencioso. El *ático* es sobrio y elegante, reflejo del espíritu estético de los atenienses.

El *asiático* es rico y brillante, se llama también oriental.

El *rodio* es un estilo medio; era el de los habitantes de la isla de Rodas. El estilo *hebreo* se caracteriza por la profundidad del pensamiento; es sagrado y religioso; es el usado en los salmos.

7.º **Por la originalidad de los autores**	Es muy variado pues hay tantas clases como autores notables han existido.

De acuerdo con ese punto de vista hay estilos: *homérico, platónico, aristotélico, virgiliano, horaciano, ciceroniano, cervantino, lopesco, calderoniano, dantesco, shakespeariano, castelarino, martiano, rubendariano, herediano,* etc.

Y aún pueden clasificarse los estilos desde otros puntos de vista: *epistolar, novelesco, lírico, dramático, oratorio, patético, elegíaco, alegórico, parabólico, filosófico, clasicista, modernista, romántico, vanguardista,* etc., etc.

EJERCICIOS. — Haga usted una definición del estilo. Diga cinco puntos de vista distintos que hayan servido para clasificar el estilo. Diga los caracteres de estas clases de estilo: florido, castizo, grave, cortado, lacónico, satírico, periódico, ático patético, dantesco, martiano.

Redacte un párrafo usando un estilo cortado o de cláusulas sueltas.

Redacte un párrafo empleando un estilo florido.

Transcriba un fragmento de una fábula, un epigrama o cualquier otra composición que sea ejemplo de estilo cómico o satírico.

Lección 9

LAS CUALIDADES DEL LENGUAJE EN EL ESTILO
ESTUDIO DE LA PUREZA: ARCAÍSMOS, NEOLOGISMOS, EXTRANJERISMOS

Ya hemos visto que el Lenguaje es el medio de expresión de nuestros pensamientos. El lenguaje articulado característico del hombre, ha de poseer varias cualidades para que constituya el más adecuado medio de expresión. El Lenguaje ha de ser *puro, correcto, propio, claro, decente, preciso,* y debe poseer además otras cualidades tales como las de la *naturalidad,* la *variedad,* la *novedad,* la *oportunidad,* la *originalidad,* etc.

LA PUREZA EN EL LENGUAJE: Se llaman voces *puras* o castizas, a las autorizadas por el uso de los buenos autores; por eso se llaman puristas los que hablan y escriben con pureza.

La *pureza* de las palabras depende de su procedencia y de su uso. Hay muchas palabras que han caído en desuso como magüer, agora, facer. Esas palabras anticuadas, ya en desuso, se llaman *arcaísmos.* Por el contrario hay voces nuevas que no aparecen en el diccionario de la Academia y se denominan *neológismos.*

Vulgarmente se emplean voces que proceden de otros idiomas, las cuales son llamadas *extranjerismos.* Cuando proceden del francés, se les denomina *galicismos,* tales son debut, soirée, matinée, amateur, etcétera. Las que proceden del inglés se llaman *anglicismos,* como match, esport, líder, míster. Son *italianismos* los vocablos que proceden del italiano, como confetti, cicerone, diletante, etc.

Los procedentes del alemán se llaman *germanismos,* los del portugués, *lusitanismos,* los del griego, *helenismos.* Ejemplos:

Alfa, omega, eureka, necrópolis, cosmos, son *helenismos.*
Sarao, follada, oporto, chumacera, vigía, son *lusitanismos.*
Kindergarten kaiser, nazi, brida, son *germanismos.*

Hay en nuestro idioma un sinnúmero de palabras que son típicas o privativas de ciertas regiones. Son vocablos que sólo se hablan en determinados países de América, o en señaladas regiones de España, esos son los *regionalismos*. Muchos regionalismos han sido admitidos por el diccionario; sin embargo, debe huirse del empleo de esas voces para evitar la limitación del lenguaje y la dificultad de la interpretación por parte de aquellos que no están obligados a conocer tales *regionalismos*. Los regionalismos de Venezuela se llaman venezonalismos; los de Cuba, cubanismos; los de Argentina, argentinismos, etc.

El *purista* evita el empleo de todos esos elementos de Lenguaje que no pueden calificarse de *castizos* o *puros*. No debemos usar palabras de otros idiomas, si poseemos las equivalentes en el nuestro.

Los arcaísmos: Su uso constituye un vicio. Véanse estos ejemplos de arcaísmos:

agora - ahora	*bacía* - especie de palangana
magüer - aunque	*facer* - hacer
vida - vi	*truje* - traje
fidalgo - hidalgo	*aqueste* - este

Estúdiese esta Fábula de Iriarte y obsérvense en ella los *arcaísmos* empleados:

EL RETRATO DE GOLILLA

De fase extranjera el mal pegadizo
Hoy a nuestro idioma gravemente aqueja;
Pero habrá quien piense que no habla castizo
Si por lo anticuado lo usado no deja.
Voy a entretenerle con una conseja,
Y porque le traiga más contentamiento,
En su mesmo estilo referillo intento
Mezclando dos hablas, la nueva y la vieja.

No sin hartos celos, un pintor de hogaño
Vía como agora gran loa y valía
Alcanzan algunos retratos de antaño;
Y el no remedallos a mengua tenía:
Por ende, queriendo retratar un día
A cierto rico home, señor de gran cuenta,
Juzgó que lo antiguo de la vestimenta
Estima de rancio al cuadro daría.

Segundo Velázquez creyó ser con esto;
Y ansí del rostro toda la semblanza
Hubo trasladado, golilla le ha puesto,

Y otros atavíos a la antigua usanza.
La tabla a su dueño lleva sin tardanza
El cual, espantado, fincó des que vido
Con añejas galas su cuerpo vestido;
Magüer que le plugo la faz abastanza.

Empero una traza le vino a las mientes
Con que al retratante dar su galardón.
Guardaba heredadas de sus ascendientes,
Antiguas monedas en un viejo arcón.
Del quinto Fernando muchas de ellas son,
Allende de algunas de Carlos Primero.
De entrambos Filipos. Segundo y Tercero;
Y henchido de todas le endonó un bolsón.

«Con estas monedas o siquier medallas,
(El pintor le dice), si voy al mercado,
Tornaré a mi casa con muy buen recado»
¡Pardiez! (dijo el otro). ¿No me habéis pintado
En traje que un tiempo fue muy señoril,
Y agora le viste sólo un alguacil?
Cual me retratasteis, tal os he pagado»

«Llevaos la tabla; y el mi corbatín,
Pintadme al proviso, en vez de golilla;
Cambiadme esa espada en el mi espadín;
Y en mi casaca trocad la ropilla;
Ca non habrá naide en toda la villa
Que al verme en tal guisa conozca mi gesto;
Vuestra paga entonces contaros he presto
En buena moneda corriente en astilla».

Ora, pues, si a risa provoca la idea
Que tuvo aquel sandio moderno pintor,
¿No hemos de reírnos siempre que chochea
Con ancianas frases un novel autor?
Lo que es afectado, juzga que es primor;
Habla puro a costa de la claridad,
Y no halla voz baja para nuestra edad
Si fue noble en tiempos del Cid Campeador.

MORALEJA: Si es vicioso el uso de voces extranjeras moderna-
mente introducidas también lo es, por el contrario, el de las anticuadas.

Los *neologismos:* A veces los neologismos tienen su origen en la derivación por la necesidad de expresar ciertas ideas sin que existan voces castizas para ello. Así vemos los derivados programación, protagonizar, sorpresivo, sesionar, columnista, etc. Surgen también muchos neologismos por composición para expresar nombres de instrumentos y de actividades científicas.

Ejemplos de *helenismos: efemérides, cosmos, eureka, léxico, necrópolis,* etc.

Ejemplos de *latinismos: quídam, ídem, déficit, superávit, memorándum, nequáquam, maremágnum, desiderátum, verbi gratia,* etc.

El empleo de los arcaísmos, de los neologismos, helenismos y latinismos está de acuerdo con la sensatez y el buen gusto del autor; la oportunidad y la moderación son las verdaderas guías para el empleo de esos vocablos, de modo tal, que no hagan la expresión extremadamente impura.

Hay que ser muy cuidadosos en el emplo de los *extranjerismos.* Estos comprenden dos grupos: los que carecen de equivalentes en español y los que sí tienen en nuestro idioma un vocab o de igual significación. Los del primer grupo pueden usarse con discreción; pero los del segundo, deben evitarse.

En lecciones siguientes se presentan listas de *extranjerismos,* especialmente *galicismos, anglicismos* y *latinismos;* su uso debe evitarse para lograr la mayor pureza del lenguaje.

EJERCICIOS. — Enumere las principales cualidades del Lenguaje. — ¿Qué son voces puras? — ¿Qué son arcaísmos? — Cite tres ejemplos. — ¿Qué son neologismos? — Cite tres ejemplos. — ¿Qué son extranjerismos? ¿Cómo se clasifican los extranjerismos? — ¿Qué son regionalismos? — ¿Qué son venezonalismos? — Cite tres ejemplos de helenismos, tres de latinismos, tres de galicismos, tres de anglicismos y tres de italianismos. ¿Qué reglas debemos observar para lograr que nuestro lenguaje sea puro sin llegar a la exageración?

Lección 10

EXTRANJERISMOS. GALICISMOS

Como complemento de la Lección anterior y especialmente del aspecto que trata de la *pureza* del Lenguaje, se expone a continuación un vocabulario de palabras y frases que el vulgo emplea viciosamente por desconocimiento de su origen y pureza.

Recomendamos a los estudiantes fijen su atención en las formas castizas, a fin de familiarizarse con su uso y empleo, y traten de desechar las impuras, evitando así su fijación en la mente.

Galicismos: voces procedentes del idioma francés que suelen emplearse impropiamente en castellano.

Ella va vestida a la *negligé.* Dígase *con desaliño, al desgaire.*

Es un *amateur.* Es mejor, un *aficionado.*

No entiendo ese *argot.* Dígase *jerga, jerigonza, germanía, caló.*

Es un *arribista.* Su equivalente en español es *audaz, aventurero, osado.*

Un *ataché. Agregado, auxiliar.* Es el que sin plaza efectiva está empleado en una embajada.

Impetuosa *avalancha.* Su equivalente es *alud, lurte.*

Algo *ancestral.* Dígase *antiguo, anticuado, vetusto.*

Banal, banalidad. Son sus equivalentes: *trivial, vulgar, insignificante; trivialidad, vulgaridad, insignificancia.*

Entra en la *bisutería. Joyería, orfebrería, platería, buhonería.*

Paseé por el *boulevard. Alameda, avenida, paseo.*

Sirvieron el *buffet.* La Academia acepta la palabra francesa *ambigú.*

Buqué de flores o de vino. *Ramillete* de flores o *fragancia* del vino.

Es de *biscuit*. *Bizcocho* o *porcelana*.

No me agrada el *calambur*. *Equívoco, juego de palabras*.

Dame el *carnet*. Puede sustituirse por *libreta de apuntes, cartera* o *tarjeta de identificación*.

Se va a *constatar*. Dígase *comprobar, atestiguar, confirmar, evidenciar*.

Carlos es *contable*. *Contador, tenedor de libros*. Contable significa en castellano, que se puede contar.

Cantó un *couplet*. *Copla, tonadilla, canción, cancioneta*.

Es un *canard*. *Embuste, noticia falsa, bola*.

Un buen *cliché*. *Clisé*.

Era un *chantaje* (aceptado por la Academia). *Timo, exacción*.

Tiene *chic*. *Gracia, gracejo, donaire, garbo, elegancia*.

No deben *coaligarse*. *Coligarse*.

Fue la *Debacle*. *El acabóse*.

Ayer fue su *debut*. *Estreno, presentación* o *primera salida*.

De nada, se emplea este galicismo como contestación a la palabra gracias; dígase, *no las merece, no hay de qué*.

De *vez en vez*. En español debe decirse *de cuando en cuando* o *de tiempo en tiempo*.

Tiene *esprit*. Equivale al español, *ingenio, agudeza, talento*.

Tren *express*. Es mejor, *tren expreso*.

Va a *enrolarse*. *Alistarse, entrar en filas, sentar plaza*.

Entrenar y entrenamiento. Sus equivalentes en castellano son *adiestrar, ejercitarse, adiestramiento, ejercicio*.

Finanzas, financiamiento. Su equivalente es *hacienda pública*.

Sí existe es castellano *financiar y financiero*, que equivale a *hacendista*.

Este es el *formato*. *Forma, tamaño, grandor*.

No debes *influenciar*. *Influir;* es un neologismo tomado del francés.

De color *marrón*. *Castaño*.

Una *matinee interesante*. *Fiesta, baile, reunión por la tarde*.

Me gusta ese *menú. Lista de platos, minuta.*

Bonita *mise en scene.* Equivalente a *presentación escénica.*
Está en el *orfelinato. Orfanato.*
Ese es el *pachá. Bajá.*
Leí en el *panfleto. Folleto.*
Moda *parisién. Parisiense.*
Está *plisado. Plegado.*
Trae el *portafolio. Cartera.*
Junto al *portier. Mampara, cortina.*
De alto *rango* (aceptado por la Academia). *Clase, categoría, dignidad.*
Es *remarcable. Notable, señalado.*
Fue su *revancha. Desquite.*
Una *reprise. Repetición.*
Fuimos a la *soirée. Sarao, reunión, tertulia.*
Toda vez que. Pues que, ya que, puesto que, una vez que.
Tet a tet. Cara a cara, a solas, en confianza.
Terminamos la *turnée. Excursión, expedición, recorrido.*
Se sentaron *vis a vis. Frente a frente.*
Preciosa *trousseau* de la novia. *Ajuar, equipo nupcial.*
Un *recital de piano. Concierto.* (Aceptado por la Academia).

EJERCICIOS. — Diga tres equivalentes en castellano de estos galicismos:

debut	soirée	enrolarse	boulevard	rango

Emplee en oraciones estas voces castellanas:

financiero	agudeza	exacción	contador	contable
adiestramiento	garbo	ambigú	clisé	ajuar

Sustituya los galicismos empleados en estas oraciones por voces castizas correspondientes:

Los novios se sentaron vis a vis. — Su niñez la pasó en un orfelinato. ¿Has leído su interesante panfleto? — Esos partidos no podrán coaligarse. Fue un nombrado ataché de la legación chilena. — No le doy importancia a esas banalidades. — No te recibirá, toda vez que ha presentado su renuncia. — Ella no se deja influenciar por él. — Es necesario constatar esos datos .— Está en período de entrenamiento.

Lección 11

CONTINUACIÓN DE LOS EXTRANJERISMOS ANGLICISMOS. LATINISMOS

Recordemos que los anglicismos son las voces o giros propios de la lengua inglesa empleados en castellano. Las relaciones económicas de Venezuela con los Estados Unidos han sido motivo para que nuestro lenguaje popular haya adquirido infinidad de vocablos propios del inglés, muchos de los cuales no tienen su equivalente en castellano. Se recomienda un cuidadoso empleo de esos *anglicismos* para evitar la corrupción de nuestra lengua.

Lista de algunos *anglicismos* que se usan con frecuencia.

Closet en el cuarto: *Armario, estante.*
Necesito más *confort.* — *Comodidad, bienestar.*
Él lleva el *control.* — *Dirección, mando, regulación, fiscalización.*
No lo debes controlar. — *Gobernar, regular, dirigir.*
Ese joven es un *dandy.* — *Elegante, petrimetre, lechuguino.*
Llamaremos al *detective.* — *Policía secreta.*
Es aficionado al *sport.* — *Deporte.*
Carlos es un *sportman.* — *Deportista* neologismo.
Importante *stock.* —*Existencia, caudal.*
Celebraremos una *interviú.* — *Entrevista, conferencia.*
Estaba en el *hall.* — *Galería, pasillo.*
Él es un buen *líder.* — *Jefe, guía, director.*
Tomaremos el *lunch.* — *Merienda, almuerzo.*
Se efectuó el *match.* — *Lucha, desafío.*
Batió el record. — Puede decirse en castellano *triunfar, sobresalir, superar, sobrepujar,* etc.
Fuimos a un *picnic.* — *Jira, paseo campestre.*
Magnífico *raid.* — *Recorrido, expedición, viaje.*

¿Estás listo? *Okay!* — *Está bien, perfectamente*, etc.
Compre el *ticket*. — *Billete, boletín, vale, cédula*, etc.
Pertenece al *trust*. — *Asociación, sindicato*.

Hay muchas voces inglesas que no tienen su equivalente en castellano y se hace necesario emplearlas por esa razón, tales son: *gulf, tennis, base ball, volley ball*, etc. Otras han sido aceptadas ya por la Academia como *mitin, club, cheque, bistec, bar, comité*.

Lista de algunos *latinismos* que suelen emplearse con frecuencia en nuestro idioma: (muchos de ellos suelen expresarse en forma errónea; aquí se presentan las formas correctas solamente).

Ab absurdo o absurdum. — De una manera absurda.

Ab intestato. — Sin testamento.

Ad hoc. — Para el caso, para ese fin.

Ad honórem. — Honorífico, sin sueldo.

Ad ínterim. — Por lo pronto, provisionalmente.

Ad líbitum. — A voluntad, caprichosamente.

Ad lítteram. — Literalmente.

Ad referéndum. — A condición de ser aprobado por el superior.

Ad valórem. — Según su valor.

Alter ego. — Otro yo; persona en que se tiene absoluta confianza.

A posteriori. — Por lo que viene después.

A priori. — Por lo que precede.

A prorrata. — En proporción.

Bona fide. — De buena fe.

Cálamo currente. — Al correr de la pluma.

Casus belli. — Caso o motivo de guerra.

Consumátum est. — Todo se consumó.

De facto. — De hecho.

De jure. — De derecho.

De visu. — De vista.

Ergo. — Por consiguiente, luego, pues.

Ex abrupto. — De repente, de improviso.

Exequátur. — Que se ejecute o cumpla.

Ex libris. — De o entre los libros.

Exprofeso. — De propósito, intencionalmente.

Flagrante delicto. — En flagrante delito, sorprendido en el acto de realizarlo.

Grosso modo. — De una manera imperfecta, a la ligera.

In extenso. — Por extenso.

In promtu. — De pronto.

In statu quo. — En el estado que se hallaba, sin variación.

Inter nos. — Entre nosotros.

Ipso facto. — Por el mismo hecho; inmediatamente, en el momento.

Ipso jure. — Por el mismo derecho.

Lapsus cálami. — Error de pluma.

Mare mágnum. — Mar grande; expresa a veces la grandeza de una cosa o la complicación o enredo incomprensible de algo.

Modus vivendi. — Modo de vivir. En el lenguaje diplomático internacional úsase para designar los convenios comerciales, con carácter provisional.

Motu proprio. — Propio movimiento, libre, espontáneo.

Némine discrepante. — Sin contradicción, por unanimidad.

Nequáquam. — De ninguna manera.

Noli me tángere. — No quieras tocarme; nadie se meta conmigo.

Non plus ultra. — No más allá.

Nota bene. — Nota bien. Advierte bien.

Numerata pecunia. — En dinero contante.

Pecata minuta. — Pecados pequeños.

Per se. — Por sí o por sí mismo.

Prima facie. — A primera vista.

Pro fórmula. — Por fórmula, por mera fórmula.

Pro indiviso. — Dícese de las herencias cuando no están hechas las particiones.

Quídam. — Un cualquiera.

Quid pro quo. — Una cosa por otra.

Sine qua non. — Sin la cual (condición).

Sui géneris. — De su género o clase; muy singular.

Superávit. — Sobrante.

Ultimátum. — Ultima resolución.

Velis nolis. — Quieras o no quieras.

Verbi gratia. — En gracia de la palabra; equivale a por ejemplo.

EJERCICIOS. — ¿Qué son anglicismos? — ¿Qué puede usted decir acerca del empleo de los anglicismos? — Diga tres equivalentes en castellano de estos anglicismos:

dandy	*lunch*	*match*	*controlar*	*control*
líder	*picnic*	*ticket*	*raid*	*stock*

Sustituya los latinismos empleados en estas oraciones por voces castizas correspondientes:

Haremos el reparto a prorrata. — Fue dicho grosso modo.

Su proposición se aceptará némine discrepante. — La compañía distribuyó el superávit. — Ese individuo es un quídam. — Y fue ejecutado ipso facto. — Se aprovechó del mare magnum. — No parece malo a prima facie. — Murió ab intestato. — Es condición sine qua non que se efectúe así. — Deberás actuar motu proprio. — Debemos mantenernos in statu quo. — Harás el trabajo velis nolis. — Eso fue hecho ad hoc. — Fue aplicado el arancel ad valórem . — ¿Me complacerás? Nequáquam.

Lección 12

LA CORRECCIÓN EN EL LENGUAJE

La *corrección* en el lenguaje depende de la buena aplicación de las reglas gramaticales. El lenguaje vulgar está lleno. de errores de Sintaxis, de Analogía, de Prosodia y de Ortografía. Cuando nos expresamos sin faltar a las reglas de esas cuatro partes de la Gramática, decimos que nuestro lenguaje es *correcto;* esto demuestra la importancia de la Gramática en el estudio de la Composición.

Las incorrecciones de lenguaje se denominan *solecismos* o *barbarismos.* Se llaman solecismos a los errores relativos a la Sintaxis; y son *barbarismos* las incorrecciones de Analogía, Prosodia y Ortografía.

En las lecciones que tratan sobre la Prosodia y la Ortografía se expusieron las reglas fundamentales para lograr la *correcta* expresión al pronunciar y escribir las palabras. En la Lección 29ª, se trató extensamente sobre el *barbarismo prosódico,* y en las lecciones relativas a la Ortografía, se enseñaron muchas reglas, cuyo uso adecuado evitará cometer los *barbarismos ortográficos.*

Los solecismos o *errores de Sintaxis* dependen de faltas a las reglas de la concordancia; de las alteraciones en la *correcta dependencia* que debe existir entre las partes de la oración y de la incorrecta *ordenación* o *coordinación* de los elementos oracionales. Todas esas incorrecciones sintácticas se cometen frecuentemente en el uso de los pronombres, de ¹as formas verbales y de las partes invariables de la oración: adverbios, preposiciones y conjunciones. Véanse estos casos:

«Lo que es yo no voy al baile» La forma verbal *es* está mal empleada porque no concuerda con el pronombre *yo.* Lo correcto es «Lo que soy yo no voy al baile». Ahora sí existe la concordancia puesto que el pronombre de primera persona *yo,* está empleado con la voz verbal soy, también de primera persona.

«Ese es el joven que obtuvo el premio, *cuyo* joven es poeta»

En este ejemplo está incorrectamente empleado el pronombre relativo *cuyo.* La forma correcta es: «Ese es el joven que obtuvo el premio, el *cual* es poeta». No debemos olvidar que el pronombre cuyo tiene siempre carácter de posesivo. Obsérvese este ejemplo: «Esa es la artista *cuyas* manos están aseguradas en veinte mil pesos».

«Tu hermana está *media enferma*». En este caso se nota el deseo de hacer concordar la palabra medio, que es un adverbio, con el adjetivo enferma. El adverbio es invariable, por consiguiente, no concuerda con otra palabra. La expresión correcta es: «Tu hermana. está *medio* enferma».

Cuando hablamos del uso de las preposiciones y de la dependencia que se establece entre las palabras por medio de esos elementos de enlace, llamamos la atención del cuidado que debe tenerse para lograr el más correcto empleo de dichas partículas.

Véanse estos ejemplos:

«Tiene gran afición *por* la música». — Lo correcto es: «tiene gran afición a la música».

«Tenemos telas *en* todos los estilos». — Debe decirse: «Tenemos telas *de* todos los estilos».

Examínense estos otros ejemplos:

«Se hace el examen de la vista de gratis». — Hay dos errores: uno, el empleo innecesario de la preposición *de,* y el otro, la mala ordenación de las palabras en la oración. La forma correcta es:

«Se hace el examen gratis de la vista».

Otro ejemplo de mala coordinación: «Se venden gorros para niños de seda». — Debe decirse: «Se vendes gorros de seda para niños».

Todos los ejemplos de incorrecciones citados, son verdaderos *solecismos*, ya que son errores de Sintaxis. En las lecciones siguientes, se citan muchos casos frecuentes de solecismos y se explican las formas correctas, las cuales deben estudiarse con atención para fijarlas en la mente.

EJERCICIOS. — ¿Cuándo se dice que el lenguaje es correcto? — ¿Qué son solecismos? — ¿Cómo se llaman los errores de analogía, de prosodia y de ortografía? — ¿Qué es la concordancia? —Cite un ejemplo de falta de concordancia. — Diga qué error se ha cometido en esta oración y redáctela correctamente: «Se venden camas para niños de madera.» — Emplee las palabras *gratis* y *exprofeso* en oraciones. — Emplee los adverbios *medio, demasiado* y *bastante* en oraciones. — Corrija el error cometido en esta oración: «Se repasarán los temas comprendidos desde el tema tercero al tema octavo, ambos inclusive» — Construya una oración empleando el pronombre *cuyo.*

Lección 13

ERRORES DE SINTAXIS O SOLECISMOS

Los solecismos: Ya vimos que los errores de Sintaxis se llaman *solecismos*. Estos pueden ser por faltas a la *concordancia;* por uso incorrecto de las *preposiciones* y los *complementos,* y errores en la *construcción.*

Solecismos de concordancia: En los siguientes ejemplos, se falta a la concordancia de *nombre* y *adjetivo* o *artículo.* Se exponen las dos expresiones, la incorrecta y la correcta; pero recomendamos al estudiante que deseche la errónea y trate de fijar en su mente la forma correcta:

INCORRECTA:	CORRECTA:
Tomó *prestado* una peseta.	Tomó *prestada* una peseta.
Enferma ella y yo, no iremos.	*Enfermos* ella y yo, no iremos.
Había *un* porción de papeles.	Había *una* porción de papeles.
Era un vestido de seda *negra.*	Era un vestido *negro* de seda.
Fríelo en *el* sartén.	Fríelo en *la* sartén.
Mucha mayor cantidad.	*Mucho* mayor cantidad.
Inés está *media* mala.	Inés está *medio* mala.
Ten *presente* mis consejos.	Ten *presentes* mis consejos.
Noches *demasiados* frías.	Noches *demasiado* frías.
Tiene 1.ª y 2.ª *parte.*	Tiene 1ª y 2.ª *partes.*
Niños y niñas *buenas.*	Niños y niñas *buenos.*

(Repase la Lección sobre las *Concordancias* en la Primera Parte: Gramática).

Faltas de concordancias en las formas verbales:

INCORRECTA:	CORRECTA:
Hicieron varios días.	*Hizo* varios días.
Habían muchas personas.	*Había* muchas personas.
Habrán regalos para todos.	*Habrá* regalos para todos.
Hubieron fiestas.	*Hubo* fiestas.
No *corred* tanto.	No *corráis* (corran) tanto.
Si él *llegase,* avísame.	Si él *llegare,* avísame.
Tú y él *irán* luego.	Tú y él *iréis* luego.
Colón *ha muerto* en España.	Colón *murió* en España.

334

¿Oíste? — ¿Qué *pasó?*
Tú eres de los que *ayudas.*
Se *compró* terrenos.
Se *vende* solares.
Una caja *conteniendo* libros.
Señora *luciendo* sus joyas.
Lo que *es* yo no lo pago.
Recibió una herida *falleciendo*
   después.

¿Oíste? — ¿Qué *ha pasado?*
Tú eres de los que *ayudan.*
Se *compraron* terrenos.
Se *venden* solares.
Una caja que *contiene* libros.
Señora que *luce* sus joyas.
Lo que *soy* yo no lo pago.
Recibió una herida y *falleció*
   después.

Solecismos por uso erróneo de las variantes pronominales:

INCORRECTA:

Cuando volví en *sí.*
Te pusiste fuera de *sí.*
Nosotros volvimos en *sí.*
Volvisteis en *sí.*
Yo *la* pregunté por ella.
Yo *le* maltraté a ella.
Di*la* muchas cosas lindas.
Te se perdió el anillo.
Le tengo miedo a los ratones.
Tú *les* conoces ya.
¡Cuánto *le* debo a ellos!
No *le* obligo a ustedes.

CORRECTA:

Cuando volví en *mí.*
Te pusiste fuera de *ti.*
Nosotros volvimos en *nos.*
Volvisteis en *vos.*
Yo *le* pregunté por ella.
Yo *la* maltraté a ella.
Di*le* muchas cosas lindas.
Se te perdió el anillo.
Les tengo miedo a los ratones.
Tú *los* conoces ya.
¡Cuánto *les* debo a ellos!
No *les* obligo a ustedes.

Empleo incorrecto de los pronombres relativos:

INCORRECTO:

Ese el el hombre del *cual*
   te hablé.
Aquí están los libros, *cuyos*
   libros, son robados.
Traje la libreta, *cuya* libreta
   es mía.
¿Qué otro *que* él ha sido?

CORRECTO:

Ese es el hombre de *quien* te
   hablé.
Aquí están los libros, los *cuales*
   son robados.
Traje la libreta, la *cual* es mía.

¿Quién otro *sino* él ha sido?

Una preposición por otr

INCORRECTO:

No lo acepto *bajo* ese punto de
   vista.
Se odian *a* muerte.

CORRECTO:

No lo aceptó *desde* ese punto de
   vista.
Se odian *de* muerte.

335

Lo ejecutó *al* piano.
Asomóse *en* la ventana.
Se sentó *en* la mesa.
Es diferente *a* lo que dijo.
Lo encomendó *a* sus oraciones.
Lo hizo *de* casualidad.
Vino *en* puntillas.
Puntos *a* dilucidar.
Bajo esa base no acepto.
Abandonado *de* todos.
Lo venderé *en* dos pesetas.
Solicité *al* jefe un aumento.
Paróse *en* la puerta.

Lo ejecutó *en* el piano.
Asomóse *a* la ventana.
Se sentó *a* la mesa.
Es diferente *de* lo que dijo.
Lo encomendó *en* sus oraciones.
Lo hizo *por* casualidad.
Vino *de* puntillas.
Puntos *por* dilucidar.
Sobre esa base no acepto.
Abandonado *por* todos.
Lo venderé *por* dos pesetas.
Solicité *del* jefe un aumento.
Paróse *a* la puerta.

Uso de la preposición de más:

<table>
<tr><td>INCORRECTO:</td><td>CORRECTO:</td></tr>
<tr><td>Lo hizo de gratis.</td><td>Lo hizo gratis.</td></tr>
<tr><td>Lo hizo de exprofeso.</td><td>Lo hizo exprofeso.</td></tr>
<tr><td>No se dio de cuenta.</td><td>No se dio cuenta.</td></tr>
<tr><td>Busco a personas diligentes.</td><td>Busco personas diligentes.</td></tr>
<tr><td>Creo de que así lo hará.</td><td>Creo que así lo hará.</td></tr>
<tr><td>No acostumbro a gritar así.</td><td>No acostumbro gritar así.</td></tr>
<tr><td>Es preciso de que te avives más.</td><td>Es preciso que te avives más.</td></tr>
<tr><td>Recuérdate de las señas.</td><td>Recuerda las señas.</td></tr>
<tr><td>Se miran a la cara.</td><td>Se miran la cara.</td></tr>
<tr><td>Aprovéchese de la ocasión.</td><td>Aproveche la ocasión.</td></tr>
<tr><td>Debemos de salir.</td><td>Debemos salir.</td></tr>
</table>

Solecismos por omitir indebidamente la preposición:

<table>
<tr><td>INCORRECTO:</td><td>CORRECTO:</td></tr>
<tr><td>Dame agua lluvia.</td><td>Dame agua de lluvia.</td></tr>
<tr><td>Compré agua colonia.</td><td>Compré agua de colonia.</td></tr>
<tr><td>Tabla de pino tea.</td><td>Tabla de pino de tea.</td></tr>
<tr><td>Una cinta color verde.</td><td>Una cinta de color verde.</td></tr>
<tr><td>Se retrata día y noche.</td><td>Se retrata de día y de noche.</td></tr>
<tr><td>Fui al teatro Cervantes.</td><td>Fui al teatro de Cervantes.</td></tr>
<tr><td>Visité París.</td><td>Visité a París.</td></tr>
<tr><td>Convinieron que así se haría.</td><td>Convinieron en que así se haría.</td></tr>
<tr><td>Estoy convencido que es así.</td><td>Estoy convencido de que es así.</td></tr>
<tr><td>Honra tus padres.</td><td>Honra a tus padres.</td></tr>
</table>

Observación: La Gramática de la Academia y otros tratados similares, dedican varias páginas al uso correcto de las preposiciones. En ellas se presentan, por orden alfabético, los verbos, nombres, adjetivos, etc., que se construyen con preposición. Trate el estudiante de consultar esos prontuarios o manuales para conocer el uso correcto de las preposiciones.

Solecismos de construcción: Estúdiense estos ejemplos:

INCORRECTO:	CORRECTO:
Para esto es que te necesito.	Para esto es para lo que te necesito.
Un artista en *ciernes*.	Un artista en *cierne*.
Cuarto con o sin baño.	Cuarto con baño o sin baño.
Tenlo por *descontado*.	Tenlo por *de contado*.
Tendrá más o menos cinco años.	Tendrá poco más o menos 5 años.
Por las buenas, lo harás.	Por buenas, de grado, lo harás.
Por las malas, lo harás.	Por malas, por fuerza, lo harás.
Tarde que temprano lo pagará.	Tarde o temprano lo pagará.
Golpes a *diestra* y *siniestra*.	Golpes a *diestro* y *siniestro*.
Es muy facilísimo.	Es muy fácil o facilísimo.
Un cuartito pequeñito.	Un cuarto pequeño o un cuartito.
¿Antonio salió?	¿Salió Antonio?
Tan es así.	Tan así es.
Se venden gorros para niños de seda.	Se venden gorros de seda para niños.
Él habló el primero.	Él habló primero o primeramente.
No caigo en la cuenta.	No caigo en cuenta.
Bueno fuese que no llegara.	Bueno sería que no llegara.
Quien eso dijese...	Quien eso dijere...
A lo mejor se muere.	A lo peor se muere.

NOTA: El Profesor tratará de explicar a los alumnos las reglas mal aplicadas.

EJERCICIOS. — ¿Qué son solecismos? — Emplee correctamente las variantes pronominales le, la, les, los. — Emplee las variantes mí, ti, sí en ablativo con la preposición en. — Emplee correctamente los pronombres relativos que, cual, quien, cuyo. — Haga las correcciones a las siguientes expresiones incorrectas: La entrada era de gratis. — Le hice un dulce a los niños. — No gritad tanto. — Hubieron muertos y heridos. — Está muy malísimo. — Creo que no hay nada de malo. — Recoge agua lluvia. — Vayámosnos de aquí. — Tenlo por descontado. — Lo hizo de casualidad .— Abandonado de todos. — No se dio de cuenta. — Se miran a la cara. — Cinta color azul. — Honra tus mártires. — Limpia el sartén. Recibí una carta conteniendo un giro. — Redacte una composición: tema libre, y cuide del uso de las variantes y de las preposiciones .

Lección 14

LOS BARBARISMOS ANALÓGICOS

Barbarismos analógicos: Recordemos que la Analogía es la parte de la Gramática que trata del valor, significado y estructura de las palabras. El valor se refiere al uso o empleo de los vocablos. El significado es lo relativo al aspecto semántico y la estructura, al morfológico, es decir, a los cambios que sufren las palabras para expresar los distintos accidentes gramaticales, formación de compuestos, derivados, etc. Cualquier error que se cometa en estos aspectos de la Analogía, será un *barbarismo analógico.*

Barbarismos en la formación del plural: El plural de los nombres y palabras sustantivas se conoce por el artículo y las desinencias *s, es.* Es frecuente el barbarismo analógico en la formación de los plurales. Estúdiense estas formas *correctas* en plural:

cafés	traspiés	salvoconductos	el lunes
ajíes	rubíes	sordomudos	los lunes
maníes	álbumes	avemarías	un análisis
sofás	dólares	padrenuestros	unos análisis
mamás	clubes	repórteres	el tórax
papás	bisteques	mítines	los tórax
bajaes	zigzagues	convoyes	el fénix
nenes	vivaques	berbiquíes	los fénix
las aes	las es	las des	lores.

Nombres que siempre se expresan en la forma del plural:

cumpleaños	sacamuelas	pararrayos	portamonedas
paraguas	exequias	efemérides	limpiadientes
alicates	cosquillas	nupcias	limpiabotas
pinzas	andas	ínfulas	sacacorchos
enaguas	pelagatos	angarillas	calzoncillos

338

Estúdiense los géneros correctos de estos nombres:

el sirviente	el almirante	el presidente	el pretendiente
la sirvienta	la almiranta	la presidenta	la pretendienta
el danzante	el comediante	el comandante	el ministro
la danzanta	la comedianta	la comandanta	la ministra
el regente	el infante	el asistente	el secretario
la regenta	la infanta	la asistenta	la secretaria
el pariente	el farsante	el practicante	el presidente
la parienta	la farsanta	la practicanta	la presidenta

No tienen terminación femenina, por lo tanto son del género común:

estudiante	paciente	cliente	suplente
ayudante	escribiente	marchante	gerente
recitante	cantante	superintendente	amante

Género correcto de estos nombres:

la manita	las afueras	el huésped
la sazón	el sastre	los miasmas
la sartén	la sastra	el modisto
la sílice	la chinche	la modista
la porción	la huéspeda	el vía crucis
la mugre	la apotema	* el hacha (fem.)
la sobrepelliz	la dínamo	el hambre (fem.)
la simiente	la soprano	el habla (fem.)
la palmacristi	la tiple	el asma (fem.)
la herrumbre	la contralto	
la apoteosis	el almíbar	

Frecuentemente se cometen errores en la formación de los derivados faltando así a la morfología; esos errores pueden calificarse de barbarismos analógicos. Estúdiense estas formas correctas:

juventud	buñolero	grosor	orfandad	comparecencia
lingüista	tenducho	boyada	orfanato	polvareda
cazolero	portazo	pañolón	orfanatorio	aguardentero
bonachón	corpazo	pedrada	humareda	bonísimo

En la formación de las voces verbales al conjugar, son frecuentes los barbarismos. Estudie estas observaciones:

*   Llevan el artículo *el* para evitar la cacofonía.

La segunda persona del pretérito indefinido, en el número singular siempre termina en *e*, nunca en *s*. Ejemplos: salis*te*, fuis*te*, hicis*te*, amas*te*. En composiciones antiguas se ven las formas salis*tes*, fuis*tes*, etc., son formas arcaicas, es decir, en desuso.

En el Modo Imperativo, las primeras personas del plural pierden la *s* final, delante de las variantes *nos* y *os*: retirémo-*nos*, rogámos-*os*. Es erróneo decir: retirémos*nos*, rogámos*nos*. También la *s* final se suprime delante de la variante *se*: conté-*mo-se*lo. Y la segunda persona del plural pierde la *d* final delante de la variante *os*: bañ*aos*, call*aos*; se exceptúa *idos*.

Hay muchos participios pasivos con dos formas, una regular (en ado, ido) y otra irregular (to, so, cho). Como regla general para sus usos correctos, recuérdese que la forma terminada en ado, ido, se emplea en los tiempos compuestos, es decir con valor de verbo mientras que la forma irregular, se usa como adjetivo. Véanse estos ejemplos:

He *freído*.	Has *bendecido*	Habrá *maldecido*	He *pagado*
Pescado *frito*	Pan *bendito*	Acción *maldita*	Gasto *pago*.

Las formas verbales de *satisfacer* son correlativas a las del verbo *hacer;* se diferencian en que llevan el prefijo *satis* y la *h* está cambiada por una *j*. Ejemplos:

hago — satisfago	hecho — satisfecho
hacía — satisfacía	haga — satisfaga
hice — satisfice	hiciera — satisficiera
haré — satisfaré	hiciese — satisficiese

Son correctas estas voces verbales:

aprieta	asuelo	chirrían	prevén
acrecienta	renuevo	retrajeron	satisfago
avienta	vaciaste	antepón	queráis
discuerdo	contrajimos	anduviste	asgo
condujo	conviniste	desharé	preví
vacío	anduvimos	queramos	peleé
interviniste	deshice	vertamos	tradujo
anduve	divirtamos	nieva	viniste
satisficieron	vayamos	hierras o yerras	garantimos
divirtieron	invierna	huello	satisface
volvamos	restriega	paseé	divirtió
empiedran	denuesto	sedujo	place
friegan	innovo	distrajiste	prever

Véanse ahora algunos errores en la formación de los participios pasivos: Préstese especial atención a las formas correctas y deséchense las incorrectas:

He *pagao* esa cuenta   *pagado*
Han *muerto* al hombre   *matado*
Ya se ha *desdecido*   *desdicho*
Se han *imprimido* las tarjetas *impreso*
Se te ha *rompido* el traje   *roto*
Estaban *opresos*   *oprimidos*

Bendecido y *maldecido* se usan en voces verbales compuestas *bendito* y *maldito* como adjetivos. Ejemplos:

Te he bendecido   Agua bendita
Te han maldecido   Lugar maldito

Véanse estos otros ejemplos de barbarismos analógicos:
Mañana *serán mis* cumpleaños: *Será mi* cumpleaños.
Los carnavales de este año: *El carnaval*.
Dame el paquete de *barajas*: *Baraja*.
El as de *oro*: *De oros*.
Recibí tu carta del día 5 *de los corriente*: *Del corriente*.
¿Qué *pitos* tocas tú ahí?: ¿Qué *pito*?
Se venden muebles de *todas clases*: *Toda clase*.
Las otras noches te vi: *La otra noche*.
Los otros días cobraste: *El otro día*.
Quiero menos *palabrerías*: *Palabrería*.

EJERCICIOS. — ¿En qué consisten los barbarismos analógicos?
Emplee en oraciones estas palabras:

apoteosis	*regente*	*palmacristi*	*mugre*	*sirviente*
simiente	*porción*	*sílice*	*sobrepelliz*	*miasmas*

Emplee el plural de estos nombres en oraciones:

vivac	*sofá*	*bistec*	*álbum*	*sordomudo*
mitin	*club*	*tisú*	*repórter*	*lord*

Emplee en oraciones estas palabras:

andas	*alicates*	*exequias*	*cumpleaños*	*efemérides*

Construya oraciones empleando estos derivados:

cazolero	*bonísimo*	*medicación*	*buñolero*	*comparecencia*

Forme el presente de indicativo de estos verbos:

fregar	*apretar*	*nevar*	*empedrar*	*variar*
restregar	*aventar*	*errar*	*renovar*	*innovar*

Emplee en oración los participios:

bendecido	*maldecido*	*bendito*	*maldito*

Lección 15

LAS FIGURAS DE DICCIÓN Y DE CONSTRUCCIÓN

Las figuras de dicción y de construcción: No siempre nos vemos obligados a emplear con rigurosa corrección las reglas gramaticales. Hay ocasiones en que se falta a dichas reglas y sin embargo no se cometen incorrecciones. Esas licencias o permisos por los cuales podemos infringir, de cierto modo, algunas reglas de la Gramática, se llaman *figuras*.

Las Figuras pueden ser de *dicción* o de *construcción*. Las primeras sólo se efectúan en las palabras, y las segundas en las oraciones.

Las figuras de construcción son cinco: *hipérbaton, elipsis, pleonasmo, silepsis y enálage*. Ya fueron tratados ampliamente en la Lección 96ª, Primera Parte — GRAMATICA. Recomendamos al alumno repase cuidadosamente la referida Lección.

Las figuras de dicción, son modificaciones que sufren en su estructura las palabras, también se llaman *metaplasmos* (de meta —cambio y plasmo— forma). Esas alteraciones pueden ser por *adición* de letras, por *supresión*, por *transposición* o por *elisión.*

Por adición: Prótesis, epéntesis y paragoge.

La prótesis añade letras al principio de la palabra: Adolorido, por dolorido: anaranjado por naranjado; escalofrío por calofrío espolvorear, por polvorear. A veces se forman por el vulgo voces con partículas protéticas que son barbarismos prosódicos, ya que es a esta parte de la Gramática, la Prosodia, a la que se falta en esos casos.

Citaremos algunos de esos barbarismos y recomendamos que se evite su uso:

Desapartar por apartar; dentrar y adentrar por entrar; elecubración por lucubración; afusilar, por fusilar; arrempujar, por rempujar; empercudir, por percudir, ensarta, por sarta; encaramillo, por caramillo, etc.

La epéntesis añade letras en medio de la dicción: *Torozón*, por trozón, *zambullir* por zabullir; tro*m*pezar, por tropezar; enamo*r*iscar, por enamoricar.

Son barbarismos los siguientes: armatroste, por armatoste; empiedrar, por empedrar; convalescencia, por convalecencia; anjá, por ajá; aereoplano, por aeroplano; aereostático, por aerostático; áccido, por ácido; contricción, por contrición; diferiencia, por diferencia; edicción, por edición; administracción, por administración; antepasados, por antepasados; suscinto, por sucinto, seísmico, por sísmico; desacompasados, por descompasado; frascasa, por fracaso; díseselo, por díselo; desempercudir, por despercudir; etc.

La paragoge añade letras al fn de la palabra: felic*e*, infelic*e*, hués-ped*e*, pec*e*, césped*e*, áspid*e*. Son barbarismos: **nadien, sientesen, sa-listes, llegastes, ridiculeza**, etc.

Por supresión: *Aféresis, síncopa y apócope.*

La aféresis suprime letras al principio: Norabuena y noramala, por enhorabuena y enhoramala; ora, por ahora; tanque, por estanque; chacho, por muchacho; Colás, por Nicolás; Fina, Taⁿo, Lía, por Josefina, Cayetano y Rosalía. Son barbarismos: lacena, por alacena; hondar, por ahondar; Ugenio, por Eugenio.

La síncopa suprime letras en medio de la palabra: Navidad, por natividad; hidalgo, por hijodalgo; princesa, por principesa; mascar, por masticar; comparente, por compareciente; cloroformar, por cloroformizar, docientos, por doscientos. Son barbarismos: alante, por adelante; madastra y padrastro, por madrastra y padrastro; paralepípedo, por paralelepípedo; prestigitador, por prestidigitador; seri-cultura, por sericicultura; dotor, por doctor; dicípulo, diciplina, por discípulo y disciplina.

La apócope suprime letras finales: mi, tu, su, por mío, tuyo y suyo; un, algún, ningún, por uno, alguno, ninguno; gran, cien, cualquier, recién, primer, tercer, postrer, veintiún, cuan, buen, mal, san, etcétera. También son ejemplos de apócopes; paga por pagada, kilo, por kilogramo; trunca, por truncada, malevo, por malévolo; cine, auto, moto, por cinematógrafo, automóvil y motocicleta.

Por transposición: La *metátesis* que altera el orden de las letras: gonce, por gozne, cantinela, por cantilena; zaparrastroso, por zarrapastroso; son barbarismos: delen, por denle; demen, por denme; naide, por nadie; Grabiel, por Gabriel; sastifacer, por satisfacer; areoplano, por aeroplano, etc.

Por elisión: La *contracción* que une dos palabras, suprimiendo letras: del y al, por de el y a el; entrambos, por entre y ambos; Carlomagno, por Carlos y Magno; Jesucristo, por Jesús y Cristo; maniobra, por mano y obra; mansalva, por mano y salva; anteayer, por antes de ayer; dozavo, por doce-avo.

Son barbarismos: noreste, sureste, antigiénico, etc.

EJERCICIOS. — ¿Qué son figuras gramaticales? — ¿Cómo se han clasificado esas figuras? — ¿Cuál es la etimología de la palabra metaplasmo? ¿Qué fenómenos se presentan en las figuras de dicción? — Diga un sinónimo de la palabra dicción. — ¿Qué es la prótesis? — Cite tres ejemplos. ¿Qué es la epéntesis? — Cite tres ejemplos. — ¿Qué es la paragoge? — Cite tres ejemplos. — ¿Qué es la síncopa? — Cite tres ejemplos. — ¿Qué es la apócope? — Cite tres ejemplos. — ¿Qué es la metátesis? — Cite tres ejemplos. — ¿Qué es la contracción? — Cite tres ejemplos. — Diga qué figura se ha cometido en estas voces:

arremolinarse	veintiuno	chirriquitico	extrañez
cine	huéspede	contigo	parlanchin

Enumere las figuras de construcción y dé un ejemplo de cada una.

Haga una Composición en la que se empleen figuras de dicción y de construcción; subráyelas.

Lección 16

LA PROPIEDAD EN EL LENGUAJE

Son voces *propias* o usadas con *propiedad,* las que se emplean en su verdadera *significación.* El mejor auxiliar para el estudio de la propiedad del lenguaje es un buen diccionario. Son también valiosos medios para llegar a conocer la verdadera significación de los vocablos, el estudio de las palabras afines, de los sinónimos, de los antónimos, los parónimos, etc. La lectura de obras de autores clásicos nos proporcionará también magníficas oportunidades de adquirir el hábito de las expresiones más *puras, correctas* y *propias.* Repase las Lecciones 18, 20, 21, 22, 23 y 24 de la Primera Parte: Gramática.

A continuación citamos varios ejemplos de faltas a la propiedad del lenguaje. Nos vemos obligados a presentar conjuntamente, algunos casos, con las formas propias, las impropias para que pueda establecerse el juicio o comparación del error; pero recomendamos nuevamente, que se preste la mayor atención a las formas correctas o propias y se desechen las impropias.

Sendos — uno o para cada cual: llevaba sendos ramilletes en las manos (uno en cada mano).

Dintel — parte superior de una puerta: la cortina colgaba del dintel.

Umbral — parte inferior de una puerta: apareció en el umbral.

Contesta — tercera persona del presente del indicativo del verbo contestar: él contesta correctamente.

Contestación — acción de contestar: Recibí la contestación.

Discernir — quiere decir distinguir: discernir las luces, los colores. (Discernir un premio, es uso impropio).

Álgido — es sinónimo de frío, glacial; fiebre álgida. (Impropiamente se dice: la revolución está en su punto álgido, en vez de culminante).

345

Apercibirse — significa prepararse, prevenirse, apercibirse para el invierno. (No debe decirse: no se apercibió del suceso).

Ponzoña — es el veneno: ponzoña de alacrán; la víbora me inyectó su ponzoña.

Correlativo — lo que indica relación recíproca: tío y sobrino son términos correlativos. (Es incorrecta la expresión: eso es muy correlativo, por común, corriente).

Caliginoso — es sinónimo de oscuro, nebuloso: cueva caliginosa.

Concebir — quiere decir formarse idea de una cosa: no concibo como él pudo equivocarse. (Suele emplearse incorrectamente cuando se dice: la carta estaba concebida en estas términos, por dispuesta, redactada).

Fenómeno — acto que realiza la naturaleza; monstruo: la lluvia es un fenómeno; fenómenos en una feria. (Es impropia la expresión: tiene una memoria fenómeno, por extraordinaria, prodigiosa).

Destornillarse — salirse un tornillo.

Desternillarse — romperse la ternilla: se desternilló de risa.

Declarar — significa hacer conocer: declarar ante el juez. (Está impropiamente empleada cuando se dice: se declaró un incendio).

Desapercibido — quiere decir no apercibido, desprevenido. (No debe decirse, pasó desapercibido para la concurrencia; la palabra propia es inadvertido).

Enterrar — quiere decir introducir en la tierra: enterré un cofre. (Está mal empleada cuando se dice: me enterré una astilla, por encarné).

Expresamente — equivale a claramente: lo advirtió expresamente. (Es impropio su uso por únicamente cuando se dice: vine expresamente a invitarle).

Desgarrar — rasgar, destrozar: el tigre le desgarró el brazo.

Expectorar — escupir, esputar: este catarro me hace expectorar.

Favorecida — participio de favorecer. (Es impropia la expresión: recibí su favorecida, por carta).

Intrigar — hacer intrigas, enredos. (Suele usarse impropiamente cuando se dice me intriga el desenlace, en vez de inquieta).

Misión — es el poder que se da a un enviado: él lleva una misión importante. (No debe emplearse en el sentido de objeto o propósito, como cuando se dice: la misión de la historia es...).

Pleno — equivale a lleno: en pleno vigor. (Suele emplearse impropiamente cuando se dice: en plena calle o en plena cara).

Pronunciado — es el participio de pronunciar. (Está mal empleada esta palabra en la frase: facciones pronunciadas; debe decirse: facciones salientes).

Propinar — quiere decir dar de beber: propinar una medicina. (Se suele emplear impropiamente cuando se dice: le propinaron una paliza; se acepta en sentido satírico o burlesco).

Cuernos — son las astas de ciertos animales.

Tarro — es una vasija o botella de barro. Debe decirse los cuernos del toro y no los tarros.

Palpitante — quiere decir, que palpita, que se mueve como el corazón, las arterias, etc. Se usa impropiamente cuando se dice: Es un asunto *palpitante*, importante, urgente.

Imbecilidad — es una modalidad de la mente. Cuando se dice: Dijo muchas *imbecilidades*, se comete una impropiedad. No se pueden decir imbecilidades como no se pueden decir inteligencias. Hablando con propiedad, se dirá: Dijo muchas *barbaridades*.

Abrogar — quiere decir abolir, revocar. *Arrogar* significa atribuirse, apropiarse de algo. Comúnmente se dice: El se *abroga* facultades que no tiene. Es una confusión de arrogarse por abrogarse.

Algo parecido sucede con *cimero* y *señero*. *Cimero* es lo que está en la cima, en la parte superior. *Señero* significa solitario. Muchos dicen: Un personaje *señero* por notable distinguido, elevado. Debieran decir: Un personaje en *cimera* posición.

Esa obra *revela* gran talento: Está usada impropiamente. Debió decirse esa obra *maestra, descubre* un gran talento. *Revelar* es descubrir un secreto: hacer visible la imagen fotográfica.

El uso de palabras con verdadera propiedad, es difícil ya que se necesita un estudio muy cuidadoso de la Semática, la constante consulta al diccionario, la lectura de buenos autores. Hay que tener en cuenta que el uso impone, a veces, una impropiedad, sin embargo, debemos ajustarnos a las acepciones castizas y tratar de desechar el mal uso. Frecuentemente vemos que notables escritores cometen *impropiedades*. Huyamos de su imitación y ajustémonos a lo establecido por el Diccionario en sus acertadas acepciones.*

Esta obra COMPOSICIÓN, además de desarrollar las aptitudes para la redacción en general, tiene por objeto preparar al futuro *Corresponsal Comercial*, en su importante labor de la redacción de cartas, documentos, y demás comuniciones mercantiles. Para enriquecer su *vocabulario*, especialmente el relacionado con el lenguaje comercial, invita al estudiante a consultar, analizar y aprender los vocablos que le ofrecemos en la sección TERMINOLOGÍA MERCANTIL que aparece, como un *apéndice*, al final de esta Segunda Parte de la obra.

EJERCICIOS. — ¿Cuándo se dice que un vocablo está empleado con propiedad? — ¿Cuáles son los mejores medios para el estudio de la propiedad del lenguaje? — ¿Qué diferencia hay entre las palabras contesta y contestación? — ¿Qué diferencia hay entre las palabras umbral y dintel?

Diga un sinónimo de estas palabras:

nimio   álgido   desgarrar   expectorar   ponzoña
*   caliginoso   pleno   discernir   abrogar*

Emplee en oraciones estas palabras:

propinar   pronunciado   desternillarse   fenómeno   extremo
*   favorecida   misión   encarnar   ponzoña*

Diga por qué están empleadas impropiamente las palabras con caracteres verticales:

Hoy discernían *los premios*. — *Se* destornilló *de risa*. — *No he recibido la* contesta. — *Esto es muy* correlativo *en Venezuela*. — *Yo no pasaré* desapercibido. — *No me importan esas* nimiedades. — *Me obsequió con* sendos, *descomunales barriles de vino*.

348

Lección 17

SENTIDO PROPIO Y TRASLATICIO DE LAS PALABRAS

Ya hemos visto que las palabras se emplean con *propiedad*, cuando se usan en su verdadera significación; así podemos decir que una palabra se emplea en *sentido propio*, cuando significa la cosa para que ha sido creada.

A causa de que el lenguaje resulta, en ocasiones, insuficiente para expresar todas las ideas y pensamientos, es necesario emplear la misma palabra en varios sentidos, acepciones o significaciones. Ese sentido adicional al propio, se llama *sentido traslaticio* de las palabras. Examínense estos ejemplos:

1. — La *hoja* del tabaco es valiosa.
2. — La *hoja* de ese libro está arrugada.

En la primera oración la palabra hoja está empleada en su *sentido propio*, es decir, en su primera acepción.

En la segunda oración la palabra hoja se ha usado para expresar otra cosa distinta, que sin embargo, guarda cierta relación o semejanza con la idea inicial; ese es el *sentido traslaticio*.

Veamos otros ejemplos:
El *cielo* está nublado — sentido propio.
Mírame el *cielo* de la boca — sentido traslaticio.
Tú eres mi *cielo* adorado — traslaticio.
Tengo el *brazo* fracturado — propio.
Arregla el *brazo* de la lámpara— traslaticio.
Tú eres mi *brazo* derecho — traslaticio.

El sentido *traslaticio* comprende el *extensivo* y el *figurado*.
El sentido *extensivo* se refiere a cosas que carecen de palabras para nombrarlas y por alguna semejanza física con otros objetos, se pueden usar en una significación traslaticia. Ejemplos: *cielo* de la boca; *brazo* de la lámpara; *hoja* del libro.

El sentido *figurado* está en relación con la imaginación o la fantasía y los sentimientos. Ejemplos: eres mi *cielo* adorado; eres mi *brazo* derecho.

En resumen, podemos decir que las palabras tienen dos sentidos: *propio* y *traslaticio*, y que este último puede ser *extensivo* o *figurado*.

Estúdiense estos ejemplos:

Propio: Me duele el pie derecho.
Extensivo: Esa regla tiene cuatro *pies*.
Figurado: Tú naciste de *pie*.
Propio: El cerebro se halla en la *cabeza*.
Extensivo: Dame una *cabeza* de ajo.
Figurado: Has perdido la *cabeza*.
Propio: Esa *luz* eléctrica es intensa.
Extensivo: Un puente con tres *luces*.
Figurado: La *luz* de la razón.
Propio: Un *gato* de Angora.
Extensivo: Levántalo con el *gato*.
Figurado: Ahí hay *gato* encerrado.

El origen del sentido traslaticio de las palabras (extensivo y figurado) depende en gran parte de la asociación de ideas, fenómeno sicológico por el cual una idea evoca otra. La gramática autoriza el empleo de las palabras en esos sentidos; basta buscar en el Diccionario de la Academia cualquier vocablo de uso muy corriente como pie, cabeza, ojo, mano y se notará el sinnúmero de acepciones o sentidos que se les aplican.

El *lenguaje figurado* es el fundamento de los *tropos*: metáforas, etc., que estudia la Retórica.

La *metáfora* (de *meta*-cambio y *foro*-llevar, trasladar) es un tropo que se funda en la semejanza; es el lenguaje tropológico que más se ajusta al sentido traslaticio de las palabras. El lenguaje *tropológico* (de *tropo*-cambio) es el que emplea las palabras en sentido traslaticio o figurado.

Obsérvense estas expresiones:

El Libertador — Simón Bolívar.
La perla de las Antillas — para expresar la Isla de Cuba.
El manco de Lepanto — Cervantes.
El apóstol de la independencia de Cuba — José Martí.
El poeta ciego de Grecia — Homero.

En cierto modo existe en todas esas expresiones un sentido traslaticio figurado de las palabras: para expresar una idea determinada se emplea un conjunto de vocablos que por medio de un rodeo y utilizando caracteres o detalles típicos de la cosa en cuestión, dan la idea equivalente. Esas formas de expresión del lenguaje figurado, se llaman *perífrasis o circunlocuciones* (de circun - alrededor y locución palabra).

Véanse otros ejemplos de perífrasis o circunlocuciones:

La llave del Golfo — Cuba.
La Sultana de Ávila — Caracas.
La madre patria — España.
El cantor del Niágara — José María Heredia.
El Divino Maestro — Jesucristo.
La Sublime Puerta — Turquía.
La Ciudad Eterna — Roma.
La madre de todos los vicios — La ociosidad.
El descubridor del Nuevo Mundo — Colón.
El país del sol naciente — Japón.
El cantor de la Zona Tórrida — Andrés Bello.

EJERCICIOS. — ¿Cuáles son los dos sentidos en que pueden emplearse las palabras? — ¿Cómo se subdivide el sentido traslaticio? — ¿Por qué se emplean palabras en sentido traslaticio? — ¿Qué fenómeno sicológico interviene en la adaptación de los vocablos a los sentidos extensivo y figurado? — ¿Cuándo una palabra está en sentido propio? — ¿Cuándo una palabra está en sentido extensivo? — ¿Cuándo una palabra está en sentido figurado?

Diga en qué sentido están empleadas las palabras con caracteres verticales de estas oraciones:

Tengo un diente *cariado. — Se jorobó el* diente *del serrucho. — No invites a comer a Luis, porque tiene buen* diente. *Un* paño *de casimir. Tú eres mi* paño *de lágrimas. — El* corazón *de esa fruta es duro. — Tienes muy mal* corazón. *— El pericardio envuelve al* corazón. *— Los* clavos *eran de hierro. — La planta que da el* clavo *de especia se llama jiroflé.*

Construya en lenguaje propio, estas expresiones en sentido figurado:

Una mujer sin entrañas. — El ocaso de la vida. — La primavera de la vida. — No debes jugar con fuego. — Ya su mal ha echado raíces.

Diga el vocablo equivalente a estas perífrasis:

Los buques del desierto. — La reina de las aves. — El astro rey. — El voraz elemento. — La última morada. — La moderna Albión. — La república celeste. — El rey de los animales. — El líquido elemento. — Las lágrimas de la aurora. — El gran arquitecto del Universo. — El padre de la medicina. Redacte una Composición, tema libre, en la que se empleen perífrasis.

Lección 18

OTRAS CUALIDADES DEL LENGUAJE

La claridad. — La expresión del pensamiento es clara cuando se evitan los párrafos demasiado extensos y complicados; los *circunloquios*, las *digresiones*, y las *anfibologías*.

Los *circunloquios* son los rodeos de palabras para dar a entender algo que hubiera podido explicarse más brevemente. Ejemplo:

«Mira, Enrique, ya hace tiempo que estoy cesante, que no tengo un centavo, realmente estoy atravesando una situación difícil porque no tengo recursos de ninguna clase y si pudiera conseguir algo, sí resolvería mi situación. Yo sé que tú te das cuenta de esto y que...»

Todo ese rodeo y exceso de palabras, puede sustituirse por esta expresión sencilla: «Enrique, préstame o regálame algún dinero, pues lo necesito urgentemente».

Las *digresiones* son las interrupciones que se hacen del hilo de una exposición para hablar de cosas que no tienen íntima relación con el asunto principal que se quiere expresar. Ejemplo:

«Ayer visité a tu tío para tratarle de un asunto que, bueno tú sabes que él es íntimo amigo de mi padre, porque cuando ellos eran muchachos, estuvieron juntos en la escuela; pues bien le recomendé a mi hijo para el puesto que está vacante en la compañía que él dirige».

La *anfibología* perjudica a la claridad porque hace que una frase u oración pueda interpretarse en dos sentidos distintos. Ejemplo: «Ella recomienda a su ahijado al doctor Díaz». No sabemos si el ahijado es recomendado al doctor Díaz o si el doctor Díaz es recomendado al ahijado.

«Don Carlos: Luis va para su casa en su coche». ¿La casa y el coche de quién?

Para que el lenguaje sea claro debe procurar la sencillez, y evitar todos los vicios citados anteriormente.

La precisión se refiere a la concisión y exactitud rigurosa en el lenguaje; exige la supresión de todo lo que no sea necesario, para lograr una expresión clara y comprensible. El lenguaje *preciso* está limpio de redundancias y difusiones o ampulosidades; debe concretarse a la exposición de los datos o detalles específicos y ser contrario a las manifestaciones de sentido general. Ejemplo:

«Este producto no tiene rival, no hay nada superior, prefiéralo a cualquiera». En el ejemplo anterior se expresan conceptos de sentido general, sin precisar las cualidades esenciales y características del producto que se recomienda. Para que esa expresión sea precisa debe señalar concretamente las cualidades por las cuales el citado producto es inmejorable.

La decencia o *delicadeza* en el lenguaje rechaza el empleo de frases deshonestas y soeces; exige dignidad y recato en la expresión.

La naturalidad huye de la afectación; el lenguaje natural es espontáneo y sencillo; libre de pensamientos afectados, hinchados y alambicados.

La variedad depende del empleo de frases, palabras, o giros distintos y variados que hagan más agradable y elegante la expresión. De la riqueza de nuestro vocabulario depende principalmente la variedad de nuestro lenguaje. Son vicios contrarios a la variedad, la *monotonía* y el *amaneramiento*.

La *monotonía* o pobreza consiste en emplear siempre las mismas expresiones vulgares, sin introducir giros, voces y frases nuevas y expresivas.

El *amaneramiento* es también la uniformidad o monotonía en la expresión. El estudio de los sinónimos y demás voces afines preparan al compositor para darle más variedad y atractivo a su lenguaje.

La novedad. — Por medio de la novedad, a veces un pensamiento vulgar, aparece con una forma nueva que le da cierto carácter de originalidad. La novedad trata de presentar os pensamientos en una forma agradable y que llame la atención del lector.

La oportunidad. — El lenguaje es oportuno cuando es adecuado a la cosa y al momento; los términos y palabras han de corresponder perfectamente al motivo y al momento.

La originalidad constituye la legitimidad del pensamiento. Es contraria al plagio y a la imitación. Es realmente una de las cualidades más difíciles del lenguaje y la composición, pues, depende principalmente de la invención y del talento del compositor.

La armonía. — Es armonioso el lenguaje cuando produce una impresión grata y agradable al oído. Para que una expresión sea armoniosa deben evitarse la cacofonía, el hiato, los períodos cojos o desiguales, y las terminaciones similares.

EJERCICIOS. — ¿Cuándo decimos que el lenguaje es claro? — ¿Qué son los circunloquios? — ¿Qué son las digresiones? — ¿Qué es la anfibología? — ¿Cuál es la etimología de anfibología? — Diga por qué existe la anfibología en esta expresión y constrúyala de modo que no se cometa ese vicio: «Se vende un vestido para señora de baile.» — ¿Qué es la precisión en el lenguaje? — Cite un ejemplo en que se falte a la precisión. — ¿Por qué el lenguaje debe ser decente? — ¿Qué es la naturalidad en el lenguaje? — ¿De qué depende la variedad en el lenguaje? — ¿Cuál es la etimología de la palabra monotonía? — ¿Qué puede decir acerca de la novedad en el lenguaje? — ¿Qué es la oportunidad? — ¿Y la originalidad? ¿Y la armonía? — Enumere las doce cualidades del lenguaje que se han explicado.

Lección 19

LAS FIGURAS DE PENSAMIENTO

La Literatura, para expresar la belleza en todas sus formas, se vale además de .enguaje figurado, de giros elegantes y enérgicos que se llaman *figuras de pensamiento*. Entre las figuras de pensamiento en que predomina la imaginación o fantasía, están las llamadas figuras *pintorescas*.

La más importante de las figuras pintorescas es la *descripción* que presenta en forma animada y viva las cualidades o propiedades de una persona, un carácter, un objeto cualquiera. Según el objeto que se describe y el carácter de la descripción, esta se ha clasificado en *paisaje o topografía, cronografía, prosopografía, etopeya, retrato, paralelo*, etc.

Topografía (de *topo*-lugar y *grafía*-descripción) es la descripción de un paisaje o lugar. Véanse estos ejemplos:

> Corta y cambia de pronto la campiña
>   alguna hojosa viña
> que en las umbrías y laderas crece,
> y entre las ondas de las mies madura,
>   cual isla de verdura,
> con sus varios matices resplandece.

>   ———————

> Serpean y se enlazan por los prados,
>   barbechos y sembrados,
> los arroyos, las lindes y caminos,
> y donde apenas la mirada alcanza,
>   cierran la lontananza
> espesos bosques de perennes pinos.

IDILIO, DE NÚÑEZ DE ARCE,

> Guarneciendo de una ría
> la entrada incierta y angosta,
> sobre un peñón de la costa
> que bate el mar noche y día,
> se alza gigante y sombría
> ancha torre secular.

EL VÉRTIGO, NÚÑEZ DE ARCE.

...a un lado del huerto estaba la noria y junto a la noria, sobre el toldo espeso y brillante de la vieja magnolia gigantesca, la mísera casita con sólo una puerta y dos ventanitas laterales, pero muy pintoresca, con su revestimiento de hiedra que colgaba del tejado, entrelazada con las enredaderas.

RAFAEL ALTAMIRA,

Cronografía (de *crono*-tiempo y *grafía*-descripción) es la descripción de un momento o de una época. Ejemplo:

Era la tarde: su ligera brisa
Las alas en silencio ya plegaba
Y entre la hierba y árboles dormía.
Mientras el ancho sol su disco hundía
Detrás de Iztaccihual. La nieve eterna
Cual disuelta en mar de oro, semejaba
Temblar en torno de él; un arco inmenso
Que del empíreo en el cenit finaba
Como espléndido pórtico del cielo
De luz vestido y centellante gloria,
De sus últimos rayos recibía
Los colores riquísimos. Su brillo
Defalleciendo fue: la blanca luna
Y de Venus la estrella solitaria
En el cielo desierto se veían.
¡Crepúsculo feliz! Hora más bella.

....

Es un bello momento, el momento del crepúsculo, que describe en preciosa *cronografía*, José María Heredia en su famosa oda «El Teocalli de Cholula».

La *prosopografía* (de *prosopón*-semblante, cara y *grafía*-descripción) hace la descripción de los caracteres físicos de una persona o de un animal. Ejemplo:

«Este que veis aquí, de rostro aguileño, el cabello castaño, frente lisa y desembarazada, de alegres ojos y de nariz corva, aunque bien proporcionada, las barbas de plata, que no ha veinte años que fueron de oro, los bigotes grandes, la boca pequeña, los dientes no crecidos, porque no tiene sino seis, y eso mal acondicionados y peor puestos, porque no tienen correspondencia los unos con los otros, el cuerpo entre dos extremos, ni grande ni pequeño, la color viva, antes blanca que morena, algo cargado de espaldas y no muy ligero de pies; este, digo que es el rostro del autor de Galatea y Don Quijote de la Mancha».

CERVANTES — Prólogo de las Novelas

Etopeya, de *eto*-costumbre, carácter y *peya*-creación, describe las cualidades morales o de carácter de una persona. Ejemplo:

> «Los cubanos veneran y los americanos conocen de fama al hombre santo que domando dolores profundos del alma y del cuerpo, domando la palabra, que pedía por su excelsitud aplausos y auditorio, domando con la fruición del sacrificio todo amor a sí y a las pompas vanas de la vida, nada quiso para serlo todo, pues fue maestro y convirtió en una sola generación un pueblo educado para la esclavitud en un pueblo de héroes, trabajadores y hombres ilustres».

En este fragmento de José Martí sobre el sabio maestro José de la Luz Caballero, hay una descripción del carácter bondadoso y modesto del mentor, que puede calificarse de *etopeya*.

Retrato es la descripción de un personaje en la que se presentan sus caracteres físicos (prosopografía), y su carácter o condición moral (etopeya). Veamos un ejemplo de *retrato:*

> ... tenía un hijo de unos once años; era un muchacho robusto, fuerte, de estatura regular; sus ojazos negros brillaban siempre debajo de aquella frente ancha, frente de niño inteligente. Su cara bien formada, con la nariz regular y cutis sonrosado: En conjunto sus facciones eran finas; pero no era ese aspecto simpático el que tanto adoraba la madre. Lo quería entrañablemente porque el muchacho era juicioso, inteligente y bondadosísimo. En la escuela figuraba el primero de su clase, por su aplicación, por su buen comportamiento, por sus buenas relaciones sociales. Tenía tanta curiosidad por saber de todo, por aprender...

Cuando se comparan las cualidades de dos personajes, se establece la descripción llamada *paralelo.*

Otras figuras de pensamiento: La *antítesis* (de *anti*-contra y *tesis*-poner) expresa ideas opuestas o contrarias. Ejemplos:

> «Desde los más remotos tiempos la humanidad vive

impaciente y esperanzada por una paz inalterable; pero la guerra rompe ese afán: mientras en unos pueblos se disfruta de tranquilidad y sosiego, en otros los hombres luchan entre sí guerreando y aniquilándose. ¿Hasta cuándo será intermitente ese estado de guerra y de paz?

«Dios es grande hasta en lo pequeño».

«Los príncipes me dan mucho si no me quitan nada, y me hacen bastante bien, cuando no me hacen ningún mal».

MONTAIGNE. (Francés).

La *paradoja* (de *para*-falso y *doxa*-opinión) expresa los conceptos con carácter contradictorio dándoles un sentido profundo. Es la unión de dos ideas contrarias en un solo pensamiento que parece falso; une dos cosas imposibles de conciliar. Ejemplos:

«Era admirable la belleza de su fealdad».

«A ese pueblo hay que destruirlo para que resurja».

«Mira al avaro en sus riquezas pobre».

«La difícil sencillez».

El *símil* es la representación viva de una idea por medio de una comparación de otra idea semejante más conocida. Ejemplos:

«Verde como la campiña» — «Fugaz como la dicha»

«Vela el caimán, cuya rugosa espalda, parece una cordillera en miniatura».

Hipérbole (de *hiper*-más allá, aumento y *bole*-arrojar, lanzar) exagera para impresionar el espíritu. Ejemplos:

Eres un gigante. Le dí mil besos. Dijo un millón de disparates.

Con mi llorar las piedras enternecen
su natural dureza y la quebrantan;

GARCILASO. (Español).

Prosopopeya proviene de dos elementos griegos: *prosopon*-semblante, aspecto y *peya*-creación; en lenguaje familiar decimos no vengas con tanta *prosopopeya* para expresar gravedad y pompa afectadas. La *prosopopeya* como figura literaria, consiste en atribuir el sentimiento, la palabra y la acción a las cosas inanimadas o abstractas, a los animales, a los muertos, a los ausentes, etc. Ejemplos:

El amor es ciego, la sabiduría modesta y la envidia implacable.

Díjole la zorra al busto,
después de olerlo:
Tu cabeza es hermosa,
pero sin seso.

IRIARTE. (Español).

La *Ironía* consiste en expresar lo contrario de lo que se siente con cierta burla o sarcasmo. Ejemplos:

¡Ah! Si trabaja tanto que no descansa.

(Palabras dirigidas a un vago).

¡Bah! —decían los judíos a Jesús en la cruz—
tú que tienes poder para destruir el templo
de Dios y reconstruirlo en tres días, sálvate a
ti mismo. Si eres hijo de Dios, baja de la cruz».

La *Perífrasis*, llamada también *circunlocución* expresa el pensamiento por medio de un rodeo. (*Peri*-alrededor; *frasis*-frase).

Son ejemplos de perífrasis:
El líquido elemento, por el mar.
El astro Rey, por el sol.
La primavera de la vida, por la juventud.
La Perla de las Antillas, por Cuba.
El Divino Maestro, por Jesucristo.
El fiero estruendo de Marte, por la artillería.
Apenas la blanca aurora había dado lugar a que el
luciente Febo con el ardor de sus calientes rayos
Las líquidas perlas de sus cabellos de oro enjuágase...

CERVANTES (Español).

Reticencia (de *retis*-red) es una omisión voluntaria de lo que debería decirse; se hace la omisión porque se sobrentiende lo omitido. Ejemplos:

«Pero será posible que ella... no, no lo creo».
«Si me piden una amplia información diría que...
más vale callar, será mejor».

Como un resumen de estos conceptos relativos a las *figuras de pensamiento*, estúdiese este cuadro:

I — Pintorescas	Descripción Amplificación Símil, etc.	Predominan la imaginación o la fantasía
II — Patéticas	Interrogación Exclamación Apóstrofe Hipérbole Prosopopeya, etc.	Predominan la sensibilidad, el sentimiento o la pasión

III — Lógicas	Sentencia Epifonema Antítesis Paradoja Gradación, etc.	Predominan la inteligencia o el razonamiento.
IV — Intencionales	Alegoría Eufemismo Perífrasis Sarcasmo Ironía Reticencia, etc.	Predominan la voluntad, la intención. Son tropos porque emplean el len- guaje figurado.

NOTA. — Busque el alumno, en el diccionario las palabras que desconozca.

EJERCICIOS. — ¿Qué son las figuras de pensamiento? — ¿Cuál es la más importante de esas figuras? — Cite distintas formas de la descripción. Diga las etimologías de las palabras: topografía, cronografía, etopeya y prosopografía. — Redacte un retrato de algún personaje conocido, o el suyo propio. — Diga las etimologías de las voces: antítesis, paradoja, hipérbole, prosopopeya, perífrasis y reticencia. — Diga los significados de símil e ironía. — Diga qué figuras se han aplicado en estas expresiones: Estaba más alegre que unas castañuelas. — Los buques del desierto estaban extenuados. — La naturaleza es grande hasta en las cosas pequeñas. — Es más pequeño que un pigmeo. — La tierra se sonríe con la abundancia. El águila y el león gran conferencia tuvieron. — Si yo pudiera le diría que... no, es mejor callar. — Escoja tres de las figuras de pensamiento y aplíquelas en una breve composición.

Lección 20

LAS ELEGANCIAS DEL LENGUAJE

Para embellecer la expresión, se emplean ciertas formas de *repetición, adición* o *supresión* de palabras. También se utilizan las *analogías* o *semejanzas* de sonidos, de *significados* y de *accidentes gramaticales*: Son las llamadas ELEGANCIAS DEL LENGUAJE. Su empleo ha de ser comedido y cuidadoso para no caer en la exageración y el amaneramiento.

En la composición de las propagandas comerciales, en los textos de la publicidad, pueden emplearse estos giros para llamar la atención y hacer más enfática la expresión. No es fácil, sin embargo su uso; se necesita que el redactor sea espontáneo, y sepa exponer con gracia y sencillez.

Veamos algunas clases de *Elegancias del Lenguaje:*

I — Por repetición de palabras:

1 — **Anáfora o repetición:** usa la misma palabra al comienzo de varios miembros. Ejemplos:
Blanca iglesita en la sierra,
Blanca golilla torcaz,
Blanca la lealtad tenaz,
Blanca te llamas, morena.

2 — **Reduplicación:** Repite, en un mismo miembro, una palabra:
Venid, venid todos a luchar.
Respeta, respeta, joven a quien te dio el ser.

3 — **Conversión:** Es inversa a la repetición o anáfora, pues hace la repetición al final:
¿De dónde viene lo que más lisonjea el gusto? De *América.*

¿Dónde buscamos las materias más importantes para las artes? En *América*.
¿A quién debe la medicina sus más heroicos remedios? A la *América*.
¿Dónde ha arraigado mejor la democracia? En *América*.

4 — **Complexión:** Reúne en la misma frase la repetición (anáfora) y la conversión:

¿Cuál es la isla más hermosa de América? *Cuba.*
¿Cuál es la Llave del Golfo de México? *Cuba.*
¿Cuál es la patria de Heredia y Martí? *Cuba.*

5 — **Concatenación:** Como una cadena, enlaza el mismo término final con el idéntico que le sigue:

En Roma se creó el *fausto;* del *fausto* es una consecuencia la *avaricia;* de la *avaricia* nace la *audacia,* y la *audacia* es el origen de crímenes y maldades.
La amistad nos dará la *comprensión;* la *comprensión* nos llevará a la *confraternidad* y la *confraternidad* será fuente de paz.

6 — **Retruécano:** Repite las palabras invirtiendo su orden, viene a ser un juego de palabras:

Yo como para vivir, y no vivo para comer.
Prevalezca la fuerza del derecho contra el derecho de la fuerza.
A veces los niños parecen viejos y los viejos parecen niños.

II — Por adición o supresión de palabras:

1 — **Polisíndeton:** (de *poli*-mucho; *síndeton*-conjunción), emplea repetidas veces la misma conjunción:

Ni temo al poderoso; *ni* al rico lisonjeo; *ni* halago, *ni* adulo al gobernante porque tengo confianza en mí mismo.
Y nos complace, *y* nos atiende, *y* nos halaga, *y* nos quiere, ¿se puede desear más?

2 — **Asíndeton:** (de *a*-sin; *síndeton*-conjunción). Suprime las conjunciones iguales:

El alma libre, generosa, fuerte, viene, te ve, se asombra...
Estudia, investiga, trabaja, lucha, hasta vencer.

III — **Por analogía o semejanza de sonidos:**

1 — **Aliteración:** es la repetición de una letra o fonema como una armonía imitativa:
El ruido con que rueda la furiosa tempestad.

2 — **Equívoco:** Empleo de homónimos:
—He reñido a un hostelero.
—¿Por qué?—¿Dónde? ¿Cuándo? ¿Cómo?
—Porque donde cuando como,
sirven mal, me desespero.

3 — **Paranomasia:** Emplea voces parónimas:
Para *orador*, te faltan más de cien.
Para *arador*, te sobran más de mil.
El abusar de la autoridad y del poder no es *acatar*, sino *atacar* las leyes.

IV — **Por analogía de significados:**

1 — **Sinominia:** Emplea voces sinónimas sin diferenciar sus significados:
Su personalidad *atrae, seduce, cautiva, deslumbra, encanta:* es un ser privilegiado.
No sólo la *quiero* y la *amo*, sino que la *adoro*.

2 — **Paradiástole:** Usa voces sinónimas señalando la diferencia de significados:
¡Cuántos miran sin *ver!*
¡Cuántos ven sin *mirar!*
Es un *erudito*, no un *sabio:* ha leído muchos libros de biblioteca; pero no el libro de la naturaleza.

V — **Por analogía de Accidentes gramaticales:**

1 — **Polipote:** Emplea la misma palabra en distintos accidentes gramaticales:
Tú *has tenido, tienes* y *tendrás* desmedidas ambiciones.

2 — **Derivación:** Combina palabras de la misma raíz:
Pues mientras vive el *vencido, venciendo* está el *vencedor.*

3 — **Similicadencia:** Finaliza con palabras usadas en los mismos accidentes gramaticales:
De ardiente llanto mi mejilla inundo...
¡*deliro, gozo*, te *bendigo* y *muero!*

Los *epítetos:* Algunos consideran como una *elegancia* por *adición* de palabras, a los *epítetos:* son adjetivos o frases adjetivas que expresan bellamente, cualidades del sustantivo al que generalmente se *anteponen.* Ejemplos:

> Entre nubes purpurinas, de azulado tornasol, tendió el iris a los lejos, los reflejos de los colores del sol.

> ¡Salve luz tornasolada, delicada, prenda mágica de paz, en que el cielo jura al alma dulce calma tras la negra tempestad!

El Iris, DE JOSÉ ZORRILLA. (Español)

> Fresca, lozana, pura y olorosa,
> gala y adorno del pensil florido...
> fragancia esparce la naciente rosa.

ESPRONCEDA. (Español)

EJERCICIOS. — ¿Para qué se emplean las elegancias del lenguaje? — ¿Cuál es su aplicación en la composición comercial? — ¿Desde qué puntos de vista se han clasificado las elegancias del lenguaje? — Dé ejemplos en los que se aplique la repetición, la polisíndeton y la asíndeton. — ¿Qué diferencia hay entre el equívoco y la paranomasia? — ¿Qué diferencia hay entre la sinonimia y la paradiástole? — Dé un ejemplo de derivación. Diga qué elegancias se han aplicado en estos ejemplos: «¿No ha de haber un espíritu valiente? — ¿Siempre se ha de sentir lo que se dice? — ¿Nunca se ha de decir lo que se siente?» — «La tierra nos da trigo, el trigo se convierte en pan, el pan es el alimento santo.» — Redacte un párrafo en el que se empleen epítetos.

Lección 21

ESTUDIO DE LA NARRACIÓN: SUS CLASES

LA NARRACIÓN es una composición en que se expone un hecho, verídico o ficticio, desde su origen hasta su fin o desenlace. Narrar es sinónimo de contar o referir. Cuando el hecho que se narra es puramente imaginario se llama *cuento*. Si es una obra extensa que narra una acción fingida en todo o en parte y cuyo fin es causar placer estético a los lectores por medio de la descripción o pintura de sucesos o lances interesantes de caracteres, de pasiones y de costumbres, se llama *novela*. Si es verídica o real, *historia*. Cuando la narración es breve y se refiere a un hecho histórico sobre algún rasgo o suceso particular más o menos notable, se llama *anécdota*. Si se refiere a un hecho algo incierto o dudoso y envuelto en circunstancias más o menos maravillosas, se denomina *leyenda* y si la narración tiene como finalidad una enseñanza moral y además en ella se presentan seres irracionales personificados, se llama *fábula* o *apólogo*. Existe también otra clase de narración parecida a la fábula, llamada *parábola* que narra un hecho fingido, del que se deduce, por comparación o semejanza, una verdad importante o una enseñanza moral.

En las *narraciones* deben distinguirse tres aspectos principales: la *exposición*, el *nudo* y el *desenlace*.

La *exposición* prepara el ánimo del lector, despertando el interés y presentando el hecho en el lugar y la época de su desarrollo y los personajes que intervinieron. No olvidemos que en la narración se sigue el orden cronológico en la enumeración de los hechos.

El *nudo*, es el conjunto de accidentes, peripecias y lances que complican el asunto despertando el interés y el deseo de conocer el fin o *desenlace*. Este último es la parte de la narración que presenta la solución o aclaración de los hechos.

Las narraciones deben ser claras, vivas, emocionantes y naturales.

Estúdiese este modelo de *narración:*

La venganza de las flores

I

Era encantadora aquella criatura, cuyo cuerpo delicado y blanco parecía hecho de pétalos de rosa.

Su cabecita pequeña y dulce estaba adornada por espléndida cabellera rubia, que juntamente con aquellos ojos azules y melancólicos, con aquella sonriente boca que se dibujaba bajo la correcta naricilla y con aquel cuello alabastrino e impecable que se erguía entre un mar de gasas y terciopelos, sedas y encajes, causaba en el ánimo una impresión tierna y sencilla, algo así como la contemplación de una blanca azucena sobre el campo oscuro, algo como la impresión visual de esas irisadas espumas que a veces cabalgan sobre las crestas de las olas, amenazando deshacerse y pulverizarse a cada instante.

II

La niña marchaba sonriente por el campo una hermosa tarde de primavera, en que el sol, ya en su ocaso, teñía de rosa las lejanas nieves de la sierra y pintaba el horizonte con arreboles de fuego y sangre.

La joven, al pasar, cortaba incesantemente margaritas y violetas, alhelíes salvajes, azules campanillas y blancas correhuelas, que iban formando un inmenso brazado de penetrante olor. Y entonando una alegre canción, daba voz a la soledad augusta de los campos, que con su silencio preparábase para el sueño general de la Naturaleza.

III

Cansada ya la niña de la excursión hecha a través de las praderas, se retiró a su gabinete para descansar del fatigoso día.

Colocó las flores, al lado de la almohada, desciñó de su cuerpo la flotante bata, deshizo sus rubias trenzas y reclinó su gracioso cuerpo sobre el blanco lecho, que la recibió amorosamente.

Entretanto, las margaritas bajaban sus blancas corolas llenas de vergüenza, las violetas escondían sus moribundos pétalos tras los lívidos de las campanillas que llenas de amargura se apretaban contra las correhuelas, pálidas de envidia, pues todas ellas eran menos hermosas que la joven durmiendo.

Hablaron las flores en ese misterioso idioma que sólo comprenden ellas y las mariposas; pusiéronse de acuerdo tras larga discusión, y quedó acordada una venganza tan terrible como lo son todas las de las bellas mortificadas en su amor propio.

IV

Cuando al día siguiente los juguetones rayos del sol entraron por las rendijas, juntamente con los gozosos trinos de los pájaros que saludaban el amanecer, encontráronse a la linda criatura inmóvil sobre la cama, con uno de sus desnudos brazos extendidos fuera de las sábanas, mientras su delicada cabeza exánime y yerta se inclinaba pesadamente hacia las ya mustias flores.

Estas habían consumado su venganza, el venenoso gas carbónico que exhalan durante la noche las había librado de la rival de su belleza.

Melchor Almagro,

Estúdiese este otro modelo de *narración:*

LA BALANZA

I

Las arpas de oro se estremecen aún con la vibración de la última armonía interrumpida de improviso, los cantos celestiales han cesado súbitamente; los ángeles dejan caer sus alas con tristeza: las inmensas claridades del infinito se han empañado, como temerosas de brillar; el silencio del cielo es formidable.

Va a juzgarse un alma.

Por tribunal una balanza: por balanza una cruz salpicada de sangre siempre fresca.

Medio oculto en sombra fatídica que forma con sus alas negras, y de espaldas al cielo, está de pie un ser lúgubre y sombrío esperando la hora vil del acusador terrible, inexorable. En su rostro, lineamientos de perfidia, mirada de asechanza y sonrisa malévola que hiere como puñal.

En el sitial de la justicia brilla un inmenso foco de luz resplandeciente que sirve de aureola al juez austero, lleno de incomparable majestad. Pero algo íntimo y misterioso hace traición a su designio de severidad y a su ministerio de rigor, porque aquella sombra doliente de tristeza que vaga por su semblante, no es de juez sino de padre, y hay no sé qué ternura en aquellos ojos de cordero y en la dulce inclinación de su cabeza, que deja entrever mucho de inconsulta piedad y de imprudente misericordia. Luego, hay marcados en su frente golpes de caída, y en sus manos cicatrices de suplicio, y el corazón adivina que no ha de ser implacable en el castigo quien ha la túnica en desorden, quebrado el alabastro, amortecidos los ojos, suelto el cabello, inclinada la frente vergonzosa, aprieta sobre el pecho sus manos entrelazadas, con la convulsión de la culpa y el estremecimiento del terror.

Aún la sigue hasta este trance doloroso el ángel cándido, compañero familiar de su existencia, lanzando penosamente suspiros prolongados de tristeza inmortal, que denuncian el pesar supremo de los esfuerzos inútiles y de la esperanza en derrota.

Habló el maldito, y se elevó hasta la agonía la suspensión de legiones celestiales, que cubrieron sus rostros inocentes con sus manos de armiño. Cada palabra era una culpa; cada culpa caía en el platillo de la balanza con enorme pesadumbre, inclinándola siniestramente del lado del abismo.

Allí cayó la liviandad, la impureza, el deshonor... y la balanza se inclinaba hacia el abismo.

El platillo de los merecimientos estaba vacío.

Allí cayó la torpeza de los pensamientos, el deleite funesto, el goce inmundo... y la balanza se inclinó hacia el abismo con lúgubre crujido.

Calla el acusador, —el silencio es pavoroso, —la balanza vacila, —el vértigo invade todos los espíritus... ¿No hay quién defienda al alma infortunada? ¿Quién, generoso, toma la voz de quien la pierde ahogada entre nudos de remordimiento?

¡Va a cerrarse el juicio fatal!

Incorpórase trabajosamente la acusada; pero no halla voz en aquel pecho lleno de tempestades, ni en aquellos labios, trémulos de dolor infinito... Vencida de la agonía suprema, apoya su frente desfallecida en el madero ensangrentado...

Una lágrima solitaria, desprendida de sus ojos, cae de improviso sobre el platillo vacío de la balanza, que, sacudida por una conmoción terrible, recobra de súbito el equilibrio...

Jesús abre los brazos, ruge el monstruo, prorrumpen deliciosos cantos celestiales, brillan claridades inefables...

Magdalena se ha salvado.

Eduardo Calcaño

EJERCICIOS. — ¿Qué es la narración?

Diga un carácter distintivo de cada una de estas clases de narraciones.

el cuento	*la novela*	*la historia*
la anécdota	*la fábula o apólogo*	*la leyenda*
la parábola		

¿Cuáles son los tres aspectos principales que se distinguen en las narraciones? — ¿Qué clase de narración es «La Venganza de las Flores»? — ¿Qué parte de este trabajo corresponde a la exposición? — ¿Cuál es el nudo? — ¿Y el desenlace? — Escriba algún cuento breve que usted conozca. — Interésese por la lectura de algunas novelas famosas. — Observe en el cuento «La Balanza» los variados ejemplos de figuras de pensamiento y de elegancias del lenguaje: señale algunas.

Lección 22

CONTINUACIÓN DEL ESTUDIO DE LAS NARRACIONES
LA BIOGRAFÍA

Ya vimos en la Lección anterior que la narración llamada *historia* se caracteriza porque relata hechos pasados verídicos. Entre las narraciones históricas puede citarse la *biografía* (de bio—vida y grafía-descripción) que es la narración histórica de la vida de una persona. Cuando el autor hace su propia biografía, esa composición se denomina *autobiografía*. Las *biografías* han de ser de lenguaje claro, sencillo y preciso, además de veraz, digno y elevado. Recomendamos a los estudiantes leer obras de biógrafos antiguos y modernos para apreciar enteramente los caracteres fundamentales de esa clase de narraciones históricas.

Si se observa la biografía actual, se nota que ésta ha evolucionado, convirtiéndose más en novelesca que en histórica. Los autores modernos se preocupan más del aspecto sicológico, de las bellezas de los rasgos de la vida del personaje que en los aspectos históricos: destacan las grandezas seleccionando los detalles más sobresalientes.

Estúdiese esta breve biografía de Don José de la Luz y Caballero.

José de la Luz y Caballero nació en La Habana el 11 de julio del año 1800. A la edad de doce años ingresó en el Seminario de San Carlos y San Ambrosio de La Habana, primer centro docente de aquella época. Allí estudió la carrera eclesiástica pero no llegó a ordenarse. Fue discípulo del gran maestro y virtuoso sacerdote Félix Varela.

Para ampliar su cultura viajó por los Estados Unidos y Europa. En esos países estableció relaciones con los hombres más notables de la época, como el barón de Humboldt, el poeta Goethe, Walter Scott, Ticknor, etc., quienes apreciaron y consideraron al ilustre cubano como un hombre inteligente, estudioso y verdaderamente culto.

José de la Luz y Caballero conocía varios idiomas y leía con facilidad las obras clásicas escritas en griego y latín. Escribía con especial elegancia y corrección, y se expresaba oralmente con la mejor dicción y elocuencia.

Inició su carrera de maestro en el Seminario de San Carlos donde explicó la cátedra de Filosofía, que tanto honraron Félix Varela y José Antonio Saco. Como maestro, demostró poseer una verdadera vocación y especiales condiciones para desarrollar con éxito esa difícil profesión.

En 1843 volvió a Europa para reponer su salud algo quebrantada. Se estableció en París, pero tuvo que regresar a Cuba al año siguiente para comparecer ante un tribunal militar que lo acusaba de complicidad en una supuesta conspiración de negros esclavos. Don José de la Luz y Caballero se presentó sereno y majestuoso ante el tribunal a responder de las falsas acusaciones, demostró su inocencia con civismo e hidalguía y fue absuelto.

Poco tiempo después fundó en el barrio del Cerro, el Colegio El Salvador, al que consagró con amor e interés, todo el resto de su vida. En él desenvolvió, para el bien de Cuba, sus excelentes condiciones de maestro ejemplar; sus discípulos, que mucho lo respetaban y adoraban como si fuera su padre, lo llamaban cariñosamente don Pepe.

Entre sus alumnos figuraron muchos cubanos que más tarde se distinguieron por su cultura y por su entereza de carácter cívico. Así fueron Zambrana, Piñeyro, Angulo y Heredia, Bruzón, Agramonte, Gálvez, Ayestarán, Julio y Manuel Sanguily, José María Zayas, Marcos García, Honorato del Castillo y muchos otros. Don Pepe llamaba a sus discípulos «hijos espirituales».

Los actos que celebraba el Colegio El Salvador eran famosos. Los exámenes de fin de curso fueron solemnes fiestas a las que acudía lo más distinguido de la sociedad habanera. También eran notables las «pláticas de los sábados» que pronunciaba don Pepe rodeado de sus discípulos y de sus admiradores. Su palabra, siempre amena, era solemne, majestuosa, y despertaba en sus oyentes el amor a la patria, al honor, a la verdad y al civismo.

Don José de la Luz y Caballero no escribió muchos libros: entre sus trabajos más notables pueden citarse los *Aforismos*, los *Elencos* de su colegio, un *Texto de Lectura Graduada;* discursos sobre las escuelas normales, elogios del presbítero Caballero, de Gener y de Escobedo; muchas traducciones, cartas, informes, etc.

A los 62 años muere el sabio maestro cubano en su Colegio El Salvador, el 22 de junio de 1862. Su muerte fue sentida por todo el pueblo de Cuba, y sus funerales constituyeron una sincera manifestación de duelo, emocionante y extraordinaria, porque la sociedad cubana se dio exacta cuenta de que había perdido a un hombre bueno, santo, ilustre y virtuoso: «un evangelio vivo».

Que sea don Pepe para todos los cubanos, especialmente para los niños y los jóvenes, un símbolo que evoque ideas sanas, puras y elevadas, e incite a la ejecución de obras morales y cívicas como las que realizó siempre el santo e inolvidable mentor.

Estúdiese esta otra interesane *biografía:*

ARÍSTIDES ROJAS

Arístides Rojas, hijo de José María de Rojas y de Dolores Espaillat, nació en Caracas el 5 de noviembre de 1826; adquirió la primera enseñanza en el Colegio de la Independencia, que regentaba don Feliciano Montenegro Colón; estudió medicina en nuestra Universidad Central, donde recibió el grado de doctor el 31 de octubre de 1852. Durante tres años ejerció su profesión en el interior de la República, y sobre todo en Escuque y Betijoque, poblaciones del Estado Trujillo. La muerte de su padre, en 1855, le hizo volver a Caracas. A poco siguió a Europa, donde estuvo algún tiempo; luego pasó a Puerto Rico. De esta isla regresó a la ciudad nativa en 1864, y abandonó por completo a Hipócrates y Galeno. En 1873 se unió en matrimonio con la Srta. Emilia Ugarte, fallecida un año después. Desde entonces —dice Bolet Pereza— Arístides prometió —como otro duque de Gandía— no querer más a quien pudiera morir, y amó sólo sus libros, ¡los amigos inmortales...!

La literatura es vocación. Así no es de extrañar que Arístides Rojas se diera a conocer desde 1844, cuando apenas contaba 18 años. En «El Liberal», periódico que veía la luz en Caracas, publicó sus primeros ensayos. Luego, con la colaboración de Abigáil Lozano y José Antonio Martín, dio a la luz «El Lenguaje de las Flores» y un almanaque poético intitulado: «Flores de Pascua». Después escribió artículos de costumbres y textos de enseñanza. De allí en lo adelante su labor se intensifica. La prensa nacional y extranjera acogen con aplausos los trabajos: «El rayo azul en la naturaleza y en la historia» «La gota de agua», «El velo de gasa», «Las arpas eolias», «El esquife de perlas», El grano de arena», «La fragua de Vulcano», «El alerta de las atalayas» «Los pórticos del Nuevo Mundo», y otros muchos con que quiso, a la manera de Fontvielle, de Michelet, de Parville y Flammarión, popularizar entre nosotros las ciencias físicas y naturales, en monografías de fácil lectura, por lo ameno del tema y la bella forma literaria. Pertenecen a ese género, que el autor englobó bajo el nombre: Ciencia y Poesía, las Humboldtianas, publicadas en diversos órganos de la prensa de Caracas...

También atrajeron la atención de Don Arístides la numismática y la ligüística americanas; y si en ese ramo de los conocimientos humanos sería exagerado reputarlo maestro, sobre todo ahora cuando ellas han alcanzado tan notable desarrollo, siempre le quedará la gloria de haber sido de los primeros que entre nosotros se dedicó a esa clase de investigaciones. En 1878 publicó su libro: Estudios Indígenas, y tres años después, en 1881, dio a la luz: «Ensayo de un diccionario de vocablos indígenas de uso frecuente en Venezuela».

Múltiples e interesantes fueron los temas que trató don Arístides, pero donde mejor se destaca su personalidad literaria es en los cuadros que trazó acerca de hombres y acaecimientos de nuestra vida nacional. Bajo su pluma fácil y sabia, aunque rebelde en ocasiones a la disciplina gramatical, no sólo aparecen llenos de animación y vida los héroes de la Conquista y de la Independencia, sino cobran aspecto de realidad, el mito y la leyenda, la tradición y la fábula. Formidable es al respecto su labor, pues, además de los folletos y volúmenes que forman su bibliografía, entre los cuales están: «Un libro en prosa». «Los hombres de la revolución», «Orígenes de la diplomacia venezolana», «El elemento vasco en la historia de Venezuela», «Objetos históricos que posee Caracas». «Recuerdos de Humboldt». «El Constituyente de Venezuela y el cuadro de Martín Tovar», «Miranda en la revolución francesa», «Orígenes del etatro en Caracas», «Leyendas Históricas» (2 volúmenes); «Orígenes venezolanos», y el libro «Obras escogidas», grueso volumen de 787 páginas, aun es grande el número de artículos esparcidos en revistas y periódicos desde «El Liberal», ya citado, hasta «El Independiente», «El Porvenir», «Vargasia», «Almanaque para todos», «El Siglo», «La América Ilustrada y Pintoresca», «El Tiempo». «El Cojo Ilustrado», y «La Opinión Nacional».

El 4 de marzo de 1894 pagó Arístides Rojas a la tierra el ineludible tributo. La sociedad lamentó aquella muerte; el Gobierno la consideró motivo de duelo, para la República, y así lo expresó en el Decreto dictado por el General M. Guzmán Álvarez, Encargado del Poder Ejecutivo.

Arístides Rojas, vivió consagrado a sus libros, y a sus cacharros, como él llamaba la valiosa colección de objetos históricos y artísticos que logró reunir en su gabinete de estudio.

Gozó de general estimación; y si no se le ofreció siempre recompensa apropiada a sus méritos, a lo menos se hizo de ellos el debido aprecio. Sus aptitudes y conocimientos fueron utilizados por los gobiertos en favor de la República. Sociedades científicas nacionales y extranjeras lo llamaron a su seno; revistas y periódicos del nuevo y del viejo mundo reprodujeron sus trabaios; pensadores de aquende y de allende el mar encomiaron con cálidas frases su labor. Fue premiado en varios certámenes, y en las fiestas conmemorativas del primer centenario del nacimiento de Bolívar el Ejecutivo Nacional le adjudicó medalla de oro.

JOSÉ E. MACHADO.
(Venezolano).

EJERCICIOS. — ¿Qué es una biografía? — ¿Cuál es la etimología de la palabra autobiografía? — Haga el alumno su autobiografía.

Trate de leer algunas biografías de personajes famosos.

Lección 23

LA ANÉCDOTA, LA LEYENDA, LA FÁBULA Y LA PARADOJA

Ya se dijo que la *anécdota* es una narración breve que se refiere a un hecho o rasgo particular más o menos notable y con carácter histórico.

La *anécdota* ha de ser ingeniosa y deberá exaltar la figura del personaje a que se refiere. Estúdiese este ejemplo:

«APELES fue el más ilustre de los pintores griegos; nació en Efeso y vivió en la corte de Alejandro el Magno cuyo retrato pintó.

Apeles, aunque era un gran artista, se mostraba muy severo para consigo mismo; lejos de ofenderse por las críticas, las provocaba.

Cuéntase que a veces exponía públicamente sus cuadros, ocultándose detrás del lienzo para oir las observaciones de unos y otros. Un día criticó un zapatero la sandalia de uno de sus personajes, y Apeles enmendó el error. Al día siguiente se atrevió el mismo oficial a criticar otra parte del cuadro; salió entonces el artista de su escondite y le dijo: «Zapatero no pases del zapato».

Las *leyendas* son narraciones de sucesos que tienen más de tradicionales y maravillosos que de históricos o verdaderos. Examínese este ejemplo de leyenda, titulada:

LA ROSA DE JERICÓ

La rosa de Jericó, se conoce también con el nombre de *flor de la resurrección*, pues se le atribuye la propiedad de morir y volver después a la vida. Su origen tiene una hermosa leyenda:

«Se dice que en aquellos días, en que José y María huyeron de Belén con el Niño Jesús, para salvarle de la degollación de los inocentes, ordenada por el rey Herodes, la Sagrada Familia atravesó las llanuras de Jericó. Cuando la Virgen bajó del asno que montaba, esta florecilla brotó a sus pies, para saludar al Salvador, a quien María llevaba en brazos.

Durante la vida del Salvador en la tierra, la rosa de Jericó siguió floreciendo, pero cuando expiró en la cruz, todas estas rosas se secaron y murieron al mismo tiempo que Él. Sin embargo, tres días después, Cristo resucitó, y las rosas de Jericó volvieron a la vida, brotando y floreciendo sobre la llanura, como señal de alegría de la tierra por la resurrección de Jesús».

Se dijo en una lección anterior que la *fábula* es una narración que tiene por fin una enseñanza moral, utilizando seres irracionales, inanimados o abstractos, personificados. Han sido famosos fabulistas: Esopo (griego), Fedro (latino), La Fontaine (francés), Samaniego, Iriarte, Hartzenbusch (españoles). Se llama *moraleja* a la lección o máxima moral que encierra la fábula o apólogo. La mayor parte de las fábulas están escritas en verso. Sin embargo, también hay muchas en prosa. Véase este ejemplo:

EL LEÓN Y LOS CUATRO BUEYES

«Cuatro bueyes que siempre pacían juntos en los prados, se juraron eterna amistad, y cuando el león los atacaba, se defendían tan bien que jamás perecía ninguno. Viendo el león que estando unidos no podía más que ellos, discurrió el medio de indisponerlos entre sí, diciendo a cada uno en particular que los otros murmuraban de él y que le aborrecía. De esta manera logró infundir sospechas entre los bueyes, de tal manera que al fin rompieron su alianza y se separaron. Entonces el león se los fue comiendo uno a uno, y antes de morir el último buey, exclamó: «Sólo nosotros tenemos la culpa de nuestra muerte, pues dando crédito a los malos consejos del león, no hemos permanecido unidos, y así le ha sido fácil devorarnos».

Moraleja: La unión da fuerzas hasta a los débiles: la discordia destruye a los poderosos.

La *parábola* es más profunda que la fábula, no admite el tono festivo y satírico y toma sus argumentos de acciones y circunstancias de la vida humana. La etimología de *parábola* es del griego *parábole* —comparación. Estúdiese este ejemplo de *parábola*:

MIRANDO JUGAR A UN NIÑO

«Jugaba un niño en el jardín de su casa con una copa de cristal que, en el líquido ambiente de la tarde, un rayo de sol tornasolaba como un prisma. Manteniéndola, no muy firme, en una mano, traía en la otra un junco, con el que golpeaba acompasadamente en la copa. Después de cada toque, inclinando la graciosa cabeza, quedaba atento, mientras las ondas sonoras como nacidas de vibrante trino de pájaro, se desprendían del herido cristal y agonizaban suavemente en los aires. Prolongó así su improvisada música hasta que, en un arranque de volubilidad, cambió el motivo de su juego; se inclinó a tierra, recogió en el hueco de ambas manos la arena limpia del sendero y la fue vertiendo en la copa hasta llenarla. Terminada esta obra, alisó, por primor, la arena desigual de los bordes.

No pasó mucho tiempo sin que quisiera volver a arrancar al cristal su fresca resonancia; pero el cristal, enmudecido, como si hubiera emigrado un alma de su diáfano seno, no respondía más que con un ruido de seca percusión al golpe del junco. El artista tuvo un gesto de enojo para el fracaso de su lira. Hubo de verter una lágrima, mas la dejó en suspenso. Miró como indeciso a su alrededor; sus ojos húmedos se detuvieron en una flor muy blanca y pomposa, que a la orilla de un cantero cercano, meciéndose en la rama que más se adelantaba, parecía rehuir la compañía de las hojas, en espera de una mano atrevida. El niño se dirigió, sonriendo a la flor; pugnó por alcanzar hasta ella, y aprisionándola con la complicidad del viento, que hizo abatirse por un instante la rama, cuando la hubo hecho suya la colocó graciosamente en la copa de cristal, vuelta en ufano búcaro, asegurando el tallo endeble merced a la misma arena que había sofocado el alma musical de la copa. Orgulloso de su desquite, levantó cuan alto pudo la flor entronizada y la paseó como en triunfo por entre la muchedumbre de las flores».

José Enrique Rodó,

SENTIDO DE ESTA PARÁBOLA

¡Sabia, candorosa filosofía! —Del fracaso cruel no recibe desaliento que dure, ni se obstina en volver al goce que perdió, sino que de las mismas condiciones que determinaron el fracaso toma la ocasión de nuevo juego, de nueva idealidad, de nueva belleza... ¿No hay aquí un polo de sabiduría para la acción? —Ah, si en el transcurso de la vida todos imitáramos al niño! ¡Si ante los límites que pone sucesivamente la fatalidad a nuestros propósitos, nuestras esperanzas y nuestros sueños hiciéramos todos como él...! El ejemplo del niño dice que no debemos empeñarnos en arrancar sonidos de la copa con que nos embelesamos un día si la naturaleza de las cosas quiere que enmudezca. Y dice luego que es necesario buscar en derredor de donde entonces estemos una reparadora flor, una flor que poner sobre la arena por quien el cristal se tornó mudo... No rompamos torpemente la copa contra las piedras del camino sólo porque haya dejado de sonar. Tal vez la flor reparadora existe. Tal vez está allí cerca... Esto declara la parábola del niño, y toda filosofía *viril* por el espíritu que la anime, confirmará su enseñanza fecunda.

EJERCICIOS. — ¿Cuáles son los caracteres de la anécdota? — Relate una breve anécdota. — ¿Qué es la leyenda? — Cite una leyenda. — ¿En qué se diferencia la parábola de la fábula? — Interésese por la lectura de «Motivos de Proteo», de Rodó.

Transcriba en prosa esta Fábula de Samaniego:

LA GATA CONVERTIDA EN MUJER

Zapaquilda la bella
Era gata doncella,
Muy recatada, no menos hermosa,
Queríala su dueño por esposa,
Si Venus consintiese
Y en mujer a la gata convirtiese;
De agradable manera
Vino en ello la diosa placentera:
Y ved a Zapaquilda en un instante
Hecha moza gallarda, rozagante.
Celébrase la boda:
Estaba ya la sala nupcial toda
De lucido concurso coronada,
La novia relamida, almidonada,
Junto al novio galán enamorado;
Todo brillantemente preparado;
Cuando quiso la diosa
Que cerca de la esposa
Pasase un ratoncillo de repente,
Y, a pesar del concurso y de su amante,
Salta, corre tras él, échale el guante.
Aunque del valle humilde a la alta cumbre
Inconstante nos mude la fortuna,
La propensión del natural es una
En todo estado, y más en la costumbre.

Lección 24

LA MITOLOGÍA. DIOSES MITOLÓGICOS Y ALGUNOS MITOS

Se llama *mito* a la narración con carácter de fábula y de leyenda, con ficción alegórica, especialmente en materia religiosa.

Mitología es la historia fabulosa de los dioses, semidioses y héroes de la antigüedad. La mitología griega es de gran riqueza y su estudio está lleno de interés. Basta leer las dos obras maestras de Homero, *La Ilíada* y *La Odisea*, para apreciar la importancia del conocimiento de la mitología griega. Al estudio de las narraciones mitológicas de los griegos y romanos, se llama *Mitología Clasica.*

Como un factor más en el enriquecimiento del *Vocabulario*, estudiaremos algunos de los más importantes dioses mitológicos y sus mitos.

Olimpo: Es el cielo o morada de los dioses.

Júpiter o Zeus: Rey del Olimpo, padre de muchos dioses, esposo de *Juno* o *Hera*. Venció a los *Titanes*, destronó a su padre *Saturno*, dio a sus hermanos, *Neptuno*, el mar, a *Plutón*, el Infierno.

Saturno o Cronos: Era hijo de Urano y Vesta, esposo de Cibeles o Rea. Padre de Júpiter, de Neptuno, de Plutón y de Juno. Dios del Tiempo.

Neptuno o Poseidón: Dios del mar; esposo de Anfitrite.

Plutón o Hades: Rey de los Infiernos y dios de los muertos. Esposo de Proserpina a quien raptó.

Cibeles o Rea: Hija del Cielo, diosa de la Tierra, esposa de Saturno y madre de los dioses olímpicos.

Titanes: Hijos del Cielo y la Tierra: rebelados contra los dioses, intentaron escalar el Olimpo amontonando unas montañas sobre otras; pero fueron derribados por Júpiter.

Minerva o Palas: Hija de Júpiter, diosa de la sabiduría y las artes. La fábula la representa saliendo armada del cerebro de Júpiter cuando *Vulcano* lo abrió de un hachazo.

Vulcano o Hefestos: Dios del fuego y de los metales. Hijo de Júpiter y Juno; esposo de *Venus*. Feo y deforme, fue precipitado por su madre desde lo alto del Olimpo y cayó en la isla de Sicilia, donde estableció sus forjas bajo el volcán Etna: allí trabajaba en compañía de los *Cíclopes*.

Venus o Afrodita: Diosa de la belleza, que nació de la espuma del mar.

Cíclopes: Gigantes monstruosos, con un solo ojo en la frente; forjaban en el Etna los rayos de Júpiter bajo las órdenes de Vulcano. *Polifemo* es el más célebre de los Cíclopes.

Apolo o Febo: Dios de los oráculos, de la poesía, de las artes, de los rebaños y del sol. Como conductor del carro del Sol era llamado *Febo*. Era hijo de Júpiter y Latona, y hermano gemelo de *Diana*.

Diana o Artemisa: Diosa de la caza, de los bosques y las doncellas.

Mercurio o Hermes: Hijo de Júpiter, mensajero de los dioses, del Comercio y de los ladrones. Robó el tridente de Neptuno, las flechas de Apolo, la espada de Marte y el cinturón de Venus.

Caduceo: Es una varilla con dos alas en la punta, rodeada de dos serpientes, atributo de Mercurio; es el emblema del comercio.

Marte o Ares: Dios de la guerra; esposo de *Belona*.

Astrea: Diosa de la justicia; era hija de Júpiter y de *Temis*.

Temis: Madre de las Horas y de las Parcas; Diosa de la justicia; estableció la adivinación, los sacrificios, las leyes religiosas y todo cuanto contribuye a mantener el orden entre los hombres.

Baco o Dionisio: Dios del vino y los borrachos. La viña, la hiedra y el tirso son sus atributos. Sus sacerdotisas son las *Bacantes*.

Cupido o Eros: Dios del amor. Se representa por un niño con un carcaj o aljaba con flechas.

Ceres o Deméter: Diosa de la agricultura; hija de Saturno y Cibeles.

Eolo: Dios de los vientos; era quien desencadenaba las tempestades.

Hebe: Diosa de la juventud; ella escanciaba a los dioses el néctar y la ambrosía. Fue esposa de Hércules.

Hércules: La fuerza. El más célebre de los héroes de la mitología griega. Hijo de Júpiter y Alcmena. Juno, celosa, mandó dos serpientes para que lo devoraran en su cuna; pero el niño las ahogó entre sus brazos. Ya hombre se distinguió por su estatura y su fuerza extraordinaria. Ejecutó doce hazañas famosas: ahogó el león de Nemea; mató la hidra de Lerna; venció a las Amazonas; libertó a Teseo de los infiernos, etc.

Flora: Diosa de las flores y los jardines; amada de Céfiro y madre de la Primavera.

Esculapio o Asclepios: Dios de la Medicina; padre de *Higia*, diosa de la salud.

Cerbero o Cancerbero: Perro de tres cabezas, guardián del infierno. *Orfeo* lo durmió a los acordes de su lira cuando bajó a buscar a *Eurídice.*

Jano: Dios romano representado con dos caras para que siempre tuviera presente el pasado y el porvenir; Saturno lo dotó de clarividencia.

Proteo: Dios marino que, habiendo recibido de Neptuno el don de la profecía, cambiaba de forma para librarse de los curiosos. Comúnmente se le llama Proteo a la persona de carácter versátil.

Vesta o Hestia: Diosa del fuego o el hogar. Sus sacerdotisas, las *Vestales*, estaban destinadas a mantener el fuego sagrado en el templo de la diosa; estaban obligadas a guardar castidad durante su sacerdocio.

Momo: Dios del carnaval, las burlas y del sarcasmo.

Morfeo: Dios de los ensueños; hijo del Sueño y de la Noche.

Musas: Deidades que presidían las artes liberales; eran hijas de Júpiter y de Mnemosina, diosa de la memoria. Hermanas de Apolo habitaban en el Parnaso, el Pindo y el Helicón. Eran nueve: *Clío*, representaba la historia; *Euterpe,* la música; *Talía,* la comedia; *Melpómene,* la tragedia; *Terpsícore,* el baile; *Erato,* la elegía; *Polimnia,* la oda o poesía lírica; *Calíope,* la elocuencia y *Urania,* la astronomía.

Pegaso: Caballo alado, símbolo del talento o inspiración poéticos. Nació en la sangre de *Medusa* cuando *Perseo* le cortó la cabeza.

Faetón: Hijo del Sol, habiéndole dado su padre permiso para guiar el carro del sol durante un día estuvo a punto de abrasar el universo por su inexperiencia.

Centauros: Raza de monstruos, mitad hombre y mitad caballo *Quirón* fue uno de los más célebres centauros: maestro de Esculapio y de Aquiles.

Pandora: Primera mujer creada por Vulcano. Minerva la dotó de talentos; Júpiter le regaló una caja donde estaban guardados todos los males. Junto al primer hombre, *Epimeteo,* Júpiter la puso en la tierra. Pero Epimeteo abrió la caja fatal y puso en libertad todos los males. Sólo quedó en el fondo, la esperanza.

Observaciones: Los dioses que aparecen con dos nombres: el primero es el dado por los romanos, el segundo, por los griegos; así los romanos llamaban al rey del Olimpo, *Júpiter,* y los griegos lo denominaban *Zeus.*

El estudiante deberá buscar en un diccionario enciclopédico aquellos términos mitológicos que aparecen en las explicaciones y que no se han descrito.

EJERCICIOS. — ¿Qué es la mitología? — ¿Qué importancia tiene la mitología para la Composición? — ¿Qué son los mitos? — Refiera un mito de cada uno de estos dioses: Mercurio, Júpiter, Vulcano y Pandora. Diga qué representan estos dioses: Esculapio, Plutón, Marte, Apolo, Neptuno, Saturno, Baco y Eolo. — Diga qué representan estas diosas: Minerva, Diana, Hebe, Venus, Cibeles, Belona Ceres Higia, Vesta. — ¿Qué es la caja de Pandora? — ¿Quiénes eran las Musas y qué representaban? — Interésese en leer «La Ilíada» y «La Odisea» de Homero obras en las que abundan los asuntos mitológicos.

Lección 25

LA DESCRIPCIÓN

La *descripción* es la composición que representa personas o cosas en la que se explican sus distintas partes, cualidades o circunstancias. La descripción puede considerarse como una definición amplificada.

La *descripción* debe ser una pintura viva y animada de las cosas que percibimos. Se describen paisajes, ciudades, casas, plantas, animales, personas, etc. Lo más importante en la *descripción* es la elección de los detalles a que se quiere hacer referencia.

Al tratar de las *Figuras de Pensamiento* se hizo una explicación sobre las características y clases de descripciones: topografía o paisaje, cronografía, prosopografía, etopeya y retrato. Repase el alumno esa Lección (19).

Se llama *retrato* a la descripción de la figura o carácter, o sea de las cualidades físicas y morales de una persona.

Estúdiese este modelo de retrato que refleja el carácter de una persona:

RETRATO DE UN HOMBRE REFLEXIVO

«Fernando era por naturaleza, lo que comúnmente se llama juicioso, es decir, reflexivo, incapaz de encariñarse, y mucho menos de entusiasmarse, con aficiones pasajeras ni con frivolidades pueriles. Podía equivocarse en la elección de una senda, pero se equivocaba de buena ley, es decir, poniendo en sus meditaciones, antes de decidirse, cuanto cabía en su discurso. Así era entusiasta sin dejar de ser frío.

El caudal de sus ideas, buenas o malas, lo formaba adquiriéndolas poco a poco y saboreándolas; y a su vez pertrechado de esta suerte, iba hasta el fin de sus proyectos sin arredrarle los peligros que antes le enardecían cuanto más inesperados eran y mayores».

J. M. PEREDA,

383

Véase ahora este otro retrato interesante escrito por Ricardo León:

RETRATO DE UNA MUJER HABLADORA

«Esta persona es tan expresiva y vehemente, que pone en juego al hablar, todas las potencias y sentidos; todos los músculos y los nervios; una vez que ase el hilo del discurso, no hay modo de deslizar una sola palabra en el torrente impetuoso de las suyas; adivina las respuestas, habla por sí y por los demás, interroga, contesta, describe, amplifica, llena la narración de episodios y de incisos, siembra la cláusula de metáforas, y hasta inventa nuevas figuras retóricas; imagina, propone, acusa, defiende, juzga, sentencia; todo lo conoce, todo lo sabe, lo divino y lo humano, lo propio y lo ajeno, el bien y el mal, y con la palabra vive y goza, castiga, lisonjea, suspira, ríe y llora con la volubilidad de un pájaro».

Examínese ese otro ejemplo de descripción: retrato físico o exterior de una persona:

«Durante una fría y nebulosa noche de diciembre, un hombre de elevada estatura marchaba penosamente, apoyándose en un bastón, por una calle de París. Su traje, insuficiente para defenderle de la helada brisa que soplaba aquella noche, se componía de un pantalón de verano y de un viejo sobretodo, abotonado hasta el cuello. Un sombrero de anchas alas ocultaba su fisonomía, sin dejar ver más que su luenga barba y sus cabellos blancos que caían sobre sus encorvadas espaldas. Bajo el brazo llevaba un objeto de forma oblonga, envuelto en un pañuelo».

Véase esta otra descripción de un paraje campestre:

«Distante del río, apenas un tiro de bala, veíase el huerto de José Cosme; hermoso huerto, aunque de reducidas dimensiones, todo cubierto de frutales y hortalizas, cerrado de viejas paredes musgosas, ahogadas en maleza, y comunicando con el camino por un postiguillo muy seguro. Aquello era todo cuanto le quedaba al pobre hombre de sus antiguas haciendas. A un lado del huerto estaba la noria y junto a la noria, la mísera casita, con sólo una puerta y dos ventanillas laterales, pero muy pintoresca, con su revestimiento de hiedra que colgaba del tejado, entrelazada con las enredaderas».

RAFAEL ALTAMIRA,
(Español).

Por último examínese esta otra descripción de un animal:

LA ARDILLA

«La ardilla es un animal pequeño y gracioso, arisco más que salvaje, y de una gran docilidad cuando está domesticado. No es carnívoro ni dañino, aunque alguna vez caza pájaros, y su alimento ordinario consiste en frutas, almendras, avellanas, bellotas, etc. Es aseado, listo, muy vivo y despierto, y bastante industrioso: tiene la fisonomía fina, los ojos llenos de fuego, el cuerpo nervioso, los miembros bien dispuestos, y su linda figura está además realzada por una hermosa cola en forma de penacho, que levanta sobre la cabeza y le sirve de parasol. Casi siempre está de pie, y se sirve de las patas delanteras, como si fueran manos, para coger y llevar los alimentos a la boca».

Una práctica muy eficiente para lograr facilidad y habilidad en las descripciones, es la de tratar de describir objetos, aparatos, figuras, láminas, etc. Estúdiense los siguientes párrafos que tratan de sencillas descripciones:

«Esta famosa marca de reloj, presenta un nuevo modelo: un medallón de calidades garantizadas, de esmalte tallado y oro incrustado en el fondo de la caja. Sus características notables: automatismo, precisión, impermeabilidad, antimagnetismo y protección contra los choques. Su esfera con diseño exclusivo, adornada con cifras en relieve de oro y de puntos luminosos; está provisto de una ventanilla bordeada por un marco de oro, colocada a la hora 3 entre el centro y la franja de minutos, por la que se permite, rápida y fácilmente, la lectura de la fecha».

«Es una pluma-lapicero que lo posee todo: esfera entrefina, que se repliega automáticamente: la tinta fluye al instante: el cartucho o recipiente es transparente y se puede usar hasta la última gota de tinta; el punto flotante sirve de amortiguador para escribir con soltura, en un solo color o combinaciones de dos colores».

EJERCICIOS. — ¿Qué es la descripción? — Diga cuáles son los principales caracteres de la descripción del edificio de la Escuela. — Haga la descripción de un animal o una planta cualquiera. Haga una descripción sobre uno de estos temas: Un establecimiento. — El Escudo Nacional. — Un automóvil. — Un teatro. — Una máquina de escribir.

Lección 26

DIÁLOGOS. ARTÍCULOS. COMPOSICIONES DIDÁCTICAS. EL ENSAYO. LAS MONOGRAFÍAS

El *diálogo* es una plática o conversación entre dos o más personas que alternativamente manifiestan sus ideas y deseos. Es uno de los géneros de composición más usados, sobre todo en lo dramático.

El *diálogo* debe ser animado, ameno, vivo, natural y lleno de gracia. Son famosos los diálogos de *Platón* donde está expuesta la filosofía de Sócrates, su maestro.

Veamos este fragmento de un interesante diálogo entre el tirano Gessler de la antigua Suiza y Guillermo Tell, su famoso libertador.

—¿Qué es este motín?

—Señor —dijo el soldado adelantándose —este desvergonzado que no ha querido saludar al sombrero, contra lo mandado por vuestra señoría.

—¿Cómo? —exclamó frunciendo su entrecejo.

—¿Quién ha sido el atrevido que contraviene mis órdenes?

—Es Guillermo Tell, señor.

—Tell —replicó Gessler dando media vuelta sobre la silla de su caballo para mirar al rebelde que tenía de la mano a su hijo.

Durante unos instantes Gessler, sin decir otra palabra, lo miró enfurecido.

—He oído decir que eres un gran tirador, Tell, dijo luego Gessler burlonamente— y que siempre das en el blanco.

—Es cierto, señor —repuso el pequeño que estaba muy orgulloso de la habilidad de su padre—. Puede tocar a una manzana colgada de un árbol situado a un centenar de pasos de distancia.

—¿Es tu hijo? —preguntó Gessler mirando al niño y sonriendo malignamente.

—Sí, señor.

—¿Tienes más?

—Otro niño, señor.

—¿Los quieres mucho, Tell?

—Sí, señor.

—¿A cuál de los dos quieres más?

Tell vaciló. Miró al pequeño y luego pensó en su Guillermito que estaba en casa—. Amo a los dos igualmente señor —dijo al fin.

Veamos este otro fragmento de un interesante *diálogo* de la novela costumbrista «Doña Bárbara», del escritor Rómulo Gallegos:

—Seré otra mujer —decíase una y otra vez—. Ya estoy cansada de mí misma y quiero ser otra y conocer otra vida. Todavía me siento joven y puedo volver a empezar.

Tal era la disposición de su ánimo cuando, dos días después, de regreso a la casa, ya al atardecer, divisó a Santos Luzardo que volvía del pueblo.

—Espérame aquí —díjole a Balbino, en cuya compañía siempre procuraba estar ahora, y atravesando un gamelotal que la separaba del camino que traía Luzardo, le salió al paso.

Lo saludó con una leve inclinación de cabeza, sin sonrisa ni zalamerías y lo interpeló:

—¿Es cierto que han asesinado a dos peones de usted que llevaban para San Fernando la cosecha de la pluma?

Después de haberle dirigido una mirada despectiva, Santos le respondió:

—Absolutamente cierto, y muy estratégica su pregunta.

Pero ella no atendió al final de la frase por formular ya otra interrogación:

—¿Y usted qué ha hecho?

Mirándola fijamente a los ojos y martilleando las palabras, aquel le contestó:

—Perder mi tiempo pretendiendo que la justicia podría cumplirse; pero puede usted estar tranquila por lo que respecta a las vías legales.

—¡Yo! —exclamó Doña Bárbara, enrojeciéndose súbitamente, cual si la hubiesen abofeteado—. ¿Quiere decir que usted...?

—Quiero decirle que ahora estamos en otro camino.

Y espoleando el caballo prosiguió su marcha, dejándola plantada en medio de la sabana.

———————————

Los artículos. — Existe otro género de composición distinto a las narraciones y descripciones que tiene por finalidad exponer algún asunto o tesis sobre diversidad de tópicos. Estos trabajos tienen poca extensión y se caracterizan por su amenidad, precisión y concisión. A este género pertenecen los artículos de periódicos, las composiciones didácticas en las que el autor se propone instruir sobre asuntos científicos, artísticos, etc.

Es tal la diversidad de clases de artículos que sería extensa su enumeración y citaremos algunas:

Artículos de fondo que se publican en revistas periódicos sobre asuntos de actualidad y en los que se deben tratar los problemas y cuestiones con alteza de ideales y especial honradez.

Artículos de información que son trasmisores de noticias de actualidad, ya nacional o internacional. Deben ser interesantes, breves y claros.

Artículos literarios, críticos, originales, emotivos.
Trabajos de divulgación científica o artística.
Trabajos sobre crónicas sociales y deportivas.
Polémicas y discusiones. Entrevistas. Saludos, etc.

Existe otro género de composición de igual tipo que el artículo pero de carácter más elevado y de más difícil desarrollo: *el ensayo.* Hemos dicho de difícil desarrollo porque el ensayo requiere un estudio profundo y cuidadoso de la tesis que se desea exponer. Son los ensayistas, verdaderos maestros de composición, hombres eminentemente cultos, capaces de producir trabajos técnicos. Aunque el ensayo es generalmente breve, no es la brevedad su especial característica.

En el ensayo los temas son casi siempre a modo de tesis personales

Se pueden citar como notables ensayistas a José Ortega y Gasset (español), José Enrique Rodó (uruguayo), Juan Montalvo (ecuatoriano), Arístides Rojas, Eduardo Calcaño, Juan Vicente González, Cecilio Acosta, Manuel Díaz Rodríguez, etc. (venezolanos), Chacón y Calvo, Jorge Mañach, Enrique José Varona, Medardo Vitier, etc., (cubanos).

Por los nombres citados, se podrá comprobar que *el ensayo* es un género literario propio de maestros de la pluma.

Las *monografías* (de mono—uno y grafía—escribir o describir) son descripciones de poca extensión que tratan de determinada parte de una ciencia, de algún asunto o tópico particular, de algún personaje, etc. Como su nombre lo indica, se refieren, especialmente, a un solo asunto.

Las *composiciones didácticas* tratan sobre temas de enseñanza y educación. La raíz etimológica de la palabra *didáctica* es del griego, *didacto*—enseñar. Su estilo debe ser claro, sencillo y ajustado a normas sicológicas del aprendizaje. Generalmente se exponen en monografías, lecciones, unidades de estudios; tratados y hasta obras extensas y documentadas. Sus autores han de ser verdaderos maestros, educadores, sicólogos que conozcan profundamente la ciencia de la educación.

EJERCICIOS. — ¿Qué es el diálogo? — Componga un diálogo breve. ¿Qué puede decir acerca de los artículos? — Cite cinco asuntos distintos de que pueden tratar los artículos de los periódicos. — ¿Qué es el ensayo? — Cite algunos ensayistas notables. — ¿Qué son las monografías? — ¿De qué tratan las composiciones didácticas? — Escoja el alumno un artículo cualquiera de un periódico o revista, léalo cuidadosamente y redacte una pequeña composición exponiendo extractadamente, los conceptos fundamentales del referido artículo.

Lección 27

EL PERIODISMO: CARACTERES Y CLASIFICACIÓN

El *periodismo* es un género literario que comprende los *artículos de periódico*, composiciones breves que tratan de asuntos de actualidad.

Caracteres: Los artículos de periódico son escritos en un estilo sencillo, claro y sintético; su elocución es expositiva, aunque usan también la narrativa y descriptiva (crónicas).

División de las publicaciones periódicas: Comprenden los *diarios* y las *revistas*. Los *diarios* son publicaciones que aparecen todos los días y a veces con más de una edición en el día. Su contenido es, en su mayor parte, de información sobre asuntos de actualidad. Actualmente el *diario* o *periódico*, se produce escrito o por radio y televisado. Las *revistas* son publicaciones impresas, más extensas que los diarios, en forma y tamaño de folleto y con múltiples ilustraciones. Se publican cada semana (hebdomadarias o semanarios); cada quince días (quincenales), cada mes (mensuales); cada dos meses (bimestres o bimestrales); trimestrales, semestrales, anuales, etc. Hay *revistas* de carácter general que presentan toda clase de información y las hay especiales, que tratan de alguna rama del arte o la ciencia.

Contenido de un periódico: Un periódico moderno y de importancia consta de varias páginas. En la *primera página* se publican las noticias de actualidad y de mayor relieve, generalmente aparecen en ellas retratos o ilustraciones atractivas. En la *segunda página*, se presenta el *artículo editorial* o *de fondo* que expresa la opinión seria, doctrinal de la empresa periodística o de su director-propietario. También en esta página se publican otros artículos de crítica o de exposición de conceptos firmados por sus autores. Las demás páginas se destinan a distintas secciones: *crónicas sociales; deportivas, religiosas, policíacas,* etc. Secciones dedicadas a *problemas económicos* y sus informaciones, a los *espectáculos*, a los *asuntos oficiales* de los distintos departamentos del gobierno. Completan todo ese material informativo y educativo, una diversidad de *anuncios* que comprenden el servicio de propaganda. Algunos periódicos publican *folletines* y *tiras cómicas* ilustradas, en forma de *episodios*.

Función social del periodismo: Tiene una doble función: *informativa y educativa*. El periódico lleva a todos los ámbitos del mundo, por su gran circulación, las noticias e informes que a todos interesan. Con sus artículos doctrinales orienta al público y forma núcleos de opinión, da ilustraciones sobre materias científicas, artísticas, sociales, filosóficas, he aquí su función educativa. Por su gran influencia social, se le ha llamado *el cuarto poder del Estado*.

Importancia comercial del periódico: Basta revisar cuidadosamente cualquier periódico o revista para apreciar la importancia que en ellos se da a la propaganda comercial: diversidad de anuncios, muchos de ellos verdaderas obras de arte, integran el material informativo. No se concibe un periódico o revista sin esa cooperación comercial. Los redactores de la publicidad y propaganda en la prensa escrita y la aérea, deben poseer una especial preparación en el arte de la composición, en los principios sociológicos, sicológicos y artísticos. Es actualmente una carrera o profesión de gran importancia.

De lo anteriormente expuesto se deriva la importancia de la profesión de *periodista*. En la actualidad, la preparación de ese elemento social, se hace en una escuela bien organizada: La Escuela Profesional de Periodistas, cuya finalidad es dar a la sociedad hombres cultos, buenos escritores, con espíritu de crítica constructiva y con un carácter moral que prestigie su actuación.

La prensa aérea: Utiliza el radio y la televisión para sus publicaciones y posee las ventajas de una mayor difusión de las noticias y las ideas. Beneficia más a la sociedad porque con notable rapidez puede llevar a cualquier lugar del país o del mundo, la noticia completamente gratis: sus suscriptores son anónimos e infinitos.

EJERCICIOS. — ¿Qué es el periodismo y cuáles son sus características? — ¿Cómo se clasifican las publicaciones periódicas? — ¿Qué son los artículos de fondo? — Enumere las principales secciones de un periódico moderno. — Cite los nombres de algunos periódicos y revistas que usted conoce y ha leído. — ¿Qué puede decir de la función social del periodismo? — ¿Cuál es la importancia comercial del periodismo? — ¿Cuáles son las cualidades de un buen periodista? — ¿Qué es la prensa aérea y cuáles son sus ventajas? — Redacte un breve artículo de periódico o revista, sobre una información de un asunto escogido por usted.

Lección 28

ESTUDIO DE LA EXPRESIÓN ORAL. LA CONVERSACIÓN
LA ORATORIA

En la Lección 26ª se dieron conocimientos relativos a la Prosodia y se trató de la voz, la intensidad, el tono, el timbre, el énfasis, etc. Trate el alumno de repasar esos conocimientos que son elementos que contribuyen a la mejor expresión oral.

La conversación o plática es uno de los recursos o medios de establecer nexos sociales. Como todo medio de expresión tiene sus reglas que le convierte en un verdadero arte. Quien conozca el arte de la conversación obtendrá, indudablemente, notables éxitos en sus relaciones sociales, comerciales o profesionales. Una grata conversación despierta sentimientos de simpatía, consideración y admiración.

Las principales cualidades de una buena conversación, plática o exposición oral, son la corrección, el tacto, la cortesía, la fluidez y elegancia del lenguaje. También contribuyen a darle el carácter artístico, la buena aplicación de los ademanes, los gestos y el porte. Por lo contrario afean y se consideran como vicios o defectos, la inseguridad en la expresión, la timidez, la dificultad al iniciar el asunto de la conversación, la pobreza del lenguaje, los estribillos y amaneramientos y las faltas de entonación de la voz.

Las buenas cualidades citadas anteriormente son las mismas que caracterizan a un lenguaje perfecto; la pureza de los vocablos, la corrección, la propiedad, la claridad, la precisión, la decencia, la naturalidad, la variedad, la novedad, etc. Si la persona que sostiene una conversación emplea un lenguaje que reúna todas esas cualidades, posee gran parte de los elementos que constituyen el ya citado arte de la conversación.

El ademán, el gesto y el porte: *El ademán* (del latín ad-junto y *mano*-mano) es el movimiento que hacemos con las manos y los brazos para ayudar a la expresión oral. Los ademanes, que también se llaman modales, han de ser comedidos, corteses y moderados, cualquier exageración en ellos hace ridícula la expresión oral. Otro tanto se puede decir de los *gestos* que son la expresión del rostro. Las gesticulaciones han de ser moderadas, evitando la hilaridad y la extravagancia. El *porte* es la buena disposición, decencia y lucimiento de la persona; es un factor que contribuye también a despertar simpatía y atracción del interlocutor.

En cuanto a los vicios referentes a la dificultad, la inseguridad y la timidez en la expresión, se corrigen con el estudio de las cualidades del lenguaje y el enriquecimiento del vocabulario. La persona que posea un vocabulario rico y extenso, podrá con facilidad encontrar las palabras necesarias para exponer sus ideas y conceptos, le fluirán fácilmente los vocablos y evitará los estribillos.

Llámanse *estribillos* a las palabras y frases que se emplean por vicioso hábito, inoportuna y frecuentemente. Ejemplos: ¿comprende usted? — ¿no? — ¿usted me entiende? — esto... ¿cómo se llama? — usted sabe — etc.

El amaneramiento es otro defecto de expresión que rompe con la sencillez y la naturalidad, es un defecto de exageración.

Resumiendo, podemos decir, que son tres aspectos importantes los que constituyen el arte de la expresión oral: 1.º — La correcta pronunciación que, a la par que evita los defectos de la articulación de los sonidos (tartamudeo, gangueo, seseo, balbucencia, etc.), da elegancia a los vocablos porque atiende a la entonación agradable, ajena a los defectos de la monotonía, cacofonía, hiato, sonsonete, desentono, atonía, etc. 2.º — La perfección del Lenguaje conforme a la aplicación de todas sus buenas cualidades ya enunciadas anteriormente. 3.º — El porte, los ademanes y los gestos que completan la declamación o expresión oral artística dándole viveza y sentimiento.

La *oratoria* es el arte de hablar en público para convencer o persuadir. El convencimiento está en relación con el entendimiento; la persuasión, con los sentimientos. Cuando la exposición oral del orador convence o persuade, se dice que es *elocuente*. No debemos confundir *elocuencia con facundia* o *verborrea* que es la facilidad de palabras que brotan fluidamente. En la elocuencia deben abundar los razonamientos y los conceptos que lleven al auditorio el convencimiento y la persuasión.

El *orador* ha de poseer, por lo tanto, esa condición esencial: ser *elocuente*. Será, además, una persona culta, un conocedor profundo de la materia que expone; ha de tener cualidades *morales* y *físicas* que lo hagan atractivo, simpático y apreciado y ha de ser un artista en el *porte*: empleo de los gestos, ademanes y modales. Los *gestos* son los movimientos de los músculos de la cara que dan expresión de los estados de ánimos; los *ademanes*, son los movimientos de los brazos y las manos que hacen más enfática y enérgica la exposición y los *modales*, los movimientos del cuerpo en general.

El *auditorio* es el conjunto de personas ante las cuales el orador expone su discurso. En muchos casos la exposición del discurso ha de estar en relación con la calidad del auditorio; cada género oratorio debe tener su auditorio correspondiente, así un discurso científico se dedicará a los miembros de una academia de ciencias; uno de asunto relacionado con el arte, a una academia de artes. El discurso político generalmente tiene como auditorio a los afiliados a un partido determinado o al pueblo en general.

Elementos del discurso: Como en toda composición literaria se distinguen en el discurso el *fondo* y la *forma*. El *fondo* o pensamiento del discurso puede ser diverso, depende de la materia que trate el orador, así hay oratoria *sagrada* o *religiosa, política, forense* y *académica*.

En la *forma* o *disposición* relativa a la elocución se distingue el *plan* que comprende cuatro partes: el *exordio*, la *proposición*, la *confirmación* y *refutación* y el *epílogo*.

El *exordio* es la introducción: ha de ser interesante y no muy extenso, su finalidad es atraer la atención y simpatía al tema básico del discurso.

La *proposición* expone el asunto fundamental: ha de ser clara, concreta, precisa para su mejor comprensión.

La *confirmación* y la *refutación* son exposiciones de argumentos; en la primera, el orador presenta una comprobación de las ideas fundamentales; en la segunda, refuta o combate los argumentos opuestos a su tesis. En ellas ha de brillar la *elocuencia* del orador, es decir, sus facultades para convencer y persuadir.

El *epílogo viene* a ser el resumen del discurso; se llama *peroración* cuando es sentimental o apasionado. En esta parte han de lucir las facultades del literato para que su discurso cierre o concluya en una forma emotiva, que deje grata impresión en el auditorio, o como vulgarmente se dice: que cierre con broche de oro. Es bueno hacer constar que no todos los discursos se componen de las partes anteriormente señaladas, el plan puede ser variable y de acuerdo con las condiciones del auditorio, del tiempo, o de cualquier otra circunstancia.

Diversas clases de oratoria: La oratoria *sagrada* o *religiosa* trata de temas sobre religión, teología, etc. Su estilo es grave, sereno, solemne. La *proposición* es generalmente de carácter moralizador o dogmático. Los discursos religiosos se llaman *sermones* y *plática*: los primeros son más extensos y completos.

Los *sermones* pueden ser *morales*, cuando presentan un razonamiento sobre las ventajas de una buena conducta y una vida ejemplar. Son *dogmáticos*, si exponen los principios fundamentales de la religión que deben aceptarse sin discusión. Son *panegíricos*, cuando dedican una alabanza a una persona o glorifican un credo religioso.

La *oratoria política* comprende dos aspectos: la *parlamentaria* y la *popular*. La primera se refiere a los discursos que se pronuncian en los parlamentos o congresos y tratan de los problemas políticos relativos a la confección de leyes y asuntos del Estado. La oratoria política *popular*, se manifiesta en las asambleas o mítines públicos o populares; tratan de las propagandas de los partidos políticos y de problemas que afectan cívicamente a la comunidad; a estos pertenecen también las *arengas* patrióticas y militares.

La *oratoria forense* corresponde a los discursos que se pronuncian ante los tribunales de justicia; plantean problemas de derecho; son de estilo grave, claro, convincente y persuasivo. Según el asunto, pueden ser de materia civil, penal, de defensa, de acusación, etc.

La *oratoria académica* comprende los discursos sobre temas científicos o artísticos. El auditorio es un público culto. El orador ha de ser un individuo también culto y especializado en la materia del discurso. Dentro de esta clase de oratoria se incluyen las conferencias y las lecciones, ambas de carácter didáctico.

EJERCICIOS. — ¿Cuáles son las principales cualidades de una buena conversación? — ¿Cómo deben ser los ademanes o modales? — ¿Qué son los gestos? — ¿Qué es el porte? — ¿Qué son los estribillos? Cite algunos. — Enumere las características de una buena conversación. — Resalte oralmente anécdotas, fábulas o cuentos, atendiendo a las reglas y recomendaciones sobre la expresión oral. — Practíquense diálogos, monólogos y breves discursos o conferencias. — ¿Qué es la oratoria? — Principales cualidades del orador. — Principales elementos del discurso. — Partes que comprende el plan del discurso. — ¿Qué son el exordio y el epílogo? — Clases de oratoria: diga un detalle característico de cada clase. — Busque en el diccionario los nombres de estos oradores de fama mundial y lea cuidadosamente sus datos biográficos: Pericles, Demóstenes, Licurgo, Cicerón, Fenelón, Mirabeau, Voltaire, Dantón, Cánovas del Castillo, Pí y Margall, Castelar, Fermín Toro. — Lea algunos discursos de Martí y de otros oradores cubanos venezolanos panameños, colombianos, etc.

Como aplicación de los conocimientos adquiridos escoja distintos temas y redacte composiciones ajustándose en lo posible, al plan recomendado en las Lecciones 3.ª y 4.ª.

Apéndice I

MODELOS DE COMPOSICIONES SELECTAS

A continuación presentamos al estudiante, algunos modelos de composiciones y fragmentos escogidos. Léanse con atención y obsérvense en ellos las cualidades del lenguaje y el estilo de cada autor. No debe olvidarse que uno de los medios más practicados para encauzar el aprendizaje de la Composición, es la lectura atenta y cuidadosa de buenos modelos.

JOSÉ DE LA LUZ

Los cubanos veneran y los americanos todos conocen de fama al santo que, domando dolores profundos del alma y del cuerpo, domando con la fruición del sacrificio todo amor a sí y a las pompas vanas de la vida, nada quiso ser para serlo todo, pues fue maestro y convirtió en una sola generación un pueblo educado para la esclavitud en un pueblo de héroes, trabajadores y hombres ilustres.

Pudo ser abogado con respetuosa y rica clientela, y su patria fue su única cliente. Pudo lucir en las academias sin esfuerzo su ciencia copiosa, y sólo mostró lo que sabía de la verdad cuando era indispensable defenderla. Pudo escribir en obras —para su patria al menos— inmortales, lo que, ayudando la soberanía de su entendimiento con la piedad de su corazón, aprendió en los libros y en la naturaleza, sobre la música de lo creado y el sentido del mundo, y no escribió en los libros, que recompensan, sino en las almas, que suelen olvidar. Supo cuanto se sabía en su época; pero no para enseñar que lo sabía, sino para transmitirlo. Sembró hombres.

JOSÉ MARTÍ. (Cubano).

LOS PROCERES

(Fragmentos)

La voluntad humana es un destello de la voluntad de Dios. España luchó como buena por un derecho tradicional: la necesidad de sostener la integridad de sus posesiones; y Colombia por el elaterio del derecho moderno, y el que posee todo pueblo si tiene la fuerza para ello, de declararse independiente y señor.

Y se trabó la lucha, y el territorio fue todo un humo de pólvora continuado que sólo se disipó con el iris de la paz, y un choque y un estampido constantes de acero y de cañón que sólo cesaron con la diana del triunfo. Todos los llaneros se volvieron centauros, todos los serranos cazadores, todos los pescadores marinos; y así los rapaces con la leche en los labios como los jovencitos imberbes, corrían desalados a hacer sus primeras armas, atraídos por una canción heroica o una divisa de patria. El sol no hacía más que secar sangre, el viento que llevar hurras, el cielo que presenciar destrozos, y las mesetas y sábanas que mantener extendidas, como sábanas fúnebres, capas de osamentas humanas, la hierba ya hollada y seca con el correr y galopar de los bridones. El valor sucedía al valor, el sacrificio al sacrificio, la muerte a la muerte...

No bastaba el valor, el cual era mercadería común, sino que era menester heroísmo. Por todas partes lucha empeñada, por todas partes vicisitudes, trances, reveses, escaramuzas, reencuentros, batallas, trofeos, proezas, martirios, hasta que al cabo de quince años, todos ellos una sola brega declarada la suerte a favor nuestro, se vistieron de gala y de pompa las ciudades, y apareció la Libertad en la más alta cumbre de los Andes para anunciar con voz estentórea al Universo, la fausta noticia.

Lo que casi no tiene par, por los pocos medios con que se contó y por la trascendencia histórica, es que estas, antes colonias españolas, llamadas después Colombia, y Venezuela, sin recursos, sin comercio, sin armas, sin amigos, sin el contagio de las ideas generosas que agitan y transforman las sociedades, hayan desafiado y vencido a una nación tan bizarra y noble como España.

CECILIO ACOSTA, (Venezolano).

EL CORAZÓN

Según la medicina, el corazón no es más que la regadera del cuerpo humano.

Una especie de bomba que, comprimiéndose y dilatándose alternativamente, lanza raudales de sangre por las misteriosas vertientes de las venas.

Mecánicamente considerado, es un muelle real de este reloj eternamente descompuesto que se llama hombre.

Un aparato admirablemente construido, pero nada más que un aparato.

La medicina y la mecánica se sientan al pie de ese descubrimiento con la satisfecha tranquilidad del viajero que ha terminado su camino.

He ahí el corazón según la ciencia.

Nosotros ponemos la mano sobre él, y lo sentimos golpear incesantemente, como si quisiera que no olvidáramos que va siempre con nosotros.

En sus latidos hay algo de importancia, algo de esa precipitación que en sus movimientos llevan las cosas que acaban pronto.

Parece que la rapidez incesante con que se agita, es una voz sin palabras que nos está gritando siempre: «Esto va a escape».

Yo creo algunas veces que es un ser escondido dentro de mi ser, encargado de contar los instantes de mi vida.

Terrible cronómetro, que no pierde ni un átomo de tiempo.

Sus latidos son como los golpes sordos de una piqueta inexorable que va minando lentamente los cimientos de un edificio.

El día que el ruido cesa, el edificio se desploma.

Para los médicos sólo arroja la sangre que nos da la vida.

Observarlo bien, y veréis que cuando se siente oprimido, empuja hacia los ojos torrentes de lágrimas.

El corazón se puede decir que es el cerebro de los sentimientos.

La cabeza nos dice: Piensa. El corazón nos dice: Siente.

La inteligencia discurre, el corazón adivina.

Lo que en la inteligencia es un cálculo, en el corazón es una esperanza.

La razón hubiera ya convertido en virtudes todos los vicios, si hubiera podido seducir al corazón.

La inteligencia más grande no vale tanto como un corazón hermoso.

La inteligencia propone: el corazón manda.

Para medir bien la diferencia que hay entre la filantropía y la caridad, debe tenerse presente que la primera es una idea y la segunda un sentimiento.

José Selgas. (Español).

ENRIQUE JOSÉ VARONA

La larga enseñanza de Varona en Cuba nos indica cómo influyen los espíritus de su temple. Fue puro; creyó en la necesidad de las virtudes ciudadanas para la cohesión y permanencia de la comunidad; pero no confió en lo humano demasiado, ni esperó súbitas regeneraciones, sobre todo en pueblos como el nuestro, de ancestro étnico y colonial inconsciente para fiarle valores de salvación. Lo alentador, en el caso de Varona, —tan disonante en su medio—, es que sin mucha fe en los hombres, no dio tregua a su labor, no se aisló, no renunció a enseñar a los suyos el camino. Martí creía más en las potencias buenas del espíritu humano. Por eso lo poseía el entusiasmo como una divinidad; por eso marchó por los senderos del apostolado, y renunció tanto a lo mundano, que se acercó a los planos místicos, no obstante su dinamismo práctico. Queda, en el fluir vivo de la Historia, como una fuerza de la Humanidad, no agotada todavía. Varona, su amigo el que inspiró al Maestro una carta memorable, es hombre de una época, para explicarla y adoctrinarla. Para explicar también al Apóstol, en un discurso, modelo de penetración sicológica y de síntesis.

MADERDO VITIER, (Cubano).

EL GOCE DE ENSEÑAR

Hay muchos hombres que no comprenden la satisfacción y el noble orgullo producido por el ejercicio de la enseñanza. Repútanlo oficio oneroso, molesto pesadísimo, propio solamente de gentes infelices, de proletarios intelectuales: error profundo que explica cómo entre nosotros la profesión de Maestro es carrera azarosa, sin despensa asegurada, ni prestigio reconocido. Sólo cuando el azar o la propia vocación nos llevan al ejercicio docente, compréndese cuán hermoso ministerio es este y cuanta satisfacción reporta.

Dígase lo que se quiera, la caridad de la enseñanza tiene también sus placeres, sobre todo cuando brota de lo íntimo y se asocia a ese calor simpático de la humanidad que tanta autoridad y prestigio da a la palabra de Maestro. Hay en la función docente algo de la satisfacción orgullosa del domador de potros; pero hay mucho más del placer inocente del jardinero que espera ansioso la primavera para reconocer el matiz de la flor sembrada y comprobar la bondad de los métodos del cultivo.

Ser padre, algo es; ser Maestro afortunado es más aún; pero desenvolver un buen entendimiento, colaborar en sus triunfos, es alcanzar la paternidad más alta y más noble, es como corregir y perfeccionar la obra de la naturaleza, lanzando al mundo, poblado de flores amarillas, vulgares y repetidas, una flor nueva, que acredita la marca de fábrica del jardinero de almas, y que se distinga de la muchedumbre de las flores humanas por su matiz raro, precioso y exquisito.

SANTIAGO RAMÓN Y CAJAL. (Español).

REFLEXIONES SOBRE LA MODA

En la vida social sobre un fondo permanente aparecen modalidades variables. En el orden de las relaciones humanas, maneras de vivir, ceremonias, gestos expresivos, etc., algunas prácticas se fijan y dilatan su existencia: son las costumbres. Otras tienen un carácter efímero; aparecen por doquiera, se difunden por contagio y se extinguen luego sin dejar huellas, profundas de su existencia. Estos cambios, que, como las flores del poeta, «cuna y sepulcro de un botón hallaron», son los que distinguimos con el nombre de modas.

Cuando la moda se introduce en la esfera de las ideas, de las artes, de los sentimientos, no es fácil reconocerla, como tal en sus comienzos. La innovación no lleva en sí la estampa de la perdurabilidad o de su destino efímero. Sólo el tiempo nos dirá si pertenece a una u otra categoría. El contemporáneo, ofuscado por sus prejuicios y valoraciones, raras veces acierta a columbrar en lo nuevo la posibilidad de permanencia. De Racine escribió Mad. Sevigné que pasaría como el café; y el gran trágico y el sabroso grano han sobrevivido victoriosamente.

Arturo Echemendía. (Cubano).

ESPAÑA Y SUS COLONIAS AMERICANAS

No entran en el plan de naturaleza las proporciones desmedidas de sus seres, pues tiene todo en ella tamaño fijo, así en el orden moral, como en el físico; por manera que una nación acrecida con las conquistas más allá de sus lindes propios, es un monstruo político que perece luego. ¡Cuántos más aquellas que hicieron adquisiciones, no de tierras adyacentes y contiguas, sino de lejanos países separados de ellas por inmensos mares allá en mundos nuevos! La España, que despreciando los consejos del ilustre Jiménez de Cisneros, prefirió la América distante a la vecina Berbería; la España que apreció en más el oro y plata del Perú y de México que la conservación de Portugal, se hallaba en este caso. Sus posesiones coloniales, veintiséis veces mayores que su propio territorio, más extensas que las británicas o rusas en el Asia, eran una mole inmensa que sus hombres debilitados por la edad y los achaques no podían sostener por mucho tiempo. Cómo duró sobre ellos tantos años sin ejército y marina, sin frutos ni manufacturas para cambiar sus producciones, es lo que causa verdaderamente admiración y pasmo; si no es que reflexionando en los motivos, hallamos más ocasión para indignarnos que para sorprendernos.

Pues, ¿qué fue lo que impidió por siglos una revolución reformadora en América? La despoblación, efecto de una industria escasa y del comercio exclusivo; la falta de comunicaciones interiores que aísla las comarcas; la ignorancia que las embrutece y amolda para el yugo perpetuo; la división del pueblo en clases que diversifican las costumbres y los intereses; el hábito morboso de la servidumbre, cimentado en la ignorancia y en la superstición religiosa, auxiliares indispensables y fieles del despotismo; la cátedra del Evangelio y los confesionarios convertidos en tribunas de doctrinas serviles, los peninsulares revestidos con los primeros y los más importantes cargos de la República; los americanos excluidos de ellos, no por las leyes, sino por la política mezquina del Gobierno. Política por cierto menos hábil de lo que generalmente se ha creído: que se reducía al principio cómodo y fácil de no producir para no tener que cuidar, y cuyo resultado fue prolongar la dependencia para hacer más larga y sangrienta la separación.

RAFAEL MARÍA BARALT. (Venezolano).

SIMÓN BOLÍVAR

El Libertador de la Patria, el Bolívar vencedor de los tiranos, es una gran figura. Pero hay otro Bolívar, creador de sentimientos y virtudes cívicas, que se eleva a superior altura contemplado sobre esa tierra, donde la destrucción causada por la lucha feroz contra el dominador, era poca cosa comparada con la inmensa ruina moral que tras sí dejaron trescientos años de despotismo y degradación.

Ese general, que aprendió de oficio en el campo de batalla y que fue enérgico guerrero porque las circunstancias exigían un militar a la cabeza de la revolución, palidece, a pesar de sus victorias memorables en Carabobo y Boyacá, en Junín y Bomboná, al lado del paciente gobernante que supo ganar contra la ignorancia y el atraso, contra las supersticiones y la indolencia de sus compatriotas victoria más difícil que todas las maravillas del arte de la guerra.

Educó al pueblo cuanto era posible en el escaso tiempo de que dispuso, creó republicanos para su república, debiendo a veces él mismo recoger derechos olvidados o desdeñados para confiarlos a hombres que no los pedían, que no los querían, porque no sabían qué hacer con ellos. Desplegó en este apostolado espinoso, cuyos resultados prácticos apenas podría él ver, que hoy no puede afirmarse todavía que sean reales y eficaces, igual constancia, idéntica perseverancia que en su puesto de jefe del ejército. Y la verdad es que el pago, la recompensa material y moral del inmenso servicio, en una y otra ocupación patriótica prestado, suele ser tan desemejante, tan en desacuerdo con el vigor del esfuerzo, que solamente la gratitud de la posteridad puede al cabo proporcionar el aplauso y otorgar el premio. ¡Compensación bien escasa, bien ilusoria, bien remota!

ENRIQUE PIÑEYRO. (Cubano).

SIGNIFICACIÓN DE LA PALABRA MAESTRO

Maestro no es tan sólo quien ejerce la función docente como una profesión. También lo es el que conscientemente y con un propósito determinado influye en la educación de un individuo, de un grupo de individuos y aún de la comunidad. Educadores y maestros son pues, el sacerdote, el filósofo, el estadista, el magitrado íntegro y austero y también los padres, los grandes artistas y en general toda persona que se propone estimular, encauzar y dirigir el pensamiento, la conducta o la vida emotiva de sus semejantes. En este sentido es indudable que la mayoría de los hombres son maestros diletantes. Una personalidad robusta y vigorosa que trae al mundo un mensaje nuevo influye a veces más en la educación de un pueblo o de la humanidad que muchas miriadas de maestros prácticos. Homero, Buda, Jesús, Dante, San Francisco, Miguel Angel, Goethe y Lincoln (para no mencionar más que unos pocos) se encuentran entre los máximos preceptores de la humanidad.

El educador por excelencia es el dedicado a la práctica de la enseñanza. Tan absorbente es esta práctica que, con muy raras excepciones, el maestro no tiene tiempo ni oportunidad para exponer por escrito sus ensayos e investigaciones pedagógicas. El educador teórico, el que valora y rectifica las teorías y prácticas docentes, necesita, para poner en libertad su pensamiento crítico, descargarse mucho de las rudas tareas de la labor profesional.

ALFREDO M. AGUAYO, (Cubano).

MI DELIRIO SOBRE EL CHIMBORAZO

Yo venía envuelto en el manto de Iris desde donde paga su tributo el caudaloso Orinoco al dios de las aguas. Había visitado las encantadas fuentes amazónicas y quise subir al atalaya del universo. Busqué las huellas de La Condamine y de Humboldt; seguílas audaz, nada me detuvo; llegué a la región glacial; el éter sofocaba mi aliento. Ninguna planta humana había hollado la corona diamantina que puso la mano de la Eternidad sobre las sienes excelsas del dominador de los Andes.

Yo me dije: este manto de Iris que me ha servido de estandarte, ha recorrido en mis manos sobre regiones infernales; ha surcado los ríos y los mares; ha subido sobre los hombros gigantescos de los Andes; la tierra se ha allanado a los pies de Colombia, y el tiempo no ha podido detener la marcha de la libertad. Belona ha sido humillada por el resplandor de Iris, y ¡no podré yo trepar sobre los cabellos canosos del gigante de la tierra! —Sí podré. Y arrebatado por la violencia de un espíritu desconocido para mí, que me parecía divino, dejé atrás las huellas de Humboldt, empañando los cristales eternos que circuyen el Chimborazo.

Llego como impulsado por el genio que me animaba, y desfallezco al tocar con mi cabeza la copa del firmamento; tenía a mis pies los umbrales del abismo. Un delirio febril embarga mi mente; me siento como encendido por un fuego extraño y superior. Era el Dios de Colombia que me poseía.

De repente se me presenta el Tiempo bajo el semblante venerable de un viejo: cargaba con los despojos de las edades: señudo, inclinado, calvo, rizada la tez, una hoz en la mano... «Yo soy el padre de los siglos: soy el arcano de la fama y del secreto; mi madre fue la eternidad, los límites de mi imperio los señala el infinito; no hay sepulcro para mí, porque soy más poderoso que la muerte: miro lo pasado, miro lo futuro y por mi mano pasa lo presente. ¿Por qué te envaneces, niño o viejo, hombre o héroe? ¿Crees que es algo tu Universo? ¿Qué? ¿Levantaros sobre un átomo de la creación, es elevaros? ¿Pensáis que los instantes que llamáis siglos pueden servir de medida a mis arcanos? ¿Imagináis que habéis visto la santa verdad? ¿Suponéis locamente que vuestras acciones tienen algún precio a mis ojos? Todo es menos que un punto, a la presencia del infinito que es mi hermano».

SIMÓN BOLÍVAR. (Venezolano).

ANTE LA MADRE MUERTA

(Fragmentos de una carta)

Al Dr. Idelfonso Riera Aguinagalde.

En medio de mi catástrofe —como puedo llamar la pérdida de mi adorada madre— de cuyo estupor no he vuelto aún recibí tu sublime y patética carta fecha 9 del último noviembre, tan viva por el sentimiento y tan llena de lágrimas que ha venido a aumentar, si cabe, las mías, ya casi agotadas a fuerza de sufrir; y tengo que agradecerte con ellas mismas, que es lo que me queda para pagar tal muestra de piadosa benevolencia.

Ahora es que vengo a comprender el bien perdido, que se ha ocultado a mi vista como una nube que no vuelve, como el tope de un buque tragado por el mar. Se fue, y se fue para no tornar más nunca, la que me llevó en su seno, meció mi cuna, dirigió los inciertos pasos de mi infancia, puso a Dios en mi conciencia, me hizo aprender el dulce nombre de María, me dio en miel la doctrina de Jesús, acumuló cuantas luces pudo para ilustrar mi entendimiento, me hizo amar la gloria, me informó en las buenas costumbres y me enseñó que la vida social nada vale sin la virtud ni la virtud es digna y fuerte sin el decoro y el carácter. Ella fue la que velaba mi sueño, la que me advertía los peligros, la que se interponía, cuando la suerte me era adversa, para recibir sus dardos por mí, la que salía a encontrarme a la puerta de la calle para ahogarme a cariños y colmarme de regalos, la que plantaba frutales en su huerto para traerme después en verde ramo la primera fruta madura.

La buena nueva, ella era quien me la daba; mi dicha, ella quien me la labraba; y cuanto bien gocé en su vida, salió siempre de su oratorio, de sus preces y sus coloquios divinos. Ya no tengo a quién referir mis cosas, ni de quién tomar consejo, ni quién sea en mis ideas norte, en mi memoria guía y en mis empresas aliento...

CECILIO ACOSTA. (Venezolano).

BOLÍVAR

¿Quién será el adalid de esta revolución sangrienta que durante quince años va a segar la flor de la juventud americana, a turbar la paz de los campos y a convertir en charcas de sangre el suelo de nuestros pueblos? ¿Quién será el alma de los combates y el faro de salvación hacia cuya luz se dirijan las miradas de los náufragos en la noche del peligro? Cuando el incendio devore hombres y cosas, y los osarios blanqueados por el sol sean los testigos mudos de la nueva carnicería, ¿quién será el varón fuerte que vendrá a revolver las cenizas para sacar de ellas la chispa que deba encender de nuevo la conflagración general? Cuando cunda el desaliento y todo sea imposible; cuando a fuerza de ser vencido se pierda el hábito de levantarse; cuando el clamor de los pueblos ruja contra los nuevos innovadores, y el vencedor compasivo se ría de las quimeras republicanas, y el hambre y las necesidades y la miseria con cara de hidrófoba, pidan cuenta de tanta sangre, ¿quién como los héroes bíblicos, blandirá la espada redentora y sacando soldados del polvo se sobrepondrá a las muchedumbres rendidas de cansancio? ¿Quién será el nuevo Aníbal que debe conducir las legiones al Andes inaccesible y llevar el estandarte tricolor para clavarlo en los picos encanecidos por los siglos? ¿Será algún descendiente de los Incas el que se levante de las ruinas antiguas para hacer cargo a los conquistadores del Nuevo Mundo de la muerte de Atahualpa y de la destrucción de los poderosos imperios prehistóricos? ¿Será el extranjero que lleno de ambición quiera arrancar a la corona de Castilla la preciosa joya de su conquista americana? ¿Será el descendiente de los antiguos iberos quien vendrá a completar la obra de España, emancipando el continente que ella había civilizado?

A Simón Bolívar, el hijo de Caracas, y el último y más grande de los descendientes vascos en ambos mundos; heredero de aquellos que en el mar Cantábrico fundaron la República, cúpole la gloria de ser el genio que emancipara la América, después que sus antepasados habían fundado la Colonia y dado a la gran causa conquistadores, pobladores, pacificadores, hombres de progreso durante la existencia de la América española. Sus compatriotas lo conocen desde hace ya mucho tiempo con el título de EL LIBERTADOR. Su nombre está en el templo de los grandes hombres, sus hechos inmortales en las páginas de la Historia, y monumentos del arte escultural perpetúan su memoria desde las orillas del Orinoco y del Hudson y desde las costas del Atlántico y del Pacífico, hasta las nevadas cumbres de los Andes.

ARÍSTIDES ROJAS. (Venezolano).

UNA CARTA DE PÉSAME

Mi bueno y querido amigo:

Para las desgracias abrumadoras como la que usted y los suyos vienen experimentando, no hay otros bálsamos que los que proporciona el tiempo, los recuerdos agradables del ser que abandonó la penosa jornada y la satisfacción íntima de haber contribuido a que esta tuviera momentos de sosiego y dulzura.

Las voces amistosas no llegan en tales instante sino como consuelo relativo, cual lo es, sin duda, la conciencia de que el dolor que desgarra el alma no queda circunscrito al círculo de la familia. Ese valor, y sólo ese, quiero yo que tengan ahora mis palabras dictadas por la sinceridad más absoluta del afecto que a usted profeso, y del que participan los de mi casa.

Ruego a usted encarecidamente que participe a todos y cada uno de sus familiares los sentimientos que acabo de expresarle con motivo de la pérdida, tan sensible como irreparable, de un ser que según mis noticias, fue muy digno de amor y veneración.

Se despide de usted, ahora más que nunca, su viejo y adicto amigo y compañero,

MIGUEL GARMENDIA. (Cubano).

EXORDIO DE UN DISCURSO ACADÉMICO

Era costumbre entre los rapsodas de la Grecia inmortal invocar, al comenzar sus cantos, a las deidades del Olimpo, para que estas les infundieran el soplo augusto de la inspiración. Fiados en la ayuda sobrenatural, acometían llenos de arrestos, seguros del éxito, la confección de aquellas obras cuya majestad soberana han dejado grabadas, en el sendero de los siglos, la impresión de la belleza perfecta.

Hundióse el paganismo en el derrumbe de una civilización caduca. Sus dioses eternamente jóvenes y hermosos, cesaron de influir en el pensamiento humano. Pero la fe en algo superior a nosotros, la fe que nos comunica calor y alientos, persiste y persistirá mientras la Razón no logre explicar los misterios que nos acechan y rodean.

Fe en que algo nos estimulará, necesitamos, sobre todo, los que aún llevamos en los labios la alegre canción de la vida. Por eso, señores, antes de intentar cumplir la designación de que tan inmerecidamente he sido objeto, encuentro algo así como un auxilio moral al invocar en este momento solemne a las figuras amadas y sapientes que me han precedido en la honrosa misión de pronunciar el Discurso que abre, año tras año, un nuevo curso, una nueva etapa en la evolución ascendente de esta sociedad hacia la luz y la virtud.

Como el creyente ante la sagrada imagen, con un sentimiento de infinita veneración les pido una chispa de inteligencia que ilumine la ruta a los que aspiramos a pasar por el escenario de la sociedad, a la Patria, a Dios.

José Russinyol Carballo. (Cubano).

CARÁCTER DE LOS LLANEROS

El carácter de los habitantes de las llanuras del oriente de Venezuela y de Colombia, que se componían de negros y mulatos, de indios y blancos, estaba marcado con una tintura particular. Acostumbrados desde su primera infancia a combatir con tigres, con toros feroces, a vivir a caballo, montando con impavidez los más indómitos, armados de una lanza, nada temían, y su ocupación favorita era pastorear o manejar los rebaños de aquellas llanuras; así atravesaban los ríos más caudalosos sin temer a los caimanes y a otros animales voraces, apoyando una mano sobre el caballo que nadaba a su lado.

Estas cualidades hacían del llanero un hombre propio para la guerra, y en la independencia, hemos visto realizados los presentimientos de algunos viajeros célebres. Los impávidos llaneros han hecho prodigios de valor y con la lanza y el caballo han decidido las más bellas acciones que tienen las páginas de la historia de Venezuela y de Colombia.

José Manuel Restrepo. (Colombiano).

Fragmento de la novela MARÍA

La pequeña vivienda denunciaba laboriosidad, economía y limpieza. Todo era rústico; pero cómodamente dispuesto y cada cosa en su lugar. La sala de la casita, perfectamente barrida, poyos de gradúa alrededor, cubiertos de esteras de junco y pieles de oso, algunas láminas de papel iluminado representando santos y prendidas con espinas de naranjo a las paredes sin blanquear, tenía a la derecha o izquierda la alcoba de la mujer de José y de las muchachas. La cocina, formada de caña menuda y con el techo de hojas de la misma planta, estaba separada de la casa por un huertecillo donde el perejil, la manzanilla, el poleo y las albahacas mezclaban sus aromas.

Las mujeres parecían vestidas con más esmero que de ordinario. Las muchachas, Lucía y Tránsito, llevaban enaguas de zaraza morada y camisas muy blancas con golas de encaje, ribeteadas de trencilla negra, bajo las cuales escondían parte de sus rosarios y gargantillas de bombillas de vidrio con color ópalo. Las trenzas de sus cabellos, gruesas y de color azabache, les jugaban sobre sus espaldas al más leve movimiento de los pies desnudos, cuidados y ligeros.

JORGE ISAACS. (Colombiano).

Fragmento de la novela LA VORÁGINE

Aquel hombre era fuerte, y, aunque mi estatura lo aventajaba, me derribó. Pataleando, convulsos, arañábamos la maleza y el arenal en nudo apretado, trocándonos el aliento de boca a boca, él debajo unas veces, otras encima. Trenzábamos los cuerpos como sierpes, nuestros pies chapoteaban la orilla, y volvíamos sobre la roca, y rodábamos otra vez, hasta que yo, casi desmayado, en supremo ímpetu, le agrandé con mis dientes las zajaduras, lo ensangrenté y, rabiosamente, lo sumergí bajo la linfa para asfixiarlo como a un pichón.

Entonces, descoyuntado por la fatiga, presencié el espectáculo más terrible, más pavoroso, más detestable: millones de caribes acudieron sobre el herido, entre un temblor de aletas y centelleos, y aunque él manoteaba y se defendía, lo descarnaron en un segundo, arrancando la pulpa a cada mordisco, con la celeridad de pollada hambrienta que le quita granos a una mazorca. Burbujeaba la onda en hervor dantesco, sanguinosa, túrbida, trágica; y, cual se ve sobre el negativo la ramazón del cuerpo radiografiado, fue emergido en la móvil lámina el esqueleto mondo, blancuzco, semihundido por un extremo al peso del cráneo, y temblaba contra los juncos de la ribera como un estertor de la misericordia.

JOSÉ EUSTASIO RIVERA. (Colombiano).

HAZTE UN CRISTAL

(Fragmento)

Conténtate y gloríate de ser un cristal. Un cristal que a la vez de ser un prisma de tres faces, una lente de gran concentración y una simple lámina, diáfana como el agua en que se desvanece el ventisquero. Prisma de tres faces: para bondad, para verdad, para belleza. Lente que recoja y concentre para dar tono, penetración y fuerza a los mil imperceptibles gemidos de las criaturas tristes, que padecen porque no tienen voz. Lámina igual y diáfana, para no deformar las palabras hondas que ya fueron escritas. y que viene a ti para que las hagas entender a los sencillos y a los ignorantes.

Hazte un cristal: sé medianero de luz; sirve de puente a la aurora, que ansía descender hasta el alma tenebrosa del hombre, y al enfermo corazón del hombre, que anhela subir a purificarse y a diafanizarse en la aurora...

ALBERTO MASFERRER (Salvadoreño).

NATURALEZA MUERTA

He visto ayer por una ventana un tiesto lleno de lilas y de rosas pálidas, sobre un trípode. Por fondo tenía uno de esos cortinajes amarillos y opulentos, que hacen pensar en los mantos de los príncipes orientales. Las lilas recién cortadas resaltan con su lindo color, apacible, junto a los pétalos esponjados de las rosas té.

Junto al tiesto, en una copa de laca ornada con ibis de oro incrustados, incitaban a la gula manzanas frescas, medio coloradas, con la pelusita de fruta nueva y la sabrosa carne hinchada que toca el deseo; peras doradas y apetitosas, que daban indicios de ser todas jugo y como esperando cuchillo de plata que debía rebanar la pulpa almibarada; y un ramillete de uvas negras, hasta con el polvillo ceniciento de los racimos acabados de arrancar de la viña.

Acerquéme, vilo de cerca todo. Las lilas y las rosas eran de cera, las manzanas y las peras de mármol pintado y las uvas de cristal.

RUBÉN DARÍO, (Félix Rubén García Sarmiento), (Nicaragüense)

EL TESORO DE MORGAN
(Fragmento)

—Os repito señora —le decía Morgan a su bella cautiva—, que del botín de la ciudad me corresponderá más de un millón de pesos. Con esta suma podríamos ser felices en Inglaterra.

—En el solar de nuestros mayores está escrita esta leyenda, que es el lema de nuestro escudo: «Morir con honor antes de vivir con ignominia».

El terrible pirata pelirrojo le hablaba a la dama panameña desde la abertura de una ventana. Le brillaban los ojos afiebrados y le brillaban con sus reflejos de sol las culatas incrustadas de plata de sus pistolas. El pañuelo rojo que le circuía la cabeza, roja también, le daba un aspecto de demonio. No había comprendido Morgan la altiva respuesta de la noble dama e insistió en su propuesta.

—A mí no me importa nada de lo vuestro —le contestó esta más llanamente—. Lo único que deseo es que me pongáis en libertad y que pronto seáis colgado por los hidalgos españoles como pirata.

—Yo también soy hidalgo, señora, hidalgo inglés. Y os equivocáis si me tomáis por un bandido. Hago la guerra como corsario contra los españoles. Pero para ello estoy autorizado por mi gobierno.

—Sois un asesino vulgar, sois el azote de nuestros pueblos. Sois un incendiario. Habéis quemado como Nerón nuestra ciudad.

—Yo no he quemado la ciudad, señora. Fueron vuestros mismos paisanos para que yo no gozara de sus delicias.

—¿No os dais cuenta que tengo asco y horror de discutir con un merodeador? ¡Por favor, dejarme sola!

—Entonces, señora, iréis a pie y cargada de cadenas con los seiscientos cautivos que me llevo para Portobelo. Y sólo obtendréis la libertad cuando me entreguéis 30.000 piezas de a ocho, contantes y sonantes.

—Prefiero las torturas, prefiero la horca antes que aceptar vuestros abominab'es ofrecimientos. —Y agregó definitiva:

—Mi vida está en vuestras manos, yo lo sé. Pero sólo separando mi alma de mi cuerpo por la violencia, podréis profanarlo.

Morgan hizo el ademán de traspasar la ventana; pero la dama se puso de pie, sacó su estilete que llevaba encajado en su cabello y le gritó: ¡Como tratéis de entrar os mato o me mato con esto!

OCTAVIO MÉNDEZ PEREIRA. (Panameño).

APENDICE II

TERMINOLOGIA MERCANTIL

CONCEPTO:
La TERMINOLOGÍA MERCANTIL es el estudio de los vocablos o términos que comúnmente se emplean en las operaciones comerciales o mercantiles.

ABARROTE:
Fardo pequeño para la estiba, Comestible; almacén de abarrotes. (Estiba: colocación conveniente de la carga de un buque. *Estibador:* obrero que hace la estiba.

ABASTO:
Provisión de víveres o bastimentos: Mercado de *abastos.*

ABONAR:
Pagar: asentar las cuentas corrientes: entregar a cuenta.

ACAPARAR:
Adquirir y retener mercancías en cantidad suficiente para dar ley al mercado.

ACCIÓN:
Cada una de las partes en que se considera dividido un capital de una compañía o sociedad anónima. Título que acredita la acción. *Accionista:* el poseedor de acciones.

ACARREO:
Transporte de mercancías por medio de carros u otros vehículos.

ACEPTAR:
Tratándose de letras o libranzas, obligarse por escrito, en el mismo documento, a pagar su importe.

ACREDITAR:
Abonar, pagar es antónimo de adeudar.

ACREEDOR:
Aquel a quien se debe algo: es antónimo de deudor.

ACTA:
Relación escrita de lo sucedido, tratado y acordado en una junta o asamblea.

ACTIVO:
Importe total de los valores, efectos, propiedades, créditos y derechos que una persona o sociedad tiene a su favor. Es antónimo de pasivo.

AD VALOREM:
Latinismo que significa según el valor. Se aplica a los derechos de aduana de acuerdo con el valor de las mercancías.

ADUANA:
Oficina pública donde se registran los géneros o mercaderías que se importan o exportan y cobran los derechos correspondientes.

AFIANZAR: Dar fianza para seguridad y resguardo de intereses o caudales, o del cumplimiento de alguna obligación. Es sinónimo de garantizar o dar garantía. *Almacenes afianzados:* en los que las mercancías depositadas están afianzadas o garantizadas.

AFORAR: Reconocer y valuar las mercancías para el pago de los derechos.

AGENTE: El que cobra o actúa por otro. *Agente de bolsa:* funcionario que interviene y certifica en los negocios de valores cotizables.

AGIO: Beneficio que se obtiene del cambio de la moneda o del descuento de letras, pagarés, etc. Especulación sobre el descuento, alza y baja de los fondos públicos. *Agiotaje* es la especulación abusiva. *Agiotista:* el que se dedica al agio.

A GRANEL: Venta de mercancías sin embalar o envasar.

A LA VISTA: Para pagar en el momento de su presentación

ALMONEDA: Venta pública de bienes muebles con licitación y puja, es decir, al mejor postor. Es sinónimo de subasta, remate.

ALMOTACÉN: La persona encargada oficialmente de contrastar o comprobar la bondad de las pesas y medidas. Se llama también, *contraste* o *fiel contraste*.

ALZA: Aumento de precio que toman las mercancías, valores, etc. *Jugar al alza:* especular. Antónimo: *baja.*

AMORTIZAR: Extinguir una deuda por entregas parciales o total.

ANCLAJE: Tributo que pagan las naves por fondear o anclar en un puerto. Llámase también muellaje.

APODERADO: El que tiene poderes de otro para representarlo y proceder en su nombre. Sinónimo *poderhabiente.*

ARANCEL: Tarifa oficial de los derechos a pagar: aduana, ferrocarriles, costas judiciales, etc.

ARBITRAJE: Operación de bolsa que consiste en comprar un valor en una plaza para venderlo inmediatamente en otra, para aprovecharse de la diferencia de la cotización. Procedimiento para resolver pacíficamente conflictos internacionales, sometiéndolos al fallo de una tercera potencia, de una persona o de una comisión o tribunal.

ARQUEO: Reconocimiento y comprobación del dinero y efectos en una caja. Capacidad o tonelaje de un buque.

411

ARRENDATARIO: La persona que toma una casa o finca en arriendo: es sinónimo de *inquilino*.

ASIENTO: Operaciones para resgistrar en los libros, separadas o agrupadas, en una sola partida: *asentar* un pago.

AVAL: Firma que se pone al pie de una letra u otro documento de crédito, para responder de su pago. AVALAR: garantizar por medio de un *aval*.

AVÍO: Préstamo que se hace a los labradores, ganaderos, etcétera.

BALANCE: Estado demostrativo del resultado de confrontar el activo y el pasivo, para averiguar el estado del negocio o caudal.

BANCA: Comercio que consiste en operaciones de giro, cambio, descuento: en llevar cuentas corrientes y de ahorros; abrir créditos, admitir depósitos; hacer préstamos de valores o dinero; comprar y vender efectos públicos y practicar cobros, pagos y otras operaciones similares, por cuenta ajena. Conjunto de bancos.

BANCARROTA: Quiebra; cesamiento de las funciones comerciales por no poder cumplir las obligaciones contraídas.

BAZAR: Tienda donde se venden mercancías diversas.

BARATILLO: Comercio con mercancías de bajo precio.

BENEFICIARIO: La persona en cuyo favor se ha constituido un seguro, una pensión u otro beneficio.

BIENES: Hacienda, caudal, riqueza. *Bienes raíces* o *inmuebles;* los que no pueden ser trasladados o movidos: tierras, casas, minas, etc. *Bienes muebles:* los movibles: muebles, utensilios, máquinas, etcétera. *Bienes semovientes:* los que consisten en ganados de cualquier especie. *Bienes gananciales:* los adquiridos por el marido o la esposa, o por ambos, durante la sociedad conyugal.

BOLSA: Lonja o sitio en que se reúnen comerciantes y hombres de negocios para sus tratos, para comprar o vender valores públicos, moneda extranjera, acciones, etc. *Bolsa del Trabajo:* Organismo encargado de recibir ofertas y peticiones de trabajo y de ponerlas en conocimiento de los interesados (bureau de empleos). *Bolsista* o *agente de bolsa:* el que se dedica a la compra y venta de valores cotizables de la Bolsa.

BONO: Título de deuda emitido generalmente por una tesorería pública.

BURSÁTIL: Lo relativo a la Bolsa, a las operaciones que en ella se hacen y a los valores cotizables: *negocio bursátil.*

BORRADOR: Diario *borrador:* Los apuntes de las transacciones comerciales que se hacen durante el día, con carácter provisional para asentarlas posteriormente en definitiva.

CABOTAJE: Navegación o tráfico marítimo que hacen los buques entre los puertos de una nación, sin perder de vista la costa.

CAJA: Cofre, pieza o sitio en que se deposita el dinero o los valores. Cuenta en que se personaliza la existencia de dinero que tiene el comerciante, y a la que se debitan los cobros y acreditan los pagos.
Cajero: el encargado de la entrada y salida del dinero.

CÁMARA DE COMERCIO: Asociación de carácter permanente que tiene por objeto el fomento y defensa de los intereses comerciales de una localidad.

CÁMARA DE COMPENSACIÓN: (Clearing House): Institución creada por los bancos para hacerse, recíproca y diariamente, entrega de los efectos a su favor o en contra, efectuando la compensación de todos ellos, para abonarse mutuamente las diferencias que resulten.

CAMBIO: Trueque o permuta. Precio de cotización de los valores mercantiles. Valor relativo de las monedas de países diferentes o de las distintas especies de un mismo país. Tanto que se abona o cobra, según los casos, sobre el valor de una letra de cambio.
Cambista: el que se dedica al giro de letras y cambio de monedas.

CANCELAR: Anular, hacer ineficaz un documento. También significa saldar: *cancelar* una cuenta.

CARGAR: Anotar en los libros de contabilidad las partidas que corresponden al Debe. Cargar en cuenta.

CARTA DE PORTE: Documento por el cual una compañía de transporte se obliga a transportar las mercancías que le haya entregado el cargador, mediante el precio fijado al transporte.

CÓDIGO: Cuerpo de leyes que forma un sistema de legislación. *Código* de comercio. *Código* telegráfico.

COMISO O DECOMISO: Pena de perdimiento o confiscación de mercancías por practicar el contrabando.

413

CONFISCAR: Privar a uno de sus bienes, y aplicarlos al fisco o sea el tesoro público. Cuando los bienes siguen siendo de la propiedad del acusado hasta que el juez falle, se llama *embargo*.

COMPUTAR: Contar o calcular una cosa por números: *computar* el tiempo, los años, las edades.

CONCESIÓN: Derecho que el Estado u otra entidad otorga a una persona o empresa para construir o explotar obras o servicios públicos: carreteras, teléfonos, o transporte, etc. *Concesionario*: a quien se otorga la concesión.

CONSIGNAR: Enviar mercancías a un corresponsal para que se haga cargo de ellas y proceda según lo convenido.

CONSIGNATARIO: Aquel a quien va destinado un buque, un cargamento o una partida de mercadería. Sinónimo: destinatario.

CÓNSUL: Funcionario público que en los puertos y principales ciudades del extranjero tiene cada nación, con facultades especiales para favorecer, garantizar y proteger a sus compatriotas, y ejercer además, funciones administrativas, notariales, judiciales, comerciales, en las relaciones internacionales que se producen dentro del territorio de su jurisdicción.

CONTABLE: Galicismo por contador o tenedor de libros.

CORRESPONSAL: El agente encargado de cumplir las órdenes de otro no domiciliado en el mismo punto. El encargado de la correspondencia o redacción de cartas.

CORRETAJE: Premio, estipendio o paga que obtiene el corredor por sus servicios.

COTIZAR: Publicar en la Bolsa o en la Lonja el precio de los valores públicos, comerciales, de los cambios, etc. Suele usarse con el significado de *dar precio*.

CRÉDITO: Derecho a recibir de otro alguna cosa, por lo común dinero. Solvencia, reputación. Opinión que goza una persona de que satisfará puntualmente los compromisos que contraiga. *Crédito* bancario. Carta de *crédito*.

CUPÓN: Cada una de las partes de un documento de la deuda pública o de una sociedad de crédito, que periódicamente se van cortando para presentarlas al cobro de los intereses vencidos.

CHELÍN: Moneda inglesa de plata, equivalente a la vigésima parte de la libra esterlina.

CHEQUE:	Documento en forma de mandato que permite retirar a la orden propia ó a la de un tercero, todos o parte de los fondos que se tienen disponibles en un banco. *A la orden:* Expresión que denota ser transferible por endoso, un valor comercial.
DATA:	Conjunto de partidas que componen el haber de una cuenta. Es lo contrario de *cargo*.
DÉFICIT:	El descubierto o pérdida que resulta de comparar el haber o caudal existente con el fondo o capital puesto en la empresa. Parte de las cargas del Estado que exceden de los ingresos obtenidos para cubrirlas. Antónimo: *superávit*.
DIVIDENDOS:	Beneficios que produce una Sociedad por Acciones: pagar *dividendos* a los accionistas.
DOCK:	Anglicismo que significa dársena, muelle rodeado de almacenes para depósitos de mercancías.
AL DETALL:	Galicismo equivale a menudeo, por menor. Detallista es un derivado.
EMPRÉSTITO:	Cantidad prestada al Estado o a una corporación, empresa, etc. Representada por títulos negociables al portador.
ESTIPENDIO:	Paga o remuneración por un trabajo o servicio.
FACTOR:	Entre comerciantes, apoderado con mandato para traficar en nombre y por cuenta del poderdante, o para auxiliarlo en los negocios. Empleado que en las estaciones del ferrocarril cuida de la recepción, expedición y entrega de los equipajes, mercancías, animales, etc.
FACTURA:	Cuenta detallada de los objetos o artículos de una venta.
FIDUCIARIO:	Dícese de los títulos y otros efectos cuyo valor efectivo depende del crédito y confianza que dichos títulos merezcan: circulación *fiduciaria*.
FINIQUITO:	Saldo o remate de una cuenta.
FLETE:	Precio estipulado por el alquiler de un buque; carga de un buque. También se aplica al transporte terrestre.
FOLIAR:	Numerar las hojas y folios de un libro, o cuaderno.
FRANQUICIA:	Libertad y exención para no pagar derechos.
GABELA:	Tributo, impuesto o contribución que se paga al Estado.
GERENTE:	El que dirige los negocios y lleva la firma en una empresa.

415

GESTOR:	Miembro de una sociedad mercantil que participa en la administración de ella.
GRAVAMEN:	Carga impuesta sobre un inmueble o caudal. Sinónimo: hipoteca, pignoración.
HACENDISTA:	Persona versada en administración pública: financiero.
HONORARIO:	Remuneración o paga por un trabajo profesional aislado o accidental. Sinónimos: estipendio, sueldo, salario.
INVENTARIO:	Documento que comprende la relación valorada de los bienes, créditos, acciones, etc., que posee una entidad con especificación de las deudas.
JORNAL:	Estipendio por cada día.
JUSTIPRECIO:	Aprecio o tasación de una cosa.
LAUDO:	Decisión o fallo que dictan los árbitros.
LETRA:	Documento que comprende el giro de una cantidad en efectivo que hace el librador a la orden del tomador, al plazo que se expresa, indicando la procedencia del valor y el lugar en que ha de efectuarse el pago: es la llamada *letra de cambio*.
LIBRANZA:	Orden de pago que se expide, generalmente, por carta, contra uno que tiene fondos a disposición del que la emite. Cuando la libranza es a la orden, equivale a *letra de cambio*. *A la orden* significa, ser transferible, por endoso.
LICITACIÓN:	Ofrecer precio por una cosa en subasta, almoneda, remate.
MALVERSAR:	Invertir ilícitamente los caudales ajenos que se tienen a su cargo en usos distintos a los destinados.
MANIFIESTO:	Documento que suscribe y presenta en la aduana el capitán de un buque procedente del extranjero, y en el cual expone la clase, cantidad, destino y demás circunstancias de todas las mercancías que conduce.
MARCA:	*De fábrica* (trade mark): Nombre, dibujo, lema o envase que cada fabricante elige y registra como su propiedad exclusiva.
MARCHAMAR:	Señalar o marcar los géneros o fardos en las aduanas como prueba de que están despachados o reconocidos.
MERCADEO:	Disciplina que abarca y compendia todas las funciones que se realizan para situar un producto o servicio en manos del consumidor a partir del momento en que el producto sale de la fábrica. Y comprende: el envase, la presentación, el ta-

maño, el precio, los canales de distribución, el transporte, la política crediticia, la adaptación de los locales de ventas, las investigaciones, la publicidad, la propaganda, la promoción de ventas y las relaciones públicas.

MORATORIA: Plazo que se concede para el pago de una deuda vencida.

NÓMINA: Relación de los nombres de los empleados que perciben sueldo.

NUMERARIO: La moneda acuñada o en efectivo: Pagar en *numerario*.

OPCIÓN: Libertad o facultad de elegir. Convenio de compra o de venta que obliga solamente a una de las partes contratantes, quedando la otra en libertad de aceptar o no.

PAGARÉ: Documento por el cual se compromete uno a pagar una cantidad determinada a tiempo determinado. *Pagaré a la orden*: el transmisible por endoso sin nuevo consentimiento del deudor.

A LA PAR: Igualdad entre el valor nominal y el que obtienen en cambio, las monedas, efectos públicos, etc.

PECUNIARIO: En dinero efectivo: pago *pecuniario*.

PÓLIZA: Documento en que se hace constar las condiciones de contratos, seguros, fletamento, etc.

PRORRATEO: Repartición de una cantidad, proporcionalmente a la cantidad aportada por cada uno: Gastos a *prorrateo*.

PRESCRIBIR: Concluir o extinguirse una obligación, deuda o carga por el transcurso de cierto tiempo.

PROTESTO: Diligencia o testimonio que se hace ante notario por no ser aceptada o pagada una letra de cambio.

PUJAR: Aumentar los licitadores el precio puesto en las cosas vendidas, generalmente en licitación o subasta.

REDIMIR: Librar de una obligación o extinguirla: redimir una deuda.

RÉDITO: Utilidad o beneficio que rinde un capital.

RESACA: Letra de cambio que el tenedor de otra que ha sido protestada gira a cargo del librador, o de uno de los endosantes, para rembolsarse de su importe y de los gastos de protesto y cambio.

RESARCIR: Indemnizar, reparar, compensar un daño, perjuicio, agravio.

RESCISIÓN: Deshacer o invalidar legalmente un contrato o compromiso.

417

RESGUARDO:	Seguridad que se da por escrito en las deudas o contratos.
SEÑAS:	Indicación del lugar y domicilio de una persona: dirección:
SÍNDICO:	Individuo encargado de liquidar el activo y el pasivo del deudor en una quiebra o concurso de acreedores.
SOBRECARGO:	El que en los buques de tráfico lleva a su cuidado y bajo su responsabilidad el cargamento.
TARA:	Peso que se rebaja por razón del embalaje. El peso *bruto* menos la *tara*, da el peso *neto*.
TIMBRE:	Sello en seco. Sello que se pega a los documentos como pago de impuestos.
TROCAR:	Permutar, cambiar una cosa por otra: *Trueques* de mercancías.
TRUST:	Anglicismo que se aplica a la coalición de capitales para un objeto determinado, generalmente para lograr el monopolio de fabricación y venta de un producto.
USUFRUCTO:	Derecho de usar de la propiedad ajena y aprovecharse de todos sus frutos sin deteriorarla.
USURA:	Interés exagerado o excesivo que se cobra por un préstamo.
VISAR:	Examinar o reconocer un documento, certificación, pasaporte, etc., poniéndoles el visto bueno.
VISTA:	En las aduanas, empleado a cuyo cargo está el registro de los géneros, bultos, etc.
VISTO BUENO:	Fórmula que se pone al pie de algunos documentos y con el que se firma debajo; da a entender hallarse ajustados a los preceptos legales o a la costumbre establecida. Se abrevia: Vto. Bno. Equivale al O.K. de los americanos.
VITALICIO:	Que dura toda la vida: renta *vitalicia*.
WARRANT:	Anglicismo con que se designa el recibo, negociable como una letra de cambio, de una mercancía depositada en los docks o almacenes generales: certificado de depósito.
ZANJAR:	Terminar, transigir un *asunto* o *negocio* amigablemente.

TERCERA PARTE

ESTUDIO DE LA CORRESPONDENCIA COMERCIAL

Lección 1

CONCEPTO DE LA CORRESPONDENCIA
LA CARTA COMERCIAL. DISTINTAS CLASES DE CARTAS.
ESTUDIO HISTÓRICO COMPARATIVO DE LA CARTA COMERCIAL

La *Correspondencia* es uno de los medios más prácticos de establecer *relaciones humanas*. La *Correspondencia Comercial* establece la comunicación entre el vendedor y el comprador por medio de la *carta*. Esta viene a ser la representación de una persona, el sustituto del comisionista o vendedor. La carta intercambia ideas, afectos; crea interés, crédito y simpatía. También recibe el nombre de *misiva*, *mensaje, comunicación, epístola*. Estas composiciones corresponden al género literario llamado, *género epistolar*.

Distintas clases de cartas. — La correspondencia puede ser *privada, social, oficial* y *comercial* o *mercantil*.

En la correspondencia privada se incluyen las cartas *íntimas* o *familiares*. Estas son sencillas, afectuosas y libres de formulismos.

Vea este ejemplo de carta íntima: (última carta de José Martí a su madre).

Montecristi, 25 de marzo de 1895.

Madre mía:

Hoy 25 de marzo, en vísperas de un largo viaje, estoy pensando en usted. Yo sin cesar pienso en usted. Usted se duele en la cólera de su amor del sacrificio de mi vida: —Palabras no puedo. El deber de un hombre está allá donde es más útil. Pero conmigo va siempre en mi creciente y necesaria agonía, el recuerdo de mi madre.

Abrace a mis hermanas y a sus compañeros. Ojalá pueda algún día verlos a todos a mi alrededor, contentos de mí. Y entonces sí que cuidaré de usted con mimo y con orgullo. Ahora bendígame y crea que jamás saldrá de mi corazón obra sin piedad y sin limpieza.

La bendición.

JOSÉ MARTÍ

421

Véase este otro ejemplo de carta privada: (fragmento de una carta de Bolívar a su maestro Simón Rodríguez).

Pativilca, 19 de enero de 1824.

Al Sr. Don Simón Rodríguez:

¡Oh, mi maestro! ¡Oh, mi amigo! Ud. en Colombia, Ud. en Bogotá, y nada me ha dicho, nada me ha escrito...
Con qué avidez habrá seguido Ud. mis pasos; estos pasos dirigidos muy anticipadamente por Ud. mismo. Ud. formó mi corazón para la libertad, para la justicia, para lo grande, para lo hermoso. Yo he seguido el sendero que Ud. me señaló. Ud. fue mi piloto aunque sentado sobre una de las playas de Europa. No puede usted figurarse cuán hondamente se han grabado en mi corazón las lecciones que Ud. me ha dado.
Ud. ha visto mi conducta; ha visto mis pensamientos escritos, mi alma pintada en el papel, y no habrá dejado de decirse todo esto es mío, yo sembré esta planta, yo la regué, yo la enderecé tierna, ahora robusta, fuerte y fructífera, he aquí sus frutos; ellos son míos, yo voy a saborearlos en el jardín que planté; voy a gozar de la sombra de sus brazos amigos, porque mi derecho es imprescindible, privativo a todo...

BOLÍVAR

También entre las cartas *privadas* las hay de felicitación, de presentación, de recomendación, de pésame, de petición, de censura, de excusa, etc.

A la correspondencia *social* corresponden las cartas de invitación para las bodas, bautizos, fiestas, conciertos, exequias, etc.

Correspondencia *oficial* es la que se refiere a los asuntos del Estado: comunicaciones sobre pago de impuestos, sobre citaciones, nombramientos, cesantías, etc.

La correspondencia *comercial* o *mercantil* es la relativa a los negocios y transacciones comerciales.

Estudio histórico comparativo de la carta: La tramitación de los negocios, y como consecuencia, el de la *Correspondencia Comercial*, ha evolucionado extraordinariamente. Las primeras comunicaciones eran orales y se practicaban a corta distancia. El descubrimiento de la *escritura* fue un importante paso de avance y el desarrollo de los medios de *transporte* completó el mejoramiento. Primitivamente el transporte fue personal, a pie o a caballo. En la actualidad son tan variados los medios de transportar las cartas que resultan asombrosos: ferrocarril, navegación marítima y aérea, mensajes telegráficos, cablegráficos, telefónicos, radiofónicos, etc. Gracias a la diversidad y facilidad de los medios de transporte, de la excelente organización de los sistemas de correos, la correspondencia se tramita con más seguridad y rapidez. También han contribuido al mejoramiento de la escritura e impresión de las cartas, los modernos medios mecánicos tales como la máquina de escribir, hoy tan perfeccionada; el mimeógrafo, el multígrafo, el dictáfono, etc.

La *carta* es actualmente un medio de comunicación tan importante que resulta esencial o imprescindible para la vida de los negocios y las relaciones sociales. Por ese motivo debe prestársele especial atención a su composición. Los conocimientos adquiridos en los estudios del Lenguaje, de la Gramática y de la Composición en lo relativo a la redacción, son fundamentales para la preparación de la correspondencia. Toda carta debe ser un trabajo de composición perfecto, de acuerdo con todas las reglas establecidas para la exposición correcta, elegante y eficiente. Debe abandonarse el método rutinario de escribir cartas conforme a modelos invariables. El redactor de cartas debe mantener su personalidad, emplear su lenguaje propio y adquirir su estilo. El escritor de una carta debe decir en ella lo que realmente siente o desea, con el lenguaje más correcto, propio, puro, sencillo, espontáneo y elegante.

Es timbre de orgullo para muchas casas comerciales, la especial presentación de sus cartas, pues consideran que la carta bien hecha da personaliad y crédito. Por ese motivo confían su redacción a competentes corresponsales, quienes por su preparación y cultura, desempeñan esta importante misión cooperando al mejor éxito de los negocios.

Lo mismo puede decirse de las cartas privadas, estas son, sin duda, el reflejo de la educación y cultura de quien las escribe. Bien puede imitarse el refrán que dice: «Dime con quién andas y te diré quién eres», diciendo: «dime cómo escribes y te diré quién eres».

EJERCICIOS. — ¿Qué es la Correspondencia? — ¿Cuál es la función de la carta? — Cite varios sinónimos de la palabra carta. — ¿Cómo se llama el género literario que trata de las cartas? — Enumere las distintas clases de correspondencia. — ¿Qué se requiere para escribir buenas cartas? — Redacte un breve párrafo sobre la evolución histórica de la Correspondencia.

Lección 2

EL MATERIAL DE LA CORRESPONDENCIA: PAPEL, SOBRE, TINTA. LA APARIENCIA GENERAL DE LA CARTA

El *papel* y los *sobres* de la carta comercial deben caracterizarse por su especial calidad, así como la máquina y la cinta que se utilicen para su impresión.

Las dimensiones del papel varían según los países y los usos. Generalmente se emplea el tamaño llamado comercial que tiene 8 y media por 11 pulgadas. Para los escritos oficiales o legales, se usa un tamaño de 8 y media por 13 pulgadas. Hay papeles doblados que presentan cuatro páginas y se emplean en la correspondencia privada. También en la correspondencia comercial se usa en asuntos de carácter social o privado, una hoja de papel de tamaño más reducido: 7 por 11 pulgadas.

El color más propio y serio es el blanco, sin embargo, en las cartas de propagandas, que deben ser llamativas, se emplean colores distintos. Estos deben ser claros para no dificultar la lectura. También suelen usarse diferentes colores para distinguir los distintos departamentos de una oficina. En el uso de los colores debe evitarse la extravagancia.

La tinta negra o azul-negra es la más usada. También se emplean la verde y la violeta. La tinta roja solamente debe usarse para hacer resaltar determinados asuntos, pero no debe abusarse de ella. No debemos olvidar que una de las características de la carta es la seriedad en su presentación.

Un detalle que debe hacerse con cuidado en la impresión de los membretes del papel de carta, es el de procurar huir de lo extravagante y cursi. Puede usarse un membrete o título severo y serio sin dejar de ser artístico y atractivo.

El papel de copia es generalmente más delgado y puede llevar el mismo membrete del papel original y además, la palabra COPIA en tinta roja, en medio de la hoja y en sentido diagonal; ese papel muy delgado se llama papel cebolla.

Los sobres pueden ser de varios tipos; los hay cuadrados y apaisados. El tipo español es casi cuadrado, tiene 160 por 126 mms. El tipo inglés apaisado, de 6 $\frac{1}{2}$ $\times$ 3 $\frac{1}{2}$ pulgadas y el tipo americano, también apaisado de 9 ½ × 4 pulgadas. Existe el sobre transparente o de ventana para mostrar las señas o dirección, las cuales sólo se escriben en la carta. Es recomendable la impresión de los membretes de los sobres, en la parte superior y hacia la izquierda.

Existe también un sobre de tipo inglés para la publicidad y venta por correo enviada como impresos, con la pestaña lateral abierta. Esta puede cerrarse sin pegarse.

Para las *comunicaciones urgentes* debe tenerse un papel especial. Este es del tamaño del memorándum o del volante. En estas comunicaciones deben hacerse además del original, dos copias; por lo tanto es necesario el papel especial de copias. Muchos usan el papel oficial impreso para los telegramas, cablegramas y radiogramas.

Las comunicaciones urgentes son aquellas que se envían por medios de comunicación rapidísimos: aeroplanos, telégrafo, cable submarino, telegrafía sin hilos, radio, teléfono, etc. El nombre genérico de estos despachos o mensajes rápidos es el de *telegramas;* sin embargo, se les llama *cablegramas* a los que se envían por cables submarinos; *radiogramas* a los que se remiten por telégrafo inalámbrico; *telefonemas,* los que se hacen por medio del teléfono y *telegramas* a los enviados por telégrafo de líneas terrestres. Actualmente se está empleando con gran éxito el correo aéreo.

La apariencia general de la carta: Ya hemos visto que todo el material que se emplea en la Correspondencia debe ser de excelente calidad. Una carta ha de ser siempre atractiva y dar la buena impresión de seriedad, distinción, elegancia y exquisitez. No hay que olvidar que la primera impresión debe ser favorable para lograr un buen juicio o apreciación.

Las cartas modernas se escriben en máquina. Las circulares se hacen generalmente mimeografiadas o impresas. La impresión o escritura de la carta tiene una gran importancia para su apariencia. La pulsación del mecanógrafo; la limpieza de los tipos; la uniformidad del color de la cinta; el encuadrado del texto con los márgenes adecuados; la limpieza general del trabajo, etc., son requisitos indispensables para la más grata apariencia de la carta.

EJERCICIOS. — ¿Cómo debe ser el material que se emplee en la correspondencia? — ¿Cuáles son las dimensiones más usadas en el papel de carta? — ¿Qué puede decir en relación con el color del papel y de la tinta? ¿Cómo deben ser los membretes de papel comercial? — Haga el alumno un muestrario de papel de carta con distintos membretes para su comparación y crítica. — ¿Cómo deben ser los sobres? — Haga también una colección de sobres de distintas clases. — ¿Qué son las comunicaciones urgentes? — Enumere los requisitos de una buena apariencia de la carta.

RAFAEL TEJEDA RUIZ
(1)   Comisionista
        Gral. Mola, 207
        Madrid

           (2)   Madrid, 8 de junio de 1973.

               (4) **REF. MEDIAS
DE SEDA**

Sr. Fernando Rodríguez
(3)   Av. José Antonio, 800
      Barcelona

(5)   Estimado señor:

        He recibido su atenta carta

(6)

(7)   En espera de sus nuevas órdenes, quedo muy atentamente,

(8)   Rafael Tejeda Ruiz.

(9)   INCLUSOS: Lista de precios.

                    Nuevo catálogo.

(10)   RT/JA.

---

1. — Membrete.	4. — Referencia.	7. — Despedida.
2. — Localidad y fecha.	5. — Saludo.	8. — Firma.
3. — Dirección.	6. — Texto.	9. — Inclusos.
		10.—Iniciales

Lección 3

DISPOSICIÓN DE LA CARTA COMERCIAL. SU ESQUEMA. ESTUDIO DE SUS DISTINTAS PARTES

Una carta comercial debe producir grata impresión a la persona que la recibe. Su presentación o disposición general, tanto en la forma como en el fondo, debe ser impecable; para lograrlo, es necesario atender a ciertas normas o reglas que tienen por finalidad la presentación más atractiva y artística de una carta. Analice y estudie el Modelo n.º 1 de la página anterior.

Las líneas o renglones. — Para obtener una buena disposición de la carta, debe calcularse su extensión para distribuir los párrafos y optar por una de estas tres disposiciones:

1.ª — Párrafos sin interlíneas, y separados entre sí, también sin interlínea. Esta disposición es poco usada porque da un conjunto demasiado severo y lleno al escrito.

2.ª — Párrafos sin interlíneas, pero separados entre sí, por doble espacio. Es la forma más corriente. En los Modelos 4 y 7 se ha empleado esa disposición.

3.ª — Espacio doble entre líneas y entre párrafos. Se emplea cuando la carta es muy breve.

Los márgenes son los espacios que se dejan en blanco a la izquierda y a la derecha. El margen de la izquierda debe ser, por lo menos, de dos centímetros; es preferible hacerlo mayor. El de la derecha será similar al de la izquierda. No deberá escribirse nunca en el margen de la izquierda, pues esto afea el conjunto de la carta y además, si esta se cose, no será fácil la lectura de esas notas marginales. Existen papeles de carta que tienen impresa una orla que indica el margen.

También deben dejarse los suficientes espacios en blanco en la parte superior y en la inferior de la carta, para no destruir el conjunto estético o artístico del escrito.

Las diferentes partes de la carta se pueden enumerar del modo siguiente: (Véase el Modelo n.º 1 de la página anterior) .

1. — Membrete o timbre.	6. — Texto.
2. — Localidad y fecha.	7. — Despedida.
3. — Dirección.	8. — Firma.
4. — Referencia.	9. — Inclusos.
5. — Saludo e introducción.	10. — Iniciales.

El membrete o **timbre** puede ocupar el ángulo superior izquierdo o toda la parte superior del papel. En la lección anterior se hicieron especiales recomendaciones respecto a la impresión de los membretes.

La localidad y la fecha constan del nombre de la población y a veces también del país de donde se escribe la carta, del día, del mes y del año. Debe colocarse en la parte superior derecha. A veces es necesario agregar al nombre de la población, el de la provincia o estado, para hacer más claro y correcto este dato. No se repite la localidad si aparece en el membrete.

Entre el nombre de la población y la fecha, se coloca siempre una coma. Las fechas pueden escribirse de varias maneras.

Véanse estos modelos:

La Habana, Cuba, 22 de julio de 1972.   Mayo, 10 de 1973.
Caracas, agosto 23 de 1972.   11-7-72.
Bogotá, lunes 14 de julio de 1973.   11—VII—1973.

La más recomendable es la primera forma. Es conveniente, a veces indicar el día de la semana por si se trata de mercados de fechas fijas semanales.

La referencia sirve para anunciar al lector sobre el tema o asunto de la carta. Esta se señala con palabras o con cifras o iniciales. Veamos estos ejemplos:

Referencia: ACLARACIÓN CUENTA CORRIENTE.
REF. — Para la atención del Sr. Suárez.
Ref. C. — 1655 (C. puede referirse al dep. de Exportación y 1655 al número de registro de salida de la correspondencia).
Ref. — Al contestar sírvase citar el N.º 8854.

La Dirección se coloca hacia la izquierda, junto al margen. Consta del nombre del destinatario o de la Razón Social; y de las señas completas.
Ejemplos:

Sr. Jaime López Ruiz,   Compañía Panificadora, S. A.
    San Rafael, 304,   Calle Constitución N.º 36,
        Guatemala.   Valencia.

D. C. Heath & Company   Sr. Luis Salvá Paz
CHICAGO Ill.   San Martín, 445
U. S. A.   BUENOS AIRES.

Como puede observarse en los ejemplos anteriores, las direcciones se colocan en una forma escalonada o vertical; actualmente se emplea más esta última.

Aunque gramaticalmente debiera emplearse la coma para la separación de cada uno de los datos de las señas y dirección; puede suprimirse ya que los espacios y las distintas líneas establecen esa separación.

En la dirección la puntuación puede ser abierta o cerrada. Es abierta cuando no lleva la coma o cualquier otro signo, y cerrada, cuando los lleva. El primer ejemplo es de puntuación cerrada.

Generalmente se suprime la palabra señor o señores cuando se trata de una institución o sociedad. Así resulta mejor dirigir la carta en esta forma:

Antonio Martínez y Cía.   que Sres. Antonio Martínez y Cía.
MARACAIBO   MARACAIBO

El saludo es una expresión de cortesía con que se inicia la carta. Se coloca debajo de la dirección, dejando algunas líneas por el medio. Después del saludo se ponen siempre dos puntos. Las formas para el saludo dependen del rango, condición o grado de amistad y confianza de la persona a quien se escribe. Veamos unos ejemplos:

Señor: Señores: Distinguido señor: Estimado amigo:
Apreciable cliente: Querido amigo: Respetable señora:

En las cartas puramente comerciales no cabe la cortesía exagerada.

Las formas, Muy señor mío; Muy señor nuestro, están en desuso.

Tampoco es recomendable usar abreviaturas en el saludo, ni continuar la carta en la misma línea del saludo. El escrito resulta mejor debajo de los dos puntos con que se termina el saludo.

La introducción se hace algunas veces en una forma cortés aunque puede prescindirse de ella. Ejemplo:

Me complace acusar recibo...   *Tengo el gusto* de informarle...
Es para mí un gran placer...   *Nos satisface* comunicarle...
Recibimos su carta del día...   Le enviamos los informes...

El texto o contenido de la carta se distribuye en varios párrafos. Cada párrafo ha de tratar de un asunto distinto y debe mantenerse entre ellos cierta coherencia o ilación.

Es costumbre muy recomendable numerar los párrafos a fin de poder fácilmente hacer referencia a alguno de ellos.

1. — Hemos recibido su cheque por la cantidad de $8500 y de la cual descontamos nuestra comisión correspondiente al 10 %.

2. — En su próximo pedido si este excede de $100,00, la comisión se reducirá al 8 %.

LIBROS. — La nota de precio de los libros de texto que Ud. solicita está en el catálogo que le enviamos la semana pasada.

PAPEL. — El precio actual del papel es más bajo y por consiguiente deberá Ud. descontar un 5 % del señalado en el último catálogo del mes de julio.

Este sistema de títulos y números iniciales es práctico para cartas extensas y en las que se tratan distintos asuntos.

El primer párrafo del texto debe iniciarse debajo de los dos puntos del saludo. Los demás párrafos seguirán esta línea de inicio haciendo por lo tanto una *sangría* o espacio en blanco en su principio. Cuando no se aplica este sistema y los párrafos se empiezan en la línea del margen izquierdo, sin sangrías, se dice que es el sistema de bloque. Por lo general se emplea el sistema de sangría.

El final de la carta lo constituye una frase cortés que sirve de *despedida*. La estructura de estas frases de *despedidas* depende del grado de confianza o amistad que se tenga con la persona a quien se dirige la carta. Ejemplos:

Sin otro particular que comunicarle, quedo de usted, muy atentamente.

Tengo el gusto de reiterarme su atento servidor,
Quedo muy atentamente a sus órdenes,
Tuyo muy afectuosamente,
En espera de sus gratas órdenes, queda de usted afectísimo,

El grado de cortesía de la despedida ha de estar de acuerdo con el del saludo.

Antefirma y firma. — La antefirma, como la palabra lo indica, se coloca antes de la firma y constituye el título de la persona que firma o suscribe la carta o el nombre o razón social de la compañía, industria, institución, etc.

Ejemplos: El Secretario General   (Antefirma)
                 Dr. Jacinto Ramírez   (Firma)

CAMARA NACIONAL DE COMERCIO

Remigio Fuentes   Banco Nacional de Cuba.
Presidente   El Administrador
                        Rafael Díaz Pérez.

Es muy conveniente, escribir, además de la firma manuscrita que a veces resulta ilegible, el nombre del firmante con la máquina; así se evitarán errores de interpretación.

La firma consta del nombre del que suscribe la carta, cuando este es solo; el de la Compañía o Sociedad; o del gerente, administrador o apoderado.

Cuando el firmante no tiene poder legal, debe anteponer las letras P.O. (por orden) P.A. (por autorización.).

Ejemplos:

P. O. Ricardo Llama   P. A. Rogelio Muñiz
Eugenio Roque.   Ignacio Méndez.

Indicación de inclusos. — Después de la firma, un poco más abajo y hacia la izquierda suele poner una relación de papeles o documentos que acompañan al escrito. Ejemplos:

Inclusos: Recibos 1 y 2.
          2 facturas.
          Nueva lista de precios.

Posdata y nota bene. — Cuando después de terminada la carta se advierte alguna omisión o se logró un dato o informe posterior, este puede notificarse al final en un párrafo adicional que va precedido de las letras P. D. o P. S., iniciales de *postdata, postscriptum.* Debe evitarse el uso de la *postdata*; casi es preferible hacer una nueva carta.

Para hacer alguna observación especial suele añadirse en el lugar en que se coloca la postdata una nota sucinta con las iniciales N. B.

Muchas veces todos esos títulos de *postdata, post scríptum, nota bene,* se sustituyen con la palabra NOTA.

Dirección del expedidor: Debe agregarse al final cuando el papel no lleve el membrete impreso. En este caso suele emplearse esta forma de abreviatura: S/C, que equivale a «su casa».

Las iniciales son contraseñas que determinan el empleado que escribió la carta; se ponen al pie de esta y al lado izquierdo. Si la carta fue dictada deben ponerse las iniciales del que la dictó y del mecanógrafo. Ejemplos:

RM/AR. (dictada por Ramón Martín y mecanografiada por Antonio Ríos). *El visado* de la carta que se hace generalmente con las iniciales del visador, se coloca después de las iniciales o en un lugar que no afee la estructura o disposición de la misma.

Véase nuevamente el Modelo N.º 1 y obsérvense todos los detalles y elementos que integran la carta.

Cartas de más de una página. — Cuando una carta no termina en la primera página, y el último párrafo de dicha primera página termina en ella, para indicar su continuación en páginas siguientes suele usarse el signo: ./.. En el caso de que el último párrafo no termine en la primera página, el lector comprenderá claramente que sigue la continuación en la página 2. Debe además numerarse cada página de la carta excepto la primera. Hay también la costumbre de encabezar cada página siguiente con el nombre de la persona a quien va dirigida y la fecha. Ejemplo:

Sr. Rafael Pérez. — 2   4/V/72.

Tanto de la primera página como de las siguientes deben sacarse copias para su archivo.

EJERCICIOS. — ¿Qué detalles importantes debemos tener en cuenta para la disposición general de una carta? — ¿Cómo deben ser los márgenes de la carta? — Enumere las diferentes partes de que constan generalmente las cartas comerciales? — ¿Qué signo de puntuación debe emplearse siempre en la localidad y la fecha? — Escriba seis formas distintas de localidad y fecha. — ¿Qué es la referencia? — Escriba tres clases distintas de referencia. — ¿Dónde debe escribirse la dirección? — Escriba tres direcciones completas distintas. — ¿Dónde se coloca el saludo? — Redacte tres saludos distintos. — Redacte tres formas distintas de introducción. — ¿De cuántos párrafos debe constar la carta? — ¿Cómo pueden iniciarse los párrafos? — Redacte dos párrafos distintos con distinto inicio. — ¿Cómo debe ser la despedida? — Redacte tres despedidas distintas. — Redacte dos antefirmas y firmas distintas. — Escriba dos ejemplos de inclusos. — ¿Qué es la postdata y la nota bene? — ¿Por qué se ponen las iniciales? — ¿Qué se recomienda para las cartas de más de una página?

DR. RICARDO MUÑOZ
Abogado
Apartado 3165
Caracas-Venezuela

Sra. Adelaida López
Carabobo 184
Valencia.

LICEO FERMIN TORO
Muñoz a Solís
Caracas

Mr. Charles Crawford,
215 Main Street,
Chicago, Ill.
U. S. A.

AGUIRRE Y CIA
Ferretería
Apartado 578
Panamá

Marcelino Mont y Cía.
Briceño Méndez 54
Valencia-España.

Lección 4

LA DISPOSICIÓN DEL SOBRE

Obsérvense los modelos de la página anterior.

Podrá notarse la diferencia de formas en la disposición de las señas o direcciones y del nombre del destinatario. Las formas 2.ª y 3.ª son las más usadas en la actualidad. Son claras y legibles y por consiguiente facilitan el trabajo a los empleados del correo.

Obsérvese también que la primera línea escrita ocupa la parte media del sobre, que el ángulo superior izquierdo lleva el membrete o timbre del remitente, y la parte superior derecha se dedica a la colocación del sello o estampilla.

Los datos que debe llevar una dirección completa son:

Nombre y apellido del destinatario.

Cargo, profesión o título si merece ponerse.

Nombre de la calle y número de la casa o el número del apartado de Correos.

Ciudad o población donde reside.

Estado y país (este último si reside en el extranjero).

Cuando la carta se dirige a una persona que vive en la misma ciudad del remitente, basta agregar al nombre y domicilio, la palabra CIUDAD.

Si la carta va a ser entregada personalmente, se agregará al nombre del destinatario, la palabra PRESENTE o las iniciales E. S. M. (en sus manos). A veces se escribe en la parte inferior derecha la frase: Suplicada al Sr...., cuando la entrega se hace personalmente y como una cortesía al portador.

```
Sr. Dr. José Díaz,
Secretario de Justicia
CIUDAD.
```

```
García y Méndez,
Apartado 789,
CARACAS.
```

```
Sr. Don Luis Ruiz,
San Vicente 34,
Toledo,
ESPAÑA.
```

```
Sra. Luisa Rey,
E. S. M.
Suplicada al Sr. A. Díaz
```

Modelo N.º 3

Es muy importante que los nombres y direcciones de los sobres se escriban con claridad y con todos los datos necesarios para evitar errores y extravíos.

Cuando el sobre no tiene membrete o timbre impreso, debe escribirse el nombre del remitente y sus señas para su devolución en el caso de que no se encuentre al destinatario.

Cuando las cartas se dirigen al extranjero suele agregarse en la parte superior la frase VÍA NEW YORK por ejemplo, o VÍA CANAL DE PANAMÁ, o VÍA AÉREA, etc., para indicar la vía que se desea que siga la carta.

Insistimos en recomendar que se pongan todos los datos necesarios en la dirección, ya que existen muchas ciudades y calles del mismo nombre y es necesario expresar la palabra que las distinga. Por ejemplo, en Cuba hay dos poblaciones con el nombre de Martí, una en la provincia de Matanzas y la otra en la de Camagüey. En España y en Venezuela existe una ciudad con el nombre de Barcelona y otra con el de Valencia.

Los sobres de ventana transparente muestran la dirección que se ha escrito en la carta; para ello es necesario doblar el papel y colocarlo, de manera que pueda mostrarse convenientemente dicha dirección.

Debe tenerse especial cuidado de pegar el sello en la parte superior derecha porque es la forma que facilita más el trabajo a los empleados de las oficinas de correos. También debe tenerse la seguridad de la clase de sello que necesita la carta para no infringir las reglas del franqueo y para que no se presenten dificultades en su transporte y entrega.

Contribuye a la mejor presentación de la carta y su sobre, el doblado del papel. Las hojas que se incluyan en los sobres de tipo apaisado, deben doblarse primeramente por la mitad y después en tres partes iguales. Si el sobre fuere casi cuadrado, se doblará por la mitad primeramente, y después en dos partes iguales.

Antes de cerrarse el sobre debe examinarse cuidadosamente la carta para ver si lleva los *inclusos* que se indican en ella. Los *anejos* o *anexos* son los documentos que se envían separadamente y bajo otro sobre.

EJERCICIOS. — ¿Cuáles son los datos que debe llevar un sobre? — ¿Cuáles son las principales cualidades en la escritura de un sobre? — ¿Cómo debe doblarse el papel? — Disponga convenientemente en modelos de sobres estos datos:

Dr. Pedro Ramírez, Independencia 786, Panamá.
P. Fernández y Cía., Impresores, Hospital 619, La Habana, Cuba.
Sr. Director de la Escuela Superior N.º 2. Ciudad.
Srta. María Medina, Presente, Suplicada al Dr. Raúl Mir.

Se recomienda al alumno la confección de un ALBUM DE CORRES-PONDENCIA. Véase información al final del libro en el Apéndice N.º III.

Lección 5

PORMENORES EN LA EJECUCIÓN Y PLANEAMIENTO DE UNA CARTA

Ya se ha dicho que en la carta había que distinguir dos aspectos importantes, la forma y el fondo. Hemos tratado en la lección anterior, de las distintas partes que constituyen la carta, todos aspectos de forma para referirnos más tarde a las condiciones del estilo y cualidades de la redacción.

La escritura de la carta puede hacerse a mano o en máquina. Hoy se emplea más el *procedimiento mecanográfico*. En muchos casos antes de procederse a escribir la carta en la máquina se hace un dictado de su texto y en este caso se emplea la *taquigrafía*. También existe para el dictado el sistema del *dictáfono*, aparato *fonográfico* que recoge e imprime las palabras del que dicta la carta, para reproducirla después, tantas veces como se desee, y poder trasladarla fácilmente al papel.

Cualesquiera de los procedimientos que se empleen en la ejecución de la carta, esta debe resultar con una presentación excelente: *limpia, artística, atractiva*. Por ello se recomienda que antes de presentar una carta con enmiendas, manchas, tachaduras, etc., es preferible rehacerla hasta lograr un trabajo impecable.

A todo lo expuesto anteriormente hay que agregar la escrupulosidad que debe tenerse en el *aspecto ortográfico*. Una carta comercial jamás debe tener errores ortográficos del uso incorrecto de las letras, de la puntuación y de la acentuación.

Es de muy mal gusto, y hasta incorrecto el uso del signo de subrayar, en lugar del *guión*.

Nota o minuta. — Para hacer las observaciones o indicaciones respecto a los asuntos que deben tratarse en la contestación de una carta suele unirse a ella un volante u hoja pequeña en la que se hacen, en breves frases, esas indicaciones. Este volante viene a ser la *minuta o nota* que servirá de guía al corresponsal para la redacción de la carta en cuestión.

Cuando se necesite obtener múltiples copias de una carta o circular se utilizan el mimeógrafo o el multígrafo. El primero se emplea con «stencils» que son perforados en cualquier máquina de escribir; el segundo usa tipos independientes que se paran o colocan como un material de imprenta.

Todos estos aspectos mecánicos y de forma en la ejecución de la carta, vienen a completar el estudio relativo a su trazado y disposición correcta.

Conocidas ya las reglas que nos enseñan a ejecutar y disponer la carta, veamos ahora cómo deben expresarse y ordenarse los conceptos. Los principales pasos para la redacción son:

1.º — Reflexionar sobre lo que se desea escribir.
2.º — Clasificar y ordenar lógicamente las ideas y conceptos.
3.º — Escoger, para expresar esas ideas, las palabras y oraciones más adecuadas.

Determinado el propósito, esto es, hecha la concepción, debe procederse a la ordenación, y para ello basta con trazar un borrador o minuta en que se dispongan en orden lógico las ideas y conceptos y quede desarrollado todo el texto de la carta. Al procederse a la escritura definitiva, no deberá olvidarse todo lo estudiado en la Composición referente a las cualidades del lenguaje, estudios que tienen ahora una aplicación práctica.

La carta ha de ser por lo tanto, desarrollada con un lenguaje *claro* o *sea inteligible; decente* y *correcto*, tanto en la forma de expresión como en lo relativo a las *reglas gramaticales* y a la *pureza del lenguaje*. La *brevedad*, la *precisión* o *exactitud* en la exposición de los conceptos son requisitos indispensables en esta clase de correspondencia, ya que el comerciante no aspira a producir obras literarias sino trabajos claros, sencillos a la vez que expresivos.

Véase el Modelo N.º 4.

La cortesía y *la diplomacia* son cualidades que no deben faltar en el estilo comercial. Sin embargo, la cortesía no será tan exagerada que parezca ridícula. La carta debe decir cuanto sea necesario exponer, pero sin herir ni molestar, por ello deben usarse con habilidad y diplomacia las palabras y frases para lograr el objeto deseado sin producir disgustos y conflictos que pueden crear enemistades y perjuicios a los negocios.

Es conveniente recordar aquí lo tratado en las lecciones de Composición referente a la redacción de las oraciones y los párrafos:

En la redacción de una carta deben regir las reglas de la *unidad* y la *coherencia*, y deben usarse convenientemente el *énfasis*, la *gradación* y la *antítesis*.

> *BIBLOTECA NACIONAL*
> *La Habana.*
>
> *La Habana, 15 de marzo de 1973.*
>
> *Sr. Dr. Felipe Hernández,*
> *San José, Costa Rica,*
>
> *Distinguido doctor:*
>
> *Con su apreciable carta del día 2 de marzo, tuve el gusto de recibir un ejemplar de su obra titulada «LA AMÉRICA DEL PORVENIR» que dedica a esta Biblioteca.*
> *He leído cuidadosamente gran parte de su interesante libro y su lectura me ha causado muy grata impresión, por su estilo fino y ameno y por los elevados conceptos en ella expuestos. Considero su obra muy recomendable a la juventud americana y por ello lo felicito cordialmente.*
> *Al hacer a usted presente mi agradecimiento por el obsequio de su libro cuya importancia he ponderado, aprovecho esta oportunidad para ofrecerme muy atentamente a sus órdenes,*
>
> RICARDO LÓPEZ.
> Director.

EJERCICIOS. — ¿Qué medios auxiliares se pueden utilizar para la preparación de una carta? — ¿Cuáles son las cualidades esenciales en relación con la forma o presentación de una carta? — ¿Qué es la minuta de una carta? — ¿Cuáles son los principales pasos para la redacción de una carta? ¿Cómo debe ser el lenguaje o estilo de la carta? — ¿Qué puede decir acerca de la cortesía y diplomacia? — ¿Qué reglas debemos aplicar en cuanto a las relaciones entre los párrafos? — Redacte una carta de acuse de recibo imitando el Modelo N.º 4.

Lección 6

CLASIFICACIÓN DE LAS COMUNICACIONES EN LA CORRESPONDENCIA COMERCIAL

Si partimos de lo simple a lo complejo; de lo fácil a lo difícil, podríamos clasificar las comunicaciones en:

1. — **Breves y sencillas:** Volantes o memorándum; tarjeta postal; besalamano o saluda, etc.

2. — **Comunicaciones urgentes:** Telegramas, cablegramas, radiogramas, telefonemas, etc.

3. — **Documentos informativos:** Certificados, actas, instancias, etcétera.

4. — **Cartas, propiamente dichas:** De trámite, de esfuerzo inspiracional, de esfuerzo argumentativo.

Las cartas de trámite son las relativas a las distintas diligencias que se producen en los negocios; para su redacción no se requiere un gran esfuerzo. Son ejemplos de cartas de trámite: las de pedido de mercancías, de informes, de acuse de recibo, de pago, las que solicitan referencias mediante formularios, etc.

Las cartas de esfuerzo inspiracional presentan alguna dificultad: en ellas se trata de estimular hacia la superación, hacia una eficiencia mayor en el trabajo, y requieren un vocabulario selecto y un estilo especial.

Las cartas de esfuerzo argumentativo son las más difíciles; además de un lenguaje y estilo selectos, deben ajustarse a determinados *principios sicológicos*. Entre ellas están las cartas de propaganda o publicidad; ofertas de productos o de ventas, de cobros, de ofertas de servicios, demanda de empleo, referencias, informes, recomendaciones, de reclamaciones, de solicitud de prórroga para un pago, etcétera.

Vamos a estudiar primeramente, las comunicaciones más breves y sencillas y las comunicaciones urgentes:

440

El volante o **memorándum** es una comunicación abreviada escrita en un papel de menor tamaño que el empleado para las cartas; sirve para dar informes breves, ya de acuse de recibo o conformidad con una cantidad o documento incluso; carece de despedida. Veamos este modelo:

MEMORÁNDUM

de
Suárez Martínez y Cía.
Caracas

al
Sr. Pedro Rodríguez López
Maracay
4—8—73

Gustosamente le informamos que acabamos de recibir la colección de libros sobre Contabilidad por la que usted se interesaba.
Puede pasar por esta Oficina a examinarlos cuando usted lo desee.

Modelo N.º 5

En muchas oficinas ha caído en desuso esta clase de comunicación y ha sido sustituida por la *tarjeta postal*. También en algunos casos suele agregársele la despedida y firma.

El besalamano (B.L.M.) es una comunicación que comienza con las iniciales B.L.M., precedidas del nombre del cargo o personalidad del que escribe y termina con una expresión de cortesía. Como el memorándum, no lleva firma.

Veamos un modelo:

El Director de la Academia Comercial

M E R C U R I O
B. L. M.
al Sr. Dr. Jaime Hernández y Martínez y lo invita para la apertura del nuevo curso que se celebrará en esta Academia el día 1.º de septiembre del presente año, a las 10 a.m.

REGINO ÁLVAREZ RUIZ

aprovecha esta oportunidad para ofrecerle el testimonio de su más distinguida consideración.

San Salvador, 20 de agosto de 1973.

Modelo N.º 6.

Esta comunicación se escribe en la primera página de un pliego de papel más pequeño que el del tamaño comercial. Siempre se usa la tercera persona en su redacción. Se llama SALUDA cuando se sustituye la frase besalamano (B. L. M.) por la palabra SALUDA.

Con estas comunicaciones se puede presentar a una persona, recomendar un asunto, hacer una invitación, dar un informe de constitución de una sociedad, etc.

La tarjeta postal es una comunicación que generalmente se remite sin sobre. Su anverso sirve para la dirección y el reverso para el texto. Su franqueo es más económico. Su tamaño es de unos 9×14 cms., y se imprime en cartulina.

Se emplea para comunicaciones de escasa importancia y que su texto no merezca reservas.

Las comunicaciones urgentes son los mensajes rápidos que se transmiten por medio del telégrafo, del cable o del radio y son llamados *telegramas, cablegramas, radiogramas*, etc.

Estas comunicaciones se escriben con lenguaje conciso y claro con el propósito de usar el menor número posible de palabras: por este motivo es costumbre usar la forma enclítica de las variantes pronominales: «Enviándoselos», «remítaseme». En cuanto a la puntuación, sólo se emplea el punto que se indica con la palabra *punto* y también con la voz inglesa *stop.*

Las partes de que constan estas comunicaciones son generalmente: Punto de destino. — Indicaciones eventuales.— Vía. Destinatario y su dirección.—Texto.—Firma.—Domicilio del expedidor.

Las oficinas de telégrafos facilitan los impresos especiales que se utilizan para esas comunicaciones.

Las indicaciones eventuales en los telegramas o cablegramas son las advertencias que se hacen sobre si se desea un servicio *urgente;* si la *respuesta está pagada*, indicándose el número de palabras de dicha respuesta; si es un *telegrama colacionado*, es decir, cuidadosamente revisado para evitar alguna alteración del texto; *telegrama para seguir*, en el que se ponen distintas direcciones del destinatario para que sea entregado en aquella en que se encuentre. *Telegrama múltiple* cuando con el mismo texto se desea enviarlo a distintas direcciones.

En cuanto al *texto* de los *telegramas, cablegramas* o *radiogramas* estos pueden ser *corrientes* o *cifrados.* El telegrama *corriente* es el que lleva un texto que no merece reserva, y *cifrado*, aquel que su información es secreta y se escribe por medio de una *clave*.

Véanse estos ejemplos de comunicaciones urgentes:

URGE ATENCIÓN PEDIDO 3 MARZO PUNTO
CANCÉLESE SI NO ENVÍAN ANTES 10 MARZO

———————

VENDIDOS BONOS COMPAÑÍA INGLESA STOP
DIGA ENVÍO IMPORTE O ABONO EN CUENTA

Dirección cablegráfica. — La dirección cablegráfica de una casa de comercio es un nombre o palabra convencional que resulta a veces de una contracción de todas las palabras que constituyen la firma comercial. Por ejemplo: de GARCÍA, LÓPEZ Y PÉREZ, se puede formar GARLOPE. Esas direcciones abreviadas se registran en las oficinas telegráficas y vienen a resolver un problema económico al comerciante.

EJERCICIOS. — ¿Cómo pueden clasificarse las comunicaciones? — ¿Qué es el memorándum? — Redacte un memorándum en el que se comunique la llegada de un vapor con las mercancías que se solicitaron. ¿Qué es un besalamano? — Redacta un besalamano o saluda manifestando que se ha tomado posesión de un cargo. — ¿Qué puede decir de la tarjeta postal? — Redacte un telegrama comunicando que los artículos pedidos en una carta reciente no se pueden remitir por haberse agotado esa mercancía y que en un plazo no menor de siete días podrán ser enviados. — Obtenga el alumno varios modelos impresos de telegramas y llénelos con textos distintos. — ¿Qué es una dirección cablegráfica?

Lección 7

REDACCIÓN DE CERTIFICADOS, INFORMES, INSTANCIAS

Certificados o certificaciones: Certificar es asegurar la verdad de un hecho, por lo tanto la principal característica de estos documentos es la veracidad; deben ser, además, sencillos, claros y precisos. Se emplean para informar acerca de servicios prestados, de la conducta o costumbres morales; del estado o condiciones de un mercado o crédito personal, etc. El *certificado* se llama *testimonio directo*, cuando se expide sin indicar un destinatario determinado. Su redacción se inicia con el nombre completo y el cargo de responsabilidad del expedidor del certificado; se continúa con el nombre y apellidos del interesado, los caracteres de su personalidad y su actuación en el cargo o empleo desempeñado. Termina con la localidad, la fecha y la firma autógrafa del expedidor. Se acostumbra usar el verbo en tercera persona.

Estúdiese este modelo:

DOCTOR ERNESTO LÓPEZ DÍAZ, Secretario General del Banco Agrícola Provincial de Mérida.

CERTIFICA:

Que conoce desde hace más de cinco años al SR. MARIO MARTINEZ ROQUE, con domicilio en H, N.° 50 en esta ciudad, de quien tiene el más alto concepto como persona de excelente conducta.

Que trabajó en la oficina de su dirección durante los años de 1967 a 1973, desempeñando el cargo de Contador, en cuyo desempeño demostró interés, aptitud y responsabilidad en el cumplimiento regular de sus obligaciones.

Y para que así lo pueda hacer constar, expide el presente CER-TIFICADO, en la ciudad de Mérida, a los quince días del mes de enero, del año de mil novecientos setenta y tres.

DR. ERNESTO LÓPEZ DÍAZ.

Modelo N.° 7

Veamos otra forma de expedir esta certificación:

A QUIEN PUEDA INTERESAR

Hago constar que la SRA. MARÍA SUÁREZ DÍEZ, de quien tengo un alto concepto como persona de buenas costumbres y carácter agradable, fue mi empleada desde junio de 1971 hasta diciembre de 1973.

Que en su empleo demostró competencia, especialmente como taquígrafa y mecanógrafa y redactora de correspondencia. Todo lo cual me complazco en certificar.

Caracas, nueve de agosto de mil novecientos setenta y tres.

ISIDORO GONZÁLEZ SUCRE,
Secretario de la Compañía
Petrolera Nacional, S. A.

Modelo N.° 8

En cualquier otro tipo de *informes* administrativos, sobre proyectos, condiciones de almacenaje; rendimiento de una labor; desarrollo de campañas publicitarias, etc., el redactor debe usar un estilo claro, preciso y cuidadoso de la veracidad. Es recomendable la distribución de los asuntos en:

a) Introducción: referencia sobre el motivo y solicitud del informe.

b) Fuentes de información.

c) Exposición del asunto medular o fundamental.

d) Conclusión, si es posible con recomendaciones razonadas.

La instancia es un tipo de carta que solicita instando, es decir, pidiendo o rogando con insistencia y a veces, con urgencia, un servicio, una concesión, el reconocimiento de un derecho, documentos oficiales, tales como certificaciones de nacimiento, de matrimonio de soltería, de antecedentes penales, etc.

Analicemos el siguiente modelo:

Caracas, 5 de abril de 1973.

Sr. Presidente del Concejo Municipal.
CIUDAD.

Señor:

Los que suscriben, vecinos de la calle Bolívar, cuadra comprendida entre las esquinas Zamuro a Pájaro, a usted ruegan disponga, lo más pronto posible, la instalación de un foco eléctrico en la medianía de dicha cuadra, por ser muy deficiente el alumbrado de la misma. Su instalación evitará accidentes lamentables así como contribuirá a una mayor seguridad de los referidos vecinos.
En espera de vernos complacidos, le anticipamos las gracias y quedan de usted, muy atentamente,

(Firmas de los vecinos).

Dirección: Bolívar N.º 49.

Modelo N.º 9

La Habana, 5 de junio de 1973.
Sr. Ministro de Estado.
CIUDAD.

Señor Ministro:
El que suscribe, Rafael Domínguez Gómez, ciudadano cubano, mayor de edad, soltero, contador público y con domicilio en Independencia 167, en esta ciudad, de usted solicita:
Se le expida un PASAPORTE, y para ello incluye todos los datos requeridos de su afiliación o caracteres personales:
Certificado de nacimiento.
Certificado de antecedentes penales.
Datos relativos a mis señas particulares:
Estatura, color de los ojos y del pelo, cicatrices, huellas digitales y las fotografías indicadas.
Incluye además, los derechos o impuestos, los sellos correspondientes y la certificación notarial.

De usted muy respetuoso.

Rafael Domínguez Gómez.

S/C: Independencia 167.

Modelo N.º 10

Como habrá podido observarse por los modelos anteriores, en las instancias, el estilo es claro, sencillo, preciso, razonable. Entre los datos específicos aparecen:

Localidad y fecha.
Nombre y cargo del destinatario.
Nombre y apellidos del solicitante o solicitantes, su dirección.
Datos personales relativos a la ciudadanía, estado civil, etc.
El asunto u objeto que se insta en forma completa y precisa.
Algunas instancias requieren sellos del timbre o especiales.

EJERCICIOS. — ¿Cuáles son las características de los certificados? ¿Qué datos deben aparecer en los certificados? — Redacte un certificado de servicios en forma de testimonio directo. — ¿Qué son las instancias? ¿Cuáles son las características de las instancias? — Redacte una instancia solicitando un certificado de nacimiento.

447

Lección 8

REDACCIÓN DE ACTAS

Llámase *acta* al escrito en el que se hace una relación o reseña de lo tratado y acordado en una junta, asamblea o acto de importancia. *Acta notarial* es una composición similar que constituye un documento fehaciente extendido por un notario. Las actas corrientes, también llamadas minutas, son extendidas por un Secretario. Estos escritos se desarrollan de acuerdo con un plan ya establecido para el desenvolvimiento de la asamblea o junta y que se llama *orden del día*. Generalmente el plan que se sigue en esas reuniones es como el siguiente: 1.º—Apertura.—2.º—Pase de lista.—3.º—Lectura del acta de la sesión anterior.—4.º—Informe de las Comisiones.—5.º—Proposiciones y discusión de las mismas.—6.º—Acuerdos y resoluciones. — 7.º—Clausura.

Como se dijo anteriormente, las actas expresan lo sucedido en una asamblea, por lo tanto el plan para el desarrollo del acta ha de ser el mismo que ha servido para la asamblea. Veamos a continuación un ejemplo de un acta correspondiente a una sesión o reunión de profesores:

Introducción. — En la ciudad de La Habana, a las 8 p. m. del día 20 de julio de 1956 se reúnen en el salón de actos de la Escuela Profesional de Comercio, los profesores que integran el claustro de la misma para celebrar sesión ordinaria. Preside el Dr. Juan Pérez y actúa de Secretario, el que suscribe.

Apertura. — El Presidente declara abierta la sesión y pide al Secretario que pase lista y dé lectura al acta de la sesión anterior.

Asistencias. — El Secretario anota la asistencia de los profesores siguientes: Dr. Rafael Díaz; Sr. Jacinto López; Sr. Luis Suárez; Srta. María Lamar; Dr. José Martínez; Ricardo Montes; Ignacio Piedra; Benito Ríos; Tomás Nin; y Juan Pérez; lee las excusas presentadas por los profesores Raúl Roque y Juan Fernández y por último da lectura al acta de la sesión anterior, la cual fue aprobada por unanimidad.

Informe de la presidencia. — El Presidente informa a sus compañeros que con motivo de estar muy próxima la fecha de la celebración del Congreso anual de Profesores, se va a nombrar una Comisión de los profesores de la Escuela para que atiendan a la organización del viaje a la ciudad de Camagüey sede del referido Congreso, y pide a los presentes que designen a los cinco profesores que compondrán la referida Comisión.

Proposiciones. — El Dr. Rafael Díaz propone que la Comisión la integran los profesores que forman parte de la Junta de Gobierno de la Escuela.

La Srta. María Lamar indica que sería preferible designar otros profesores que no pertenezcan a la Junta de Gobierno, ya que estos tienen un excesivo trabajo y no deben aumentarse sus obligaciones.

Apoyan la proposición de la Srta. Lamar, los profesores Ríos, Nin y Montes.

El presidente saca a votación las dos proposiciones y obtiene mayoría de votos la indicada por la Srta. Lamar.

Nombramiento de la comisión. — Después de varios cambios de opiniones quedó nombrada la Comisión, compuesta por los señores Luis Suárez, Ricardo Montes, Ignacio Piedra, Raúl Roque y José Martínez.

Acuerdos. — Después de discutirse ampliamente, se acuerda que la Comisión nombrada emplee la cantidad de $100 perteneciente a la Asociación de Profesores para atender a los gastos de transporte de los Delegados al Congreso.

Clausura. — No habiendo otro asunto de que tratar, el Presidente clausuró la sesión y el Secretario levantó la presente acta que *noticias, quedamos muy atentamente a sus órdenes.*

Dr. Juan Pérez,
Presidente.

Dr. Tomás Nin,
Secretario.

Modelo N.º 11

EJERCICIOS. — ¿Qué es un acta? — ¿Qué es el orden del día de una asamblea? — ¿Cuál es el plan que generalmente se sigue en la redacción de un acta de asamblea o sesión? — Redacte el alumno el acta de una sesión imaginaria.

Lección 9

LAS CARTAS DE TRÁMITE. CARTAS DE PEDIDO

Ya vimos que las cartas de trámite no requieren un gran esfuerzo argumentativo, ya que tramitar es seguir una serie de pasos para lograr un propósito; generalmente esos pasos ya están señalados.

Entre las cartas de trámite están las de *pedido*.

Las cartas de pedido pueden ser variadas: pedido de informes pedido de mercancías, acuse del pedido, etc.

Anterior a la *carta de pedido* de las mercancías, generalmente se escribe una *carta de petición de datos, precios* y condiciones de pago. Esa petición de datos debe hacerse cuidadosamente clasificando bien las preguntas y tratando de hacer todas las consultas necesarias a fin de evitar dificultades cuando se haga la compra. Véase este ejemplo:

Estimados señores:

Deseamos que nos informen acerca de las características de los nuevos radios LUX que ustedes representan.

Estamos interesados en saber el número de tubos, el alcance; si sirven para onda corta y para onda larga; y todos los datos relacionados con el mueble o caja de madera.

Les agradeceremos, además, que ustedes nos indiquen los precios según los modelos, así como los descuentos que nos harán si pedimos cantidades no menores de diez. La forma de pago y la forma de envío.

Les anticipan las gracias por todas estas informaciones, sus atentos servidores,

Modelo N.º 12

Las cartas de pedido deben ser claras, ordenadas, precisas, ya que en ellas se expresan a veces muchos detalles. Generalmente los artículos pedidos se presentan en forma de cuadros o tablas para su mejor ordenación y presentación. Algunas casas comerciales tienen modelos impresos para esta clase de cartas en la que sólo hay que llenar determinados espacios en blanco (cartas-fórmulas).

En las cartas de pedido deben consignarse estos detalles:

Número de orden del artículo en el catálogo; la descripción de los artículos en lo referente al color, tamaño, calidad, cantidad, designación, marca, tipo, etc. El peso; el tipo de embalaje y por cuenta de quién es. El lugar preciso, época, fecha y forma de entrega y de expedición. Por cuenta de quien son los riesgos del transporte. Precio, clase de moneda. Condiciones especiales de pago. Indemnizaciones por retrasos en la entrega, etc.

Veamos este modelo:

Estimados señores:

Les ruego tengan la bondad de remitirme lo más pronto posible los artículos que les indico a continuación y cuyo importe se servirán cargarme en cuenta:

1. — *Un millar de libretas, modelo B-400* . . . . . $ 54.00
2. — *Una gruesa de estuches de lápices de colores Marca ALPHA, modelo A-250* 12.00
3. — *Diez docenas de compases niquelados, modelo X-5 a $2.00* 20.00
4. — *Medio millar de cartulinas blancas, satinadas, modelo M-75, a $40.00* 20.00

Todos los datos y precios especificados son de acuerdo con el catálogo del pasado mes de julio.

Sírvanse hacer el envío a nuestro depósito, situado en calle de Independencia N.º 689. Y le rogamos también que el embalaje sea más fuerte para evitar deterioro en la mercancía, pues su anterior remesa no llegó en buen estado a nuestro poder por causa de mal embalaje.

Reitero a ustedes el deseo de que me envíen rápidamente esos artículos, si es posible en la próxima semana, porque tengo distintos compromisos que atender entre mis clientes.

Soy de ustedes atento servidor,

Modelo N.º 13

Estimado señor:

Nos complace acusar recibo de su atenta carta del día 7 del presente mes en la que nos pide informes relativos a las galletas que nosotros fabricamos.

Con esta fecha le remitimos varias muestras de nuestras galletas cuyos precios le indicamos a continuación:

1. — *Galleticas MARÍA* . . . . . Caja de 100 . . $ 0.80
2. — *Galletas «SABROSAS»* . . . Caja de 100 . . 0.75
3. — *Galleticas «EXQUISITAS»* . . Caja de 100 . . 1.05

puestas en su casa, y a pagar al contado con el 8 % de descuento o a 30 días sin derecho al citado descuento.
De la calidad de las galletas no queremos decirle nada, basta conocer la demanda de ellas para que usted se convenza de que el público las prefiere a cualquier otra clase. Y en cuanto a los precios, esperamos sean de su aceptación.
Le enviamos una hoja de pedido en blanco y estamos seguros de que a vuelta de correo tendremos en nuestro poder su grata orden.
Somos sus afectísimos servidores,

Modelo N.º 14

Petición de informes de un producto:

Señor:

Acabo de enterarme por un anuncio del periódico LA RAZON que usted fabrica un barniz para impermeabilizar telas y calzados. Yo me dedico a la fabricación de artículos de pieles, especialmente botas y zapatos y estoy muy interesado en conocer detalles sobre ese producto que usted ha anunciado.
Tenga la bondad de remitirme informes relativos al precio al por mayor, así como algunas muestras de dicho producto para hacer ensayos en mis artículos de peletería.
Queda en espera de sus noticias, su atento servidor,

Ramón Tapias.
S/C: Libertad N.º 56.

Modelo N.º 15

EJERCICIOS. — ¿Qué son las cartas de trámite? — ¿Cuáles son las cartas que se anticipan a la compra? — Diga las características de una carta de petición de datos sobre precios, condiciones de pagos y demás detalles de un producto. — Redacte una carta de petición de datos sobre los refrigeradores eléctricos marca EDISON. — ¿Cómo deben ser las cartas de pedido? — ¿Qué datos deben expresarse en las cartas de pedido? — Escriba una carta de pedido de distintas clases de material eléctrico. (Recuerde que todas estas cartas y las anteriores integran el ÁLBUM DE CORRESPONDENCIA.)

Lección 10

CARTAS DE ACUSE DE RECIBO. CARTAS DE PAGO

En las cartas de acuse de recibo de un pedido deben expresarse con exactitud: la referencia a la carta del pedido, con su número de los pedidos, señalando a cada uno el número que le corresponde en orden, la fecha, etc. Debe copiarse nuevamente la lista de los artículos pedidos, señalando a cada uno el número que le corresponde en el catálogo o agregar una factura a la carta. Debe expresarse, además, la fecha en que se ha expedido la mercancía; la forma de envío y del transporte. Puede en ella tratarse de alguna aclaración o excusa en relación con alguno de los artículos pedidos que no se ha podido enviar.

Existe también la carta de acuse de recibo de las mercancías pedidas. Esta carta debe poseer los mismos requisitos que la otra de acuse de recibo de un pedido, aunque no es necesario reproducir la lista de las mercancías o artículos.

ESTÚDIENSE Y ANALÍCENSE ESTOS MODELOS

Estimado señor:

Acusamos recibo de su apreciable pedido del día 5 del corriente mes y le comunicamos que en el día de hoy le hemos remitido por expreso «Martínez» dos cajas que contienen las mercancías.

Le suplicamos nos excuse el no poder enviarle los tinteros del tipo que usted desea porque actualmente no tenemos en existencia. Lo más pronto que nos sea posible, atenderemos a ese renglón de su pedido.

Con esta carta le enviamos una factura detallada así como los comprobantes para la reclamación a la Compañía del expreso «Martínez». Hemos acreditado en su apreciable cuenta el giro por valor de $85.00 que usted nos envió.

Muy agradecidos por sus gratas órdenes, quedamos muy atentamente,

Modelo N.º 16

Las cartas de acuse de recibo del pedido deben ser corteses, inmediatas y pueden servir también para la propaganda de algún otro producto, incluyendo en la referida carta algún catálogo o información especial sobre determinados artículos.

En los casos en que haya que rehusar un pedido ha de tratarse el asunto con mucho tacto y discreción.

Ejemplo de una carta de acuse de recibo de las mercancías:

Estimados señores:

Tengo el gusto de acusar recibo de las dos cajas enviadas por ustedes mediante el expreso «Martínez», las cuales han llegado a mi poder en perfectas condiciones. Me es grato expresarles mi satisfacción por las condiciones de sus artículos y por la rapidez de su envío.

Les ruego no dejen de mandarme prontamente los tinteros, pues los necesito con urgencia.

Muy agradecido por sus atenciones, queda a sus órdenes su servidor,

Modelo N.º 17

Veamos ahora una carta en que se rehúsa un *pedido:*

Estimado cliente:

Acabamos de recibir su pedido de los toca-discos Tipo E-35 que aparecía en nuestro catálogo del año pasado. Lamentamos informarle que ya ese tipo no se fabrica.

Sí existe un nuevo modelo que guarda un gran parecido al solicitado por usted; pero mejorado y perfeccionado. Sugerimos nos acepte el envío de ese aparato, Tipo H-3, cuya descripción aparece en la página 9 de nuestro nuevo catálogo 1957. La diferencia de precio está justificada por la mejor calidad y más eficiente servicio.

Nos interesa mucho que usted quede satisfecho y continúe haciéndonos valiosos pedidos. Si nos autoriza el envío, inmediatamente lo atenderemos con sumo gusto.

Reiterándole nuestro agradecimiento y en espera de sus gratas noticias, quedamos muy atentamente,

Modelo N.º 18

Las cartas de pago son portadoras de los instrumentos o medios de pagos, tales como cheques, giros postales, letras de cambio, pagarés, etc. La carta debe detallar claramente el documento de pago que se remite incluso; citar su número y los detalles que lo caractericen. A veces se utilizan marbetes de color que notifican el número de los *inclusos;* esos marbetes se pegan en un ángulo de la carta. Las cartas de pago deben contestarse inmediatamente y acompañarse con el recibo correspondiente. También se aprovecha su contestación para hacer alguna propaganda a fin de lograr algún nuevo pedido.

Véase este modelo de carta de pago:

Estimados señores:

Con la presente carta les envío un cheque del Banco Nacional marcado con el número 18, por valor de ochenta y seis pesos con sesenta centavos, importe de la factura N.º 254, del 14 de enero pasado, correspondiente a mi pedido de libretas y plumas.

Sírvanse acreditar a mi cuenta esa cantidad, y como siempre, quedo de ustedes, muy atentamente.

INCLUSO: Cheque.

Modelo N.º 19

EJERCICIOS. — ¿Cómo deben ser las cartas de acuse de recibo? — Redacte una carta de acuse de recibo de un pedido en la cual se da cuenta de su envío. — Redacte una carta de acuse de recibo de las mercancías. — ¿Cuáles son las características de las cartas de pago? — Redacte una carta de pago notificando el envío de un giro postal para pagar una cuenta de 87 bolívares.

Lección 11

OTRAS CARTAS DE TRÁMITE. SOLICITUD DE INFORMES

En estas cartas se solicitan informes personales o comerciales y pueden considerarse como cartas de trámite.

Las cartas de informaciones personales y comerciales deben ser muy discretas. Al darse un informe es conveniente no hacer mención del nombre de la casa o del individuo en la carta por medio de la cual se remite el informe. Tanto el nombre de la razón social o de la persona, deberán citarse en una tarjeta o volante que se agrega a la carta. Este procedimiento puede evitar indiscreciones e incidentes lamentables.

Existen agencias de informaciones que prestan a los comerciantes ese importante servicio confidencial sin tener que molestar a los amigos y compañeros de negocios. Sin embargo, es costumbre bastante frecuente el intercambio de esas informaciones o referencias entre los comerciantes. Veamos algunos modelos de estas cartas:

Estimados señores:

Vamos a iniciar negociaciones con el señor mencionado en la tarjeta adjunta a esta carta. Entre las referencias que nos ha presentado dicho señor, está la de ustedes, por ese motivo nos vemos obligados a molestarlos para rogarles nos informen acerca de la solvencia, moralidad y crédito del referido individuo.

Les reiteramos nuestros deseos de que nos perdonen la molestia que con esta carta les causamos y les ofrecemos, al mismo tiempo, nuestra cooperación en cualquier asunto de esta índole.

Somos sus afectísimos amigos y servidores,

Modelo N.º 20

Contestación a la carta anterior:

Estimados amigos:

Nos complace contestar su carta del día 15 del presente mes, en la cual nos piden referencias sobre el señor cuyo nombre expresa la tarjeta adjunta.

Desde hace más de ocho años tenemos relaciones invariables con dicho señor y siempre ha cumplido con nosotros en la forma más correcta. Sabemos positivamente que es una persona honorable y solvente y no titubeamos en recomendarlo.

Sepan ustedes que su petición no nos ha causado molestia alguna sino al contrario, la satisfacción de servirles. Estamos, como siempre, a su disposición y mucho agradecemos su ofrecimiento de cooperación.

Somos muy afectísimos amigos y servidores.

Modelo N.º 21

Véase este otro modelo sobre la solicitud de informes personales:

Estimado amigo:

Hace tiempo que nuestras relaciones comerciales se han establecido y la cordialidad y la sincera amistad han reinado en ellas. En otras ocasiones hemos cambiado recíprocamente servicios muy provechosos, por ello, una vez más, lo molesto para rogarle me envíe unos informes relativos al señor Regino Ordóñez, viajante de esa plaza.
El señor Ordóñez nos ha ofrecido sus servicios como viajante y antes de aceptar sus ofrecimientos deseamos tener algunas referencias en relación con su honorabilidad, competencia y actividad en las gestiones propias de ese cargo.
Bien sabe usted que le garantizamos la más absoluta reserva respecto a sus informaciones y que nuestra gratitud por ese servicio es intensísima.

Soy su muy atento servidor,

Modelo N.º 22

Carta de informes de mercados. Estas cartas tienen por finalidad conocer si los artículos de un comerciante o un industrial son susceptibles de ser introducidos en un mercado, si sus precios pueden competir con los establecidos y si la calidad de los referidos artículos es superior o inferior a los que abundan en el mercado de referencia. Es verdaderamente, una carta de información, del tipo de las anteriores, pero sobre esos detalles referentes al mercado. Veamos un ejemplo:

Señores:

Molesto su atención con esta carta para suplicarles me presten su valioso servicio de información acerca del estado de ese mercado en relación con los artículos que nosotros fabricamos.

Tenemos entendido que recientemente han sido rebajados notablemente los precios en esa plaza a consecuencia de la abundancia de las mercancías del tipo que nuestra fábrica produce. Por ello deseamos que ustedes nos informen a la mayor rapidez posible sobre los precios del calzado de primera clase para señoras, y, si es cierto que los establecimientos se hallan abarrotados de esas mercancías.

En espera de sus informes, que mucho agradeceremos, quedamos como siempre a sus órdenes y les saludamos, muy cordialmente.

Modelo N.º 23

Entre las cartas sobre informaciones, se pueden citar también las que se refieren a investigaciones comerciales. En estas cartas deben enumerarse los distintos asuntos que reclaman la investigación y el informe. Son redactadas generalmente, por un comisionado especial nombrado para efectuar la investigación.

EJERCICIOS. — ¿Cuáles son los principles caracteres de las cartas de informaciones personales y comerciales? — Redacte una carta de petición de informes de un empleado que solicita la plaza de agente vendedor y que ha dado como referencia a los señores López y Sánchez, fabricantes de calzado en Maracaibo. — Redacte la contestación a la carta anterior.

459

Lección 12

OTRAS CARTAS DE TRÁMITE:
CONSIGNACIONES O COMISIONES

Consignar quiere decir enviar mercancías a un corresponsal o comisionista para que se haga cargo de ellas y proceda según convenga. *Consignador* es el que consigna sus mercancías o naves a la disposición de un corresponsal o agente suyo. No debe confundirse este término con la palabra *consignatario*, persona para quien va destinado un buque, un cargamento o una partida de mercadería.

Las cartas de consignaciones son aquellas relativas a todas las transacciones entre el consignador y el corresponsal, pueden tratar de las entregas de las mercancías, de los informes de venta y de liquidación, de la situación de los mercados, de las comisiones, sus alzas o reducciones o del pago de las mismas, etc. Estas cartas deberán ser muy claras y sus párrafos bien distribuidos. Véase este ejemplo:

Estimado corresponsal:

Nos es grato comunicarle que por ferrocarril hemos enviado seis cajas de libros de texto de nueva publicación. Cada caja contiene una gruesa de libros de distintas clases.

La caja N.º 1, contiene Libros Primero de Lectura; la N.º 2, Libros 2.º de Lectura y la caja N.º 3, Libros 3.º de Lectura. Las cajas nos. 4, 5 y 6, contienen Libros de Lenguaje.

El precio de los Libros de Lectura no podrá ser menor de $ 80 cada uno; y los de Lenguaje se venderán a $1.00 el ejemplar. Sobre esos precios tendrá usted una comisión de un veinte por ciento.

460

Esperamos que usted venderá fácilmente estos libros porque realmente son recomendables por su excelente presentación y sus magníficas condiciones pedagógicas. Además los autores son acreditados y considerados como autoridades en esas materias.

Deseándole éxito en sus ventas y en espera de sus gratas noticias, quedamos muy atentamente a sus órdenes.

INCLUSOS: Factura N.º 76.
            Comprobante del transporte
            por ferrocarril.

Modelo N.º 24

Véase este otro ejemplo:

Estimado señor:

Sírvase comprar por mi cuenta 300 sacos de arroz, clase extra, a un precio que no exceda de .... el saco.

Efectuada la compra, expídalo al puerto de La Guaira a la consignación de Suárez y Martínez.

Asegure la mercancía, notifíqueme las condiciones del flete, y al remitirme el conocimiento y la factura puede usted rembolsarse girando a mi cuenta a quince días vista.

Envíe al consignatario, por el mismo buque, un conocimiento.

En espera de sus noticias, quedo suyo muy atentamente,

....

Modelo N.º 25

Las cartas de contabilidad, como su nombre lo indica, son informativas de estados de cuenta, liquidaciones, abonos, facturas, etc. Estas cartas deben ser muy limpias, es decir, que no admiten enmiendas, tachados o raspados. Sus datos relativos a la contabilidad deben revisarse cuidadosamente para evitar errores que puedan ocasionar trastornos lamentables. Aparte de estos detalles, el resto de la carta debe ser muy sencillo y conciso. Véase este ejemplo:

Estimados señores:

Nos complace comunicarle que el próximo sábado 18 pueden pasar por esta oficina para la presentación del recibo con duplicado, a efectuar el cobro de los $876.58 saldo de las facturas que a continuación se especifican:

Factura N.º 788 del 12 de agosto . . . . . . $ 246.26
» » 967 del 30 de septiembre 416.00
» » 1188 del 15 de octubre 214.32

Total . . . . $ 876.58

Sin otro asunto, quedamos de ustedes, muy atentamente,

....

Modelo N.º 26

También entre las *cartas de trámite* están las llamadas *cartas-fórmulas o cartas impresas*. Son aquellas que se imprimen dejando algunos espacios en blanco para ser llenados en su oportunidad y completar de esa manera la carta. Muchas de ellas, además de llevar impresa gran parte del texto, cuentan con casillas y apartados especiales para notificar distintos asuntos. Se emplean para pedidos, acuses de recibo, pagos, solicitud de crédito, solicitud de empleo, etc.

EJERCICIOS. — ¿Qué es consignar en lenguaje comercial? — ¿Qué son un consignador, un consignatario y un corresponsal? — Redacte una carta de consignación imitando el Modelo N.º 24. Haga la carta de contestación del corresponsal con la liquidación correspondiente. — Continúe la confección del Álbum de Correspondencia.

Lección 13

MÁS CARTAS DE TRÁMITE. LAS CIRCULARES. CARTAS COLECTIVAS. CARTAS-FÓRMULAS

Comunicaciones generales y circulares son cartas de interés general por medio de las cuales se comunica la constitución de una sociedad; la reorganización de un negocio; la publicación de un catálogo; la inauguración de un establecimiento; las alteraciones de precios o condiciones de venta; el anuncio de un nuevo producto, etc. Actualmente se hacen esas circulares en una forma atractiva y semejante a una carta particular para producir el efecto de seriedad e interés, y no correr el riesgo de que sean echadas al cesto sin enterarse de su contenido. Una impresión hecha en mimeógrafo con todos los detalles de una carta particular, puede producir los efectos deseados.

Veamos algunos modelos.

Estimado señor:

Tenemos el gusto de comunicarle que acabamos de inaugurar en la calle de Bolívar N.° 67, en esta ciudad, un Departamento Anexo a nuestra fábrica de jabones, en el que fabricamos toda clase de perfumes.

Utilizamos en la preparación de nuestros PERFUMES los mejores ingredientes y brindamos al público un producto exquisito, delicado y atractivo.

Los precios de nuestros PERFUMES marca DALIA son sumamente económicos y si usted nos honra con su visita le obsequiaremos con muestras de dichos productos, los cuales al usarlos le convencerán de la verdad de nuestro lema: ARTICULOS DE CALIDAD A UN BAJO PRECIO.

Esperan verse honrados con su visita en la nueva fábrica de PERFUMES DALIA, sus atentos servidores,

Santos y López.

Modelo N.° 27

463

Veamos ahora un modelo de circular corriente en la que se notifica la constitución de una Compañía, informándose en la misma, la fecha de constitución, la Notaría ante la cual se constituyó, el domicilio en que está establecida; el Consejo de Administración y su Presidente, Secretario y Gerente:

Distinguido señor:

Nos complace comunicarle que mediante escritura pública otorgada ante el Notario Dr. Carlos de Villegas, de esta ciudad, con fecha 22 de noviembre del presente año, ha quedado constituida la Compañía Papelera Nacional, abastecedora de las principales fábricas de libros, imprentas y periódicos.

Forman el Consejo Administrativo de la citada Compañía, los señores Enrique Serpa como Presidente; Benjamín Carreras, Tomás Rodríguez, Luis Hernández y Romualdo Cervera, Consejero Secretario; habiendo sido designado para la Gerencia el Sr. Servando Smith.

La Compañía Papelera Nacional ha sido establecida en el amplio edificio situado en la calle Martí N.° 356.

Llevarán la firma social, indistintamente, nuestro Presidente y Secretario, como delegados del Consejo de Administración, y la Gerencia a cargo del Sr. Smith.

Al tener el gusto de comunicárselo, nos ofrecemos muy atentamente a sus órdenes, rogándole se sirva tomar nota de las firmas expresadas al pie.

De usted con toda consideración,

COMPAÑÍA PAPELERA NACIONAL, S. A.

El Sr. Enrique Serpa, firmará:

Presidente

El Sr. Romualdo Cervera, firmará:

Consejero-Secretario.

El Sr. Servando Smith, firmará:

Gerente.

Modelo N.° 28

Los informes de las cartas circulares cuyo objeto es efectuar ventas por sí solas han de ser, en primer término, con datos específicos, completos, sobre la oferta que se hace, incluyendo testimonios fidedignos y tratando de despertar el deseo de comprar el artículo que se ofrece. No se olvidará exponer en ellas las razones por las cuales el artículo ofrecido es de excelentes cualidades, los comentarios y las críticas de personas autorizadas y de crédito han hecho de él: la descripción y el precio. Se incluirá, además, un cupón que facilite al comprador la realización inmediata de la compra.

Las cartas circulares pueden reproducirse por medio de imprenta con tipos que imiten a los de la máquina de escribir. Se usan también los multígrafos o multicopistas que tienen tipos completamente iguales a los de un mecanógrafo o máquina de escribir. Otro aparato que mucho se emplea es el mimeógrafo que utiliza un «stencil» (papel encerado). Es muy práctico porque se puede emplear la misma máquina para la impresión y para llenar los espacios en blanco que corresponden al destinatario, la dirección, etc.; de esa manera queda un trabajo uniforme y con la apariencia de una carta particular.

Las cartas colectivas son del tipo de las circulares, pero firmadas por varios comerciantes. La carta debe estar firmada por una de las casas que suscriben en conjunto, y esa firma del remitente debe, naturalmente, preceder al conjunto de todas las firmas. Esas cartas no pueden llevar un membrete o epígrafe de una de las casas, pues entonces perderían su carácter colectivo. Deben terminar con la firma y sello de la casa que la expide, y a continuación las firmas de todas las casas y entidades que se adhieren a lo manifestado en la carta colectiva.

Las cartas-fórmulas son aquellas que se imprimen dejando algunos espacios en blanco para ser llenados en su oportunidad y completar de esa manera la carta. Muchas de ellas, además de llevar impreso gran parte del texto, cuentan con casillas y apartados especiales para notificar distintos asuntos.

EJERCICIOS. — ¿Qué son las cartas circulares? — ¿Cómo se nace la reproducción de las circulares y qué detalles deben tenerse en cuenta en su impresión? — ¿Qué informes importantes deben contener las circulares sobre la venta de algún objeto o mercancía? — ¿Qué son cartas colectivas? Redacte una circular sobre informes de una nueva lista de precios. — Redacte una circular anunciando un nuevo producto. — Redacte una circular invitando a la apertura de una exposición de productos agrícolas haciendo resaltar la importancia de dichos productos. — ¿Qué son las cartas-fórmulas?

Lección 14

CARTAS DE ESFUERZO INSPIRACIONAL.
CARTAS DE APERCIBIMIENTO. CARTAS DE DIMISIÓN

Ya vimos que *las cartas de esfuerzo inspiracional* tratan de estimular hacia una superación, hacia una mayor eficiencia en el trabajo o hacia una actitud mental superior. Bien puede decirse que son cartas de reconocimiento y aprecio de una buena labor de un empleado, labor que es susceptible de superarse y que podrá lograrse mediante un esfuerzo de inspiración, de acicate, de estímulo.

Analícese este ejemplo:

Estimada compañera Srta. Fernández:

Hemos estado estudiando su hoja de servicios como Corresponsal en inglés y español. La labor que usted está realizando la consideramos altamente eficaz y por ello la felicitamos muy cordialmente y le expresamos nuestra gratitud por el esfuerzo e interés por usted realizados en beneficio de esta Empresa.

Hemos comprobado también sus excelentes aptitudes y condiciones para alcanzar un mayor grado de superación en su trabajo, esfuerzo extraordinario que redundaría en su propio beneficio y en el de nuestra Empresa. Para que usted pueda fácilmente alcanzar ese grado de superación le ofrecemos una beca de ampliación de estudios del idioma inglés y de la Correspondencia, en un Instituto de New York. Usted podrá optar por ese ofrecimiento merecido y trasladarse a los Estados Unidos, disfrutando de un grato paseo y al mismo tiempo desarrollando un curso de las materias referidas, en esa Institución. Ya en posesión de nuevos conocimientos volverá y se hará cargo de la Dirección General de la Correspondencia de nuestra oficina, con mejor categoría y mejor remuneración.

Creemos sinceramente que usted aceptará esta oferta y se sentirá satisfecha por tal merecimiento, por consiguiente esperamos su visita para tratar de los pormenores relativos a dicha beca.

Somos sus sinceros amigos y compañeros,

Díaz y Pérez.

Modelo N.º 29

Las cartas inspiracionales son muy efectivas en los concursos entre vendedores a quienes estimulan para realizar un mayor esfuerzo que beneficie a la Empresa o Compañía y a ellos mismos.

Las cartas de apercibimiento tienen una finalidad muy distinta: envuelven una crítica, una amonestación o queja. Deben redactarse cuidadosamente para evitar ofensa y emoción perturbadora al criticado. Dentro del análisis del error cometido o la deficiencia en una labor, debe estimularse y tratar de levantar el ánimo, ya que en muchas ocasiones existen motivos justificados que originan la alteración en la conducta del empleado.

Veamos este ejemplo de carta de *apercibimiento:*

Estimado compañero:

Nos complace expresarle que lo consideramos como uno de nuestros mejores empleados. Siempre ha actuado usted con gran eficiencia, interés y entusiasmo. Sin embargo, hace algún tiempo que notamos una alteración en el ritmo de su labor: Repetidas ausencias, faltas de puntualidad y decaimiento en su entusiasmo. ¿Se siente usted enfermo? ¿Tiene problemas privados que lo perturban?

Usted bien sabe que somos, además de compañeros, buenos amigos y estamos dispuestos a ayudarle y a cooperar a la mejor solución de sus problemas, pues no deseamos perder a un excelente colaborador. Háganos una visita y trataremos confidencialmente su caso para lograr la restauración de su ánimo, interés y entusiasmo.

Lo esperamos ansiosa y fraternalmente,

Raúl Rodríguez,
Gerente.

Modelo N.º 30

Véase este otro ejemplo de una carta de *apercibimiento* en un tono enérgico, recomendable en casos en los que no es posible una cooperación:

Estimado señor:

He estado comparando su hoja de servicios con la de mis otros empleados y he notado que la labor realizada por usted como representante de esta casa ha sido tan insignificante que llama poderosamente la atención.

Usted sabe que los negocios en la actualidad están sufriendo una dura crisis, que las ventas han disminuido, que los créditos son más escasos y, por todas estas razones, los representantes tienen que activar sus gestiones para compensar esos perjuicios. Necesitamos que usted cambie su conducta y nos ayude con más eficacia, de lo contrario me veré obligado a prescindir de sus servicios.

Soy su atento amigo y servidor,

Modelo N.º 31

Cartas de dimisión: Así como toda empresa comercial debe apreciar. distinguir y tratar con justicia y cortesía a sus colaboradores: política básica de unas buenas relaciones humanas, también los empleados o subalternos deben corresponder en la misma forma con sus superiores. En los casos de renuncia, dimisión o jubilación, lo más correcto es notificarlo por escrito, en una carta también de esfuerzo inspiracional, con las expresiones de gratitud, reconocimiento y buenos deseos. Prestemos atención a este ejemplo de *carta de dimisión o renuncia:*

Apreciado señor González:

Acabo de graduarme de Licenciado en Administración Comercial en la Universidad Central de Venezuela e inmediatamente he recibido una oferta atractiva y ventajosa para trabajar en una importante Compañía de la capital. He titubeado algo antes de aceptar el ofrecimiento, pues en su digna Casa he disfrutado de momentos muy felices, por la buena organización, y ambiente acogedor y por el justo y estimulante trato recibido, cosas que nunca podré olvidar.

Esta carta expresiva de mi gratitud, es también portadora de mi renuncia al cargo de cajero que he venido desempeñando, efectiva para el día último del presente mes, ya que me he comprometido a iniciar mi labor en el nuevo cargo. el día primero del mes próximo.

Con los mejores deseos de su ventura personal y demás miembros de esa acreditada casa, a la que auguro muy brillantes éxitos, quedo suyo, muy agradecido, amigo y servidor,

Jacinto Rocamora.

Modelo N.° 32

EJERCICIOS. — ¿Cuál es el propósito de una carta inspiracional? — ¿Cómo debe ser el estilo de estas cartas? — Redacte una carta inspiracional imitando el Modelo N.° 29 de esta Lección. — ¿Qué cuidados deben tenerse en la redacción de las cartas de amonestación? — Redacte una carta de amonestación brindando ayuda. — Escriba una carta de dimisión o renuncia. — Páselas al Álbum.

Lección 15

LAS CARTAS DE ESFUERZO ARGUMENTATIVO: SUS CARACTERÍSTICAS Y ORIENTACIONES

En la Lección 6.ª enunciamos las características de *las cartas de esfuerzo argumentativo:* Son las que presentan mayor dificultad por su estilo selecto y por su ajuste a determinados principios sicológicos. No hay que olvidar que toda carta comercial aspira principalmente a *vender* en el amplio sentido de la palabra: desde un simple artículo, hasta el más valioso y responsable servicio personal; pero en todas las ocasiones debe existir en ella el propósito de *vender buena voluntad.* Por eso la carta comercial ha de ser sicológica, estimulante de los instintos y emociones del lector o destinatario.

Es muy difícil exponer todas las características y orientaciones sicológicas de una carta en tan breve espacio, sin embargo, si sintetizamos, podemos hacer una sucinta enumeración de los principios fundamentales de las cartas de *esfuerzo argumentativo*, es decir, de las cartas de venta, de propaganda, de publicidad, de cobros, de créditos, de ofertas de servicios, de demanda de empleo, de recomendación, referencias e informes; de reclamación, de solicitud de prórroga para un pago, etc., etc.

Enumeración de los principios fundamentales de las cartas de venta, y en general de todas las de esfuerzo argumentativo:

1.— Todas las cartas comerciales son realmente, *cartas de venta,* pues tratan de vender artículos, productos, servicios, proyectos, cooperación, buena voluntad, etc. Además, son excelentes medios de publicidad y propaganda que orientan hacia una vida mejor.

2. — Parte de su éxito favorable, está basado en el conocimiento del cliente o consumidor: hay que descubrir sus aspiraciones, anhelos, actividades y sus características personales, pues ya sea este un profesional, un comerciante, un obrero, un hombre o una mujer, la argumentación y el tono sicológico han de ser adecuados.

3.— El estudio cuidadoso del producto u oferta: sus cualidades, sus características, para hacer resaltar sus méritos y demostrar

470

su superioridad entre los productos similares, es imprescindible.

4. — En su redacción deberá emplearse un vocabulario sencillo; un estilo claro, de fácil comprensión, convincente y sin olvidar las cualidades principales de una buena composición: unidad, coherencia y énfasis

5. — La carta debe despertar una grata emoción en el lector, desarrollando su *atención* e *interés* para *decidirlo* a la *acción* de comprar. El término AIDA resume como siglas esos cuatro propósitos.

A-tención.
I-nterés.
D-ecisión.
A-cción.

6. — Para despertar la atención y desarrollar el interés, es recomendable la selección de un pensamiento, refrán, noticia, pregunta o frase que sirva de introducción al texto.

7. — En toda carta de venta debe dársele personalidad al destinatario, evitar el *yo* y el *nosotros*, dando la impresión de que se desea beneficiarlo, ayudarlo, servirlo, expresado con argumentos y referencias fidedignas.

8. — La carta tendrá un final o clausura vigoroso, enfático, impresionante, con una oferta atractiva que incline *decisivamente* a la *acción* de comprar o aceptar lo ofrecido.

9. — Su presentación debe ser excelente: un buen papel, una buena impresión: limpia, impecable, artística, atractiva.

10. — De no obtener el resultado apetecido, hay que perseverar e iniciar una serie basada en el mismo propósito, hasta vencer la resistencia del probable comprador.

EJERCICIOS. — ¿Por qué son difíciles las cartas de esfuerzo argumentativo? — Cite las principales cartas que requieren esfuerzo argumentativo. — ¿Por qué es importante el conocimiento de las cualidades del cliente o consumidor? — ¿Qué puede decir respecto a las condiciones y características de lo que se ofrece? — ¿Y respecto a la composición o redacción de esas cartas? — ¿Qué emociones o fenómenos sicológicos debe despertar la carta? — ¿Qué fórmula que resume esos propósitos es recomendable? — ¿Cómo debe ser el final de la carta? — ¿Y su presentación?

Lección 16

CARTAS DE OFERTAS DE PRODUCTOS

Cuando se hacen ofrecimientos de productos, la finalidad que se persigue es la de efectuar una venta, por eso podemos decir que el tipo de carta de oferta de producto es el de una carta de venta. Para los negocios *vender* es el éxito mayor, por lo tanto, las cartas de ofertas de productos o mercancías que persiguen la realización de una buena venta, merecen especial estudio y preparación.

Dos detalles importantes debe conocer quien escriba una carta de esa clase: 1.º Las cualidades y características del producto que ofrece para hacer resaltar sus méritos y demostrar su superioridad entre los productos similares. 2.º Las características de la persona a quien se dirige la carta, pues ya sea este un profesional, un comerciante, un obrero, etc., la argumentación habrá de ser distinta y de acuerdo con el carácter y necesidades del destinatario.

Conocidos los detalles señalados anteriormente, se procederá a redactar la *carta-oferta*. Deben regir en su composición, la claridad y la sencillez, y la ordenación de sus párrafos obedecerá a un orden lógico tal, que los argumentos logren convencer al lector y éste se determine a realizar la compra. Es recomendable para la distribución de la carta, esta ordenación de sus párrafos:

1. — Párrafo de introducción para despertar la *atención* y el *interés*.

2. — Descripción del producto que, a la par de instructiva, debe ser interesante para que no decaiga la atención del lector.

3. — Argumentos que comprueban todos los detalles y características expuestos en la descripción y que tratarán de *persuadir* al lector sobre la necesidad de la adquisición del producto.

4. — Ofrecer facilidades para su compra, haciendo resaltar la circunstancia del precio especial señalado y las facilidades para comprarlo.

472

5. — Tratar de *asegurar* la *venta*, utilizando, si es posible, el envío de anexos sobre orden de pedido en blanco y folletos descriptivos ilustrados que completen la información de la carta.

ANALICENSE Y ESTÚDIENSE LOS MODELOS 32 Y 33

Estimado cliente:

Hace tiempo que venimos sirviéndole varias clases de productos alimenticios de la mejor calidad. Ese ha sido siempre nuestro Lema: «La mejor calidad». Ahora nos complace anunciarle que somos representantes de una nueva marca de chocolate que bien puede calificarse de inmejorable.

Nos referimos al chocolate marca INDIO, fabricado con excelente cacao, azúcar y demás ingredientes de pureza indiscutible. La fabricación científica de este producto lo hace inimitable y todos los que lo prueban se convierten en sus invariables consumidores. Usted será uno de ellos, estamos completamente seguros, y para comprobarlo le enviamos una muestra gratis y esperamos muy confiados que su respuesta será muy grata para nosotros.

También confiamos, estimado señor Martínez, que su carta-contestación vendrá acompañada de una importante orden de este exquisito chocolate, que no puede faltar en la lista de los excelentes productos alimenticios que usted vende.
Somos de usted muy atentos servidores,

Modelo N.º 32. — Carta de Venta.

Estimados señores:

Conocemos el notable desarrollo que van tomando sus negocios y por ello los felicitamos muy calurosamente. Hemos pensado hacerles un ofrecimiento por medio de esta carta para contribuir también al auge de su magnífica organización comercial. Nos referimos a un artículo que estamos vendiendo con éxito sorprendente por los excelentes resultados que sus servicios prestan en toda oficina comercial o profesional.

Se trata de un nuevo mimeógrafo marca GUTENBERG, máquina modernísima para obtener múltiples copias de cartas, circulares, anuncios, informes de todas clases y trabajos impresos con dibujos e ilustraciones. Su mecanismo es sencillo y consistente; la fortaleza de sus piezas y la duración de ellas están garantizadas y su funcionamiento es perfecto y en alto grado eficiente. Sus fabricantes han logrado el propósito de presentar al público un nuevo mimeógrafo que reúne todas las bondades de otras marcas, eliminando los defectos de aparatos de su clase e introduciendo en el mimeógrafo GUTENBERG, mejoras que lo convierten en un aparato de fácil y cómodo manejo. Le recomendamos estudie detenidamente el folleto ilustrado que acompaña a esta carta en el que se explican todos los detalles de su estructura y funcionamiento.

Por las condiciones expuestas anteriormente y por la necesidad imperiosa de su servicio en oficinas de la importancia de la suya, aseguramos que su adquisición será muy beneficiosa para ustedes.

Estamos en el período de propaganda de este nuevo artículo y por este motivo el precio que hemos señalado es excepcional y por lo tanto más bajo que el precio normal que señalaremos dentro de poco. También estamos dando muy especiales facilidades de pago para su adquisición. Todos estos detalles se expresan en el folleto a que nos hemos referido anteriormente.

No dudamos que ustedes sabrán apreciar todas nuestras razones y sabrán aprovechar también la oportunidad magnífica que les brindamos para adquirir un artículo bueno, necesario y de garantía por un precio y condiciones de venta excepcionales.

Esperamos que a vuelta de correo tendremos en nuestro poder la orden en blanco que le incluimos, debidamente llenada y suscrita por ustedes.

Somos sus más atentos servidores.

COMPAÑÍA DISTRIBUIDORA
DE LOS MIMEÓGRAFOS
«GUTENBERG»

INCLUSOS: Folleto descriptivo.
Orden de pedido.

El Representante General,

....
Fausto García Leal.

JM/FG.

Modelo N.º 33. — Carta-oferta.

474

EJERCICIOS. — ¿Cuáles son los dos detalles principales que debe tener en cuenta el que escribe una carta de oferta de productos? — ¿Qué plan para la ordenación de los párrafos de una carta-oferta es recomendable? — Redacte una carta de ofrecimieno de producto, el que usted escoja, imitando el Modelo N.º 32. — Redáctese una carta de venta, imitando el Modelo N.º 33. — Trate de aplicar la fórmula A-I-D-A en su redacción.

Lección 17

CARTAS DE OFRECIMIENTOS DE SERVICIOS
Y DE REPRESENTACIONES

En cuanto a las *ofertas u ofrecimientos de servicios y de representaciones*, puede decirse algo muy parecido respecto a las cartas de ofertas de productos. El lenguaje ha de ser sencillo y claro y la presentación, insuperable. La introducción ha de ser cortés e interesante. Después de una descripción de las cualidades y aptitudes del que ofrece sus servicios, seguida de una relación de referencias que acrediten esas aptitudes, puede agregarse una argumentación sobre las ventajas de aceptar sus servicios o la representación que se ofrece. No es muy recomendable en estas cartas precisar el sueldo u honorarios, gratificaciones o comisiones a que aspira el solicitante; es preferible que este asunto se trate posteriormente, en otra carta o en una entrevista personal.

Actualmente se usa un formulario para la solicitud de empleo. Muchas compañías ofrecen un cuestionario que el aspirante llena o contesta y con esos datos se hace la selección.

ANALICENSE Y ESTÚDIENSE LOS MODELOS 11 *Y* 12

Distinguido señor

Enterado de que usted solicita un empleado competente y de experiencia para cubrir el cargo de Secretario Particular, tengo el gusto de ofrecerle por este medio mis servicios para el desempeño del referido cargo.

Soy graduado de la Escuela de Comercio «Santos Michelena», de Caracas. Conozco bastante el idioma inglés y la taquigrafía en ese idioma. He desempeñado durante más de tres años un cargo similar en el Banco Industrial de San Juan de Puerto Rico y siento por esa clase de trabajo verdadera devoción.

Como referencias puedo presentar a usted mi expediente personal en el que figura además del Certificado de la Escuela de Comercio de Caracas, varias certificaciones de servicios especiales prestados en el Banco a que me he referido y certicaciones del Sr. Administrador del mismo Banco sobre mi conducta e idoneidad en el empleo de Secretario Particular.

Estoy dispuesto a someterme a una prueba o examen para demostrar mis conocimientos y condiciones y por ello le ruego se sirva usted concederme una entrevista para darle además cualquier otro informe que usted desee.

En espera de su grata contestación, queda muy atentamente,

....

Jacinto Rodríguez Cué.

S/C:
Calle Páez N.° 556.
VALENCIA

Modelo N.° 34. — Carta de ofrecimiento de Servicio.

OFERTA DE REPRESENTACIÓN

(Ejemplo tomado de la obra de Correspondencia
Comercial de Rafael Bori).

Señor:

El representante de la antigua usanza, aquel señor o empresa que lo mismo se dedicaba a la venta de aceites comestibles que a artículos de escritorio y novedades para señoras, no puede concebirse ya en nuestros tiempos.

La especialización en todos los ramos, en cualquiera de las materias, es totalmente necesaria e indispensable para el representante que quiera servir con interés a las Casas que honren confiándole su representación. Por ello, pensando en la forma que dejo expuesta y habiéndome especializado en el ramo de novedades para señoras, en tejidos de seda, estambre, algodón y lana, es por lo que me permito ofrecerle mis servicios como agente en esta plaza, seguro de que la cifra de negocios que podría alcanzar merecería la total satisfacción de usted.

Soy de oficio teórico en tejidos y al mismo tiempo ostento el título de profesor mercantil; ambas cosas se completan, pues mientras una me permite discutir técnicamente la calidad de un artículo y defender también a mi representado cuando se presenta el caso de una reclamación, la otra me proporciona elementos de estudio suficientes para conocer el mercado, la solvencia de los clientes y asimismo orientarles en la gestión de cualquier asunto especial en relación con empresas y negocios, lanzamiento de productos exóticos o totalmente nuevos que necesiten de una publicidad y asimismo de una organización en el sistema de venta.

Dispongo de una red de subagentes en las principales localidades de la región, que secundan mi labor y a los que visito periódicamente para estar en contacto con ellos, a fin de contagiarles dinamismo y al propio tiempo no perder aquella amistad que para la buena marcha de los negocios debe reunir todo agente comercial.

Al pie de estas líneas encontrará referencias comerciales y bancarias; no falta más, una vez informado, sino que me confíe sus muestrarios para demostrarle a las pocas semanas el resultado que expongo.

En espera de su contestación afirmativa, le presento mis respetos.

Modelo N.º 35. — Carta de oferta de representación.

Analícense este otro modelo de carta de demanda o solicitud de empleo:

Introducción interesante: *Poseer las aptitudes y experiencias necesarias para un trabajo y además sentir vocación por él, son los fundamentos de un buen empleado.*

Personalidad: *Siempre he sentido interés y entusiasmo por mi trabajo y he tratado en todas las ocasiones de superarme y mejorar mis conocimientos teniendo en cuenta la responsabilidad que contraemos al suscribir un contrato.*

Motivo de la solicitud: *Acabo de contraer matrimonio y la remuneración que estoy percibiendo en mi actual empleo no es suficiente para mis compromisos, por tal motivo aspiro a un cargo de mayor importancia. Me he enterado que ustedes necesitan un Administrador Comercial competente y por este medio solicito esa plaza.*

Expediente personal: *Soy venezolano, mayor de edad, casado y graduado de Licenciado en Administración Comercial en la Universidad Central de Venezuela; poseo también* el título de Técnico Mercantil de la Escuela de Comercio de la referida ciudad. Estoy ejerciendo mi profesión en la Compañia Petrolera Nacional, Sociedad Anónima, desde hace cuatro años.

Referencias: Puedo mostrarles mi expediente personal y recomendaciones y referencias de la Compañia en que trabajo y de personas de reconocida solvencia moral que certifican mi conducta.

Petición de entrevista: Le ruego me conceda una entrevista personal para que usted me conozca, me interrogue y pueda llegar a formar un concepto de mi personalidad.

Clausura: Estoy seguro de que mi actuación en su acreditada Compañia será de colaboración entusiasta y eficiente que redundara en beneficio de ambos.

Lo saluda atentamente y espera sus noticias,

Regino Suárez Díaz.

S/C:
Avenida 3ª N.º 114
Caracas-Venezuela
Teléfono: 559614

Modelo N.º 36.

EJERCICIOS. — ¿Cuáles son las características de las cartas de ofrecimiento de servicios y de representación. — Redacte una carta ofreciendo la representación del aceite marca VALENCIA. — Trasládelas al Álbum.

479

Lección 18

CARTAS DE PRESENTACIÓN Y RECOMENDACIÓN
CARTAS DE FELICITACIÓN Y DE PÉSAME

Estas cartas se caracterizan por su cortesía, franqueza y concisión. *Las cartas de presentación* deben presentarse abiertas por el portador, que será la persona a quien se presenta o recomienda. Se usan mucho estas cartas para los viajantes que visitan una plaza en la que no han establecido relaciones comerciales.

Las cartas de recomendación deben reflejar la verdad respecto a las condiciones del recomendado, sin exageraciones y cumplidos ridículos. Todo lo que en ellas se exponga en favor del recomendado debe ser susceptible de comprobación para justificar que la persona es digna y merecedora de tal recomendación. No debe confundirse el *certificado de servicios* con la *carta de recomendación,* esta es un documento laudatorio dirigido, como todas las cartas a una persona determinada; el certificado de servicios es un documento sin un destinatario determinado; se extiende para ser entregado a quien le interese conocerlo.

Las cartas de felicitación a los empleados son estimulantes y enaltecedoras. Deben ser francas, concisas y precisando el asunto por el cual se felicita.

ANALICE Y ESTUDIE ESTOS MODELOS:

Estimado amigo:

El portador de la presente, Sr. Jacinto Buenavista, es nuestro nuevo viajante que ha remplazado al Sr. Ricardo Pérez, a quien tantas atenciones ustedes dispensaron.

El Sr. Jacinto Buenavista se propone continuar esas gratas relaciones comerciales y espera que ustedes le favorezcan con sus valiosos pedidos.

Aprovechamos esta oportunidad para desearles muchas pros-
peridades en sus negocios y esperamos le dispensen ustedes
una buena acogida a nuestro nuevo viajante.

Muy atentamente,

Modelo N.º 37. — Carta de presentación.

Estimado amigo:

El portador de la presente, es el Sr. Lorenzo Núñez, anti-
guo empleado de esta casa a quien apreciamos muchísimo por
sus méritos, condiciones de carácter y honorabilidad.
El Sr. Lorenzo Núñez, por motivos de familia tiene necesidad
de trasladarse a la ciudad de Mérida y desea obtener un empleo
en la fábrica que su socio Don Marcial López allí posee.
Tanto él como nosotros, hemos pensado que si usted influ-
yera con su socio sería posible obtener el empleo anhelado.
Por ello le rogamos que usted preste al Sr. Núñez su valiosa
cooperación y protección.
Esperamos vernos complacidos y le anticipamos las gracias
por su benemérita acción que usted posiblemente realizará en
favor de nuestro antiguo empleado.

Somos sus afectísimos amigos,

Fonseca y Torres.

Modelo N.º 38. — Carta de recomendación.

Estimado amigo y compañero:

Estamos muy complacidos por la actuación suya al frente
de nuestra agencia en esa ciudad. Las ventas han aumentado
considerablemente desde hace dos meses y todo se debe a su
diligencia e idoneidad.

La Dirección de esta empresa me encarga le dirija una cor-
dial felicitación por su plausible comportamiento y le notifique
la resolución de mejorar su categoría como agente especial.

Lo saluda muy afectuosamente su amigo y compañero,

Modelo N.º 39. — Carta de felicitación.

481

Cartas de pésame: Aunque de un verdadero carácter social la carta de pésame suele emplearse mucho en la correspondencia comercial por cortesía con los clientes y compañeros de negocios. Estas cartas deben ser sencillas, de poca extensión y lo más espontánea posible. Ejemplo:

Estimado amigo:

Nos ha sorprendido la desagradable noticia del fallecimiento de su señor tío, Jaime González Roque, persona a quien estimábamos sinceramente por sus excepcionales dotes de caballerosidad, honradez y cultura.

Al perder usted un familiar tan querido perdemos nosotros a uno de nuestros mejores amigos, por ello nuestra condolencia muy cordial, servirá de consuelo a usted y a sus demás familiares.

Hacemos extensivo nuestro pésame a todos los miembros de su familia, que lamentan la desaparición del bueno de Don Jaime.

Muy cariñosamente,

Modelo N.º 40.

NOTA: Véase el modelo que aparece en la 2.ª Parte de esta obra: Apéndice I, Pág. 387.

EJERCICIOS. — ¿Cómo deben ser las cartas de presentación? — ¿Cuáles son las características de una carta de recomendación? — ¿Cómo deben ser las cartas de felicitación a empleados? — Redacte una carta de presentación imitando el Modelo N.º 37. — Haga una carta de recomendación de un antiguo empleado de correos que ha quedado cesante y desea colocarse en una empresa comercial. — Haga una breve carta de felicitación inventando el motivo. — Redacte una carta de pésame.

Lección 19

CARTAS DE RECLAMACIÓN. SUS RESPUESTAS

Estas cartas encierran una queja, una demanda, una reparación o una lamentación debida a un olvido o descuido. Aunque en el fondo se pretende exigir y reclamar, la forma de la carta ha de ser de estilo cortés y comedido. Además debe ser muy clara y convincente, de modo que el error y el perjuicio ocasionado se acepten por el culpable.

A veces el reclamante no tiene toda la razón, entonces el reclamado debe contestarle con mucho tacto y diplomacia para convencerlo de su error y no lastimar su sentimiento, sin embargo no debe terminarse una transacción hasta que el cliente se declare satisfecho y convencido.

La contestación, además de ser cortés y delicada, debe efectuarse inmediatamente de recibirse la reclamación, así se da una buena impresión al cliente sobre la rápida atención que se ha prestado a su asunto.

Las cualidades de la carta de reclamación han de estar de acuerdo con las reglas de la buena educación o los preceptos de la urbanidad, pues aunque uno se crea con derecho a la reclamación y con toda la razón para exigir, no debe ser violento en la exposición, sino cortés, mesurado y claro en los términos de la reclamación. Hemos dicho que debe hacerse la petición o reclamación con claridad porque es conveniente hacer mención del error o equivocación en forma tal que no traiga posteriores discusiones o controversias. En cuanto a las cartas de contestación a las de reclamación, no debe olvidarse que deben resolverse por la cortesía y lo juicioso del análisis de la cuestión. En ella debe reconocerse el error, si existe, y subsanarse. En el caso de que no sea justificada la reclamación, deberá razonarse perfectamente la respuesta a fin de no molestar ni herir al cliente; así las explicaciones serán claras y corteses.

Las empresas bien organizadas tienen un departamento de *ajuste*, transacción o convenio que estudia cuidadosamente el problema. *Ajustar* una queja o reclamación quiere decir ponerse de acuerdo con el reclamante, es decir establecer un convenio mutuo que satisfaga a ambos.

Veamos algunos modelos:

Señores:
Lamentamos muchísimo comunicarles que gran parte de las mercancías que ustedes nos enviaron en el vapor «Niágara» y que llegaron a nuestro poder el día 14 de mayo del presente año, se encontraban en muy mal estado. Casi todos los relojes se mojaron, y están oxidados totalmente, algunos de ellos inservibles. Otro tanto ha pasado con las lámparas, muchas de ellas se hallan muy deterioradas por la humedad.

Esperamos que ustedes apreciarán el perjuicio que nos ocasiona este accidente el cual achacamos a la imprevisión de su embalador, y nos concedan sobre el precio facturado, una bonificación de un 15 % que nos permita cubrir las pérdidas que el deterioro de la mercancía nos produce.

En la confianza de que ustedes nos complacerán en nuestra justa petición, quedamos pendientes de sus noticias favorables.

Muy atentamente,

....

Modelo N.° 41

CONTESTACIÓN A UNA RECLAMACIÓN

Nos ha ocasionado verdadera pena la carta del día 23 en que ustedes se quejaban de haber recibido mercancías distintas a las solicitadas. Agradecemos muchísimo la tolerancia y atención que ustedes han tenido para con nosotros al dejar que pasaran tantos días sin hacer la reclamación. Sepan que si nos hubiéramos dado cuenta del error, inmediatamente lo hubiéramos subsanado.

Por las investigaciones que realizamos comprobamos que un descuido de nuestro expedidor fue la causa de que su pedido se trastornara con el de otro apreciable cliente. En estos momentos que les escribimos la presente carta, les estamos enviando las mercancías por ustedes solicitadas.

Les rogamos nos remitan las enviadas primeramente y carguen en nuestra cuenta todos los gastos que ocasione su devolución.

*Les suplicamos nos disculpen esta vez y prometemos que en
lo sucesivo no se repetirá el caso que tanto lamentamos.*

Modelo N.º 42

ESTÚDIESE ESTE OTRO EJEMPLO:

*Sr. Don Narciso Cifuentes,
Gerente de LA OCEÁNICA,
Barcelona.*

Distinguido cliente:

*Nos ha apenado muchísimo su carta del día 15 en que usted
se queja de haber recibido mercancías en mal estado y por
consiguiente pide la indemnización correspondiente.*

*Aunque achacamos la culpa a la empresa de transportes que
desde la última huelga viene prestando sus servicios en una
forma bastante deficiente, queremos que un cliente como usted
no se perjudique en este caso.*

*Por estos motivos le estamos enviando una nueva remesa
del pescado por usted solicitado y hemos tomado un especial
cuidado para que llegue a su poder lo más pronto posible y en
las mejores condiciones.*

*Nuevamente le expresamos nuestra pena por lo sucedido
y esperamos que usted quede satisfecho de nuestra atención
al resolver inmediatamente este problema.*

*Le reiteramos nuestra más distinguida consideración y que-
damos muy atentamente a sus órdenes.*

COMPAÑÍA INDUSTRIAL DE PESCA.

Modelo N.º 43

EJERCICIOS. — ¿Qué son las cartas de reclamación? — ¿Cuáles son
las principales cualidades de una carta de reclamación? — ¿Cómo debe
ser la carta de contestación a la carta de reclamación? — Escriba una
carta de reclamación imitando el Modelo 41. — Escriba la contestación
a la carta de reclamación anterior.

Lección 20

CARTAS DE PETICIÓN DE PRÓRROGA

Las cartas en que se pide una *prórroga* para el pago, han de ser sinceras, fehacientes, es decir, que en su exposición se vea claramente el propósito de cumplir lo que se ofrece y las causas verdaderas que han servido de fundamento para la petición. Conviene que la fecha de estas cartas sea anterior a la del vencimiento de la deuda. Véase este ejemplo:

Apreciables señores:

El próximo día 26 del presente mes vencerá el plazo para el pago de su factura N.º 114 de $578.34, y es el caso que, debido a las dificultades y entorpecimientos de nuestro negocio con motivo de las huelgas producidas durante este mes, me veo imposibilitado de cumplir con ustedes como siempre ha sido mi costumbre.

Por lo expuesto, les ruego muy encarecidamente, me prorroguen el plazo de vencimiento del pago de dicha factura hasta el día 15 de marzo venidero, con la seguridad de que en esa fecha cumpliré debidamente mi compromiso.

Espero me traten con benevolencia ya que siempre he cumplido muy correctamente con ustedes y por ello les anticipa las gracias, su afectísimo amigo y servidor,

....

Modelo N.º 44

Véase ahora la contestación a la carta anterior:

Estimado señor:

Acusamos recibo de su atenta carta del día de ayer en la que nos pide una prórroga para el pago de la factura N.° 114 por valor de $578.34 y que vence el día 26 del presente mes.

Nos hemos dado exacta cuenta de su situación y de los motivos que le obligan a solicitar dicha prórroga; teniendo en cuenta todas esas circunstancias y además, la de que usted siempre ha cumplido correctamente, nos place comunicarle que accedemos a su solicitud.

Una vez más le reiteramos nuestra consideración y estima.

....

Modelo N.° 45

RECOMENDACIONES sobre la redacción de las cartas de *reclamación*, de *quejas*, de *solicitud de prórroga*, de *cobros*, etc.

1. — No olvide que en toda carta comercial debe procurarse mantener la buena voluntad en las relaciones; lo práctico es atraer y no repeler; construir y no destruir.

2. — Hay que ser tolerante y paciente: razonar, reflexionar antes de decidir. Perder un cliente siempre es perjudicial. Es necesario fundarse en datos veraces y ser justo, cortés y correcto en las decisiones.

EJERCICIOS. — ¿Cómo deben ser las cartas de solicitud de prórroga? Redacte dos cartas: Una solicitando la prórroga y otra contestando.

Lección 21

LAS CARTAS DE CRÉDITO. SOLICITUD DE UN CRÉDITO
CARTAS CON QUE SE RELACIONA. LA CARTA.
ORDEN DE CRÉDITO

Muchas veces el *crédito* está basado en la buena fe, la confianza y el concepto de responsabilidad moral del deudor. Generalmente vale más la reputación, el prestigio, la seriedad y la capacidad para los negocios, que el propio dinero. La mayor parte de las transacciones comerciales se realizan *a crédito*. *Conceder crédito* es conceder capital, mercancías, a pagar en determinadas circunstancias o condiciones. El *crédito mercantil* al por mayor es el que una firma concede a otra cuando se compran mercancías para revenderlas. Por lo general se establecen compromisos de pagos desde 30 hasta 120 días. Esto sucede en la venta de mercancías en consignación y en otros convenios comerciales.

La seguridad de un *crédito* puede ser basada en la *garantía personal* del deudor. También puede estar basada en una *garantía colateral:* por valores como acciones, bonos, hipotecas, propiedades, cuentas bancarias, etc.

Los departamentos comerciales que tienen acción constante en los problemas de crédito son los de venta y cobros. Generalmente el crédito se basa en una *información fidedigna,* por eso las cartas de *solicitud de crédito* están íntimamente relacionadas con las de *informes* y *referencias*.

Hay que distinguir dos tipos de *cartas de crédito:* La que solicita un crédito y sus derivadas, y la llamada carta orden de crédito que ordena el pago de cierta cantidad a determinada persona.

La carta de *solicitud de un crédito* puede ser una simple carta de trámite o una carta de esfuerzo argumentativo. Se considera carta de trámite cuando la constituye un formulario en el que se exponen importantes datos. Veamos este ejemplo:

Estimados señores:

Les ruego me concedan un crédito a mi nombre por la cantidad de mil pesos y en las condiciones de pagos que ustedes especifiquen.

Con esta carta va una hoja o formulario debidamente llenada con todos los datos relativos a mi posición económica.

En espera de sus noticias, quedo muy atentamente,

Modelo N.º 46

Las cartas que se derivan de la solicitud de un crédito pueden ser: petición de informes o referencias; concesión del crédito o negación del mismo.

Veamos este ejemplo de solicitud de informes:

Apreciables señores:

El Sr. Roberto Sarmiento Pérez nos ha solicitado un crédito por la cantidad de mil pesos y entre las referencias nos indica su acreditada casa.

Mucho apreciaremos su colaboración si nos devuelve el cuestionario adjunto debidamente contestado.

Nos ofrecemos para corresponder con ustedes en caso similar.

Muy agradecidos.

Modelo N.º 47

Ya vimos en la Lección 11.ª las características de las cartas de petición de informes personales o de mercados y sus respuestas. Repase el alumno la referida Lección.

Analicemos ahora una carta en la que se concede el crédito solicitado:

489

Señor Roberto Sarmiento Pérez,
Bolívar N.° 567,
CIUDAD.

Estimado señor:

   Accedemos gustosamente a su solicitud y le hemos abierto una cuenta de crédito por la cantidad de mil pesos ($1,000.00).

   Las cuentas se presentarán en la primera semana de cada mes y esperamos que el pago se realice a los treinta días.

   Envíenos sus órdenes las que recibirán nuestra inmediata atención.
   Muy atentamente,

Modelo N.° 48

Las cartas en las que se niega el crédito solicitado son muy delicadas: en ellas debe argumentarse sobre los inconvenientes que impiden la concesión en forma que no moleste ni produzca una mala impresión, tratándose además, de dar cierta esperanza de concesión en otra oportunidad. Es muy posible que en un futuro próximo, el solicitante esté en condiciones favorables y entonces merezca la concesión del crédito.

   Estúdiese este modelo de contestación desfavorable:

Señor:

   Por circunstancias especiales nos hemos visto obligados a no abrir cuentas de crédito por un período determinado, por tal motivo nos apenas informarle que no nos es posible acceder por el momento a su solicitud. Sin embargo, estamos dispuestos a servirle sus pedidos de mercancías efectuando los pagos por medio de pagarés, fechados en forma escalonada para su mayor facilidad. Además, si usted efectúa los pagos al contado podemos hacerle un 5 % de descuento.

   En cuanto cambien las circunstancias que nos impiden conceder créditos estudiaremos nuevamente su solicitud.

   En espera de sus gratos pedidos, quedamos a sus órdenes.

Modelo N.° 49

Las *cartas de crédito* tienen también el carácter de una carta-orden que se dirige personalmente a un corresponsal para que abone, total o parcialmente, determinada cantidad a un viajante, agente o persona relacionada con el ordenador. Los datos que en ellas deben figurar son: Nombre y dirección del corresponsal o entidad a quien se da la orden; nombre del portador de la carta de crédito a quien se entregará el dinero; cantidad a que asciende el crédito; período de tiempo por el que estará vigente; petición de justificantes o comprobantes. La carta deberá ser firmada por el ordenador y por el interesado a quien se extiende el crédito.

Véase este ejemplo:

Sr. Dr. Juan López Hernández,
Corresponsal de Manuel Espejo y Co.
Ciudad Bolívar, Venezuela.

Estimado corresponsal:

El portador de la presente, Sr. D. Pedro González, quien conmigo suscribe esta carta, lo visita para asuntos relacionados con nuestro negocio y solicitará de usted algunas sumas, las cuales se servirá entregarle hasta la cantidad de quince mil bolívares y durante el trimestre que comienza en esta fecha.

Las cantidades que usted le facilite al Sr. Pedro González, se servirá cargarlas en nuestra cuenta y a la vez me remitirá los justificantes correspondientes.

Le anticipa las gracias más sinceras su afectísimo amigo y compañero.

....
Pedro Espejo.

....
Pedro González

Modelo N.° 50

Estúdiese este otro ejemplo de una carta de recomendación y crédito dirigida a tres señores distintos y residentes en distintas plazas, llamada también circular o en mancomún.

Caracas, 4 de enero de 1973.

Sres. Castellanos y Cía., Madrid.
Sres. Pérez y López, Oviedo.
Sr. Ramiro Suárez, Barcelona.

Muy estimados señores:

El portador de la presente, es el señor Antonio Samaniego, que va a realizar un viaje por varias capitales de España en asuntos relacionados con nuestro negocio.

Les hacemos por este medio una especial recomendación de dicho señor, ya que se trata de una persona a quien mucho apreciamos y que tendrá necesidad de sus consejos, indicaciones y ayuda económica. Pueden ustedes proporcionarle dinero hasta la cantidad de cinco mil pesetas, en mancomún, préstamos que cargarán ustedes en nuestra cuenta.

El Sr. Antonio Samaniego ha firmado al pie de esta carta y agradecerá, como nosotros, las atenciones que ustedes le dispensen.

Le anticipamos las gracias y somos sus más atentos servidores,

Bolívar y Sucre, S en C.

Antonio Samaniego.

Modelo N.º 51

Además de la *carta comercial de crédito*, citada anteriormente, existe la llamada *carta bancaria de crédito*. El interesado deposita su dinero en el banco y éste le extiende la carta de crédito que tiene carácter de giro. La utilizan los viajeros. Actualmente se sustituye por los llamados «*traveller's checks*».

EJERCICIOS. — ¿Qué es el crédito? — ¿Cómo se garantiza un crédito? ¿Cuáles son las distintas cartas del crédito? — ¿Qué puede decir de las cartas de solicitud de informes sobre petición de un crédito? — Redacte una carta solicitando un crédito. — Escriba una respuesta favorable y otra respuesta desfavorable. — ¿Qué se recomienda para la mejor redacción de estas cartas? — ¿Qué son las cartas de crédito para los viajantes? — Redacte una carta orden de crédito expedida por el señor Roberto Menéndez, a tres meses, por dos mil pesos, en favor del señor Tomás Díaz y contra el corresponsal en México del primero de los señores expresados. Traslade esas cartas al Album.

Lección 22

LAS CARTAS DE COBRO. PRINCIPIOS SICOLÓGICOS DE ESTAS CARTAS. LA CARTA DE COBRO AISLADA. LA SERIE DE CARTAS DE COBRO

Cartas de cobros: No todos los comerciantes tienen la suerte de que sus clientes paguen inmediatamente o en el período de tiempo prudencial sus cuentas y obligaciones. Existen muchos morosos en los pagos a quienes hay que dirigir a veces más de una carta solicitando el pago de la deuda. A veces el deudor puede tener razones poderosas para alegar, por ello antes de proceder judicialmente contra él y antes de amenazarlo con la acción judicial es indispensable escribirle una carta o dos muy atentas y corteses en las que se le recuerda la obligación que tiene de abonar la cuenta.

Características de los deudores: Son muchos los tipos de deudores y difícilmente podría hacerse una amplia clasificación de ellos; concretamente pueden enumerarse así:

1. — Los que no esperan la notificación para pagar: cumplen su compromiso espontánea y oportunamente.

2. — Los que esperan la notificación y pagan en seguida.

3. — Los que tienen dificultades y solicitan una prórroga con una exposición de argumentos justificativos.

4. — Los que son maestros en presentar excusas con promesas incumplidas.

5. — Los que necesitan de un fuerte estímulo y a veces la amenaza de una actuación judicial.

De acuerdo con las características de los deudores, vemos que los del tipo 1, no necesitan ninguna carta, sólo la que acusa recibo de pago. Para los del tipo 2, solamente la *carta de cobro* aislada, es decir, una sola carta sencilla, cortés, en la que se le recuerda el pago. Pero para los demás, se hace necesario redactar una *serie de cartas* coordinadas.

A veces esta *serie de cartas* llega hasta el número cuatro o cinco y en ellas gradualmente se irá disminuyendo la cortesía hasta llegar a un estilo fuerte y amenazador. Así, la *primera carta de cobro*, debe ser atenta aunque firme, y facilitar al cliente una forma viable para resolver su deuda.

A veces se aprovecha para ofrecer una nueva venta, y este recurso hace despertar en el deudor confianza y lo inclina a cumplir su compromiso.

La *segunda carta de cobro*, si la primera no tuvo éxito, será de tono más firme pero no descortés; debe ser además, breve y anunciadora de que el pago deberá efectuarse dentro de un corto plazo.

La *tercera carta de cobro*, si es que la segunda no fue atendida, debe ser mucho más fuerte que las anteriores y algo amenazadora; si se tiene la impresión que por medio de cartas no se va a lograr el cobro, esta tercera debe cerrar la serie y en ella se informará al deudor que, de no pagarse inmediatamente la cuenta, se llevará el asunto a los tribunales de justicia.

PRINCIPIOS SICOLÓGICOS DE LAS CARTAS DE COBRO:

La redacción de estas cartas merece un especial cuidado, y antes de procederse a su redacción, debe meditarse y reflexionar sobre varios aspectos sicológicos que forman las siguientes reglas:

a) Estudie bien todas las circunstancias relativas a la cuenta, al deudor, y a las causas de la demora en el pago.

b) Procure atraerse la voluntad del cliente deudor por medios originales, novedosos y que despierten simpatía aunque sin demostrar debilidad. Ofrézcale la oportunidad de nuevos pedidos.

c) Despierte el sentimiento de responsabilidad, del amor propio del deudor para hacerlo reaccionar favorablemente.

d) Sea cortés, razonable; no muestre desconfianza; no use expresiones ofensivas.

e) No se impaciente; insista periódicamente y gradualmente en el pago de lo adecuado.

f) Decídase por la acción judicial cuando esté plenamente convencido de que ya no hay otro recurso.

g) Aquellas cartas eficaces que convencieron al deudor, pueden servirles en otras ocasiones similares: consérvelas.

Veamos un ejemplo de carta de cobro aislada:

Estimado cliente:

Como es costumbre el día último de cada mes recibimos los pagos de nuestros clientes. Sabemos que usted es uno de nuestros mejores colaboradores y por ello esperamos que como en otras ocasiones, nos envíe el importe de su adeudo oportunamente.

Le anticipan las gracias, sus atentos servidores.

Pérez y García.

Modelo N.º 52

Si esta carta no diere el resultado anhelado se inicia *la serie de obros,* constituyendo por lo tanto esta la primera.

1.ª
Sr. Felipe González y Pérez
Ciudad.

Estimado cliente:

La pasada semana le escribimos una carta recordándole su cuenta pendiente de pago, la cual asciende a $156.78, y como quiera que no hemos recibido contestación, hemos pensado que posiblemente se haya extraviado dicha carta.

En nuestra carta anterior le llamábamos la atención sobre la demora del pago, pues han pasado ya más de treinta días de la entrega de las mercancías cuyo importe le reclamamos.

Le rogamos encarecidamente nos informe los motivos por los cuales usted no ha enviado el cheque correspondiente por si existen razones justificadas que nosotros podamos apreciar.

Esperanzados en tener más suerte con esta segunda carta, quedamos muy afectuosamente a sus órdenes,

Cándido Soto y Cía.

Modelo N.º 53

2.ª

Estimado cliente:

Hemos estado esperando durante varios días el importe de la cuenta que nos adeuda sin que hasta el momento en que escribimos esta carta haya llegado a nuestro poder.

Ese retraso en el pago nos ha extrañado mucho ya que al iniciar nuestras negociaciones, usted se comprometió a pagarnos con puntualidad.

Le rogamos muy encarecidamente haga un esfuerzo y nos envíe, lo más pronto que le sea posible, el importe de la cuenta adeudada.

Somos muy atentos amigos y servidores,

....

Modelo N.º 54

3.ª

Estimado señor.

Nuevamente nos dirigimos a usted para recordarle el cumplimiento del compromiso contraído con nosotros. Su cuenta está aún pendiente de pago y nos es imposible esperarlo más tiempo.

Nuestro sistema de administración no nos permite concederle más plazos y por consiguiente, insistimos en que a vuelta de correo se sirva enviarnos la suma adeudada.

Sentimos manifestarle que si usted no nos complace en nuestra legítima petición, nos veremos obligados a proceder judicialmente, cosa que lamentamos, ya que era nuestro deseo mantener muy amistosas relaciones con usted.

Quedamos en espera de sus noticias,

....

Modelo N.º 55

EJERCICIOS. — ¿Cuáles son las principales características de las cartas de cobro? — Cite algunos de los principios sicológicos en la redacción de estas cartas. — ¿Qué es la carta de cobro aislada? — Redacte una serie de tres cartas de cobro.

496

Lección 23

LAS CARTAS DE VENTA Y DE PROPAGANDA
SERIE DE CARTAS DE VENTA

La carta de venta es más personal; de circulación más limitada y de destinatarios seleccionados.

La carta de propaganda es amplia, detallada en razones y descripciones; con ilustraciones, folletos, etc. Como se dedica a múltiples destinatarios no tiene un verdadero carácter personal. Se produce en mimeógrafo o imprenta y en forma de *circular*.

Con todas esas características que la distinguen de la llamada *carta de venta aislada,* es en el fondo una verdadera carta de venta que propaga ampliamente las cualidades de un producto, de un servicio, de una institución, de una campaña, de una edificación, etc. Por su redacción basada en principios sicológicos propaga ideas que influyen a despertar *interés* y *deseo* de adquisición y por lo tanto de *compra,* finalidad de toda campaña para vender.

Invitamos al estudiante a repasar la Lección 15.ª sobre las cartas de esfuerzo argumentativo, y especialmente lo referente a los principios sicológicos para la redacción de las *cartas de venta.* Todas esas recomendaciones son aplicables a las cartas de propaganda, a las de venta aislada y a las series de cartas de venta. Rememore y aplique la fórmula A-I-D-A. (Atención, interés, decisión, acción).

Agregue a estos conocimientos las recomendaciones siguientes para la redacción de las *cartas de propaganda:*

1. — Estúdiense cuidadosamente las características del producto, objeto o propósito que se va a ofrecer.
2. — Reúna y ordene todas las ideas que desee exponer.
3. — Haga un plan o esquema general para la más lógica exposición de esas ideas, sin olvidar los principios sicológicos.
4. — Seleccione una frase brillante, un aforismo, un refrán, una pregunta, etc., para el comienzo.
5. — Escriba la minuta o borrador, guiado por su inspiración sin preocuparse de la extensión.

6. — Léala varias veces; haga la autocrítica; elimine aquello inadecuado; haga las correcciones gramaticales correspondientes hasta encontrar el trabajo correcto y claro.
7. — Mejore el estilo y asegúrese que la carta es atractiva, interesante, convincente, estimulante a la aceptación de lo ofrecido.
8. — No olvide que su presentación ha de ser limpia, artística, atractiva.

Examínese y estúdiese este modelo de carta de propaganda:

Estimado señor:

El poeta chino Huan Chan Ku dice: «El sabio que se ha pasado tres días sin leer, nota en seguida que su palabra carece de sabor y que la imagen de su rostro en el espejo se ha tornado fea».

Este fenómeno no ocurre sólo al sabio, nos sucede a todos; pero no nos damos cuenta de él. Palpamos sus resultados en la poca capacidad para extendernos en la exposición de los problemas vitales de la época, en la pobreza de vocabulario y en que nuestra conversación no despierta interés en los oyentes; pero no identificamos cómo la causa de tales defectos es la falta de lectura.

Hoy, debido a la falta de tiempo para hacer la lectura de un libro o de un artículo, se deja notar más la carencia de saber en nuestra plática. Esto, sin embargo, no quiere decir que la inquietud intelectual por leer piezas bien escritas ha desaparecido.

Los editores de la Revista X de la que le enviamos un ejemplar de muestra, conocedores de este problema, han lanzado la revista que se amolda a ambas condiciones de la época: Requiere poco tiempo para su lectura, contiene, compendiados, los mejores artículos de interés permanente, que aparecen mensualmente diseminados en las numerosas revistas y periódicos y, además, la publicación condensada de un libro de éxito.
Lo invitamos a que se incorpore a este movimiento contra la inercia intelectual, suscribiéndose a nuestra revista.

Atentamente,

(Modelo tomado del libro La Psicología en la Correspondencia Comercial, por Ana M. O'Neill).

Modelo N.º 56

Fácilmente puede comprobarse que en la carta anterior se ha aplicado la fórmula A-I-D-A, pues en primer término se despierta la *atención* y el *interés* del lector, hasta llevarlo a la *decisión* de hacerse suscriptor, es decir a la *acción*.

Veamos ahora un ejemplo de carta de venta aislada:

Distinguida señora:

El otro día pasé por su casa, esa bonita mansión que usted posee en un barrio tan distinguido. En verdad me produjo muy buena impresión el aspecto arquitectónico de su atractivo hogar; pero existe un detalle que resta belleza y perjudica al conjunto de la artística fachada: su pintura deteriorada, desteñida, realmente feucha.

La industria de la pintura ha progresado mucho en los últimos tiempos y hoy contamos con productos excelentes para interiores y fachadas. Son pinturas a base de goma, que se caracterizan por su resistencia a la intemperie, por el bello acabado y por su gran duración; además la diversidad de colores y tonos dan la facilidad de escoger el más adecuado.

Nuestra Empresa cuenta con un gran surtido de esas pinturas y con expertos decoradores que estudian cuidadosamente el proyecto más conveniente para la obra de restauración y embellecimiento.

Ponemos a su disposición nuestro personal y nuestro material para ofrecerle un trabajo garantizado, eficaz y lo que es mejor: muy económico.

Sólo necesita usted hacernos una llamada por nuestro teléfono F1-4445 o enviarnos una carta y en seguida la atenderemos.

Piense que su magnífica casa-hogar bien se merece la mejor pintura del mercado para su conservación y embellecimiento.

A sus órdenes,

Suárez y Menéndez.

Modelo N.º 57

SERIES DE CARTAS DE VENTA:

En las cartas circulares que se usan para la propaganda con el fin de realizar alguna venta, se emplea mucho el sistema de las series de cartas. A veces la serie la constituyen dos cartas; otras veces son tres o más las que componen dicha serie. La cantidad de cartas depende de la clase de artículo, de la utilidad que pueda producir y del propósito del anunciador o propagandista. Hay artículos que se venden inmediatamente con sólo una carta, y sin embargo. otros necesitan de cuatro o más para llegar a convencer al comprador.

Las cartas que componen la serie han de estar graduadas. La mejor oferta se hace en la primera carta y es recomendable mantenerla en las cartas siguientes, pues los cambios de precios producen desconfianza en el comprador. Las demás cartas, segunda, tecera, etc., deberán constituir por sí solas una oferta, es decir, serán independientes de la primera y ellas entre sí. Debe estudiarse de antemano el plan para el envío de una y otra. El propósito principal de la serie es que si la primera carta no dio resultado, la segunda deberá redactarse en un grado de más atracción a fin de lograr el fin perseguido; si la segunda no lo consigue, se envía la tercera, y así sucesivamente, sin desmayar, hasta obtener el éxito halagüeño, es decir, la venta.

ANALÍCENSE Y ESTÚDIENSE estas tres cartas de venta que constituyen una serie:

Compañía de Extinguidores
«PLUTON»
Apartado 468
Tegucigalpa - Honduras

Tegucigalpa, 11 de febrero de 1973.

Estimado señor:

En los establecimientos y fábricas como la suya son frecuentes los incendios que si no se atacan inmediatamente en su inicio, pueden tomar proporciones notables que destruyan totalmente las mercancías y el edificio. Si cada casa expuesta a estos accidentes estuviera preparada para evitar su propagación, ¡cuántas catástrofes se evitarían!

Nosotros le ofrecemos el medio de evitar una conflagración vendiéndole el EXTINGUIDOR PLUTON, aparato apagador de incendios de cualquiera naturaleza que estos sean. El fluido que este aparato arroja no causa daños ni deterioro a los objetos que baña. Está construido de un material muy liviano; su peso es de unos tres kilos y sus dimensiones son muy pequeñas: tiene 35 centímetros de largo por unos 7 de diámetro. Además presenta un aspecto elegante, más bien parece un adorno de pared que un extinguidor de incendios.

El manejo del aparato es fácil y seguro, hasta un niño puede usarlo sin peligro y sin dificultad, pues las instrucciones para su uso son sencillísimas. Es verdaderamente un objeto práctico e imprescindible para la seguridad de su establecimiento.

El precio que hemos señalado al EXTINGUIDOR PLUTON es de $10.00, incluso los gastos de envío. Con esta carta le remitimos un folleto en el que aparece dibujado y se dan más detalles.

Medite sobre los beneficios que un artículo tan barato puede producirle en su negocio y mándenos en seguida su apreciable orden.

De usted muy atentamente.

COMPAÑIA DE LOS EXTINGUIDORES
«PLUTON»
El Director General
Jaime Fire.

Incl.
R.S./J.F.

Modelo N.° 58

I I

Estimado señor:

Hace varios días tuvimos el gusto de escribirle acerca de nuestro **EXTINGUIDOR PLUTON** *y con la carta le enviamos un folleto explicativo del mismo. Posiblemente se haya extraviado y por ello no hemos recibido su grata respuesta.*

EL EXTINGUIDOR PLUTON *es un aparato apagador de incendios que no debe faltar en ningún establecimiento y sobre todo en aquellos en que hay depósitos de materiales inflamables y explosivos. La casa que posee uno de estos aparatos está preparada para evitar una gran catástrofe.*

Este extinguidor tiene la ventaja de ser un aparato de muy fácil manejo, de seguridad en su funcionamiento y de grata apariencia. Su tamaño es reducido, no es mayor que una botella corriente y su peso no pasa de tres kilogramos. Se puede hacer funcionar con tanta sencillez que hasta un niño lo manipula sin dificultad. Y a todo esto agregue que su precio es muy económico, sólo cuesta $10.00 con los gastos de envío pagados.

Por tan poca cantidad de dinero puede usted adquirir un artículo que posiblemente le evitará pérdidas inmensas. Usted no debe pensarlo mucho y decídase hoy mismo a hacer su pedido que atenderemos inmediatamente.

Somos sus atentos servidores,

....

Modelo N.° 59

III

Apreciable señor:

En otras ocasiones nos hemos dirigido a usted para recomendarle la adquisición del magnífico EXTINGUIDOR PLUTON, aparato apagador de incendios que viene prestando excelentes servicios en muchos establecimientos que como el suyo almacenan materias explosivas e inflamables.

Los garajes de los señores López y Díaz están equipados con varios de nuestros Extinguidores y nos han enviado testimonios que comprueban la eficacia de sus servicios. Asimismo los viene utilizando la Compañía de Transporte Urbano en sus numerosos ómnibus. Podríamos citarle un sinnúmero de casas y establecimientos que han adquirido el EXTINGUIDOR PLUTON porque saben perfectamente que con este aparato se evitan conflagraciones lamentables.

El aparato, a la par que económico, pues sólo cuesta $10.00 incluso los gastos de envío, es de fácil manejo, ligero y seguro en su funcionamiento. Con esta carta le enviamos el folleto explicativo que le dará toda clase de pormenores acerca de nuestro acreditado EXTINGUIDOR PLUTON.

No dudamos que usted estará ya convencido de lo ventajoso de su adquisición y que a vuelta de correo nos escribirá pidiéndonos uno.

En espera de su grata orden, quedamos muy atentamente,

....

Modelo N.° 60

EJERCICIOS. — ¿Qué diferencia hay entre las cartas de propaganda y las cartas de venta? — ¿Qué fórmula es recomendable en su redacción, en qué consiste esa fórmula? — ¿Qué recomendaciones pueden hacerse para mejor redacción de las cartas de propaganda y venta aislada? — Redacte una carta de propaganda ajustándose a esas recomendaciones. — Escriba una carta de venta aislada. — Seleccione algunas cartas de propaganda que se publiquen en revistas o periódicos para su Álbum. — ¿Cuál es la finalidad de las series de cartas de venta? — Cite tres detalles importantes que deben tenerse en cuenta en la preparación de la serie de cartas de venta. — Escriba el alumno una serie de tres cartas para la venta de un reverbero eléctrico entre particulares. Los datos principales son: muy económico: tamaño, pequeño y manuable, rápida calefacción, precio bajo: 15 bolívares; exento de peligro, cualquier persona puede usarlo sin dificultad; tiene elegante aspecto y el envío es gratuito; además se dan dos meses de garantía.

Lección 24

VARIEDAD DE MODELOS DE CARTAS

Existe una variedad extensa de tipos de cartas que la habilidad del redactor y sus conocimientos generales de la Composición le permitirán resolver el problema de la redacción de cada una de ellas, puesto que lo esencial en todas es el texto que exprese el concepto o asunto que se quiere exponer al cliente o destinatario. En la mayor parte de esas cartas la forma de presentación es parecida, lo que realmente caracteriza la carta es su fondo o texto, y ese, si no se tiene preparación general para la composición, aunque se enseñen muchos modelos, el corresponsal no tendrá nunca el resultado apetecido, será siempre una máquina, un escritor carente de personalidad y de estilo.

Estúdiense cuidadosamente estos modelos:

Carta de *apercibimiento* o *amonestación:*

Estimado señor:

He estado comparando su hoja de servicios con la de mis otros empleados y he notado que la labor realizada por usted como representante de esta casa ha sido tan insignificante que llama poderosamente la atención.

Usted sabe que los negocios en la actualidad están sufriendo una dura crisis, que las ventas han disminuido, que los créditos son más escasos y, por todas esas razones, los representantes tienen que activar sus gestiones para compensar esos perjuicios. Necesitamos que usted cambie su conducta y nos ayude con más eficacia, de lo contrario me veré obligado a prescindir de sus servicios.

Soy su atento amigo y servidor,

Modelo N.º 61

De información:

Estimados señores:

Nos complace comunicarles que el señor Felipe Cañizares ha sido nombrado nuestro apoderado mediante escritura pública debidamente legalizada el día 15 del presente mes de enero.

Tengan la bondad de tomar nota de la firma de nuestro apoderado Sr. Felipe Cañizares, estampada al pie de la presente.

De ustedes muy atentamente,

Méndez y Cía.

Felipe Cañizares, firmará:

Méndez y Cía.
p p. Felipe Cañizares.

Modelo N.º 62

Carta para la solicitud de un préstamo:

Estimados señores:

Soy asegurado en esa Compañia por la póliza dotal número 8865443 y solicito de ustedes, por este medio, me faciliten un préstamo de $500.00, de acuerdo con la tabla que se especifica en dicha póliza y abono de interés anual de 6 %.

Les ruego envíen a un agente o empleado a recoger la póliza para que se extienda cuanto antes el referido préstamo.

En espera de una rápida atención a este asunto, quedo de ustedes, muy atentamente.

Modelo N.º 63

Carta para la aceptación de un giro:

Estimados señores:

Estamos conformes en aceptar su giro a nuestra cuenta y orden del Sr. Ramón López de esta plaza y hemos cargado en su cuenta los Bs. 2,000, importe de la letra.

Muy agradecidos por sus atenciones, quedamos de ustedes, muy atentamente,

Modelo N.º 64

505

Carta para el anuncio del vencimiento de un pagaré:

Apreciable señor:

Sirva esta carta como recordatorio de que el día 20 del presente mes de marzo, vence su pagaré que nos libró usted en pago parcial del automóvil que le vendimos.

Alrededor de esa fecha necesitamos efectuar un balance y por ello le recordamos ese vencimiento, rogándole nos envíe oportunamente el importe.

De usted muy atentemente,

Modelo N.º 65

Carta para la solicitud de un seguro marítimo:

Estimados señores:

Solicito de ustedes me aseguren los siguientes artículos que he embarcado en el vapor «Miranda», que saldrá de este puerto para New York el 5 del presente mes:
20 cajas de latas de dulce de guayaba marcadas
GTZ . . . . Bs. 657.00
30 cajas de pasta de mango marcadas GTZD . . 543.00
Les remito adjunto el conocimiento de embarque para que aseguren los referidos artículos por los valores citados.

Sírvanse devolverme dicho conocimiento de embarque al entregarme la póliza y al recibo de ésta les abonaré la prima correspondiente.

Rogándoles presten rápida atención a esta solicitud, quedo de ustedes, muy atentamente,

Modelo N.º 66

Carta de venta-propaganda:

Señora distinguida:
Hay cinco maneras de averiguar si las medias que le venden a usted como seda son o no de seda pura.
Primera: Humedecer un pedazo de seda y tratar de pasar un dedo haciendo presión sobre la parte humedecida. Si se rompe con facilidad, es seda artificial; si no se rompe es seda ciento por ciento pura.

Segunda: Estirar la media con las manos todo lo más que dé en ancho. Si al soltarse vuelve a su posición anterior, es seda pura; si se queda estirada es rayón o algodón.

La tercera prueba es comparando el peso. La seda artificial pesa como dos veces más que la seda genuina.

Cuarta prueba: Se comprime la seda entre el puño, y si al abrirse la mano, si salta es seda pura. Esto no sucede con otra clase de tejido.

La quinta y última prueba es la del fuego: Si al retirar un fósforo prendido, la media se apaga inmediatamente y despide un olor a cabello quemado, es seda genuina. Si continúa quemándose y no despide ese olor característico, no es producto animal, o sea de gusano de seda.

La Real Silk Hosiery Mills Inc., que tenemos el honor de representar en esta ciudad, la invita a presenciar la exhibición de las famosas medias Real Silk sometidas a las cinco pruebas de pureza. La esperamos y, cuando pague por seda, exija seda.

Modelo N.º 67

Oferta de producto:

Estimado señor Gutiérrez:

Sinceramente, si nosotros hiciéramos este tipo de oferta todos los días o todas las semanas, no podríamos continuar nuestro negocio.

Sin embargo, la vamos a hacer porque tenemos tanta fe en nuestro producto que estamos convencidos de que cuando usted lo pruebe se decidirá a hacer una orden completa.

Nuestra oferta es simplemente la siguiente: Haga el favor de aceptar la muestra de tinta INKO que le enviamos separadamente. Úsela y si no queda usted satisfecho y convencido de sus bondades, haga con ella lo que quiera. Si queda usted completamente satisfecho, ordene la cantidad que desee y le haremos un descuento de un 30 por ciento sobre el precio de lista.

Tendremos mucho gusto en cumplimentar su orden en 24 horas.

Modelo N.º 68

Propaganda para turistas:

Distinguida familia:

¿Se han ocupado ustedes de calcular cuánto tienen que gastar en sus vacaciones el próximo verano? Pues bien, es mejor que revisen esos cálculos porque le demostraremos que les costará mucho menos en el Hotel Oriente.

La tarifa diaria es de $5.00 en adelante. Esto incluye hospedaje, comidas y disfrute GRATIS de nuestros atractivos: tenis, natación, golf, botes y equipo de alpinismo.

Todo lo que usted necesita para unas vacaciones deliciosas se lo ofrece el Hotel Oriente. Estamos situados en el corazón de las montañas, sólo a cuatro horas de New York.

Le incluimos nuestro folleto ilustrado y una lista de personas distinguidas que han sido nuestros huéspedes.

Hónrennos con su grata visita.

Modelo N.º 69

Contestación a una reclamación:

Estimado cliente:

Debido a una inconsecuencia de nuestro departamento de crédito, le enviaron a usted una carta indicándole el envío de cierta cantidad de dinero por adelantado para mandarle las mercancías solicitadas. Nos sería muy difícil explicarle cómo sucedió esta equivocación tan lamentable. Cierta semejanza en apellidos hizo que un empleado poco cuidadoso confundiera a usted con otra persona.

Confiamos y esperamos admita esta explicación y nos disculpe. Nunca hemos puesto en duda su solvencia y esperamos que no se repetirá equivocación similar.

Las maquinarias pedidas por usted ya están empacadas y prontamente las recibirá.

Modelo N.º 70

Carta de cobro:

Apreciable cliente:

En China, la celebración del Año Nuevo constituye un gran acontecimiento. Los chinos tienen la costumbre, en ese día, de visitar a todos sus deudores y PAGAR SUS DEUDAS.

Eso inicia una cadena, pues con el dinero recibido, el acreedor paga a su vez sus deudas y así sucesivamente. Luego, todo el mundo celebra el Año Nuevo con mucha alegría, fuegos artificiales y hogueras.

Si usted quiere iniciar la cadena, podremos cerrar nuestros libros con todas nuestras obligaciones cubiertas. Aunque sea una vieja costumbre china, hay que reconocer que es una buena costumbre en cualquier país.

Quedará usted sorprendido de oír cuán alto podremos gritar: ¡Feliz Año Nuevo!
Atentamente.

Modelo N.° 71

Ofrecimiento de representación:

Señores:

He podido apreciar los méritos de sus productos y conocedor de las oportunidades que esta plaza ofrece para una buena venta de ellos me ofrezco como su representante exclusivo.

Si acepta mi solicitud muy pronto podría realizar la venta de una cantidad notable de sus artículos y sugerir un plan de propaganda para mejorar esa distribución.

Tengo gran experiencia en esta labor a la que he dedicado más de diez años y en cuanto a mi conducta, aptitudes, responsabilidad y solvencia económica pueden testimoniar las siguientes firmas conocidas:

Banco Panamericano, La Paz 155.
González y Cía, Real N.° 555.
International Electric Co., Sucre N.° 332.
Compañía Lechera Nacional, San Martín N.° 89.

Si usted lo prefiere estoy dispuesto a hacerle una visita para tratar sobre los pormenores del asunto y acordar un plan de trabajo así como el monto de las comisiones pertinentes.
En espera de sus gratas noticias, quedo atentamente,

Modelo N.° 72

Apéndice I

LAS ABREVIATURAS EN LA CORRESPONDENCIA

Es recomendable el menor uso posible de las abreviaturas en una carta comercial; el uso de las abreviaturas causa mala impresión y a veces dificulta su interpretación. Es indiscutible que luce mejor la escritura completa de las palabras usted, servidor, atentamente, cuenta, corriente, etc., que sus abreviaturas correspondientes.

Sin embargo, como que muchos corresponsales emplean todavía con frecuencia las *abreviaturas*, *expondremos* las más usuales con sus equivalencias:

$ — pesos, dólares, fuertes	Sr. — señor.
% — por ciento.	Sra. — señora.
N.º — número.	Srta. — señorita.
Etc. — etcétera.	Dr. — doctor.
@ — arroba.	Lcdo. — licenciado.
Lbs. — libras.	Cía. — compañía.
Vs. — varas.	P.D. — post data.
Yds. — yardas.	F.O.B. — franco a bordo.
L. — litro.	Ud. — usted.
m. — metro.	Atto. — atento.
Km. — kilómetro	Atte. — atentamente.
Cent. — centavos.	S.S.S. — su seguro servidor.
Q. — quintal.	S.A. — sociedad anónima.
On. — onza.	S. en C. — sociedad en comandita.
Dna. — docena.	s/c — su cuenta.
Cta. — cuenta.	s/l. — su letra.
Cte. — corriente.	Id. — ídem.
M.O. — moneda oficial.	a.m. — ante meridiano.
M.N. — moneda nacional.	p.m. — pasado meridiano.
Cert. — certificado.	M. — meridiano.
Cred. — crédito.	p.s. — por sustitución.
Gral. — general.	p.p. — por poder.
s/fra. — su factura.	p.o. — por orden.

Apdo. — apartado.
Depto. — departamento.
Apto. — apartamento.
Telf. — teléfono.
s/c — su casa.

S.G.N.R. — sin garantía ni responsabilidad.
Vto. Bno. — visto bueno.
Ilmo. — ilustrísimo.
Excmo. — excelentísimo.
Hon. — honorable.

OBSERVE que siempre, después de la abreviatura debe ponerse *un punto*.

Apéndice II

DECÁLOGO DE UN BUEN CORRESPONSAL

I — Seleccionar el mejor material (papel, tinta y máquina) para producir una carta atractiva, artística, impecable.

II — Reflexionar acerca de las ideas centrales, unidades de pensamientos, ideas accesorias, para lograr una composición ejemplar.

III — Seleccionar el vocabulario y el estilo para la mejor redacción.

IV — Analizar y estudiar la personalidad del destinatario.

V — Darle el tono sicológico a la carta a fin de hacerla convincente.

VI — Reflejar la personalidad del autor para evitar la apariencia de una copia.

VII — Crear buena voluntad en el lector.

VIII — Despertar interés, deseo y acción o decisión en el posible cliente.

IX — Hacer la autocrítica de la carta redactada.

X — No desalentarse: perseverar, si el resultado no es favorable.

ADICIONAL:

«No olvidar que los mejores CORRESPONSALES son los que se han aplicado al estudio del arte de redactar o sea la Composición, al mejoramiento y adopción de un estilo propio; de un conocimiento amplio y moderno de las transacciones comerciales y de las características de los negocios, experiencias completadas por el estudio práctico de los principios sicológicos que regulan las *relaciones humanas*.

Apéndice III

ALBUM DE CORRESPONDENCIA COMERCIAL: SUMARIO

1. —.Esquema de una carta comercial.
2. — Distintos modelos de sobres.
3. — Un memorándum: una tarjeta postal; un besalamano o saluda.
4. — Un telegrama, un. cablegrama y un radiograma.
5. — Una circular notificando el cambio de una razón social.
6. — Una instancia y un acta.
7. — Una carta de pedido de informes y catálogo.
8. — Una carta de pedido de mercancías.
9. — Una carta de acuse de recibo de las mercancías.
10. — Una carta de solicitud de informes personales y su respuesta.
11. — Una carta de solicitud de informes comerciales o de mercado.
12. — Una carta de solicitud de empleo o de ofrecimiento de servicios.
13. — Una carta de ofrecimientos de representación comercial.
14. — Un testimonio directo o certificado de servicios.
15. — Una carta de presentación y una carta de recomendación.
16. — Una carta de felicitación y una carta inspiracional.
17. — Una carta de apercibimiento y una carta de pésame.
18. — Una carta de reclamación, del cliente y su respuesta.
19. — Carta de dimisión o renuncia.
20. — Una carta de solicitud de prórroga para un pago y su respuesta.
21. — Dos cartas de consignación: del productor y del vendedor.
22. — Carta para solicitar un crédito y su contestación.
23. — Carta orden de crédito para un viajante.
24. — Una serie de tres cartas de cobro.
25. — Enumeración de las recomendaciones para una carta de propaganda.
26. — Modelo de una carta de propaganda y sus anexos.
27. — Una carta de propaganda redactada por el alumno.
28. — Enumeración de los principios fundamentales de una carta de venta.
29. — Una carta de venta aislada.
30. — Una serie de *tres* cartas de venta.
31. — DECALOGO de un buen Corresponsal.
32. — Características de una buena personalidad.

Apéndice IV

Un buen corresponsal debe practicar constantemente las mejores *relaciones humanas* y conocer las principales características de una ejemplar personalidad. Estudie esta enumeración:

SEA CORTÉS Y ATENTO con todo el mundo.

Una SONRISA AGRADABLE logra maravillas.

Reciba las visitas CORDIALMENTE.

El apretón de manos debe ser SINCERO Y FUERTE, nunca flojo.

Retenga en su MEMORIA los nombres de las personas que le presenten.

Cuando hable con alguien, MÍRELE A LOS OJOS.

Hable con SEGURIDAD Y CALMA, sin alzar la voz.

Huya de la CHISMOGRAFÍA y no se mezcle en asuntos privados y personales.

Evite discusiones, MANTÉNGASE SERENO, aunque lo provoquen.

Cuando esté EQUIVOCADO, admítalo PRONTO Y FRANCAMENTE.

Sea RAZONABLE, tolerante y comprensivo.

COOPERE con prontitud y entusiasmo.

ESTIMULE siempre, alabe con generosidad, critique con tacto.

AGRADEZCA todos los favores, lo mismo pequeños que grandes.

Cuando dé las gracias, hágalo EXPRESIVAMENTE, no por pura cortesía.

Sea OPTIMISTA, nunca se lamente para que no lo compadezcan.

Procure no hacer esperar a nadie, SEA SIEMPRE PUNTUAL.

Haga que se RESPETE SU PALABRA, cumpliendo estrictamente todo lo que prometa.

Sea ÍNTEGRO, correcto, sincero y leal.

Siéntase orgulloso no sólo de su trabajo, sino también de su APARIENCIA.

Procure SUPERARSE en su labor y en su conducta hoy y siempre.

Irradie AMISTAD, entusiasmo y buena voluntad.

INDICE

SEGUNDA PARTE

ESTUDIO DE LA COMPOSICIÓN. — NORMAS DE REDACCIÓN

TERCERA PARTE

ESTUDIO DE LA CORRESPONDENCIA COMERCIAL